D0414183

Jacques Attali

PHARES

24 destins

Fayard

ISBN : 978-2-213-65430-0

« *C'est un cri répété par mille sentinelles,*
Un ordre renvoyé par mille porte-voix ;
C'est un phare allumé sur mille citadelles,
Un appel de chasseurs perdus dans les grands bois !
[...]
Car c'est vraiment, Seigneur, le meilleur témoignage
Que nous puissions donner de notre dignité
Que cet ardent sanglot qui roule d'âge en âge
Et vient mourir au bord de votre éternité ! »

Charles Baudelaire, « Phares »

Pourquoi des biographies ? Pourquoi celles-ci en particulier ? En quoi ceux dont je raconte ici les aventures sont-ils des « phares » pour notre temps ? Qu'est-ce que ces textes ajoutent à ce que l'on peut trouver, sur chacun d'eux, d'un simple clic sur Internet ?

Des biographies ? D'abord pour le plaisir de raconter des destins plus fous, plus intenses, moins vraisemblables, plus riches en péripéties et en contradictions que ceux des personnages de n'importe quel roman. Ensuite parce que, dès mon enfance, j'ai été fasciné par celles qu'écrivait un biographe bien injustement oublié, André Maurois, en particulier son *Victor Hugo*. Puis, plus tard, par celles, si émouvantes, d'un autre biographe de génie, beaucoup mieux reconnu : Stefan Zweig.

Mais aussi parce qu'aucune théorie ne parle aussi bien de l'Histoire que les trajectoires fertiles en rebondissements des artistes et des découvreurs, des aventuriers et des créateurs, des révoltés et des utopistes.

Enfin, parce que ces vies nous donnent à réfléchir sur le meilleur usage possible de la nôtre. Voyageurs perdus sur de fragiles esquifs, au milieu de la tempête du temps, nous avons besoin de phares pour éclairer nos routes et orienter nos destins : sommes-nous (voulons-nous être) aussi volontaires, créatifs, obsessionnels que les gens dont il est ici question ? Serions-nous prêts à payer le prix de leurs malheurs pour obtenir leur place dans l'Histoire ?

Chaque époque se choisit diverses sortes de héros, et, selon les modèles de réussite du moment, certaines vies attirent plus que d'autres.

À toutes les époques, on a aimé à lire ou entendre les oraisons funèbres des grands de ce monde : celles que contiennent déjà l'*Odyssée* ou la Bible (récits beaucoup plus proches l'un de l'autre qu'on pourrait le croire), ou bien le *Mahâbhârata* ; ou celles, plus récentes et à maints égards indépassables, prononcées par Bossuet au moment même où apparaît, en français, le mot « biographie ».

Dans un passé reculé, quand la force était la condition de la survie, on se plaisait à lire ou à entendre l'épopée des grands guerriers, égyptiens, babyloniens ou indiens. Au premier siècle de notre ère, à l'apogée de la grandeur de Rome, Plutarque raconte encore, avec un très grand succès, les *Vies parallèles des hommes illustres*, en comparant les destinées des héros grecs et romains. Plus près de nous, certaines époques ont préféré mieux connaître le sort de personnages tragiques, mais pas nécessairement glorieux, comme pour se préparer à survivre à des lendemains qui s'annonçaient difficiles. Stefan Zweig, par exemple, dans l'entre-deux-guerres, entreprit de raconter le destin d'un Joseph Fouché ou celui d'une Marie-Antoinette, prémonitoires des drames de la terrible décennie 1935-1945.

Aujourd'hui, les biographies les plus prisées, à l'écrit ou par l'image, offrent à lire ou à voir les chemins donnant accès à la célébrité, forme médiocre et illusoire de la gloire. Ainsi publie-t-on à profusion les biographies de sportifs ou d'animateurs de télévision.

Je m'intéresse plutôt, pour ma part, au destin de ceux qui laissent une trace durable dans l'Histoire, en donnant un sens au devenir du monde, par la philosophie, l'art, la science et l'action, économique ou politique. C'est de ceux-là que je vais raconter les aventures. Ce sont ceux-là, j'en fais le pari, dont la compagnie sera bientôt la plus recherchée : notre monde a besoin de phares.

Parmi tous ceux, connus ou anonymes, qui m'inspirent et me guident, certains, malheureusement, faute de sources, ne peuvent être des sujets de biographies. J'aurais aimé, par exemple, pouvoir conter la vie d'Hésiode dont *Les Travaux et les Jours* continuent de m'illuminer, mais dont on ne sait pratiquement rien, si ce n'est qu'il vécut il y a vingt-sept siècles, quelque part dans le monde grec et qu'il essuya une longue dispute avec l'un de ses frères. J'aurais aimé aussi pouvoir évoquer la vie de l'auteur inconnu de l'Ecclésiaste, qui aurait tant voulu que l'on retînt son nom. Ou bien celle de Bruegel l'Ancien, dont on ne sait presque rien, malgré l'immensité de son œuvre. Ou bien encore celles de ces lumineuses figures dont j'ai, en passant, rapporté très brièvement la carrière dans plusieurs de mes livres, qu'il s'agisse d'Isaac Luria, de Gracia de Luna ou d'Alexandra David-Néel. Ou d'autres encore, que j'ai connus d'assez près pour être à même d'en parler : Barbara, Michel Berger, Leonard Bernstein, Michel Colucci, Indira Gândhî, Golda Meir, Ronald Reagan, Pierre Elliott Trudeau ; d'autres, enfin, souvent rencontrés, dont il me faudrait parler avant qu'ils ne soient morts, pour leur rendre un hommage autre que funèbre : Mikhaïl Gorbatchev, Henry Kissinger, Helmut Kohl, Gabriel García Márquez, Shimon Pérès, Samuel Pisar, Pierre Sudreau, Muhammad Yunus.

D'autres aussi dont on ne saura jamais rien : des paysans au savoir magnifique, des ouvriers durs à l'effort, des fonctionnaires intègres, des artisans de génie, des instituteurs passionnés, des médecins et des infirmières prêts à tous les sacrifices, des journalistes courageux, des héros oubliés ayant sacrifié leur vie pour notre liberté et notre confort, parmi tant d'autres.

Parmi ces vies qui ont exercé sur moi une influence déterminante, j'en ai déjà raconté cinq : Sigmund Warburg, Blaise Pascal, Karl Marx, Mohandâs Gândhî et François Mitterrand.

Pressé par le temps, qui ne me laissera peut-être pas mettre la dernière main à tous les livres sur lesquels je travaille, je retiens ici vingt-quatre de ces Phares : Confucius, Aristote, Açoka, Boèce, Hildegarde de Bingen, Ibn Rushd, Maïmonide, Thomas d'Aquin, Giordano Bruno, Caravage, Thomas Hobbes, Germaine de Staël, Simon Bolivar, Charles Darwin, Abd el-Kader, Walt Whitman, l'empereur Meiji, Shrîmad Râjchandra, Walther Rathenau, Thomas Edison, Marina Tsvetaïeva, Richard Strauss, Hô Chi Minh et Hampâté Bâ.

Ils viennent de tous les continents, de toutes les époques, de toutes les cultures.

Pour raconter leurs vies comme autant de courts romans, complets et clairs à la fois, je me suis appuyé sur un très grand nombre de sources ; j'ai dialogué avec un très grand nombre d'experts. J'ai essayé de décrire, selon un ordre chronologique rigoureux, les péripéties, les mœurs, les secrets de famille, le physique, la relation aux autres, les ambitions déçues, les désirs et les pulsions, bref, l'*existence* et la *raison d'être* de chacun d'eux.

En tentant de me mettre à leur place, j'ai cherché à inscrire leur réflexion, leur processus de création, leur œuvre dans leur contexte historique. Car nul n'est jamais seul responsable de ce dont il est crédité : personne ne pense seul, nul n'agit seul. Chacun n'est, par ses œuvres, que l'aboutissement transitoire de la pensée et des actes de milliers, de millions d'autres, qui ont pensé et agi avant lui, en même temps que lui, et même après lui. Car c'est au lendemain d'une vie que s'en cristallisent les conséquences : d'une certaine façon, chacun de nous pense après avoir été lui-même pensé.

Ces vingt-quatre personnages partagent de nombreux points communs : tous sont, à leur façon, des monstres d'égocentrisme, obsédés par leur destin. Tous ont connu dans leur vie au moins un revers tragique. Tous cherchent une revanche. Tous montrent une aptitude exceptionnelle à saisir le hasard quand il passe. Tous s'évertuent à répondre à la même question : comment devenir soi quand tout se ligue pour vous en empêcher ?

Ils ne sont pas tous ni toutes des modèles : quelques-uns, de par leurs dérives, incarnent même un danger qu'ils n'ont su écarter. Il n'empêche : ces Phares me guident, par leurs erreurs mêmes, vers la passe, le havre, l'abri, le refuge, l'asile, le port. Les connaître me détourne ainsi de l'écueil, du haut-fond, du péril invisible ; ils sont des lueurs dans la nuit de l'ignorance, de l'aveuglement ou du désarroi, des sources de jubilation aussi, par ce qu'ils disent de la grandeur de l'Esprit.

Même si l'on dira, une fois de plus, que c'est de lui-même que parle invariablement le biographe, j'ai essayé de faire surgir chez chacun d'eux ce qu'il y a de plus spécifique, donc de différent de moi. J'ai aussi essayé de comprendre ce qu'ils ont su faire de l'improbable. Car c'est en se saisissant de ce qu'ils attendaient le moins qu'ils ont réalisé ce qu'ils voulaient le plus. Comme le dit Héraclite, autre immense personnage à la vie si énigmatique : « Si tu ne guettes pas l'inattendu, tu ne découvriras jamais la vérité. »

En découvrant leurs aventures, on comprendra mieux, je l'espère, combien chaque vie est infiniment précieuse ; et comment des milliards de vies construisent, à chaque instant, la grande histoire de l'humanité.

1

Confucius
(– 551 – 479)
ou l'« homme de bien »

C'est en Chine, en 1973, en pleine Révolution culturelle, que j'ai entendu pour la première fois vilipender Confucius. Il était alors l'être le plus honni d'un pouvoir qui avait de bonnes raisons de détester ce qu'il représentait : un idéal d'immuabilité, un sens de l'équilibre, une apologie de la vérité, du savoir et du respect des anciens. Pour les très rares lettrés qu'on pouvait encore rencontrer et qui osaient s'avouer tels, il restait la référence muette et absolue.

Depuis lors, ce Phare ne me quitte plus quand je réfléchis à l'un des enjeux essentiels de ma vie : les hommes politiques ont-ils besoin des intellectuels pour agir ? Ou bien ne les utilisent-ils que comme des ornements anecdotiques à leurs précaires couronnes ? Autre question : la Chine d'aujourd'hui, qui reconnaît Confucius comme son maître, saura-t-elle construire l'État moral et respectueux des lois dont il rêvait au plus fort de la plus terrible période d'anarchie que traversa l'Empire céleste ? Enfin, cette interrogation essentielle qui surgit à son propos comme à celui de beaucoup d'autres personnages croisés dans ce livre : comment devenir soi quand tout conspire à vous en empêcher ?

Au moment où débute ce XXI\ₑ siècle que beaucoup décrivent comme devant être le siècle chinois, les dirigeants de ce pays choisissent en effet, depuis Deng Xiaoping, de se placer dans l'ombre tutélaire de celui qu'ils nomment Kongfuzi (Maître Kong) et que les jésuites

13

français nommèrent au XVIIe siècle « Confucius » : voix mystérieuse et forte, parlant, dictant, écrivant, agissant, au VIe siècle avant notre ère, dans l'empire agonisant des Zhou, à une époque où s'entredéchirent des principautés. Il élabore une doctrine politique et sociale érigée en « religion d'État » au IIe siècle avant notre ère par la dynastie Han, et il structure jusqu'à aujourd'hui, moyennant quelques rares éclipses, la pensée d'une grande partie de l'Asie en une morale austère et lumineuse, mêlant recommandations sur le bonheur de vivre et conseils sur le bon gouvernement de la société.

Depuis deux mille ans, les historiens chinois parlent de ce temps reculé comme de celui « des Printemps et des Automnes », par référence à une chronique contant ce qu'il advint alors, entre 722 et 481 avant notre ère, dans la région de Qufu, au sud de l'actuelle Pékin, au bord de la mer Jaune, dans le golfe de Bohai, dans l'actuelle province du Shandong que l'on nommait alors le « pays de Lu », juste avant la période dite des « Royaumes combattants ». Exactement là où vivait celui qu'on continuera à nommer ici Confucius.

Extraordinaire période, sur la planète entière, d'inquiétude morale, d'agitations politiques, de surgissements mystiques, de découvertes de la raison et de l'individu : en Inde, apparaît Gautama Bouddha, qui va doter l'Asie d'une autre de ses philosophies fondamentales ; au nord-est de l'actuel Iran, Zarathoustra fonde ce qui deviendra, sous Darius Ier, la religion officielle de l'Empire perse ; en Palestine, le second Isaïe énonce un monothéisme austère ; dans le monde grec, à Milet, l'historien Hécatée ironise sur les mythes, Thalès annonce l'éclipse de Soleil du 28 mai −585, Anaximandre dresse la première carte ionienne, représentation géométrique d'un monde circulaire centré sur la mer Égée ; Pythagore préfigure l'avènement de la science ; de l'Altaï au nord de la mer Noire, les Scythes développent leur art subtil et magnifique ; en Amérique centrale, la civilisation des Olmèques et leurs énigmatiques statues laissent la place à d'autres cultures ; en Afrique, la culture nok du Nigéria produit de sublimes terres cuites.

Maître Kong aurait connu cet état du monde. Il serait né en −551 et serait mort en −479 avant notre ère, sous la dynastie des Zhou orientaux (qui régnèrent de −770 à −256). Cette lignée ne joue plus alors le rôle unificateur et pacificateur que le Ciel confère à toute dynastie impériale ; elle n'incarne plus le principe d'immuabilité. Le pays est même alors divisé en une dizaine de principautés rivales : Jin, Qin, Qi, Wei, Zheng, Lu, Song, Zhou, Chen, Wu. Sur chacune des principautés règnent ce que l'on peut comparer aux princes et aux ducs du Moyen-Âge occidental. Ils organisent des rites complexes, liés notamment au culte des ancêtres, sans prêtres ni docteurs d'une quelconque Église, à la différence de ce qui se passe alors en Égypte, en Babylonie ou en Inde.

La société de chacune de ces principautés est très hiérarchisée : en dessous des princes il y a des ducs, des barons, des nobles plus ou moins riches ; les moins nantis de ceux-ci subsistent comme intendants ou écuyers de nobles plus puissants, ou comme « lettrés » : scribes, fonctionnaires, gestionnaires des biens privés de ministres, voire copistes ou archivistes. Ils tiennent les archives et les comptes, écrivent les codes et les rituels.

Certains de ces lettrés, mercenaires de l'intelligence, transportent leur expertise de cour en cour ; ils ne reçoivent en échange de leurs services ni charges ni domaines, seulement le titre de « conseillers ». Ils ont le droit de vivre à la cour sans exercer aucune autorité hiérarchique sur personne. Les princes les opposent parfois les uns aux autres en des joutes oratoires. Ils voyagent beaucoup : les cours les envoient en ambassades à l'occasion de toutes sortes d'événements importants. De plus, de perpétuelles intrigues entre princes ou entre conseillers suscitent de fréquents bannissements. Parfois, des disciples s'attachent à l'un d'eux et forment un groupe d'apprentis qui espèrent partager la fortune du lettré quand celui-ci inspire confiance à quelque prince.

Les meilleurs d'entre eux éduquent les enfants de l'aristocratie, rédigent des discours pour les cérémonies officielles, préparent les réceptions et les fêtes de cour, tiennent des registres chronologiques à la gloire des princes, et des recueils de conseils de gouvernement. Parmi ces textes souvent restés anonymes, écrits avant le VIIIᵉ siècle avant notre ère, figurent le *Canon des Poèmes* (dont se réclamera constamment Confucius), ensemble de chants devant accompagner diverses cérémonies ; le *Livre des Mutations*, ou *Yijing*, attribué à un duc de Zhou ; les *Mémoires sur les Rites* ; *Étiquette et Rituel* ; enfin le *Canon de l'Histoire*, ou *Shujing*, qui rassemble des modèles de procédures pour les chancelleries et des schémas de discours royaux. On y trouve en particulier énoncées les neuf vertus du parfait souverain : sens du gouvernement, droiture, docilité, fermeté, simplicité, courage, indulgence, diligence et condescendance. Celui qui possède toutes ces vertus est digne d'être empereur ; qui en possède six saura régir une principauté ; à moins de trois, nul ne peut même diriger sa propre famille. ˅

À partir du VIᵉ siècle avant notre ère, ces textes cessent d'être anonymes. Apparaissent alors quelques-unes des plus hautes figures de l'histoire littéraire et philosophique de la Chine : d'abord Lao-tseu, qui, selon la légende, vit dans le pays de Song et répand sa doctrine par le *Livre de la voie et de la vertu* : c'est le taoïsme, « enseignement de la voie », qui prescrit d'interdire toute intervention de l'homme dans le cours naturel et l'équilibre des choses de la nature. Vivant presque au même moment et dans la même province, Confucius est beaucoup mieux connu : ses ancêtres sont de la noble famille des Kong, du pays de Song, apparentée à Yi Yin, un Premier ministre de Cheng Tang, fondateur de la dynastie Shang. Son grand-père a émigré au pays de Lu (dans le sud-est de l'actuel Shandong), État petit et faible entouré de puissants voisins auxquels il doit s'allier sous peine d'être envahi.

Son père, qui a neuf filles de sa première épouse, conseille le Premier ministre d'alors de cette principauté. À soixante-quatre ans, il a une liaison avec une très jeune fille, Zheng Zai, qui vient prier sur la colline de Niqiu pour avoir un fils. En −551, vingt-deuxième année du règne de Xiang, duc de Lu, cette jeune fille met au monde un enfant doté d'une grosse bosse sur la tête, d'où son nom de Qiu (pour « colline » ou « bosse »). C'est Confucius.

Le père meurt sans avoir reconnu l'enfant, qui n'a alors que trois ans. Sa mère ne lui révèle pas la vérité sur sa naissance. Ils vivent pauvres.

À la même époque, à Crotone, Pythagore fonde une confrérie aristocratique qui mêle philosophie, religion et science, avec des rites orphiques, développant la mystique des nombres, ultimes constituants de la matière, forgeant ainsi une théorie des proportions applicable à la nature aussi bien qu'à la musique.

Confucius a treize ans quand, en −538, un édit de Cyrus permet aux juifs exilés en Babylonie de rentrer chez eux et quand, en Inde du Nord, le jeune prince Sakyamuni renonce à toute richesse et commence à prêcher : il deviendra Bouddha, l'« Éveillé ».

À dix-sept ans, en −531, Confucius est déjà connu pour sa mémoire, sa culture, et il aurait eu un premier disciple nommé Nan Gong Jiangsu. Il se marie en −529, à dix-neuf ans, et, l'année suivante, il a son premier enfant, un fils. Pour vivre, il travaille, comme l'avait fait son père dont il ne sait rien, dans l'administration du duché de Lu. Mais à des rangs bien plus modestes : il devient intendant des grains, puis intendant du bétail du baron Ji, Premier ministre héréditaire de ce duché. Il est si brillant qu'il devient à vingt-six ans l'équivalent d'un ministre des Travaux publics d'aujourd'hui.

Confucius compte alors déjà plusieurs disciples ; l'un d'eux, fils du baron Meng Xizi, l'accompagne à la cour des Zhou où réside l'empereur. Kong y vient pour étudier les rites et cérémonies, et consulter les annales. Le baron Ji met à leur disposition chars et serviteurs. Selon la légende, Confucius aurait rencontré là Lao-tseu, qui lui aurait dit : « Un homme brillant et réfléchi court souvent le risque de perdre la vie parce qu'il aime à dévoiler les défauts des autres hommes. Un homme instruit, savant et habile à la discussion, est souvent exposé au danger parce qu'il met le doigt sur les faiblesses humaines. » La légende veut que Confucius ait été si fortement impressionné par cette rencontre qu'il en serait resté silencieux pendant trois jours. Lui qui croit en la vérité est confronté au souci d'équilibre et de compromis du taoïsme.

En −527, à la mort de sa mère, une vieille femme lui révèle le nom de son père et l'emplacement de son tombeau, ce qui lui permet d'y enterrer sa mère. Découvrant qu'il a, sans le savoir, suivi les traces de son père, Confucius continue de travailler pour le Premier ministre de Lu, le baron Ji, sous l'autorité, en tout cas théorique, du duc de ce territoire.

En −522, le duc Jin, souverain d'un État voisin, celui de Qi, vient visiter l'État de Lu avec son Premier ministre Yan Ying. Il demande à rencontrer le jeune Confucius (qui a alors vingt-huit ans), devenu ministre de son hôte. Le duc Jin demande à Confucius à quoi il reconnaîtrait un bon roi. D'une phrase majeure qui fixe à jamais l'importance du sens donné aux mots et aux concepts, pour lui comme pour toute société organisée, Confucius répond : « Le roi doit être un vrai roi, les ministres de vrais ministres, les pères de vrais pères et les fils de vrais fils. − Très bien dit, approuve le duc, si le roi n'est pas un vrai roi, les ministres de vrais ministres, les pères de vrais pères et les fils de vrais fils, alors, même si la récolte est abondante dans mes États, rien n'en parviendra jusqu'à moi. » Autrement dit, quand nul n'est à sa place, quand les princes et les pères sont indignes de leur fonction, quand le peuple ne sait plus distinguer le bien du mal, c'est l'anarchie. Car si le prince se comporte en prince, il gouvernera dans l'intérêt de tous, alors que si le père n'agit pas en père, ni le fils en fils, c'est le règne de l'inceste et du crime. La soumission au père et au prince garantit la cohésion des familles et celle du pays. Mais cette soumission s'accompagne d'un droit de remontrances des enfants et des sujets si le père ou le prince vont dans la mauvaise direction. Bien plus tard, Bossuet exprimera une idée semblable dans une lettre : « Vous confondez aujourd'hui l'ordre des paroles, demain ce sera l'ordre des choses. Car en parlant contre les lois de la grammaire, vous mépriserez celles de la raison. Une langue tenue, une langue retenue, ce n'est pas l'appauvrir : c'est la gouverner pour bien gouverner. Qui la néglige, néglige la pensée. »

En instaurant le règne des concepts dans cette vaste Chine en proie au désordre, Confucius impose celui de l'écrit et de la loi. C'est l'énoncé d'une règle confucéenne majeure : le gouvernement est l'art d'ordonner les choses et de conduire le peuple selon les rites, afin de sauvegarder – au moins au niveau des symboles – l'autorité royale, supposée immuable et équilibrée, même si elle est sans cesse menacée par les rivalités entre grands vassaux. Le prince doit faire en sorte que chacun respecte la loi sans remettre en cause le sens des mots. Si beaucoup y souscriront, beaucoup aussi mourront ultérieurement pour ne pas avoir compris que la dictature commence quand un souverain s'octroie le droit de modifier et de fixer lui-même le sens des mots, des lois et des contrats.

Confucius le répétera plus tard en réponse à une question de son disciple préféré, Zilu : « Si le souverain de Wei vous appelait au pouvoir, comment procéderiez-vous ?

– Je commencerais par établir l'usage correct de la terminologie, répond Confucius.

– Vraiment ? Que vous êtes peu pratique ! À quoi peut bien vous servir cette terminologie ?

– Ah, tu es vraiment trop rustre ! Si la terminologie n'est pas exacte, tout le discours est désordonné ; si le discours est informe, les ordres ne peuvent être exécutés ; si les ordres ne sont pas exécutés, il est impossible de rétablir les formes et les rapports sociaux convenables dans les rites et la musique ; si les formes convenables ne sont pas rétablies, la justice manquera son but ; si la justice ne règne pas, le peuple ne saura plus quelle ligne de conduite adopter. Quand le sage promulgue une nouvelle loi, il sait l'énoncer en termes précis et clairs, si bien que, quand il donnera un ordre, il sera exécuté sans discussion. Le sage n'emploie jamais de termes vagues ».

Confucius l'exprimera de mille et une façons en usant de métaphores qui le caractérisent. Quand on lui demandera d'expliquer la raison d'être d'un sacrifice célébré en l'honneur de l'Ancêtre de la Dynastie impériale : « Je ne sais pas. Qui le saurait tiendrait le monde entier dans le creux de sa main ». Et quand un prince qu'il servira décidera d'abroger la cérémonie du sacrifice de l'agneau commémorant la remise du calendrier par l'Empereur à ses vassaux, Confucius ironisera : « Ah, tu aimes les agneaux ? Moi, je préfère les rites ! ».

Il ajoutera : « Celui qui sait mettre chaque chose en son rang n'est pas loin de la voie de la Grande Étude ou de la Perfection. La nature des choses une fois scrutée, les connaissances atteignent leur plus haut degré. Les connaissances étant arrivées à leur plus haut degré, la volonté devient parfaite. La volonté étant parfaite, les mouvements du cœur étant réglés, tout l'homme est exempt de défauts. Après s'être corrigé soi-même, on établit l'ordre dans la famille. L'ordre régnant dans la famille, la principauté est bien gouvernée et bientôt tout l'Empire jouit de la paix. »

Vers −520, Confucius est encore conseiller du prince de Lu alors que serait institué à Rome le culte de Romulus. À la même époque, Xénophane de Colophon, philosophe et poète ionien, contraint à l'exil du fait de la domination perse, fonde à Élée une école proposant un dieu unique, sphérique et immobile. En Babylonie, les palais de Suse et de Persépolis sont décorés de bas-reliefs, et Darius Ier, reprenant les travaux du pharaon Nékao II, fait ouvrir un canal à travers l'isthme de Suez. En Judée, le prophète Zacharie ranime les espoirs d'Israël en son indépendance perdue.

En −517, le duc de Lu est renversé par son Premier ministre, le baron Ji, et s'enfuit dans la province voisine de Qi. Confucius n'hésite pas : il refuse de se rallier au félon et suit le duc dans son exil. Là, il entend l'*Hymne du couronnement de Shun*, attribué à un roi très ancien ; on dit qu'il en perdit l'appétit pendant trois mois. Cet amour de la musique « fit une profonde impression sur le peuple de Qi » dont le duc demanda à Confucius de devenir son conseiller. Mais son Premier ministre Yan Ying, craignant l'influence de Confucius, fit tout pour l'écarter. Le duc de Qi hésita, puis renonça à recruter Confucius : « Je regrette d'être trop vieux maintenant pour appliquer ta doctrine. »

19

En −511, Confucius quitte alors Qi pour revenir à Lu, son pays natal, alors plongé dans la plus complète anarchie. Il a quarante-deux ans ; déçu du pouvoir, il se retire pour écrire sur la poésie, l'histoire, les rites et la musique, espérant retrouver un jour son rôle et aider à restaurer le pouvoir et l'efficacité de l'Empereur.

En −510, à Athènes, alors ville modeste – qui ne saurait rivaliser avec Milet, Éphèse ou Corinthe –, Hippias, le dernier pisistratide, est renversé ; sa chute ouvre la voie à la démocratie.

Au bout de trois ans, en −508, le duc de Ding prend le pouvoir à Lu et y rétablit l'ordre.

Au début du VIᵉ siècle avant notre ère, à Éphèse, le vertigineux Héraclite développe l'idée d'un univers aux éléments sans cesse en mouvement et où l'âme et le cosmos traversent des cycles de changements répétitifs ; il écrira : « Début et fin sont ensemble sur le même cercle ».

C'est à cette époque que le duc de Ding nomme Confucius maire de Zhongdu. Au bout d'un an, la ville devient une cité modèle. Confucius devient alors secrétaire aux Travaux publics de Lu, puis il est promu grand secrétaire à la Justice, c'est-à-dire Premier ministre du territoire. Son premier acte consiste à faire exécuter son prédécesseur qui, dit-il, « a plongé l'État dans le désordre ». Puis il entre en guerre contre les barons qui contestent l'autorité du duc de Ding, et fait raser leurs places fortes.

Son art de la persuasion n'est pas modifié par ses prouesses militaires. Sa façon d'enseigner à ses disciples comme aux princes qu'il conseille reste fondée sur des métaphores et des expériences. Ainsi, quand il veut expliquer l'art d'apprendre, il expose comment lui-même s'est initié à la musique auprès d'un célèbre maître. La leçon est superbe : pendant dix jours, explique-t-il, il semble n'accomplir aucun progrès ; le maître de musique lui dit alors : « Vous pourriez maintenant apprendre quelque chose de nouveau. » Il répond : « J'ai déjà appris la mélodie, mais je ne connais pas encore la mesure ni le rythme. » Quelque temps plus tard, le maître de musique lui dit : « Vous connaissez maintenant la mesure et le rythme, nous pouvons continuer. – Je ne saisis pas encore l'expression. » Un peu plus tard, le maître lui dit encore : « Vous avez saisi l'expression, nous pouvons aller plus loin ». Il répond : « Je ne vois pas encore clairement dans mon esprit la personne du compositeur. » Peu après, le maître de musique lui indique : « L'homme qui a écrit cette musique était plongé dans de profondes méditations ; de temps en temps, il levait joyeusement les yeux et fixait ses regards au loin sur l'Éternel. – J'y suis, maintenant, déclare enfin Confucius. C'est un homme grand et brun, il a l'esprit profond des constructeurs d'empire. N'est-ce pas le roi Wen, fondateur de la dynastie Zhou ? » Le maître de musique se leva et s'inclina par deux fois devant Confucius : « C'est bien là en effet une œuvre du roi Wen. » Ainsi, pour comprendre une œuvre, faut-il aller jusqu'à s'en représenter l'auteur.

Malgré ces spéculations intellectuelles, la violence est toujours omniprésente : au printemps – 500, l'État de Lu, dont Confucius est Premier ministre, signe un traité de paix avec celui de Qi, son voisin, où Confucius s'était naguère réfugié. Le Premier ministre de Qi (celui-là même qui a fait éloigner Confucius dix ans plus tôt) propose de sceller la paix entre les deux souverains par une « conférence amicale » à Jiagu, à la frontière des deux pays. Confucius devine que c'est un piège et empêche le souverain de Lu de s'y rendre seul ; comme toujours, il utilise une jurisprudence ancienne pour expliquer le conseil qu'il prodigue : « J'ai entendu les Anciens dire que lorsqu'on se rend à une conférence amicale, on emmène avec soi des escortes militaires, et qu'à l'inverse on envoie des délégations diplomatiques à des conférences militaires. En particulier, les souverains d'autrefois se faisaient toujours accompagner d'une escorte militaire lorsqu'ils visitaient des pays étrangers. Je vous conseille donc d'emmener avec vous les maréchaux et de les placer à votre gauche et à votre droite. » Le souverain suit ce conseil. Bien lui en prend : l'invitation était effectivement un piège.

Le souverain de Qi continue ses manœuvres : en – 496, il propose quatre-vingts courtisanes et cent vingt-cinq chevaux au duc souverain de Lu. Confucius adjure ce dernier de refuser. Mais il accepte et oublie pendant trois jours de célébrer les sacrifices rituels. Pour Confucius, c'est inacceptable : pas de royaume possible si les rites ne sont pas respectés et si la loi est violée par celui-là même qui doit la faire respecter : quand le roi ne se comporte plus en roi, tout se défait.

Confucius démissionne. Le souverain de Lu cherche à le retenir. En vain. Confucius part à la recherche d'un souverain enfin capable de l'écouter et de suivre ses conseils. Il veut rendre les princes honnêtes, garder leur sens aux mots, faire en sorte que contrats et lois soient respectés, échapper à l'arbitraire et à la stupidité des princes. Le souverain de Lu, désolé de son impair, fait alors jurer à son propre héritier de rappeler Confucius après sa mort.

Confucius se dirige d'abord vers l'est, dans le pays de Wei, chez le beau-frère du prince de Lu. Le duc de Wei lui demande quels émoluments il recevait chez son parent et lui en offre autant, soit 60 000 boisseaux de riz. Confucius accepte, mais, au bout de dix mois, le duc, à qui on a rapporté certaines calomnies contre lui, donne l'ordre à un officier en armes de traverser à plusieurs reprises la pièce qu'occupe Confucius : comprenant le message, Maître Kong quitte le pays.

Avec quelques disciples croyant toujours en sa bonne étoile, il passe ensuite dans le pays de Chen, encore plus à l'est. Il traverse la ville de Kuang, où il est pris pour un dirigeant qui a maltraité le peuple : il est arrêté, mais parvient à s'enfuir. Un de ses disciples, qui conduit leur carriole, ne retrouve sa trace que cinq jours plus tard : « J'ai cru que tu avais été tué, lui dit Confucius. – Tant que tu vis, comment oserais-je ? » lui répond le disciple.

C'est par ces dialogues avec ses disciples, au cours de ces années d'errance, qu'on découvre ce qui permet de cerner au mieux sa personnalité : cette voix si forte et jubilatoire, qu'on entend dans ces textes, est aux antipodes de l'image du réactionnaire rabâcheur et monotone que ses ennemis propageront par la suite. Confucius est souvent très drôle : en particulier dans les moments où il n'est plus rien, il pratique volontiers l'autodérision. Par exemple quand un villageois lui dit : « Ah ! Que Confucius est grand, il sait tout, mais n'est expert en rien ! » il répond : « En quoi me conseillez-vous de me spécialiser : dans le tir à l'arc ou dans la conduite des carrioles ? » Une autre fois, dans une ville qui leur est inconnue, le Maître et ses disciples ayant été séparés, ces derniers apprennent qu'un homme de haute taille se tient à la porte de l'Est, que son grand front le fait ressembler aux anciens empereurs, mais qu'il a l'air d'un chien errant, abandonné. Quand des disciples le retrouvent et lui font part de cette description, Confucius commente : « J'ignore si je ressemble aux anciens empereurs, mais, quant au chien errant et abandonné, c'est parfaitement juste, c'est parfaitement juste ! »

Pendant cinq ans, de −496 à −491, ses disciples et lui, chiens errants, vont et viennent entre les pays de Wei, de Song, de Zheng (nord du Hunan actuel), de Chen, où ils séjournent plus d'un an chez un magistrat. Aucune déception ne le rebute. Il rêve encore de porter sa parole par-delà des mers. « Le Maître dit : "La Voie ne réussit pas à s'imposer. Je vais m'embarquer sur un radeau de haute mer et prendre le large. Qui donc me suivra, sinon Zilu ?" Entendant cela, son disciple Zilu se réjouit. Le Maître dit : "Décidément, Zilu est plus brave que moi. En fait, où trouverions-nous le financement d'une telle expédition ?" » Quand Zilu lui avoue n'avoir su résumer sa pensée à quelqu'un qui le lui demandait, Confucius répond : « Pourquoi ne lui as-tu pas dit simplement : "C'est un homme qui oublie de manger lorsqu'il s'enthousiasme pour un sujet, qui ne pense plus à ses soucis lorsqu'il est heureux, et ne s'aperçoit pas que la vieillesse approche ?" »

En –491, Confucius nomadise depuis cinq ans ; il est dans sa soixantième année quand il apprend la mort du duc de Lu, qui avait fait promettre à son héritier de le rappeler auprès de lui. C'est enfin l'occasion qu'il attendait de rentrer et d'agir chez lui. Mais le nouveau maître de Lu préfère appeler un disciple de Confucius, Ran Qiu. Déçu, le vieux sage ne renonce pas pour autant : il conserve une foi inébranlable dans l'avenir politique grandiose auquel il se sent destiné. Pour lui, un homme compétent finit toujours par être reconnu.

À la même époque, les guerres médiques opposent les Grecs aux Perses. Xerxès, qui a succédé à Darius, doit affronter la révolte de la Babylonie et de l'Égypte ; pour punir les Babyloniens, il ordonne, en –482, la destruction du Temple et de la statue du grand dieu Mardouk érigés dans leur capitale.

Confucius s'en retourne vers l'État de Cai, alors en guerre contre Wu. Il voyage encore pendant des années à travers les déserts en compagnie de quelques derniers disciples. Leur petit groupe est à court de vivres, plusieurs fidèles tombent malades ; il perçoit que ceux qui le suivent encore sont à la fois mécontents et déçus. Il leur cite un passage d'un ancien recueil de poésies, le *Livre des Odes* : « Ils ne sont ni buffles ni tigres, et pourtant ils errent dans le désert. » Il demande à son disciple préféré, Zilu : « Penses-tu que ma doctrine soit en faute ? Comment se fait-il que je me trouve dans une telle situation ? » Zilu lui répond que tout est de leur faute, qu'ils ne sont pas assez sages pour qu'un prince consente à les utiliser. Un autre disciple, Zilong, ajoute que sa doctrine est trop ardue pour être comprise et admise par le peuple. Un autre encore, Yan Hui, renchérit : « La doctrine du Maître est si élevée que le peuple ne peut la suivre ; cependant, efforcez-vous de répandre vos idées. Qu'importe qu'elles ne soient pas comprises ! Le fait même qu'on les repousse prouve que vous êtes un vrai sage ! »

En –484, Confucius renonce à attendre quoi que ce soit de la vie politique. Il revient dans son pays natal, bien que le prince ne veuille pas se plier à ses conseils. Il sait maintenant que l'homme dont les talents ne sont pas reconnus doit savoir conserver sa sérénité. Il ne sera plus qu'enseignant, et méditera sur l'ingratitude des grands.

Il enseigne le *Yijing* (*Livre des Mutations*), la poésie, l'histoire, le cérémonial et la musique à un nombre croissant d'élèves (jusqu'à trois mille), parmi lesquels il en sélectionne chaque année, par concours, soixante-douze connaissant à fond les six arts principaux (le cérémonial, la musique, le tir à l'arc, la conduite des chars, la lecture et les mathématiques). Son enseignement est ouvert à tous, pas seulement aux fils de princes. Tous ses cours sont consignés dans des *Entretiens* qui paraîtront longtemps après sa mort. C'est le seul texte qui lui soit attribué et dont l'authenticité ne fasse aucun doute.

Le premier mot du premier chapitre de ces *Entretiens* est « étude ». S'y trouve d'abord prôné un apprentissage moral du métier d'homme avant celui des connaissances. L'action et la pratique morale passent avant la connaissance théorique. Confucius le répète sans cesse : « Les jeunes gens devraient être de bons fils dans leurs foyers, polis et respectueux en société, prudents et fidèles, aimant le peuple et la compagnie des hommes de bien. Si, après avoir appris tout cela, ils ont encore assez d'énergie, qu'ils lisent des livres ! » Et aussi : « Un homme de qualité mange avec modération, n'exige nul confort dans son logement, se montre diligent aux affaires et circonspect dans ses propos, cultive la droiture en fréquentant les sages. Celui-là, on peut vraiment dire qu'il aime l'étude » (I, 14). C'est ce qu'il déclare à l'un de ses disciples, Zizhang, qui le rapporte dans ces *Entretiens* : « Confucius disait qu'il n'était pas entré au gouvernement et que, pour cette raison, il avait eu tout le temps d'étudier les arts et la littérature. » Et encore : « Les trois vertus nécessaires à tous les hommes sont la prudence, l'humanité et la force. Pour n'être pas stériles, elles doivent avoir une qualité commune : être vraies, sincères. Parmi les hommes, certains possèdent en naissant la connaissance des cinq grandes lois morales ; les autres la reçoivent par l'enseignement d'autrui ; d'autres l'acquièrent au prix de recherches laborieuses. De quelque manière qu'elle est obtenue, elle est toujours la même. Les uns observent les cinq lois générales sans la moindre peine ; les autres sans trop de difficultés ; d'autres, au prix de grands efforts. Le résultat final est le même pour tous. »

La chose la plus importante est donc pour lui la « plénitude d'humanité ». (L'expression apparaît 109 fois dans ces *Entretiens*, un peu plus souvent même que l'autre mot essentiel, *junzi*, « homme de bien », qui apparaît 107 fois.) C'est que la plénitude d'humanité conduit à devenir un « homme de bien ». Pour lui, cet homme de bien, déterminé par la vertu, le mérite et les compétences, est bien au-dessus de l'élite issue de l'ordre aristocratique et féodal.

Quand un de ses élèves, Zigong, lui demande à quoi reconnaître le *junzi*, Confucius répond : « Il ne prêche rien qu'il n'ait d'abord mis en pratique. Il considère le bien universel et non l'avantage particulier, tandis que l'homme vulgaire ne voit que l'avantage particulier et non le bien universel ». L'homme de bien est donc altruiste. Et encore : « Quand le naturel l'emporte sur la culture, cela donne un sauvage ; quand la culture l'emporte sur le naturel, cela donne un pédant. L'exact équilibre du naturel et de la culture produit l'honnête homme ». « N'est-ce pas une joie d'étudier, puis, le moment venu, de mettre en pratique ce que l'on a appris ? N'est-ce pas un bonheur d'avoir des amis qui viennent de loin ? Et n'est-il pas honnête homme, celui qui, ignoré du monde, n'en conçoit nul dépit ? » Et ces pensées magnifiques : « L'archer a un point commun avec l'homme de bien : quand sa flèche n'atteint pas le centre de la cible, il en cherche la cause en lui-même. La vraie faute est celle qu'on ne corrige pas. » « Si tu rencontres un homme de valeur, cherche à lui ressembler. Si tu rencontres un homme médiocre, cherche ses défauts en toi-même. » « L'homme de bien situe la justice au-dessus de tout. Un homme de bien qui a la bravoure, mais qui ignore la justice, sera un rebelle. L'homme médiocre qui a la bravoure mais qui ignore la justice sera un brigand. » La vertu suprême de l'honnête homme est le *ren*, le respect de soi et des autres : « La doctrine du Maître tient simplement dans le précepte de la fidélité à soi et à autrui, un point c'est tout ». La loyauté, qualité principale de l'homme de bien, conduit à la plénitude d'humanité.

Pour gouverner, dit Confucius à ses élèves, il convient d'abord de se respecter soi-même : « Celui qui néglige le principal, sa propre personne, ne peut pas régler convenablement les choses qui en dépendent, sa famille et sa principauté. Jamais un homme qui soigne peu ce qu'il doit aimer le plus, sa famille, n'a gouverné avec diligence ce qui lui est le moins cher, sa principauté ou l'empire. » Pour ce qui est du respect des autres, quand Ziyou lui demande en quoi consiste la piété filiale, le Maître répond : « De nos jours, quiconque assure la subsistance de ses parents passe pour un bon fils. Mais on nourrit bien les chiens et les chevaux : à moins d'y mettre du respect, où est donc la différence ? »

Il pense en toute liberté, recourant à de magnifiques métaphores, empreintes de passion et de gaîté.

Nul plus que lui ne croit en l'humanité. Il dit déjà tout ce que diront plus tard Aristote, Boèce, Ibn Rushd, Maïmonide, les hommes de la Renaissance, les théoriciens des Lumières : rien n'est plus important que le sens prêté aux mots ; rien ne vaut la parole donnée ; rien ne l'emporte sur le respect dû au savoir et à ceux qui le portent ; rien ne compte plus que le respect de la dignité humaine ; rien n'est plus nécessaire que l'art et le rire. Malgré la déception que lui inspirent les gens, il cherche à les comprendre. « Ce n'est pas un malheur d'être méconnu des hommes, mais c'est un malheur de les méconnaître ». Et encore : « Le tout est plus grand que la somme des parties. Ne vous souciez pas de n'être pas remarqué ; cherchez plutôt à faire quelque chose de remarquable. Rien n'est jamais sans conséquences. En conséquence, rien n'est jamais gratuit. Apprendre sans réfléchir est vain. Réfléchir sans apprendre est dangereux. »

Il écrit à propos de lui-même : « À quinze ans, je me suis consacré à l'étude ; à trente ans, j'en avais acquis les fondements ; à quarante ans, je n'avais plus de doutes ; à cinquante ans, je comprenais les dispositions du Ciel ; à soixante ans, je pénétrais le sens profond de ce que j'entendais ; à soixante-dix ans, je suivais ce que mon cœur désirait, sans excéder la juste mesure. » Et encore : « Si, à quarante ans, vous êtes encore un objet de haine, vous le serez toute votre vie. » Il ajoute : « Je ne murmure pas contre le Ciel, je ne m'en prends pas aux hommes. J'étudie les choses les plus simples pour pénétrer les choses les plus élevées. N'est-ce pas le Ciel qui me connaît ? » Nulle plainte, nulle arrogance, nulle vanité : « L'homme de bien s'afflige de son manque de talent, il ne s'afflige pas d'être inconnu des autres. »

Parfois il coule ses pensées dans les mots des autres. Quand, une nuit, Zilu franchit la porte d'une ville et que le gardien lui demande qui il est : « Je suis disciple de Confucius, répond-il. – Oh, n'est-ce pas celui qui sait qu'une chose est impossible et qui veut malgré tout l'entreprendre ? » répond le gardien.

Se refusant à parler de la mort, voulant fonder une morale positive structurée par les « rites », mettant l'accent sur l'étude et la sincérité, Confucius ne cherche pas à s'ériger en maître à penser ; au contraire, il entend développer chez ses disciples l'autonomie, l'esprit critique, la réflexion personnelle : « Je lève un des quatre coins du voile ; si l'étudiant ne peut découvrir les trois autres, tant pis pour lui. »

Son but ultime, c'est la joie. Chez lui le mot revient souvent : « Celui qui sait une chose ne vaut pas celui qui l'aime. Celui qui l'aime ne vaut pas celui qui en fait sa joie. »

Confucius a alors soixante-dix ans. Il compile un *Livre des documents*, effectue des recherches sur la musique, rédige les *Annales des Printemps et des Automne*s jusqu'en − 481, quatorzième année du règne du duc Ai. Cette année-là meurt Yan Hui, un de ses meilleurs disciples ; il en est bouleversé et y discerne le signe de sa propre fin : « Je vois que le Ciel va me retirer ma mission. »

À l'autre bout du monde, l'année suivante (− 480), Xerxès incendie Athènes, notamment la première Acropole construite sous Pisistrate.

Au début de mai − 479 meurt Zilu, disciple préféré de Confucius. C'en est fini : sans lui, il sent ne plus pouvoir continuer ; il soupire : « Ah, la montagne Taishan s'éboule, la poutre maîtresse s'écroule, le philosophe s'en va ! »

Il meurt sept jours plus tard, le 11 mai, à soixante-douze ans, dans la seizième année du règne du duc Ai, tandis qu'en Grèce Parménide d'Élée élabore la théorie de l'« Être inaccessible », et qu'en Inde meurt également Bouddha, qui a bénéficié de la protection des rois de Magadha et dont la doctrine a pu se diffuser dans la vallée du Gange.

Telle est l'histoire de Confucius. En tout cas, c'est ainsi qu'on la raconte. Et il faut s'en méfier. Car les dates retenues sont trop symboliques pour que cette vie ne soit pas au moins en partie imaginaire : s'il est supposé naître en − 551, peut-être est-ce parce qu'il fallait qu'un grand homme naquît cinq cents ans tout ronds après un duc de Zhou, grand sage de son temps. Et s'il a cinquante ans lors de la demande d'entrevue de Jiagu au cours de laquelle il évite un traquenard, n'est-ce pas parce que cinquante ans sont, en Chine, l'âge de la plénitude ? S'il meurt à soixante-douze ans, n'est-ce pas parce que soixante-douze, dans la numération chinoise, constitue un des nombres congruents inscrits sur les carrés magiques permettant les manipulations divinatoires ? On peut donc dire avec Étiemble : « Si Maître Kong naquit en − 551, c'est peut-être parce que l'entrevue en question eut lieu en − 500, à moins que l'entrevue n'ait eut lieu en − 500 parce que Confucius était né en − 551. Ainsi du reste... »

À moins de considérer ce calendrier comme fixé par les exégètes jésuites pour l'accorder au mieux aux dates du nôtre ?

En fait, les historiens sérieux estiment qu'on ne peut rien avancer de certain sur la chronologie confucéenne. L'un d'eux, Étienne Balazs,

27

écrit : « Les faits saillants de sa biographie sont ses séjours au Wei, au Song, au Qi, tous également impossibles à dater, et dont l'ordre même est incertain. Les quatre épreuves où il faillit perdre la vie constituent une suite qui était peut-être en rapport avec les points cardinaux. Le "Roi non couronné", sou-wang, comme on l'appelait, se devait à lui-même de faire des tournées d'inspection, ainsi qu'un roi véritable. L'ordre des épreuves énumérées par Tchouang-tseu et Li-tseu va à l'inverse de la norme céleste, interversion qui peut expliquer ses malheurs. Ce ne sont là que des débris de la légende originelle de Confucius, perdue dès les Hans. »

Plus encore, tout dans son histoire pourrait être légende et métaphore si l'on se réfère à sa remarque selon laquelle le royaume de Qi recherche le pouvoir, celui de Lu le plus haut développement culturel, et qu'il faut atteindre celui de Tao, où « prévaut la vérité ».

Malgré ces incertitudes, son influence dans le monde chinois n'a jamais connu de véritable éclipse. C'est sur son modèle que s'organise pendant près de deux mille ans le gouvernement de Chine. Le 28 septembre 1955, on célèbre à Taïwan le 2506e anniversaire du Sage en présence de son 77e descendant en ligne directe. Après la Révolution culturelle, le 22 septembre 1984, à Qufu, dans le Shandong, on fête le 2535e anniversaire de K'ong To Mao en présence de sa descendante à la 79e génération.

Rien de plus incertain aussi que l'attribution de ses œuvres. Ni le *Canon des poèmes*, qu'il est censé avoir compilé, ni le *Livre des documents (ou Canon de l'Histoire)*, qu'il aurait composé, ni le *Canon des mutations*, dont on lui prête les « dix ailes » ou annexes, ne sont de lui. Pas plus que les *Annales des Printemps et des Automnes*. Seuls sont à coup sûr de lui les *Entretiens familiers*, compilés après sa mort par au moins deux générations de disciples : commencée à la fin de l'époque des Printemps et Automnes, leur rédaction s'achève au début de celle des Royaumes combattants.

Après lui, ce sont ses disciples qui font entendre sa voix. À la fin du IVe siècle avant notre ère, Mencius, lettré auprès du roi de Qi et du roi de Wei, forge le « confucianisme ». Puis la Chine, en dépit de l'autorité nominale des souverains Zhou, se morcelle davantage encore en principautés rivales. Commence alors l'âge des Royaumes combattants. Puis Qin Shi Huang fonde l'empire des Qin. En – 202, les Hans reprennent de Confucius l'idée que l'Ordre impérial est conforme à celui de l'Univers : il n'est ni fin, ni action ; il n'existe qu'un ordre immuable ; il n'y a pas d'histoire ; tout se réduit à l'Un (Empereur, Territoire, Peuple). L'immobilisme est le sommet de la perfection. Il n'y a pas de cité idéale à construire. Pas de combat à mener. L'orthodoxie confucéenne triomphe alors et impose le système des examens. Un premier biographe de Confucius, Sima Qian, écrit *Mémoires historiques*. Vers −23 de notre ère, ses *Entretiens* sont compilés par le marquis Zhang Yu, précepteur de l'empereur Cheng.

Après un relatif retrait entre le VIIe et le IXe siècle, durant la dynastie des Tang, la dynastie Song redonne vie au « roi sans couronne » en mêlant ses idées à la pensée taoïste et au bouddhisme, qui vient d'arriver de l'Inde. Le système des examens, fondé depuis les Hans sur le corpus confucéen, reste en vigueur jusqu'à la fin de l'empire en 1911. Et même plus avant, sous la République, l'enseignement confucéen restant le corpus de base que doit maîtriser tout candidat à un poste administratif jusqu'à 1949 et l'avènement du régime communiste. Il en va de même en Siam, en Assam et ailleurs dans la région.

Sous la Révolution culturelle, en 1974, Confucius est identifié à Lin Biao, le félon, par Mao Zedong. Il est banni. Puis il revient au premier plan : Guo Moruo, homme politique de la période moderne, poète et historien, directeur de la puissante Fédération des écrivains jusqu'à sa mort en 1978, écrit : « Confucius a réussi à développer sa personnalité au maximum, aussi bien en profondeur qu'en étendue [...]. Sa vie même fut un magnifique poème. Nos poètes modernes, avec leurs névroses, ne sauraient rivaliser avec sa force physique... »

En 1987, dans la présentation de sa traduction des *Entretiens* de Confucius, Pierre Ryckmans (alias Simon Leys), le si lucide analyste de la Chine, souligne que « nul écrit n'a exercé une influence plus durable sur une plus grande partie de l'humanité ». Dans un livre rassemblant des estampes du début du XVIIe siècle, *Les Estampes du studio des dix bambous*, Joseph Vedlich remarque pour sa part : « Si Aristote est le père de la logique, Confucius est un pur moraliste empirique... Si Aristote est le père spirituel de l'Occident, inspirant profondément même les marxistes européens qui prétendent ne pas subir son influence, on peut dire que Confucius joue le même rôle en Asie, et aucun des critiques qui ont entrepris l'impossible – déraciner la manière de penser et de voir le monde selon ses préceptes – n'a réussi à se dégager de son héritage, le maoïsme n'étant lui-même qu'une philosophie de circonstance dérivée du confucianisme. »

Justement, Aristote...

BIBLIOGRAPHIE

CONFUCIUS, *Entretiens*, trad. Anne Cheng, Qiu Kong, Paris, Seuil, « Points Sagesse » (n° 24), 1981.

ETIEMBLE, René, *Confucius*, Paris, Gallimard, 1966, nouvelle édition augmentée « Idées » (n° 112), 1985.

GRANET, Marcel, *La Civilisation chinoise*, Paris, Albin Michel, 1968.

GRANET, Marcel, *La Pensée chinoise*, chap. IV, Paris, Albin Michel, 1968.

Les Estampes du studio des dix bambous, présentation et commentaires de Joseph Vedlich, Paris, Seghers, 1979.

INOUÉ, Yasushi, *Confucius*, Paris, Stock, « La bibliothèque cosmopolite », 1997.

MASPERO, Henri, BALAZS, Étienne, *Histoire et institutions de la Chine ancienne*, Paris, PUF (Annales du musée Guimet), 1967.

Philosophes confucianistes, édition établie par Charles Le Blanc et Rémi Mathieu, Paris, Gallimard, « Bibliothèque de la Pléiade », 2009.

YUTANG, Lin, *La Sagesse de Confucius*, Paris, Philippe Picquier, « Picquier poche », 2008.

2

Aristote

(− 384 − 322)
ou la passion du vivre vrai

Les mathématiques et la physique, la théorie et l'expérience : les deux faces de la Raison. Et de la philosophie. Très tôt j'ai pris goût à cet univers. Et même si les mathématiques m'ont intellectuellement beaucoup plus fasciné que la physique, c'est par le grand partisan de l'expérience, Aristote, et non par celui des concepts, Platon, que j'ai mieux appréhendé la genèse de la science.

Longtemps, faute d'études philosophiques approfondies, je n'ai presque rien su de lui, si ce n'est que, comme Vladimir Nabokov, il aimait chasser les papillons et avait inventé les lois du théâtre classique. Puis, je l'ai croisé dans mes recherches, référence incontournable : impossible de parler de science, d'expérience, de physique, de liberté, de Dieu, de démocratie, de médecine sans avoir besoin, d'une façon ou d'une autre, de revenir à la généalogie des concepts, donc à lui. Je me suis alors rendu compte qu'il était un des piliers de l'histoire humaine. Que des milliers de gens étaient morts pour défendre ses idées, que par lui a commencé le combat de la raison et de l'expérience contre le dogme, et que nous tous qui nous efforçons de penser librement sommes, sans le savoir, ses héritiers.

De fait, il est impossible de parler de ceux qui l'ont suivi et révéré, de Boèce à Hobbes, d'Ibn Rushd à Maïmonide, de Thomas d'Aquin à Darwin, ou de ceux qui l'ont réfuté et exécré, comme Hildegarde de Bingen, voire de ceux qui l'ont simplement ignoré, comme Thomas

Edison, sans connaître sa vie ; et son œuvre, qui ne s'explique que par sa vie.

Et quelle vie !

Un siècle après la mort de Confucius, qui a structuré la pensée de la Chine, surgit à l'autre bout du monde celui qui va structurer la pensée de l'Occident. Comme Confucius, Aristote pense avec son temps, au milieu d'autres et avec d'autres dont il est tantôt la plus pure synthèse, tantôt la plus ambitieuse avant-garde. Comme Confucius, Aristote tente à la fois d'être intellectuel et homme d'action, à un moment où il ne fait pas bon être l'un et l'autre, la vie ne tenant qu'à un fil pour ceux, en particulier, qui se mêlent de vouloir penser la politique.

Une différence, cependant : si tous les deux sont hommes du voyage, Confucius est fils de la terre, alors qu'Aristote est enfant de la mer, de l'errance d'île en île. Et si Confucius est homme d'ordre et de recommencement, Aristote est homme de surprises et de découvertes : « La philosophie, écrira-t-il, est fille de l'étonnement ».

De fait, tout étonne dans sa trajectoire.

Au moment de sa naissance, au IVe siècle avant notre ère, la philosophie grecque est déjà bien installée. En fait, il ne s'agit pas seulement de philosophie au sens où on l'entend aujourd'hui, mais, pour l'essentiel, de ce que l'on nommera, plus tard, la science. Et si elle est écrite en grec, la plupart de ses grands maîtres sont nés ou vivent en « Ionie » (à Éphèse et à Milet), c'est-à-dire dans la Turquie d'aujourd'hui, et en « Grande Grèce », c'est-à-dire dans l'Italie du Sud et en Sicile.

Les premiers (Pythagore, Thalès, Héraclite, Parménide et Empédocle) s'intéressent, en réaction à la mythologie, à ce qu'on nomme aujourd'hui la cosmologie, la physique, la théorie de la connaissance et la logique. Vivant trois siècles après la construction du premier Temple de Jérusalem, ils cherchent à expliquer l'univers (le « cosmos »), sa formation et les éléments qui le constituent à partir d'une source unique. Au début du VIIe siècle avant notre ère, Thalès, maître d'une école à Milet, considère l'eau comme le principe de toute chose. Anaximène pense pour sa part qu'il s'agit de l'air. Au VIe siècle avant notre ère, Pythagore (qui croit, comme le monde indien, en l'immortalité d'une âme, dont les réincarnations successives permettent la libération) estime que les nombres sont le principe de tout et que leur combinaison explique l'univers. Peu après, à Éphèse, Héraclite explique que le changement perpétuel est créateur d'une harmonie de l'univers, qu'il nomme « logos » ; il explique la contradiction entre l'invariance des concepts et la précarité des êtres (« tout s'écoule ») par l'idée qu'« on ne se baigne jamais deux fois dans le même fleuve », prescience des théories les plus modernes sur l'évolution de l'univers. Au début du Vᵉ siècle, à Élée, en Italie du Sud, Parménide pense pour sa part que nos sens ne distinguent que les apparences, mouvantes ; la réalité qu'elles recouvrent, c'est-à-dire la substance des choses, « l'Être », étant immuable et éternelle ; seule la Raison, distincte des sens, peut l'appréhender : « L'Être est ; le Non-Être n'est pas. »

En Grèce, les démocrates (au premier rang desquels Périclès qui s'impose en – 451) veulent profiter des difficultés de Sparte et de celles du « Grand Roi » perse Artaxerxès Iᵉʳ pour déployer une politique impérialiste. Athènes conclut alors une trêve de cinq ans avec Sparte et, en – 449, la paix de Callias avec le « Grand Roi ». Les hostilités séculaires entre cités grecques s'arrêtent, les Athéniens n'interviennent plus militairement, mais continuent à démanteler les forteresses ioniennes ; le trésor de la ligue de Delos, rapatrié à Athènes par crainte des attaques perses, permet de financer la construction de l'Acropole.

Au milieu du Vᵉ siècle avant notre ère, dans l'Athènes de Périclès, vivent Hérodote, Démocrite, Sophocle et Socrate. En Sicile, Empédocle distingue quatre éléments primaires (l'air, l'eau, la terre, le feu) qui se combinent ou se séparent sous l'influence de deux forces fondamentales : *Philotès* (l'Amitié), qui rassemble, et *Neikos* (la Querelle), qui sépare ; l'une crée un univers cyclique (comme le décrivait Parménide), l'autre un univers en écoulement (comme le pensait Héraclite).

Vingt ans plus tard, à Athènes, Démocrite tente d'opérer une synthèse de Parménide et d'Héraclite. Pour lui, les êtres et les choses sont des combinaisons d'atomes et de vide : « Convention que le chaud, convention que le froid ; en réalité, les atomes et le vide ! » Il s'intéresse aussi à la morale et au remords : « C'est devant soi-même que l'on doit d'abord avoir honte quand on agit mal... Celui qui commet l'injustice est plus malheureux que celui qui la subit. »

Des philosophes affluent alors à Athènes. Protagoras vient d'Abdère, en Thrace, et écrit un traité, *Sur les dieux*, dans lequel il place l'homme au centre de l'univers : « L'homme est la mesure de toutes choses : de celles qui sont, du fait qu'elles sont ; de celles qui ne sont pas, du fait qu'elles ne sont pas » ; Hippias d'Élis et Prodicos de Céos nient la possibilité d'une connaissance objective de l'univers.

Pour tous ces philosophes, tout peut devenir vrai, pour peu que l'on soit capable de le démontrer et d'en convaincre son interlocuteur. Ces penseurs élaborent la grammaire, la rhétorique et la dialectique, qui forment alors à elles trois la science du langage et de la persuasion ; ils ont pour spécialité le savoir et la sagesse (*sophia*), d'où leur nom de sophistes.

Ils ouvrent la voie aux « rhétoriciens », dont le plus important est Zénon d'Élée, qui développent l'art d'argumenter sur tout et n'importe quoi, talent si nécessaire à Athènes, où savoir s'exprimer est vital pour réussir une carrière politique.

Ainsi, pendant que l'Empire perse menace les cités grecques, qu'en Chine le désordre s'installe et qu'au Mexique la destruction du centre cérémoniel de La Venta marque la fin de la prépondérance des Olmèques, à Athènes d'innombrables écoles philosophiques attirent les principaux penseurs du monde hellénique.

En particulier, Socrate, fils d'un tailleur de pierres et d'une sage-femme, s'oppose aux sophistes en cherchant à définir de grandes notions morales absolues, indépendantes du discours, comme la justice, la piété, le bien, le courage, la tyrannie, la tempérance, l'amitié…

En – 428, un an après la mort de Périclès, Platon naît dans une des plus grandes familles d'Athènes, les Mélanthides. En – 408, deux ans avant la mort de Sophocle et d'Euripide, il rencontre Socrate et devient son disciple. Dix ans plus tard, en – 399, Socrate, accusé de corrompre la jeunesse et de ne pas reconnaître les dieux de la Cité, choisit de se suicider, malgré toutes les formes d'évasion qui lui sont proposées ; il a alors soixante-dix ans.

Politiquement, les rapports de force changent, à ce moment, au sein du monde grec. Athènes décline militairement face à Sparte, qui s'impose en – 395. La Macédoine devient une puissance ; en – 393, Amyntas III y monte sur le trône et défend avec succès son royaume contre les incursions des Illyriens.

Platon quitte alors Athènes pour Mégare, chez Euclide, où beaucoup de disciples de Socrate semblent avoir trouvé refuge après la condamnation du Maître, six ans plus tôt. Il y commence une œuvre qui sera composée de 35 Dialogues, dont la plupart mettent Socrate en scène. Dans le *Timée*, il cherche à expliquer la création du monde par un démiurge. Dans *La République* et le *Théétète*, il développe une théorie de la connaissance distinguant entre l'opinion (ou *doxa*) et le savoir. Pour lui, le savoir émerge par le dialogue et la maïeutique ; car il est enfoui dans les réincarnations antérieures de l'âme. Entre ses incarnations dans deux corps, l'âme contemple les vérités éternelles, les *Eidê*, dont le Soleil, source de la sagesse, « gouvernant toutes les autres Idées, cause universelle de toute rectitude et de toute beauté ».

En – 387, douze ans après la mort de Socrate, Platon revient à Athènes et y fonde l'Académie (l'Académos), située dans les jardins du héros Hécadémion, sur la route d'Éleusis. Il y enseigne la science, face aux rhétoriciens de l'école d'Isocrate – successeur de Zénon –, située dans le centre d'Athènes et fréquentée par les fils des meilleures familles attirés par la politique.

Pour Isocrate comme pour tout rhéteur, un succès oratoire compte plus, afin d'acquérir pouvoir et richesse, que la recherche de la vérité ; il enseigne donc à ses élèves à discourir sur tout, à soutenir n'importe quelle thèse, à plaider indifféremment le vrai et le faux. L'Académie de Platon se voue au contraire à la recherche de la vérité et à l'élaboration d'une théorie des Idées. La devise de l'Académie le proclame clairement : « Que nul n'entre ici s'il n'est géomètre. »

En – 386, un nouveau roi des Perses, Artaxerxès II, s'interpose en arbitre entre les Grecs.

C'est dans cette période incroyablement créative qu'en – 384 naissent à la fois Démosthène (à Athènes) et Aristote (à Stagire). Stagire, petite cité grecque de Chalcidique, est située au nord-est de la péninsule, où se trouve le mont Athos, carrefour entre Ionie et Macédoine, face à la menace perse.

Le père d'Aristote, Nicomaque, est le médecin du roi macédonien d'alors, Amyntas III, et vit à Pella, la capitale, à une centaine de kilomètres de Stagire. Issu lui-même d'une famille de médecins établie depuis longtemps dans la région, la tradition lui attribue une somme médicale en six livres, ainsi qu'un traité de sciences naturelles. La mère d'Aristote, Phaestis, vient d'une riche famille de Chalcis, sur l'île d'Eubée. Leur premier enfant a sans doute été une fille ; son nom n'a pas été conservé, mais on sait qu'elle épouse un citoyen d'Olynthe et qu'elle met au monde, vingt ans plus tard, un fils, Callisthène, qui devient le disciple préféré d'Aristote, son oncle. En fait, on verra que les relations entre les membres de cette famille sont d'une exceptionnelle intensité.

En – 382 naît à Pella un fils du roi macédonien : le futur Philippe II. Quelques années après la naissance d'Aristote, Nicomaque fait venir sa famille dans la capitale macédonienne. L'enfant y partage la vie et les jeux des princes, dont Philippe, de deux ans son cadet, et Antipater, le meilleur ami de Philippe. L'amitié – la *philia* dont parlent déjà tant de philosophes grecs avant lui – jouera un rôle très important dans sa vie. Il écrira plus tard : « Personne ne voudrait vivre sans amis, eût-il tous les autres biens ». Les trois jeunes gens explorent les forêts de Macédoine ; ils découvrent les plantes, les arbres, les animaux (sangliers, renards, loups) qu'Aristote décrira plus tard dans une ample *Histoire des animaux* aujourd'hui largement disparue.

Alors qu'à Rome un conflit entre les tribuns de la plèbe et le Sénat paralyse les institutions, Aristote, qui a dix ans, se rend avec sa mère chez ses grands-parents en Achaïe, au nord du Péloponnèse, quand s'y produisent un tremblement de terre et un raz-de-marée au cours desquels sont détruites les villes d'Hélicé et de Boura ; il voit alors une « grande comète » dont il donnera la description détaillée dans les *Météorologiques* : « La grande comète apparut au moment du tremblement de terre et du raz-de-marée d'Achaïe. Elle se leva du côté du couchant d'équinoxe... »

Il a onze ans, en – 373, quand meurent – vraisemblablement dans l'une des épidémies qui frappent périodiquement la Grèce – son père, sa mère et le roi Amyntas III de Macédoine. Le chagrin de la perte et la prise de conscience de la précarité de la vie deviendront pour lui sources d'interrogations philosophiques majeures : « Comment se fait-il – puisqu'il y a des phénomènes qui se suivent de manière circulaire comme le nuage entraîne la pluie qui s'évapore et redevient nuage – que nous ne puissions, animaux, hommes, redevenir les mêmes ? » Sa réponse est radicale : l'homme n'est pas aussi nécessaire à l'équilibre de l'univers que la pluie ; il n'apparaît sur terre que par hasard, à chaque génération : « Cela vient sans doute de ce que la naissance de ton père n'entraîne pas nécessairement ta naissance à toi, alors que ta naissance suppose nécessairement la sienne. »

Comme le veut la coutume, le jeune orphelin est alors pris en charge par le mari d'une de ses sœurs, Arimneste. Celui-ci, Proxenos, habite Atarnée, petite ville de Mysie (en Asie Mineure, sur l'actuelle mer de Marmara, en face de Lesbos). Proxenos devient son tuteur et gère les biens importants dont l'enfant hérite. Toute sa vie, Aristote se montrera reconnaissant de cet accueil et en remerciera sa sœur, Arimneste, et son mari, Proxenos. La fille de l'un épousera d'ailleurs le fils des autres.

À Atarnée, le jeune Aristote pratique grammaire et rhétorique, histoire, musique et gymnastique ; il étudie les principaux ouvrages des physiciens et des philosophes de Milet. Il lit Homère et les tragédiens, et réfléchit au théâtre. Il rencontre Hermias, jeune esclave affranchi par le gouverneur de la ville, Euboulos, qui le destine à de hautes fonctions ; en sa compagnie, Aristote reçoit l'éducation prodiguée alors dans le monde grec aux fils de très bonne famille. Il est ainsi déjà lié profondément avec trois futurs hommes de pouvoir : Philippe de Macédoine, Antipater (qui deviendra général de Philippe, ambassadeur à Athènes, régent de Macédoine pendant l'expédition asiatique du fils de Philippe, Alexandre, « régent » après la mort de ce dernier) et Hermias (futur tyran d'Atarnée).

En – 367, à seize ans, Aristote s'en retourne à Pella pour y revoir ses amis Philippe et Antipater et réfléchir à son avenir. Il hésite encore : quelle vie choisir ? Faire fructifier son héritage ? Se lancer dans la politique comme Antipater ? Médecin, comme son père ? Naturaliste, comme Empédocle ? Voyageur et historiographe, comme Hérodote ? Dramaturge, comme Euripide ? Ou bien étudier plus encore, à Athènes bien sûr ? Mais chez qui : chez le rhétoricien Isocrate ou chez le philosophe Platon ?

Aristote n'hésite pas longtemps. Étudier est sa passion. Il est riche. Il a le temps. Il veut apprendre : il part donc pour Athènes en – 367. Il a dix-sept ans. L'ambiance des deux écoles le tente ; elles ignorent les concours et laissent chacun libre de poursuivre ses recherches, de se mêler à la vie de la cité et du port. Il s'apprête à mener de longues études : Platon ne prétend-il pas qu'on n'est véritablement philosophe qu'à cinquante ans, à condition d'être passé au préalable par les mathématiques, la rhétorique, la cosmologie, la physique de l'univers ? Quant à Isocrate, il garde ses élèves plus d'une décennie.

À son arrivée, Platon n'est pas là : son Académie, créée vingt ans plus tôt, est dirigée par l'un de ses disciples, Eudoxe de Cnide ; le maître vient de partir pour la Sicile afin d'essayer d'y inculquer quelque vertu au nouveau gouverneur de la colonie grecque de Syracuse, Denys le Jeune, fils du précédent gouverneur Denys l'Ancien ; Platon y est allé à la demande de Dion, oncle maternel et tuteur de Denys le Jeune, inquiet des dérives autoritaires de son neveu.

En l'absence de Platon, Aristote décide d'étudier d'abord chez Isocrate et se lie avec plusieurs de ses condisciples : Callipe (qui deviendra astronome) et Théodecte de Phasélis (qu'il citera souvent, par exemple dans sa *Rhétorique*). À partir des cours qu'il reçoit, il établira plus tard un catalogue des formes d'éloquence, distinguant la judiciaire, l'épidictique et la délibérative. Mais il n'apprécie guère l'ambiance de l'école des rhéteurs ni l'ambition purement politique des élèves d'Isocrate. En – 366, après un passage d'un an chez les rhéteurs, il passe à l'ennemi et entre à l'Académie de Platon où il restera dix-huit ans.

Il est d'abord enthousiasmé par la clarté des exposés d'Eudoxe de Cnide et l'étendue de ses connaissances en mathématiques et en astronomie. Eudoxe est le premier à tenter de formuler une théorie sur le mouvement des planètes ; pour lui, chaque corps céleste est porté par une ou plusieurs sphères tournant d'un mouvement uniforme autour de la Terre en ayant des pôles différents. Aristote lui empruntera plus tard l'essentiel de sa description de l'Univers dans les *Météorologiques* et dans le traité *Du ciel*.

L'année suivante (– 364), Platon revient de Sicile. Il y a mis au point les fondements de sa théorie des idées, y a écrit le *Banquet* et le *Phèdre*. Si différent d'Isocrate, Platon illumine alors le jeune Aristote ; et le maître, qui s'intéresse personnellement à chacun de ses élèves, remarque rapidement les dons exceptionnels de son nouvel étudiant. Il le surnomme « *le Liseur* » (parce qu'il consacre de longs moments à la lecture pour soi, alors qu'à l'époque on pratique plutôt les lectures collectives à haute voix), ou encore *Noûs* (« l'Intelligence », « l'Esprit »). Aristote a peut-être trouvé celui qu'il cherche : un substitut au père trop tôt disparu. Il surpasse même vite son maître en logique – même si, à la mathématique, Aristote préfère l'histoire, la morale et les sciences naturelles, dont le goût lui a été inspiré par sa jeunesse buissonnière.

En – 360, alors qu'Aristote est encore étudiant, Platon lui confie – insigne honneur ! – un enseignement de rhétorique. Théophraste, considéré plus tard comme le fondateur de la botanique, devient son élève après avoir été celui de Platon.

Ce dernier retourne à Syracuse à la demande de Denys le Jeune, qui exige sa présence en échange de la grâce de Dion, son oncle, qu'il a fait arrêter pour avoir tenté de limiter ses caprices. Dès son arrivée, Platon est menacé à son tour par Denys et ne doit la vie sauve qu'à une expédition venue d'Athènes, conduite par un philosophe pythagoricien, Archytas de Tarente.

En −357, Philippe, qui a pris le pouvoir en Macédoine, conquiert Amphipolis, cité indépendante qu'Athènes convoite.

Aristote, qui n'a pas cessé de correspondre avec Philippe et Antipater, revient les voir à Pella. Sans doute parlent-ils de la guerre qui gronde. Il voyage ensuite dans l'Eubée, la Chalcidique, et séjourne à Atarnée, lieu de son enfance, où vivent encore sa sœur, son beau-frère et son ami Hermias. Il est à Éphèse, en −356, quand un incendie y détruit l'une des sept merveilles du monde – le temple d'Artémis, aux dimensions colossales, dont il fournit la description dans les *Météorologiques*. Le jour même, selon la tradition, naît Alexandre, fils de Philippe, lequel en fait part en ces termes à Aristote : « Philippe à Aristote, salut ! Apprends qu'il m'est né un fils. Je suis très reconnaissant aux dieux, non pas tant de me l'avoir donné que de l'avoir fait naître à ton époque. Car j'espère que, formé par tes soins et éduqué par toi, il sera le digne héritier de nous et de nos affaires. »

Aristote s'en retourne alors à Athènes et continue d'apprendre avec Platon, revenu sain et sauf de Syracuse, et à enseigner. Parallèlement à ses cours, Aristote poursuit des travaux personnels, dont la chronologie exacte est difficile à établir : il rédige des poèmes, des dialogues, des essais, des lettres, des traités et enquêtes concernant toutes les branches de la science de son époque. La plupart de ses écrits de cette période (*Sur la noblesse*, *Sur l'éducation*, *Sur l'amitié*, *Du bien*, *Des idées*, *Sur la justice*…) ont disparu ou ne subsistent qu'à l'état de fragments ou de citations chez des auteurs ultérieurs.

Il s'exprime aussi beaucoup en public, par ses cours et des conférences. Trois siècles plus tard, à Rome, Cicéron, qui le fera connaître dans le monde latin, qualifiera son éloquence de *flumen aureum* : « Répandant le fleuve d'or de son éloquence… »

Parmi les textes les plus intéressants d'Aristote écrits à cette époque figure un dialogue, *Sur la justice* (livre V de l'*Éthique à Nicomaque*), dans lequel il propose une classification des différents modes de pouvoir et une théorie des formes de la justice. Il rédige aussi, à ce moment-là, un pamphlet contre Isocrate, osant critiquer celui qui fut son maître et qui, octogénaire, continue de régner sur son école et sur l'enseignement rhétorique des jeunes gens en quête de pouvoir : tant de ses anciens élèves sont devenus puissants que le vieil homme jouit encore d'un grand ascendant sur la ville.

Puis, en −354, Aristote compose un dialogue, sans doute en hommage à son ami Eudème de Chypre, qui vient de mourir à Syracuse au cours d'une nouvelle expédition contre le tyran Denys ; elle est conduite, encore une fois, par son oncle Dion à la tête de huit cents mercenaires, « d'hommes politiques et de philosophes » (écrira Plutarque dans la *Vie des hommes illustres*), dont, avec l'approbation de leur maître, des disciples de Platon. Denys est alors déposé, Dion prend le pouvoir à Syracuse avant d'être assassiné, avec Eudème de Chypre, par un autre Athénien, Callippos, qui a pris le parti du tyran évincé.

C'est vers −354 qu'il commence à s'éloigner de Platon, qu'il côtoie quotidiennement depuis dix ans.

Aristote désigne sa méthode comme l'empirisme (*empereikos* : « celui qui se guide sur l'expérience ») et définit la « philosophie première » comme la « science des formes ». Elle sera nommée plus tard « métaphysique » pour des raisons, on le verra, purement « éditioriales ».

Pour lui, c'est dans la physique que gît l'essentiel de la philosophie ; elle est à la fois théorie du mouvement et cosmologie : le mouvement résulte d'une imperfection de l'être, qui cherche à se réaliser en un monde parfaitement ordonné, totalement au repos ou à tout le moins en mouvement circulaire, le plus proche de l'immobilité.

Alors que Platon considère les idées comme la seule réalité et le fondement de toute vérité, Aristote pense que chaque être fait de matière et de formes est intelligible en soi. Par exemple, la matière d'une statue de Zeus est le marbre, et sa forme est ce qui lui permet de représenter le dieu. Ensemble, ils font sens. Il en déduit une théorie de l'univers, ensemble clos et fini de sphères imbriquées : au centre, la Terre, la plus imparfaite des sphères, parce que la plus matérielle ; au-dessus, le monde céleste, indestructible et soumis au seul mouvement circulaire ; au-dessus encore, la dernière sphère, indestructible et immobile, celle du divin, de l'« intellect agent ». Les corps, dit-il, s'installent dans la sphère correspondant à leur nature : les corps lourds au centre ; les corps légers à l'extérieur.

Il existe donc pour lui une hiérarchie des êtres (de la matière jusqu'à la forme pure, absolue : Dieu) qui justifie ce qu'Aristote appelle l'« esclavage par nature » de ceux qui ne sont faits que de matière ; et une hiérarchie des mondes (du monde supra-lunaire au « premier moteur », première des formes pures).

Alors que, pour Platon, les formes pures existent indépendamment de la connaissance qu'on en a, pour Aristote on ne peut comprendre le réel que par l'observation de la nature. Pour lui, l'objet de la philosophie de la nature (de la physique) est justement l'étude du passage de la potentialité à la réalité, selon quatre modalités – trois d'entre elles sont des changements dans la continuité de l'idée : l'altération (changement qualitatif), la croissance et la décroissance (changement quantitatif) et le mouvement local (changement de lieu), et une est un changement substantiel : la génération ou la destruction.

À ses yeux, tout être peut se définir par dix paramètres (substance, quantité, qualité, relation, lieu, temps, position, possession, action, passion). Tout objet a quatre causes (efficiente, matérielle, formelle et finale). Par exemple, la cause efficiente d'une statue est le sculpteur ; sa cause matérielle est le matériau utilisé ; sa cause formelle est ce qu'elle vise à représenter ; sa cause finale est le but pour lequel elle a été sculptée. Pour lui, tout être vivant possède une âme ; les plantes ont une âme végétative, les animaux une âme sensitive, les hommes une âme rationnelle.

Sur le fond, l'énigme du vivant le préoccupe plus que la morale ou que les mathématiques. Au surplus, alors que Platon divise la société en deux classes, Aristote introduit entre elles des classes intermédiaires. Contrairement à Platon, il s'intéresse aux vertus sociales, comme l'amabilité, et pense que le bon fonctionnement de la Cité exige le respect de la propriété privée et l'affection des individus les uns pour les autres. Il distingue trois types de gouvernement acceptables : la monarchie, l'aristocratie, la république. Lorsque l'intérêt particulier prend le pas sur l'intérêt général, chacun d'eux se mue en son correspondant inacceptable – respectivement la tyrannie, l'oligarchie, la démocratie. S'opposant à l'idéalisme platonicien, le meilleur régime est donc pour lui celui qui emprunte la voie du juste milieu. Il définit par exemple le courage comme un compromis entre témérité et lâcheté.

Alors que, pour Platon, le Bien est l'idéal dont le monde imparfait doit se rapprocher, pour Aristote le Bien est le développement maximal, pour chaque être, de sa nature propre, dans ses propres limites, et l'idéal est source de malheur.

Contrairement aux stoïciens, Aristote ne croit pas que cet état de satisfaction ne dépende que de la volonté individuelle : celui qui est pauvre, laid et malade ne peut être ni complètement heureux, ni tout à fait vertueux. « L'homme est un animal politique », écrit alors Aristote. La vie raisonnable n'est possible que dans une communauté juste, et « le juste suppose des gens dont les rapports sont régis par la loi » (*Éthique à Nicomaque*).

Alors que le savoir, pour Platon, surgit du dialogue, Aristote privilégie, lui, la démonstration.

À cette époque, il parle aussi longuement de l'œuvre d'art en tant que réalisation d'une idée conçue par l'artiste, et non, comme chez Platon, en tant qu'expression chez l'artiste de la transcendance qui le dépasse.

Plus précisément, alors que, pour Platon, l'œuvre d'art n'est qu'une imitation d'imitation, la nature étant une copie de l'Idée, pour Aristote l'imitation du réel par l'artiste (*mimesis*) est une façon originale et personnelle de faire surgir les passions par l'effet de surprise : les « émotions naissent surtout et encore plus lorsque les faits s'enchaînent contre notre attente » (*La Poétique*), permettant une canalisation des passions sans attendre leur réalisation dans le monde réel.

Il élabore alors en particulier une théorie de la tragédie inspirée de la pratique d'Euripide, Eschyle et Sophocle, morts un demi-siècle plus tôt, fixant au théâtre des règles appliquées ensuite pendant deux mille ans : il faut qu'une pièce raconte une histoire, qu'un des personnages au moins ait vraiment existé, que les effets découlent des paroles ou des actes, non d'un raisonnement. L'action ne doit pas dépasser une « révolution de Soleil ». Pour lui, une tragédie doit contenir six éléments : l'intrigue, les personnages, la diction, la pensée, le spectacle et la mélodie ; elle doit recéler des péripéties, comme la découverte d'un secret ou une catastrophe. Le personnage principal doit être du côté du bien et rencontrer des difficultés par suite d'une erreur d'analyse, non d'un défaut.

La Grèce se relève alors d'un long déclin. Gronde la rivalité entre Athènes et la Macédoine. À partir de −353 et jusqu'en −350, des artistes construisent à Carie, en Asie Mineure, l'une des sept Merveilles du monde, le mausolée d'Halicarnasse, à la demande d'Artémise II, sœur et veuve de Mausole, satrape de la ville. En −350, les meilleurs d'entre eux reconstruisent à Éphèse le temple d'Artémis incendié six ans plus tôt. En −351, Démosthène déclame à Athènes sa *Première Philippique*, dénonçant l'expansion macédonienne, cependant qu'Hermias, l'esclave affranchi ami d'enfance d'Aristote, devient souverain d'Atarnée.

À partir de −350, Aristote accumule des notes, compile des documents, fait faire par des élèves des fiches de lecture à propos de tous les sujets sur lesquels il travaille. Il s'attache à dégager des lois pour tout, en particulier à trouver des explications matérielles aux sentiments : par exemple, dans la section II des *Problèmes*, il note : « La colère est un bouillonnement de la chaleur autour du cœur. » Il consacre de plus en plus de temps à l'observation de la faune, accumulant des notes en vue d'une *Histoire des animaux*, et composant un recueil de dessins, les *Planches anatomiques*, aujourd'hui disparu. Il rassemble des comptes rendus de ses lectures, un recueil intitulé *Didascalies* (les didascalies étant alors les procès-verbaux établissant la liste des vainqueurs des concours dramatiques organisés pendant les Dionysies et les Lénéennes), et d'autres listes utiles à son enseignement : liste de *Coutumes des Barbares* (recueil de *158 Constitutions de Cités*), listes de *Problèmes* (physiques et mécaniques). Tous ces ouvrages sont aujourd'hui perdus, à l'exception d'une partie des notes de l'*Histoire des animaux*, de quelques *Problèmes* et de la *Constitution d'Athènes*, retrouvée dans les sables d'Égypte en 1879.

Malgré les échecs de Platon en Sicile, Aristote espère lui aussi guider les princes. Mais lesquels ? Il n'est pas athénien ; il est même l'ami de Philippe II de Macédoine, qui menace Athènes. Pire : en – 348, Philippe détruit Stagire, ville natale d'Aristote. Puis il rase Olynthe, ville de Chalcidique (qui l'a trahi pour s'allier à Athènes), et vend ses habitants comme esclaves.

À Athènes, Démosthène dénonce le roi de Macédoine dans trois harangues, les *Olynthiennes*, et incite la cité à la résistance. Ni Aristote ni Isocrate, lequel affiche des sympathies pro-macédoniennes, ne sont néanmoins particulièrement menacés.

En – 347, alors que les Carthaginois concluent avec Rome et les Cités latines un traité interdisant aux Romains de pousser jusqu'en Sardaigne, en Afrique du Nord et en Espagne, Platon, avant de mourir dans sa quatre-vingtième année, désigne son successeur : non pas Aristote, pourtant le meilleur de ses élèves, mais son neveu, Speusippe, fils de sa sœur Potone. Déçu, Aristote ne peut se résigner à enseigner sous la direction d'un médiocre, et l'année suivante, à trente-sept ans, il quitte l'Académie, où il vient de passer vingt ans, et même Athènes, qui vient de faire la paix avec Philippe de Macédoine.

Accompagné d'un disciple, Xénocrate, il s'installe à Atarnée, ville de son enfance, près de son ami Hermias qui en est devenu le souverain et sur qui il espère exercer une influence. Il y retrouve deux de ses anciens élèves, les frères Erastos et Coriscos, arrivés là trois ans plus tôt. Aristote tombe alors amoureux de la nièce et fille adoptive d'Hermias, Pythias. Le souverain finit par se lasser des conseils des deux frères philosophes et les envoie en – 345 dans un confortable domaine aux confins d'un territoire qu'il vient d'annexer : le port d'Assos. Aristote décide de les accompagner et quitte la fille du souverain, dont il est de plus en plus épris. À défaut de conseiller un prince, ils ouvrent une école ; viennent les y rejoindre certains anciens élèves de l'Académie, parmi lesquels Théophraste, le premier botaniste de l'Antiquité, né non loin de là, en – 372, à Erésos, sur l'île de Lesbos. Les ouvrages qu'Aristote a emportés d'Athènes constituent le fonds de la bibliothèque d'Assos. Il rencontre peut-être là des lettrés juifs (en témoigne une indication fournie par l'*Histoire des animaux* rappelant un texte de la Bible : il « n'est pas rare qu'en Asie un même homme possède jusqu'à 3 000 chameaux »). Il conseille encore Hermias à distance par des lettres précises (que l'on retrouvera intégrés dans les livres VII et VIII de la *Politique*) sur le commerce, l'argent, les richesses, l'industrie, l'esclavage, la gestion d'un ménage, ce qui fait de lui l'inventeur de la science économique.

En – 344, après deux années passées à Assos, il s'installe, à la suite de l'assassinat d'Hermias par le roi des Perses Artaxerxès III Ochos, sur ce qui est aujourd'hui l'île de Lesbos, l'île natale de Théophraste : c'est un lieu de prédilection pour étudier les oiseaux (Aristote en dénombre 135 espèces) et les espèces marines (il en décrit 105). Il y séjourne deux ans. C'est là, dit-on, qu'il devient chasseur de papillons.

Au total, ces cinq années passées en Troade se seront révélées particulièrement fécondes : de nombreux traités scientifiques ont été mis en chantier, dont de nombreux livres de la *Physique* et de la *Métaphysique*. Il n'a pas oublié Pythias, la fille d'Hermias...

Survient alors l'occasion de conseiller un prince, ou plutôt de le préparer à son métier. Et quel prince ! En – 343, Philippe cherche un professeur pour son fils Alexandre, alors âgé de treize ans. Nombreux sont ceux qui aspirent à cet emploi si prestigieux. Isocrate (alors âgé de quatre-vingt-treize ans !!) se met sur les rangs, écrivant une lettre obséquieuse à Philippe ; puis, comprenant qu'il ne sera pas choisi, il propose un de ses élèves, Théopompe de Chio. Speusippe (qui dirige l'Académie de Platon depuis la mort du Maître) est également candidat et propose par écrit à Philippe de lui obtenir, en échange du poste, le contrôle de deux villes, Amphipolis et Ambracie, dépendant alors d'Athènes. Philippe s'empresse de faire circuler sa lettre, ce qui discrédite Speusippe à Athènes. Il choisit Aristote, comme il l'avait dit à la naissance de son fils. Aristote n'a pas postulé, mais accepte. Les candidats évincés donnent alors libre cours à leur mauvaise humeur et le traitent de courtisan : « Diogène [qui vit alors comme mendiant volontaire à Athènes et impressionne la ville entière] dîne quand il plaît à Diogène ; Aristote, quand il plaît à Philippe », rapportera Plutarque dans *De l'exil.*

En – 344, Philippe installe son fils et Aristote au château de Miéza, à l'est de Pella, dans le « jardin de Midas ». Aristote (il a quarante ans) enseigne à l'enfant les rudiments du savoir et travaille pour son compte sur la poétique, la politique et les *Dikaiomata,* l'un des premiers traités de droit international, recueil de documents juridiques relatifs aux droits des cités sur des territoires contestés. Il œuvre encore à son *Histoire des animaux* grâce aux moyens matériels et humains que Philippe met à sa disposition, et rédige pour son jeune élève de *Petits traités d'histoire naturelle* portant sur la jeunesse, le sommeil, les rêves, la respiration…

En – 343, Philippe accueille à Pella la fille adoptive d'Hermias, Pythias, dont Aristote a fait la connaissance six ans plus tôt et dont il est resté très épris. Il l'épouse et continue de servir de précepteur à Alexandre. Du couple, installé au château de Miéza, naît bientôt une fille qui prend le nom de sa mère. Autant qu'on le devine, cette histoire d'amour est d'une extrême intensité.

À l'été – 340, Philippe, qui prépare l'attaque de Périnthe et de Byzance, capitale de la Thrace, villes liées à Athènes, nomme « régent » son fils âgé de seize ans. Pour sa part, Alexandre ne pense plus qu'à participer aux conquêtes de son père ; apprendre l'intéresse moins que jamais ; Aristote abandonne alors sa charge de précepteur qu'il n'occupe que depuis trois ans. Ses disciples se dispersent : son neveu Callisthène s'en va à Pella écrire une *Histoire de la guerre sacrée,* Théophraste rejoint Erastos et Coriscos à Lesbos, Xénocrate rentre à Athènes prendre la direction de l'Académie à la mort de Speusippe, discrédité. Aristote aimerait l'y rejoindre et même le remplacer, mais Athènes a pris parti contre la Macédoine ; il revient donc chez lui à Stagire, dans la maison paternelle, épargnée par Philippe lors de l'incendie de la ville. Il s'y installe avec Pythias et leur fille et reprend en main la gestion du domaine familial. On sait par diverses sources (dont son testament) qu'il est un amant, un mari et un père passionné. Il passe du temps à étudier les animaux d'élevage et apprend la manière de sélectionner les meilleures races ; en particulier, il consacre de nombreuses pages de son *Histoire des animaux* aux chevaux, la Chalcidique étant réputée pour l'élevage des coursiers. Il termine là des travaux entrepris avec le concours de Théophraste et de Callisthène : une histoire des Jeux pythiques, assortie d'une liste des vainqueurs depuis les origines, que le Conseil de Stagire décide de faire graver sur une stèle dans le temple d'Apollon (l'inscription des 21 000 caractères prendra dix ans et ne sera terminée qu'en − 329 !). Il poursuit ses recherches sur les diverses constitutions politiques, et écrit des *Lettres* à Philippe de Macédoine.

En − 338, le jeune Alexandre s'illustre à la bataille de Chéronée contre Athènes. Avec Thèbes, Corinthe, Mégare, Eubée et Leucate, Philippe forme une « ligue de Corinthe » contre les Perses, dont le roi, Artaxerxès III, décède. Philippe se prépare à l'assaut contre les Perses. À Athènes, Isocrate se laisse mourir de faim à quatre-vingt-dix-huit ans devant la faillite de son rêve de colonisation de toute l'Asie Mineure sous la direction d'Athènes.

En − 336, après cinq ans d'un bonheur idyllique, Aristote perd sa femme adorée ; il se retrouve seul, à quarante-quatre ans, avec une fillette en bas âge.

En août, Philippe est assassiné par un membre de sa garde rapprochée alors qu'il met la dernière main aux préparatifs de son expédition contre les Perses. Alexandre devient roi. Les intellectuels athéniens se divisent : Démosthène se moque du « petit jeune homme », tandis que Callisthène, neveu d'Aristote, historien et savant estimé (il a écrit une *Histoire grecque* en dix volumes), fait partie de l'état-major du nouveau roi, et que Nicanor s'engage dans l'armée macédonienne.

À l'automne − 335, Alexandre inaugure son règne en rasant Thèbes, laissant 6 000 morts sur le terrain. Athènes se résout à lui envoyer un ambassadeur pour implorer son amitié, ce qu'il accepte. À Corinthe, le jeune roi, maître de la Grèce, rencontre Diogène et lui dit : « Demande-moi ce que tu veux, je te le donnerai. » Diogène lui aurait répondu : « Ôte-toi de mon soleil ! » Alexandre : « N'as-tu pas peur de moi ? » Diogène aurait répliqué : « Qu'es-tu donc ? Un bien ou un mal ? » Alexandre : « Un bien. » Diogène : « Qui donc pourrait craindre le bien ? »

Aristote se remarie alors avec une fille de Stagire, Herpyllis, qui lui donne un fils qu'il nomme Nicomaque, comme son propre père. Il rend une visite protocolaire à Alexandre, lui remet une copie de son *Traité sur l'art de régner*, et s'en retourne à Stagire. Alexandre n'a nul besoin de lui. Il ne pense qu'à reprendre le combat de son père contre les Perses.

En −334, Alexandre nomme Antipater, l'ami de son père et d'Aristote, régent de Macédoine et part au combat. Il écrase le nouveau roi perse Darius III Codoman à la bataille du Granique, puis, l'année suivante, à celle d'Issos, en Cilicie, ce qui lui ouvre la route de l'Orient. Parti symboliquement des ruines de Troie, racontent certains textes, il conquiert d'abord la façade méditerranéenne de l'Empire perse. En −331, il bat encore Darius III dans la plaine de Gaugamelès (à environ 100 km de l'actuelle ville d'Erbil, en Irak) et se proclame « roi d'Asie ». Vers −330 (alors que le géographe grec Pythéas quitte Marseille à la découverte du Grand Nord et parvient jusqu'à Thulé, sans doute en Islande), Alexandre fonde Alexandrie, cependant que Darius III est assassiné par le satrape de Bactriane. En −328, Alexandre, qui se prétend « Dieu sur terre », fait torturer et assassiner à Bactres le neveu d'Aristote, Callisthène, grand historien et conseiller d'Alexandre, âgé de trente-sept ans, pour avoir moqué ses prétentions à la divinité. (Plus tard, à Rome, Sénèque dira de lui : « Callisthène, homme bien digne d'estime, car il eut l'âme élevée et ne voulut pas souffrir les extravagances de son roi. »)

Après de difficiles campagnes contre les satrapies orientales, Alexandre franchit l'Indus en −326 et vise le Gange. Mais ses troupes le contraignent à s'arrêter sur l'Hydapse, affluent de l'Indus, et font demi-tour.

Entre-temps, Aristote, resté à Stagire, rêve de rentrer à Athènes et de rassembler autour de lui ses disciples dispersés. Son ami Antipater gouverne alors la Grèce au nom d'Alexandre. L'un de ses condisciples à l'Académie, Lycurgue, administre les affaires d'Athènes en dirigeant le parti démocratique. L'opinion publique athénienne est, dans son ensemble, moins défavorable à Alexandre qu'elle ne l'était à son père. Le climat politique s'apaise entre Macédoniens et Athéniens ; on ne dénonce plus les « collaborateurs ». Bien qu'il soit étranger et qu'il n'ait pas rendu d'importants services à la ville, Aristote y obtient le droit de cité. Il ne veut cependant pas revenir à l'Académie, que dirige désormais Xénocrate, pour qui Aristote n'a aucune estime (« Il est honteux, dit-il, de se taire et de laisser parler Xénocrate »).

Il décide donc de s'installer à son compte et, grâce à son héritage, il loue, le plus à l'écart possible de l'Académie, plusieurs maisons, au sud-est d'Athènes, hors les murs, près d'un sanctuaire consacré au dieu

Apollon, surnommé Lycien (« celui qui protège les loups »), d'où le nom de *Lycée* de l'ensemble. Les bâtiments ouvrent sur des cours bordées de portiques (*péripatos*), de terrains de jeux et d'allées plantées d'arbres. Des salles sont réservées aux cours, aux conférences, et des laboratoires aux dissections d'animaux. Aristote restera là douze ans.

Il y dispense son enseignement en marchant de long en large dans les allées, sous les portiques, d'où le surnom des membres de son école : les *péripatéticiens*. Les cours, réservés le matin aux disciples, sont ouverts à tous l'après-midi. La fortune personnelle d'Aristote et des subventions de son ami Antipater, régent de Macédoine en l'absence d'Alexandre, financent le fonctionnement.

Il travaille par ailleurs à de nouveaux traités sur les animaux (*Des parties des animaux*, *Mouvements des animaux*, *Génération des animaux*) et à divers textes sur la mémoire, le sommeil, les songes. Il rédige un traité, *De l'âme*, « entéléchie », principe actif qui permet le passage de la puissance à l'acte ; le vivant est l'accomplissement de l'être. Il élabore une science de « l'être en tant qu'être », l'ontologie.

On peut rendre compte du monde, explique-t-il, par la seule logique. Elle est l'art de comprendre le fonctionnement naturel de la raison. Il développe un mode de raisonnement (le syllogisme) qui, à partir de prémisses, conduit à la conclusion. Il dénombre quatorze modes de syllogismes qui sont les déclinaisons de trois figures. La forme classique de la première figure est la suivante : Tout B est A, or tout C est B, donc tout C est A. Exemple : Tous les hommes sont mortels ; or tous les Grecs sont des hommes ; donc, tous les Grecs sont mortels. La conclusion ne peut être fausse que si les prémisses le sont.

Alors que les épicuriens ne verront dans les événements que des effets du hasard, que d'autres philosophes estiment que les hommes sont les jouets de batailles entre les dieux, Aristote croit en l'existence d'une providence générale, mais pas d'une providence individuelle. Pour expliquer le mouvement de l'univers, il parle d'un « premier moteur » (ou Dieu) qui le meut et en est la cause finale sans en être pour autant la « cause première », car l'univers est sans commencement ni fin. Dieu n'est donc pas le créateur de l'univers. Il n'est pas non plus la seule puissance surhumaine : Aristote imagine des « âmes cosmiques » présidant aux mouvements de sphères célestes concentriques, distinctes de celles qui animent le vivant, animal et végétal.

Les hommes en particulier possèdent, selon lui, une âme dont la finalité est de s'unir par la connaissance avec l'« intellect agent », sorte d'âme absolue, collective, qui se confond avec le « premier moteur », ou Dieu. D'où une sorte d'idéal, pour Aristote, de morale contemplative, dans la jouissance de la pensée.

Au printemps – 324, de retour à Suse après son expédition avortée en Inde, Alexandre épouse Stateira, une des filles de Darius III Codoman (assassiné par un de ses satrapes deux ans plus tôt) ; plusieurs de ses généraux et dix mille de ses soldats s'unissent le même jour à des femmes perses. À l'automne de la même année, Nicanor, fils adoptif d'Aristote et officier de l'état-major du roi, transmet aux Grecs les décrets d'Alexandre exigeant de recevoir les honneurs divins ; il leur demande, à eux qui ne s'agenouillent que devant les statues des dieux et des héros, de se prosterner devant lui.

Alexandre est désormais dieu, roi de l'Asie, maître du monde. Le 13 juin – 323, à trente-deux ans et dix mois, il meurt d'un accès de fièvre près de Babylone. Antipater est nommé régent impérial alors que les généraux se disputent les morceaux de l'Empire. La nouvelle est connue à Athènes courant juillet. L'assemblée du peuple déclare alors la guerre à la Macédoine et chasse les troupes d'Alexandre. L'épuration commence. On reproche dès lors tout à Aristote, y compris l'attitude de Nicanor et l'hymne qu'il a composé en l'honneur d'Hermias, vingt ans auparavant. Les autorités de Delphes lui retirent les félicitations publiques qui avaient été gravées sur une stèle.

Fin – 323, malade, ne voulant pas finir comme Socrate, Aristote fuit avec sa femme Herpyllis et leurs deux enfants à Chalcis, en Eubée, où il a conservé un domaine hérité de sa mère. Ce n'est pas loin d'Athènes et il peut espérer participer à distance à la vie du Lycée qu'il dirige depuis douze ans. Il ne désigne pas de successeur, mais confie ses élèves et ses collections à Théophraste. Il espère encore revenir, même si sa maladie s'aggrave.

Antipater, son ami, régnant au nom des successeurs d'Alexandre, rétablit l'ordre à Athènes. Il pourrait rentrer mais il se sent trop malade pour cela. Ses disciples viennent fréquemment voir Aristote pour le presser de désigner un successeur : il choisit Théophraste de Lesbos.

En – 322, Aristote meurt au moment même où Démosthène, son exact contemporain, se suicide. Son testament, complet et minutieux, donne une idée précise de sa vie familiale et sentimentale si intense, tendre et passionnée. Il désigne le tout-puissant Antipater, maître de l'Empire, comme son exécuteur testamentaire. Il règle le cas de ses esclaves, commande des statues, fait de son fils Nicomaque son héritier. Un conseil de cinq personnes, dont Théophraste, est désigné pour prendre soin des enfants et des biens en l'absence de son fils adoptif Nicanor, qui occupe encore un haut commandement dans l'armée d'Antipater et à qui Aristote donne sa fille Pythias en mariage.

Mais Nicanor meurt peu après ces épousailles. Pythias se remarie alors avec un dirigeant spartiate, puis, de nouveau veuve, épouse en troisièmes noces un physicien dont elle a un fils qu'elle nomme Aristote, comme son père, et qui devient l'élève de Théophraste de Lesbos, le successeur de son père au Lycée.

Le sort des manuscrits d'Aristote mérite d'être retracé : selon la légende, en – 287, à la mort de Théophraste, Nélée, fils de Coriscos, élève de l'un puis de l'autre, hérite de sa bibliothèque. À sa mort, les manuscrits sont cachés à Scepsis pour être soustraits aux rois de Pergame, ville grecque d'Asie Mineure, soucieux d'enrichir leur bibliothèque, rivale de celle d'Alexandrie. Là, ils sont oubliés dans une cave avant d'être vendus, au Iᵉʳ siècle avant notre ère, à un certain Apellicon de Téos qui cède l'ensemble à Sylla. Consul, puis dictateur, en – 82, de la République, celui-ci les fait transporter à Rome. Plutarque écrit : « Sylla prit pour lui la bibliothèque d'Apellicon de Téos où se trouvaient la plupart des livres d'Aristote et de Théophraste encore mal connus du public. » À Rome, vers – 60, ces manuscrits sont recopiés par un certain Andronicos de Rhodes qui les classe en deux catégories : les livres sur la nature, *phusikè achroasis* (leçons de *Physique*), et ceux écrits *après* les ouvrages consacrés à la nature (*meta Phusika* ou Méta-Physique, le vocable ne désignant donc à ce moment qu'une simple indication chronologique). Aristote est ensuite admiré de Cicéron puis de Boèce, qui permet sa survie.

Le terme *Métaphysique* en un seul mot n'est employé qu'à partir du XIIᵉ siècle, d'abord par Ibn Rushd, admirateur émerveillé d'Aristote. La référence à Aristote figure ensuite partout : chez Maïmonide, Albert le Grand, Thomas d'Aquin. Il s'impose alors comme l'auteur de raison par excellence, l'avocat de la science dans un monde où tout s'oppose à elle. À la fin du XVIᵉ et au XVIIᵉ siècle, des critiques sont émises à son endroit, cette fois au nom de la raison, par Copernic, Giordano Bruno, Descartes, Galilée et Francis Bacon. Dans l'*Encyclopédie*, d'Alembert et Diderot consacrent plusieurs articles aux travaux d'Aristote. Au XIXᵉ siècle, l'enseignement universitaire retient de lui *La Méta-*

physique, *La Logique*, *L'Éthique* et *La Poétique*. Son œuvre continue d'être découverte. À la fin du XIXe siècle, les philologues identifient des passages entiers de l'œuvre d'Aristote plagiés par divers auteurs de l'Antiquité.

Aujourd'hui, on reconnaît en lui le socle de la pensée occidentale. Enseignant, chercheur, amoureux avant tout, sa vie, son refus de la dictature de l'idéal, sa passion du vivre vrai, de mettre la passion de la nature au service du monde, illuminent encore nos chemins.

BIBLIOGRAPHIE

ARISTOTE, *Éthique à Nicomaque*, trad. J. Voilquin, Paris, GF Flammarion, 1965.

ARISTOTE, *La Poétique*, trad. J. Hardy, Paris, Les Belles Lettres, 1979.

ARISTOTE, *Les Parties des animaux*, trad. P. Louis, Paris, Les Belles Lettres, 1957.

ARISTOTE, *Les Politiques*, trad. P. Pellegrin, Paris, GF Flammarion, 1990.

ARISTOTE, *Métaphysique*, trad. J. Tricot, Paris, Vrin, 1964.

ARISTOTE, *Organon*, trad. J. Tricot, Paris, Vrin, 1959.

ARISTOTE, *Physique*, trad. H. Carteron, Paris, Les Belles Lettres, 2003.

CAUQUELIN, Anne, *Aristote*, Paris, Seuil, 1994.

FOLLON, Jacques, postface à la publication du *Protreptique*, *Invitation à la philosophie*, Paris, Mille et une nuits, 2000.

LOUIS, Pierre, *Vie d'Aristote*, Paris, Hermann, 1990.

VIDAL-NAQUET, Pierre, *Atlas historique – Histoire de l'humanité*, Paris, Hachette, 1987.

3

Açoka

(– 304 – 232)
ou la violence de la non-violence

Pourquoi le cacher ? J'avais depuis toujours éprouvé la plus vive
réticence envers le bouddhisme, que je considérais comme une philosophie de la résignation, une façon de pousser l'homme à nier sa
souffrance et à accepter sa misère, à chercher à n'être rien, volontairement rien – pour le plus grand profit du clergé et des seigneurs.

Puis j'ai découvert qu'il y a vingt-trois siècles un prince indien avait
su donner corps à cette doctrine, pour en faire, dans l'action concrète,
une forme moderne d'altruisme ; en instaurant une étonnante éthique
d'État dont il sut répandre le message d'une façon totalement originale,
unique dans l'Histoire. Un prince sans lequel le bouddhisme aurait sans
doute disparu après la mort de son fondateur, et qui fut, pour le
Bouddha, ce que David fut pour Moïse, puis ce que Constantin fut
pour le Christ : un *passeur* politique. Un des plus grands monarques
de l'histoire universelle.

Il régna sur un empire plus grand qu'aucun autre en son temps,
s'étendant sur l'essentiel du sous-continent indien, de l'actuel Afghanistan, à l'ouest, jusqu'au Bengale, à l'est, de l'Himalaya, au nord, à
l'actuelle Mysore, au sud.

Comme on ne peut rien comprendre de la Chine d'aujourd'hui sans
se référer à Confucius, il est impossible de penser l'Inde moderne sans
remonter à Açoka. En parlant à son peuple dans l'espace de son
royaume, il a laissé une trace bien particulière dans l'histoire de

l'humanité. En faisant connaître le bouddhisme hors de l'Inde, il en a assuré la survie, à un moment où l'Inde l'oubliait, secte parmi les sectes.

On en sait plus long sur lui que sur la quasi-totalité des hommes de son temps grâce aux incroyables messages qu'il fit graver sur pas moins de 84 000 piliers, stupas, monticules de briques ou de pierres placés au croisement des routes ou en des lieux sacrés renfermant des reliques du Bouddha ou de bodhisattvas célèbres. À la différence de tous les autres monarques avant lui, qui ne gravaient sur de très rares monuments que la liste de leurs exploits, il transmettait ainsi ses instructions à ses sujets, dans toutes leurs langues, et d'abord en pali, dialecte proche du sanskrit védique, parlé dans le royaume du Magadha, au sud du Gange, non loin du Népal, où le Bouddha passa sa vie à prêcher. Stupéfiante forme de communication – unique dans l'Histoire – qui lui donne ainsi toute sa place. Elle exigeait une extraordinaire logistique, une fantastique capacité administrative et idéologique.

Des guerres mythologiques évoquées dans les récits fondamentaux de l'hindouisme, on ne sait rien ; du Bouddha, on ne sait guère. Açoka est le premier prince de l'Inde dont on connaisse quelque chose.

Le Bouddha – l'*Éveillé* ou l'*Illuminé* (du sanskrit *budh*) – serait né prince à Kapilavastu, dans le nord de l'Inde, vers –560, et serait mort à Kusinârâ, dans l'actuel district de Govakhpur, en –480, six ans après Darius Ier. À vingt-neuf ans, découvrant la souffrance et la mort, il quitte le palais de son père, son épouse et son fils, pour devenir *bhikkhu* – religieux itinérant – dans la vallée du Gange ; il y suit les enseignements de maîtres brahmanes ; un groupe de cinq disciples se forme bientôt autour de lui. Insatisfait, il entraîne ceux-ci dans une période d'extrême ascèse ; il devient le Çâkyamuni : l'« ascète silencieux des Çâkya ». Au bout de six ans, toujours insatisfait, il renonce à cette voie, et ses disciples l'abandonnent. Il s'assied alors au pied d'un arbre (le *Ficus religiosa*, arbre de Bodhi), sur la rive du Neranjarâ (près de Gayâ, dans l'actuel Bihâr). Là, à trente-cinq ans, il reçoit l'« Éveil ». Il se rend alors dans le parc des Gazelles, à Isipatana (l'actuelle Sarnâth, à quelques kilomètres de Varanasi, dans l'Uttar Pradesh), et y prononce le « sermon de Varanasi » qui « met en mouvement la roue de la Loi ». Il y énonce en particulier les quatre « nobles vérités » : vérité de la souffrance et rejet de l'idée d'un « soi » permanent ; vérité des désirs comme origine de la souffrance ; vérité du Nirvâna comme extinction des désirs et de l'illusion d'un « soi » permanent ; vérité du chemin à huit branches – huit prescriptions relatives à l'éthique, à la discipline mentale et à la sagesse. À compter de ce jour, et pendant quarante-cinq ans, il enseignera chaque jour ce message à tous et à toutes, sans distinction d'origine sociale ou de caste, sans se soucier de ce que les brahmanes hindouistes veulent imposer. L'ensemble de ses enseignements forme le *dharma* (la Loi ou l'action juste).

On ne sait à peu près rien de plus de lui. Et pas davantage de ses successeurs jusqu'à l'arrivée en Inde d'Alexandre le Grand un siècle et demi plus tard, deux décennies avant la naissance d'Açoka.

L'expédition d'Alexandre est en effet le premier fait réellement avéré de l'histoire de l'Inde, grâce à un très grand nombre d'inscriptions, de monuments, de témoignages écrits de voyageurs grecs et chinois.

L'ambition du Macédonien est de restaurer sous son commandement l'empire perse de Darius Ier, mort un siècle et demi plus tôt, et de pousser jusqu'à la vallée du Gange, encore inconnue des géographes grecs. Alexandre guerroie d'abord en Sogdiane (région située entre l'Ouzbékistan, le Tadjikistan et l'Afghanistan actuels), puis se porte au secours d'un des princes de la vallée septentrionale de l'Indus contre le roi Pûru. En –326, après s'être emparé de Taxila, centre de la culture brahmanique, il vainc Pûru et sa terrible armée d'éléphants de guerre sur les rives de l'Hydaspe, le plus oriental des grands affluents de l'Indus, au Pakistan. Il fait alors de ce roi vaincu un allié. Puis il fonde Alexandrie-Nicée (actuelle Jalapur), Alexandrie-Bucéphale (sans doute sur le site de Bhora) et rebaptise une ville du nom d'Alexandrie-du-Caucase (actuelle Bagram, près de Kaboul). Mais, quand il souhaite repartir en direction du Gange, ses troupes refusent de traverser l'Hydaspe : elles exigent de rentrer en Macédoine. En –325, Alexandre donne l'ordre du retour, avant de mourir en –323 près de Babylone.

L'année suivante, en –322, dans le Magadha, Chandragupta Maurya fonde une dynastie, hindouiste, de brahmanes. L'année suivante, en –321 – si l'on en croit le témoignage du géographe grec Strabon et les mémoires d'un ambassadeur grec –, Chandragupta passe un accord avec celui des successeurs d'Alexandre qui a repris la région, le général Séleucos Nicanor, lequel la lui abandonne en échange de cinq cents éléphants. Son empire s'étend progressivement sur la vallée de l'Indus, le Pendjab, la Bactriane, l'actuel territoire du Pakistan, l'Orissa, le golfe du Bengale et l'Inde méridionale jusqu'à Nellore. Suivant l'exemple perse, il choisit une capitale, Pāṭaliputra (l'actuelle Patna), construite un siècle et demi plus tôt, sur le modèle de Persépolis, par la dynastie Hariyanka, et y établit une administration. Par un ambassadeur grec, Mégasthène, on sait que la ville – administrée par un conseil de trente membres – est magnifique, le palais du roi somptueux. Vingt ans plus tard, en –300, sur les conseils d'un maître jaïn (une secte hindouiste particulièrement non violente), Chandragupta abdique en faveur d'un de ses fils, Bindusâra, et se retire dans un lieu isolé pour finir ses jours dans le jeûne et la méditation. Ou même, selon la tradition, pour se laisser mourir de faim.

Sous le règne de ce roi, Bindusâra, dont on sait très peu de chose, un ministre, Cāṇakya, repousse encore les limites de son empire. Puis le souverain charge un de ses fils, Açoka, de réprimer une révolte survenue à Taxila, dans l'actuel Pakistan. Vers –268, à la mort de son père, Açoka prend le pouvoir, censé revenir à son frère aîné, Susīma, et élimine tous les autres prétendants. La légende veut même qu'il fasse massacrer ses quatre-vingt-dix-neuf demi-frères, à l'exception d'un seul. Il hérite alors d'une énorme armée et de très nombreuses forces.

Au début de son règne, comme ses deux prédécesseurs, il recourt à la terreur, espionne et déporte ses ennemis. Il conquiert l'Inde sud-orientale et attaque la province du Kālinga (qui correspond aujourd'hui à l'État indien de l'Orissa, sur le golfe du Bengale). L'offensive tourne au massacre : 100 000 morts et 150 000 prisonniers. Les légendes indiennes regorgent de récits de ces hécatombes.

En –262, année qui correspond à l'an 6 de son règne (c'est ainsi que l'on compte en ce temps-là), des sages jaïns et bouddhistes (deux pratiques alors très minoritaires) l'implorent d'interrompre ces massacres. Parmi eux, un maître important : Mogalliputta Tissa.

Açoka n'est ni jaïn, ni bouddhiste. Il est un brahmane hindouiste ; mais il les écoute. Les moines lui expliquent qu'un des premiers devoirs d'un grand roi est de faire régner la paix et, pour cela, de comprendre la signification profonde de la non-violence : il faut refuser de tuer et de nuire, tout comme il faut renoncer à vouloir posséder et dominer. Ils lui citent les paroles du Bouddha : « La vie est chère à tous les êtres, tous craignent la souffrance et redoutent leur destruction. Le respect, la compassion et la tolérance demeurent l'essence de la sagesse. » Et encore : « Celui qui refuse de chasser ou de pêcher, qui ne tue point et ne veut être cause de mort pour aucune créature, faible ou puissante, voilà un homme de bien. »

La légende – en fait, ce qu'il en dira lui-même un peu plus tard sur des colonnes de pierre gravées – veut que cette conversation ait été, pour le monarque, une révélation. De fait, ce qu'il entend là correspond à une conception du divin bien éloignée de celle de l'hindouisme, pour qui la guerre est le comportement normal des dieux et des rois. Açoka interrompt alors les massacres et se convertit au bouddhisme ; il devient un fidèle laïc, un « *upāsaka* », c'est-à-dire que, sans changer de style de vie, il « prend refuge » dans le Bouddha, la Loi, la Communauté, et promet de faire chaque matin, si l'occasion s'en présente, une offrande de nourriture à tout moine passant devant sa porte.

S'agit-il d'une vraie conversion ou bien fait-il simplement là (comme le penseront plus tard Max Weber et Romila Thapar) montre d'habileté ? Voit-il dans le bouddhisme la possibilité de poursuivre la politique de ses prédécesseurs en gagnant le soutien des masses indiennes exploitées par les brahmanes ? S'agit-il seulement d'une ruse, comme celle de Clovis ou de Charlemagne, qui se convertiront et convertiront leurs sujets au christianisme pour conforter leur empire ? Voire comme Henri IV, se faisant catholique pour accéder au trône de France ?

En fait, il n'a aucun intérêt politique à pratiquer une religion aussi minoritaire. Toute son action ultérieure témoigne bien de son désir d'instaurer une ère nouvelle, où la morale bouddhiste dicterait la conduite des gens ; une ère dans laquelle « les dieux, qui n'étaient pas mêlés aux hommes, y sont maintenant mêlés », ainsi qu'il le fera inscrire sur un pilier reproduit à travers le pays. C'est en cela qu'il devient un très grand roi, qui fait passer la morale avant toute autre chose. Il semble en tout cas prendre seul la décision de se convertir, et avec lui il en sera toujours ainsi : on ne trouvera jamais mention, dans ses inscriptions, de la présence auprès de lui d'un conseiller spirituel (*rāja-guru*) : même Mogalliputta Tissa, moine bouddhiste à l'origine de sa conversion et dont on constatera le rôle important à de multiples occasions, n'est en rien son guru.

Il semble néanmoins que, pendant deux ans et demi, soit jusqu'en –260 environ, cette conversion ne modifie en rien son comportement : il conclut encore avec ses voisins des alliances dont il ne respecte pas les termes. Il livre encore des guerres pour élargir son royaume, qui couvre maintenant toute l'Inde d'aujourd'hui, sauf le Kerala et le

Tamil Nadu. Il épouse notamment la fille d'un financier, dont il a deux enfants. Il agrandit sa capitale, Pāṭaliputra, et y fait édifier un palais dans le style perse. Il fait même bâtir un palais d'été sur les lieux de la bataille de Kālinga.

Mais l'influence du bouddhisme imprègne de plus en plus son esprit, son action, son message. Il s'isole de plus en plus souvent, passe bientôt plus d'une année au sein de la communauté bouddhique de Mogalliputta Tissa, où on lui répète que la guerre est un fléau épouvantable, car elle fait « participer tous les hommes à la souffrance ». Il décide alors peu à peu de vivre en accord avec les préceptes du bouddhisme et de le faire savoir à son peuple afin de l'inciter à l'imiter.

Dans la huitième année de son règne, il ne veut plus être obéi simplement parce qu'il est roi, mais parce qu'il est porteur d'un message destiné à assurer le bonheur de ses sujets. Il accomplit alors un acte inouï, unique dans l'Histoire, avant et après lui : exprimer par écrit ce qu'il pense, faire connaître ses pensées et ses directives sur des milliers de blocs de pierre en forme de fûts qu'il décide de faire planter un peu partout dans le pays et graver en langue palie. Les textes ont clairement un auteur unique. Le reste était d'une extrême complexité : tailler, graver, transporter, installer. On ne sait rien de l'immense logistique qui a rendu cela possible.

Il commence par y raconter son histoire : « Il y a plus de deux ans et demi que je suis *upāsaka*. Mais je n'ai pas montré beaucoup de zèle pendant un an. En revanche, il y a plus d'un an que je me suis présenté à la communauté et j'ai montré beaucoup de zèle. » Imagine-t-on lire pareille confession aux carrefours des principales routes de l'Inde ?

Selon la doctrine bouddhique, explique-t-il, la sécurité et la prospérité du pays dépendent de la moralité de ses habitants, laquelle repose sur un certain nombre de pratiques : « vivre en harmonie, observer la Loi, honorer les vieillards, respecter les femmes, vénérer les sanctuaires ». Il désire, dit-il, ne plus rien conquérir par la force, mais par le dharmâ, c'est-à-dire l'Ordre universel qu'il entend instaurer dans ses États, et qu'il conseillera aux autres rois d'appliquer.

Sur le site de Kālinga, lieu d'un grand massacre, source de ses remords et origine de sa conversion, il fait dresser une colonne particulière où il fait mention de repentance, parlant de lui à la troisième personne : « Devanamapriya (*Açoka*), conquérant du Kālinga, a maintenant des remords à la pensée que la conquête n'est pas une conquête ; car des hommes furent assassinés, tués et exilés lors d'une telle conquête. Devanamapriya en éprouve beaucoup de tristesse et de regrets. À présent, la perte du centième ou même du millième de toutes les vies qui furent exterminées, qui périrent ou furent emmenées captives à l'époque où le Kālinga fut conquis, Devanamapriya la déplore. Il considère que même ceux qui lui causent du tort méritent d'être pardonnés pour les torts qui peuvent être pardonnés. Parce qu'il croit que tous les êtres doivent demeurer saufs, disposer du contrôle d'eux-mêmes, être traités également, et mener une vie heureuse. Pour Devanamapriya, la conquête par la vertu est la plus importante des conquêtes. »

Étonnant texte où toutes les bases du bouddhisme sont explicitées par le souverain à ses sujets en quelques mots simples sur un exemple concret, comme s'il n'était qu'un moraliste désireux d'enseigner la vertu à ses lecteurs, un philosophe convaincu que la loi qu'il énonce fera le bonheur de ses semblables, un roi qui pense qu'il suffit de la proclamer pour obtenir qu'elle soit appliquée.

Cette première salve de messages gravés sur des colonnes de pierre ne reste pas chez lui un acte isolé. Elle inaugure une étonnante stratégie de communication à l'adresse de ses peuples dispersés. Année après année, il fera ainsi graver des messages sur des dizaines de milliers de colonnes qu'il aura fait dresser un peu partout à travers son immense empire, comptant sur ceux qui savent lire pour relayer sa parole. Ces lieux d'« affichage » se présentent d'abord sous la forme de stupas, constructions dérivées des tumuli funéraires, placées aux croisements des routes ou en des endroits sacrés, entourés d'une sorte de balustrade dans les grands sites du bouddhisme (Lumbinī, Sārnāth et Bodh-Gayâ), puis sous celle de colonnes fichées aux points stratégiques du pays (Jaipur, la région du Bihâr, Rupnath, dans le Nord ; Maski, Palkigundu et Gavimath, en Hyderabad ; Mysore et Kurnool, dans le Sud).

Les messages y sont gravés en plusieurs langues et en plusieurs sortes de notation : pali, brāhmī, kharoṣṭhī, très rarement grec, araméen et sanskrit, langue « noble » et littéraire que le peuple ne pratique pas. Ces inscriptions représentent les premières traces de notation écrite d'une langue indienne et donneront naissance aux diverses écritures actuellement utilisées dans le sous-continent. Il faut les écrire, les traduire, les faire graver, choisir les lieux d'installation et y transporter les pierres.

Dans ces textes, Açoka ne traite pas spécialement en bien ou en mal les adeptes de l'hindouisme, religion majoritaire de ses peuples. Il respecte les brahmanes ainsi que les « adorateurs des dieux » de toutes sortes. Il propose un idéal moral, non l'adhésion à une doctrine. Il prêche avant tout par l'exemple, comme le fit avant lui le Bouddha. Il ne prononce cependant pas le nom de ce dernier et n'en recommande pas explicitement le culte, même si lui-même le pratique, semble-t-il, ouvertement. Il ne parle même jamais des « quatre vérités » ni du Nirvanâ. À la place du terme bouddhiste (*svarga*) signifiant « dans l'autre monde », il utilise celui de « ciel ». Il parle cependant sans cesse du *dharma*, qu'il nomme la « Loi », sans rien en dire sinon qu'elle regroupe des principes communs à toutes les religions du sous-continent.

Il n'est pas pour autant un roi désarmé : son immense empire ne peut tenir que par la force. Et il l'emploie encore.

Deux ans après l'implantation de ces premières colonnes, en l'an 10 de son règne (–258), il fait un pèlerinage à Bodh-Gayâ, là où se trouvait l'arbre au pied duquel le Bouddha obtint le *Bodhi* (l'Éveil). Puis il entreprend une tournée à travers ses royaumes, dite « tournée de la Loi » (*dhammayāttā*) : deux cent cinquante-six nuits passées à expliquer sa conversion au cours d'audiences et de prédications suivies d'une distribution d'or aux religieux de toutes croyances. Il écrira plus tard sur un pilier : « Au temps passé, les rois partaient en tournées de plaisance (*vihārayāttā*) » ; ce n'est certes plus son cas. L'armée, cependant, est toujours là.

Deux ans après, en –256, soit dans la douzième année de son règne, il décide de propager aussi ses idées hors de son empire. Il envoie à cette fin des ambassadeurs (princes, collecteurs d'impôts, fonctionnaires de justice et autres) en prédication « jusqu'aux confins du monde habité », chez Antiochos II ; chez Théos de Syrie, roi grec ; chez Ptolémée II Philadelphie, roi d'Égypte ; chez Antigone Gonatas, roi de Macédoine ; chez Magas, roi de Cyrène ; et chez Alexandre, roi d'Épire. Dans le même temps, il fait don des grottes du Banyan et du mont Khalatika à une secte d'ascètes, les Ajivika, ordre hindouiste mendiant qui va de village en village, très hostile au bouddhisme, rejetant l'idée de *karma* et de libre arbitre.

Toute cette campagne ne doit cependant pas se révéler extrêmement convaincante aux yeux de ses peuples, car, au quatorzième anniversaire de son règne (en –254), il promulgue successivement quatorze nouveaux édits pour les répéter et exiger qu'on les applique. Ils sont cette fois inscrits sur des piliers différents, très reconnaissables, surmontés d'un lion et ornés de la roue du dharma, le Dharmacakra, que le Bouddha mit en mouvement. Plusieurs de ces piliers – et le stupa du Buddha Konākamuni à Nigālisāgar, dont il fait alors doubler la taille – sont demeurés intacts et peuvent être lus encore aujourd'hui. Ils constituent un document irremplaçable sur cette période. En particulier, on a retrouvé à Sarnath, près de Varanasi, dans l'État de l'Uttar Pradesh, sur le lieu même du premier serment du Bouddha, un chapiteau comportant quatre lions (le quatrième est dissimulé à la vue) ; les trois visibles symbolisent la puissance, le courage et la confiance ; ils reposent sur un chapiteau circulaire supporté par quatre animaux, gardiens des quatre points cardinaux : lion au nord, éléphant à l'est, cheval au sud, taureau à l'ouest. Le chapiteau repose lui-même sur un lotus en fleur symbolisant la vie. Sous le lotus, une citation en sanskrit, extraite des Upanishads, ces textes qui expliquent et commentent les Védas : « *Satyameva jayate* », et qui signifie « Seule la vérité triomphe »... Ce chapiteau d'Açoka, à Sarnath, est aujourd'hui devenu l'emblème de l'Inde.

Sur ces piliers qu'il fait dresser un peu partout dans le pays sont inscrits des principes d'action : après la morale, il passe à la mise en œuvre, comme s'il sortait d'un rêve où les mots seuls comptaient. Il s'y nomme lui-même *Piyadassi* – « roi, le bien-aimé des dieux au regard amical ». Il y rappelle ses grands principes de conduite de vie : « Le monde d'ici et celui de l'au-delà ne se mériteront qu'au prix d'un grand amour de la vertu, de beaucoup d'introspection, d'obéissance, de circonspection et d'effort. » Il exige maintenant une action concrète de ses collaborateurs pour « œuvrer au bien-être du monde. Et le moyen d'y parvenir est de s'appliquer à [l]'informer ». Exigence naturelle et permanente d'un monarque désormais obsédé par le renseignement et qui veut absolument faire appliquer ses principes. Se souvenant de ses propres crimes, il ajoute : « On ne reconnaît en général que ses propres bonnes actions et l'on se dit : "J'ai bien agi", sans reconnaître également ses mauvaises actions et se dire : "J'ai mal agi" ou "Cela est un péché". En vérité, prendre conscience de ses travers est chose ardue. »

Dans le même édit, il traduit pour la première fois certains principes en ordres concrets, transformant en commandement royal un conseil moral émanant du Bouddha, interdisant tournois et combats d'animaux : « Autrefois, dans les cuisines du roi Piyadassi, le bien-aimé des dieux, des milliers d'animaux étaient tués quotidiennement pour leur viande. Dorénavant, seulement trois animaux seront tués : deux paons et un cerf. Et encore, pas de façon régulière. Et même ces trois animaux ne le seront plus à l'avenir. » Il va même bientôt plus loin en proclamant *l'ahimsâ* (interdiction de tuer aucun être vivant et même d'effrayer les animaux, de les tourmenter ou de les dominer brutalement). Ces principes forment ce qu'il nommera bientôt la « Loi ».

Prêchant d'exemple, il renonce à la chasse, passe-temps favori de ses prédécesseurs. Dans ses palais, plus aucun animal n'est mis à mort. Sa cour s'abstient de manger de la viande, se nourrissant de raisin, de dattes, de mangues, de gâteaux, de riz bouilli aux épices et de lait chaud au safran. Ainsi naît le végétarisme de l'Inde. Il interdit même les sacrifices rituels d'animaux.

Ce respect de la vie animale ne le conduit pas pour autant à abolir la peine de mort, mais seulement à accorder un répit de trois jours au condamné pour permettre à ses parents d'intercéder en sa faveur, ou, s'il n'a pas de parents, pour accomplir un jeûne et se préparer à entrer dans l'autre monde. Il ne semble pas non plus abolir la torture, comme le prétendront ensuite les récits bouddhistes.

Par un nouveau décret, il annonce au même moment le lancement d'un singulier programme, extrêmement concret, de santé publique qu'il désigne par « les deux assistances » : pour les hommes et pour les animaux. Qu'on lise ce texte en songeant qu'il a été rédigé il y a vingt-trois siècles : « Partout dans l'empire du bien-aimé des dieux, le roi Piyadassi [c'est-à-dire lui-même], et dans les royaumes à ses frontières, comme ceux des Chola, Pandya, Satyapoutra, Kéralapoutra, celui de Ceylan, celui du roi grec nommé Antiochos, et ceux des voisins d'Antiochos, partout seront fournis les deux assistances du bien-aimé des dieux, le roi Piyadassi. Celles-ci consistent en soins médicaux pour les hommes et en attentions pour les animaux. Les herbes médicinales, si utiles pour l'homme ou pour la bête, seront apportées et plantées partout où elles ne poussent pas naturellement ; de la même façon, racines et fruits seront apportés et plantés partout où ils ne poussent pas naturellement. Des puits seront creusés le long de routes, et des arbres plantés pour le bien des hommes et des bêtes. »

On ne sait rien de l'ampleur de la mise en œuvre de ce programme de santé humaine et animale unique en son temps, sinon qu'Açoka se vantera par la suite, sur d'autres colonnes, de l'avoir mené à bien.

Par un troisième décret, répété sur d'autres milliers de colonnes, il réitère l'ordre donné deux ans plus tôt aux inspecteurs des impôts d'enseigner la morale tout en accomplissant les devoirs ordinaires de leur charge, et d'instruire le peuple dans la connaissance de la Loi. Mais, désormais, ne se contentant plus de représentants de l'administration des finances pour répandre une morale, il crée un corps de « surintendants de la Loi » chargés de l'enseigner et de l'appliquer dans le royaume et les États voisins. La pression du pouvoir se fait plus forte. Comme bien d'autres idéologues après lui, l'espionnage de ses proches devient la clé du respect des principes qu'il édicte. Il semble faire surveiller à tout le moins les élites qui l'entourent. Les brahmanes, qui se considèrent comme les dépositaires du savoir religieux, voient ces dispositions édictées par l'un des leurs d'un très mauvais œil.

Pis encore pour eux : dans un quatrième édit, lui aussi gravé sur des milliers de colonnes de pierre, il préconise d'interdire tout spectacle qui ne serait pas dédié à la prédication bouddhique : « À présent, grâce à la pratique de la Loi par le roi bien-aimé des dieux au regard amical, le bruit des tambours est devenu l'annonce de la Loi. La meilleure des activités est l'enseignement de la Loi. »

Un cinquième édit précise la nature et le rôle du corps spécial de fonctionnaires évoqués au troisième, « qui ont affaire à toutes les sectes pour l'instauration de la Loi et pour le progrès de la Loi » : ils doivent « protéger le faible arbuste de la Foi contre la jungle des systèmes religieux plus fortement enracinés ». Il prend désormais clairement parti contre les religions, conférant à ses fonctionnaires le pouvoir de s'immiscer dans la vie privée de ses sujets pour s'assurer qu'ils respectent bien les règles du dharma. Même les femmes de ses frères et de ses autres parents peuvent être contrôlées : c'est dire le degré d'intrusion dans la vie privée qu'implique cette mesure. Il rappelle aussi que, comme décidé deux ans plus tôt, il a envoyé des missions à travers tout l'empire, à Ceylan, en Syrie, en Égypte et en Macédoine, pour répandre là-bas aussi le bouddhisme. Il rapporte en particulier le résultat du voyage d'un de ses fils (ou frères, on ne sait pas vraiment), Mahendra, dans l'île de Tambapanni (le Sri Lanka d'aujourd'hui). Ce prince était accompagné de son cousin Bhanduka, qu'il venait de convertir, de son neveu Sumana et de quatre moines *théra* (c'est-à-dire ayant plus de dix ans de présence dans la communauté monastique du Bouddha). Mahendra, raconte-t-il, est très favorablement accueilli par le roi Devānaṁpiyatissa en sa capitale d'Anuradhapura. En un mois, cinquante-cinq Cinghalais sont ordonnés moines bouddhistes, formant la base d'une future communauté, qui existe encore aujourd'hui. Açoka explique sur cette même colonne y avoir envoyé ensuite une seconde mission, conduite par une de ses filles, Samghamitrā, pour y apporter un surgeon de l'arbre de Bodhi ; il est planté en grande cérémonie dans le parc où a été édifié, sous la direction de Mahendra, le monastère de Mahāvihāra, qui abrite, aujourd'hui encore, le noyau le plus traditionnel du bouddhisme relevant du courant theravada. Dans ce même édit, il évoque aussi les voyages d'un envoyé nommé Mahārakkhita dans les royaumes grecs, de Mahādhammarakkhita dans le Mahārāshtra, de Rakkhita au Vanavāsa, du Grec Yona Dhammarakkhita dans l'actuel Gujarat, de Majjhima dans les pays himalayens, de Mahādeva vers le Mahisamandala, de Sona et Uttara vers le golfe du Bengale.

Dans un sixième édit exposé au même moment en d'autres lieux, il étale son désir universaliste : « Je considère, écrit-il, que mon devoir est le bien du monde tout entier [...]. Car il n'y a pas d'activité supérieure à faire le bien du monde entier. Tout ce que je fais l'est pour libérer ma dette à l'égard des créatures ; ici-bas je travaille à leur bonheur, et dans l'autre monde je veux qu'elles gagnent le ciel. »

Dans un septième édit, il expose la politique de travaux publics qu'il vient de lancer et semble se réjouir de sa mise en œuvre : « J'ai fait installer un peu partout des puits pour qu'en profitent hommes et bêtes. »

Dans un neuvième édit, il dénonce encore les pratiques de toutes les religions. En particulier les rites de la naissance, ceux du mariage, les cérémonies accomplies à l'occasion de maladies ou de voyages, parce que « de peu de fruit ». En recommandant ainsi d'interrompre les offrandes prodiguées à l'occasion des fêtes et des prières, il prive de ressources les brahmanes qui les organisent. Il semble s'en moquer, comme si, à ses yeux, ceux-ci comptaient peu. En tout cas, il n'en a pas peur.

Dans un dixième édit, il rappelle, parlant encore de lui à la troisième personne, qu'il est le mandataire du dharma : « Ce qu'il désire en fait de gloire et de renommée est que, maintenant et pour longtemps, son peuple obéisse à la Loi et se conforme à la pratique de la Loi. » Dans l'inscription en gréco-araméen de cet édit sur une colonne retrouvée à

Kandahar, en Afghanistan, il précise : « Ce don, cette Loi, ce *dharma*, consiste à traiter équitablement esclaves et serviteurs, à obéir à sa mère et à son père, à être généreux envers ses amis, connaissances, parents, prêtres et ascètes, et à ne pas tuer les animaux. »

Dans un douzième édit, il explique sa conception du pouvoir, totalement laïc : les fonctionnaires de l'État doivent dominer les religieux ; ils doivent même organiser des réunions entre les religieux de toutes obédiences (brahmanes, bouddhistes, nirgrantha, ajivika) pour les forcer à s'entendre : « C'est la réunion qui est bonne, de façon qu'on écoute la Loi des uns et des autres et qu'on y obéisse. » Car, dit-il, les principes communs à toutes les religions, qui forment la Loi, importent plus que leurs dissensions doctrinales. « Le résultat [de l'accord entre les religions] est le progrès de chaque religion et la mise en lumière de la Loi. » Il demande aussi à cette occasion que des « surintendants surveillent les femmes ». Peu de princes, en tout temps, ont tenté de pousser aussi loin le contrôle de la sphère privée de leurs sujets sous couvert de mettre en œuvre une morale altruiste.

Dans un treizième édit, particulièrement important, Açoka pose les principes de sa politique étrangère : sa mission est de faire le bien de l'humanité entière grâce au prestige d'une morale universelle censée être reconnue comme supérieure. La seule victoire qu'il recherche est celle de la Loi, dont il complète sans cesse le contenu. Il écrit avec une mégalomanie désarmante : « Tout homme est mon enfant. » Il s'interdit désormais de profiter de la faiblesse d'un État pour le conquérir, le dominer ou l'affaiblir. Il promet, par écrit, sur des centaines de colonnes : « La conquête d'un pays indépendant, c'est alors le meurtre, la mort ou la captivité pour les habitants : pensée que ressent fortement le bien-aimé des dieux, et qui lui pèse [...]. La victoire que le bien-aimé des dieux considère comme première entre toutes est la victoire de la Loi... » Et s'il fait graver ces principes, c'est aussi pour que ses descendants se sentent eux aussi liés : « Ce texte de la Loi a été gravé pour que les fils et petits-fils que je pourrais avoir ne songent pas à de nouvelles victoires. Et que, dans leur propre victoire, ils préfèrent la patience et l'application légère de la force, et qu'ils ne considèrent comme victoire que la victoire de la Loi, qui vaut pour ce monde-ci et pour l'autre. »

Il décrit encore les missions qu'il a envoyées précédemment « jusqu'à six cents lieues, là où est le roi grec Antiochos, etc. », et auprès de quatre autres rois (Ptolémée, Antigone, Magas et Alexandre), ainsi que dans les royaumes tamouls de l'extrême sud de la péninsule et de Ceylan. Il considère ces principes comme universels, valant même là où il n'envoie personne : « On se conforme à la Loi et on s'y conformera là même où les envoyés du bien-aimé des dieux [lui] ne vont pas, en entendant parler de la conduite selon la Loi du bien-aimé des dieux. »

Deux inscriptions en araméen de ce treizième édit ont été retrouvées sur des colonnes implantées à Taxila (au Penjab) et à Pul-i-Darunteh (entre Kaboul et Djalālābād, en Afghanistan), spécimens extrêmement précieux de l'araméen employé dans les cours impériales à cette époque. Sa politique étrangère est ainsi expliquée dans la langue de toutes les chancelleries. Ces inscriptions témoignent de l'extension du bouddhisme au Cachemire, en Afghanistan, à Ceylan et en Birmanie, ainsi que du dialogue existant alors entre le bouddhisme et l'hellénisme.

Quatre ans plus tard, vers –250, dans la dix-huitième année de son règne, Açoka convoque à Pāṭaliputra, capitale de son empire, une grande réunion des principaux responsables bouddhistes. C'est le troisième concile de l'histoire du bouddhisme : le premier a eu lieu, dit-on, en –400, sous le règne d'Ajatasatru, pour la conservation des paroles du Bouddha, quatre-vingts ans après sa mort ; le deuxième, un peu plus tard, a porté sur les dix principales règles à respecter partout dans le monde bouddhiste. Le troisième, celui qu'Açoka convoque, vise à la compilation des enseignements du Bouddha : c'est alors essentiel, car d'innombrables textes attribués au Bouddha circulent à l'époque. Les moines viennent des quatre coins de l'Empire et même d'ailleurs. Açoka en confie la présidence à Mogalliputta Tissa, qui l'a initié au bouddhisme. D'après des sources retrouvées par ailleurs, écrites en pali, à l'issue de ce concile, Açoka décide d'envoyer encore neuf nouvelles missions à travers le monde pour en faire connaître les résultats.

L'année suivante (–249), selon deux colonnes gravées, il fait don aux Ajivika, la secte rivale du bouddhisme, de sept grottes situées à Barābar, dans le Bihâr, à côté de Gaya, témoignant que « le roi, bien-aimé des dieux au regard amical, honore toutes les sectes ».

En l'an 20 de son règne (–248), Açoka visite Kapilavastu, lieu de naissance du Bouddha, puis il se rend au Népal, qui fait partie de son empire ; il pousse jusqu'à quelques kilomètres au sud-est de Katmandou, où il crée l'actuelle ville de Patan, et installe au Népal occidental un autel en l'honneur du Bouddha qu'on peut encore admirer aujourd'hui.

En l'an 26 de son règne (–242), son empire semble entrer dans un grand désordre. La mise en œuvre vétilleuse des règlements qu'il impose depuis vingt-cinq ans entraîne des actes de délation et d'arbitraire policier. Ceux-ci doivent être ressentis si péniblement par la population qu'Açoka est amené à promulguer six nouveaux édits, ou « rescrits », reprenant et expliquant sa doctrine, qu'il fait inscrire sur de nouvelles colonnes, surmontées des quatre animaux symboles du Bouddha (lion, taureau, cheval, éléphant) et dont la forme plus fine dénote désormais une double influence croissante grecque et iranienne sur les sculpteurs qu'il emploie.

Le premier de ces rescrits insiste sur l'énergie que doivent déployer ses fonctionnaires pour assurer la bonne exécution de ses ordres. Le deuxième interdit à nouveau le meurtre de toute une série d'animaux : « Aux bipèdes et aux quadrupèdes, aux oiseaux et aux habitants des eaux j'ai donné de nombreuses marques de bonté, jusqu'au don de la vie » – ce qui prouve que l'interdit n'est pas respecté. Dans un troisième, il livre une définition résumée du *dharma*, de la Loi, qu'il rattache cette fois explicitement au Bouddha : « Absence de cause de péché, abondance de bonnes actions, pitié, charité, véracité, pureté » – rappel d'une stance bouddhique classique qui recommande d'« éviter tout péché, pratiquer le bien, purifier sa pensée : tel est l'enseignement de Bouddha ».

Un quatrième rescrit prohibe une nouvelle fois le meurtre de tous les animaux. Dans un cinquième rescrit, Açoka ordonne « qu'il y ait uniformité dans les procédures et les peines » : il ordonne de juger sans distinction de classe sociale, contredisant les *sutras* hindous, qui prévoient des procédures et des peines spécifiques pour chaque caste et des immunités et privilèges judiciaires pour les brahmanes. Ces édits, répétitifs, disent en creux la réalité d'une société qui n'y obéit pas.

Cette même année (selon une chronique cinghalaise qui apporte quelques indications sur la fin de son règne), le grand prêtre Mogalliputta Tissa – celui qui a initié Açoka au bouddhisme – meurt. Tout semble alors se déliter, comme si l'autorité des moines bouddhistes avait été nécessaire à l'existence même de son pouvoir.

En l'an 27 (–241), Açoka fait graver, au moins sur une colonne qu'on peut encore voir à Delhi-Toprā (ainsi nommée parce que transportée de son site royal, Toprā, à Delhi par le shah Firoz), un septième et dernier rescrit moral adressé à ceux « qui ont affaire à toutes les sectes, ceux qui mènent une vie errante comme ceux dont les adeptes restent maîtres de maison ».

De lui, on ne sait rien de plus. Là s'arrêtent ses « piliers ». Le reste n'est connu que par des récits ultérieurs émanant de moines bouddhistes cinghalais.

Tandis qu'Açoka cesse de parsemer son empire d'édits de prédication bouddhique, le livre de l'Ecclésiaste dénonce la vanité des affaires terrestres ; la flotte carthaginoise est détruite aux îles Égates ; la Sicile devient romaine ; Eratosthène, directeur de la bibliothèque d'Alexandrie, calcule la circonférence de la Terre, et Livius Andronicus, affranchi tarentin, devenu écrivain et professeur à Rome, traduit l'*Odyssée* en vers latins.

Açoka semble désormais le jouet d'intrigues de ses proches. Incapable de gérer son empire, il en est réduit peu à peu à un sort misérable.

Après vingt-neuf ans de règne (−239), toujours selon les chroniques cinghalaises, il pleure une de ses épouses préférées, la reine Asaṃdhimittā. Trois ans plus tard, il élève au rang de souveraine une autre de ses femmes, « Tissarakkhā la méchante », qui, l'année suivante, jalouse de la vénération que lui porte le roi, aurait tenté de faire abattre l'arbre de Bodhi. Une autre de ses femmes, Padmāvatī, met alors au monde un enfant au regard magnifique, Kuṇāla, dont la « méchante reine » fait crever les yeux parce qu'il ne l'aime pas (ce qui n'est pas sans rappeler les relations de Phèdre et de son beau-fils Hippolyte telles que la mythologie grecque, plus à l'ouest, les rapporte).

Alors, ruiné par ses grands travaux et sa générosité, Açoka n'a plus, disent les textes cinghalais, que « la moitié d'un fruit à offrir en aumône ».

Finit-il ses jours au pouvoir ou dans la solitude méditative, comme son grand-père ? Nul ne le sait. En tout cas, il meurt en −231, après trente-sept ans de règne.

Ses fils se disputent le pouvoir et, peu à peu, l'empire Maurya se morcèle. Son petit-fils, Samprati, renonce au bouddhisme et devient jaïn, forme extrême de l'hindouisme. Cinquante ans plus tard, en −183, le dernier souverain de cette dynastie est assassiné par un de ses ministres. Vingt ans plus tard, Ménandre Iᵉʳ (en sanskrit Milinda), roi indo-grec, converti lui aussi au bouddhisme, régnant de −160 à −135 sur le Pakistan, l'Afghanistan et l'Inde du Nord, s'entretient avec le moine bouddhiste Nâgasena : leurs dialogues pris en notes constituent aujourd'hui un des livres du canon bouddhique.

Le bouddhisme, qui aurait sans doute disparu sans Açoka, se répand ensuite dans toutes les régions de l'Inde. La dynastie Gupta le protège jusqu'au milieu du VIe siècle. Quand cette dynastie vient elle-même à décliner, au début du VIIe siècle, sous les coups les plus divers, le bouddhisme indien se fragmente en une multitude de sectes. On le retrouve au VIIe siècle, magnifié, dans un des temples de la dynastie Pahlavi à Mamallapuram, près de Chennai. Au XIIe siècle, une contre-réforme hindouiste réussit à faire du Bouddha le neuvième avatar de Vishnu. Peu à peu, l'Inde oublie le bouddhisme, qui ne survit plus dès lors qu'hors du pays, grâce en particulier aux missions qu'Açoka y a envoyées.

L'Histoire ignore ensuite Açoka. Pendant plus de deux mille ans, aucun puissant en Inde ne s'intéresse à ses colonnes, qui se défont, sont déplacées, brisées, utilisées comme matériel de construction, enfouies... Jusqu'à ce que les inscriptions sur les rares survivantes commencent à en être déchiffrées, dans les années 1830, par un Anglais, James Prinsep, archéologue, numismate et philologue, fils d'un riche marchand de la Compagnie des Indes. Comme tout le reste du monde indien, ce sont des Anglais, et des Français, qui redécouvrent les langues et les cultures de l'Inde.

Il faut attendre 1910 pour que paraisse la première monographie à son sujet. Dans son *Abrégé d'histoire universelle*, H.G. Wells écrit en 1920 : « Parmi les dizaines de milliers de noms de monarques qui s'entassent dans les colonnes de l'Histoire, le nom d'Açoka brille presque seul comme une étoile. » C'est à ce moment-là que le nombre de colonnes qu'il a fait ériger est évalué : 84 000.

L'Inde moderne le retrouve, même si Gândhî l'ignore. Le 26 janvier 1950, les deux fondateurs de l'État, Patel et Nehru, choisissent sa « roue de la Loi » et le chapiteau de sa colonne, retrouvé à Sarnath, comme les deux symboles de la République indienne. Nehru y puise les fondements de sa doctrine politique. Il écrit : « Ce souverain étonnant, encore aujourd'hui bien-aimé, autant en Inde que dans de nombreuses régions d'Asie, se consacra à la propagation des écrits bouddhistes. Il prêcha la vertu et la bonne volonté, et fit construire des bâtiments publics pour le bien commun. Ce n'était pas un spectateur passif des événements, perdu dans sa contemplation et ses progrès personnels, mais il travailla dur pour le bien de tous [...]. » Il y voit même l'origine du concept dont il se fait le champion : la « coexistence pacifique ». Elle « n'est pas une idée nouvelle en Inde. Elle fait partie de notre façon de vivre et est aussi ancienne que notre pensée et notre culture : il y a 2 200 ans, Açoka proclama et fit graver ce concept sur des rochers et des pierres ».

BIBLIOGRAPHIE

ALLCHIN, F.R. & NORMAN, K.R., « Guide to the Açokan Inscriptions », in *South Asian Studies* I, Londres, 1985.

BASHAM, Arthur L., *La Civilisation de l'Inde ancienne*, Paris, Arthaud, 1988.

BHANDARKAR, D.R., *Asoka*, New Delhi, Asian Educational Services, 2000.

BLOCH, Jules, *Les Inscriptions d'Açoka*, Paris, Les Belles Lettres, 1950.

CORNU, Philippe (dir.), *Dictionnaire encyclopédique du bouddhisme*, Paris, Seuil, 2001. Voir notamment « L'Empire d'Açoka et les missions bouddhistes » (document extrait de l'article « Açoka »).

DUPONT-SOMMER, André, « Une nouvelle inscription araméenne d'Açoka découverte à Kandahar », in *Comptes rendus des séances de l'Académie des inscriptions et belles-lettres*, année 1966, vol. 110, n° 3, www.persee.fr.

FILLIOZAT, Jean, « Açoka et l'expansion bouddhique », *in* BRÉVAL, René de (dir.), *Présence du bouddhisme*, Paris, Gallimard, 1987.

FUSSMAN, Gérard, « Pouvoir central et régions dans l'Inde ancienne : le problème de l'empire maurya », in *Annales ESC*, vol. 37, n° 4, juillet-août 1982 (comporte une carte des inscriptions et missions d'Açoka).

LAMOTTE, Étienne, *Histoire du bouddhisme indien. 1 : Des origines à l'ère Raka*, Louvain, Publications de l'Institut orientaliste de Louvain, 1976.

LINGAT, Robert, *Royautés bouddhiques. Açoka et la fonction royale à Ceylan*, cours prononcé à l'EPHE en 1968, Paris, Éditions de l'École des hautes études, 1989.

ROMILA, Thapar, *Asoka and the Decline of the Mauryas*, Londres, Oxford University Press, 1961.

SENART, Émile, *Essai sur la légende de Bouddha : son caractère et ses origines*, Paris, Leroux, 1882.

SHOSHU, Nichiren, *Dictionnaire du bouddhisme. Termes et concepts*, Paris, Éditions du Rocher, 1991. Voir notamment l'article « Açoka ».

SMITH, Vincent A., *Asoka : The Buddhist Emperor of India*, Oxford, [1901], New Delhi, Asian Educational Services, 1998.

WEBER, Max, « La religion de l'Inde. Sociologie de l'hindouisme et du bouddhisme », in *Hindouisme et bouddhisme* [1916], Paris, Flammarion, coll. « Champs », 2003.

4

Boèce

(c. 480-524)
ou le passeur de la raison

J'ai longtemps cherché le maillon manquant : comment la pensée d'Aristote a-t-elle pu traverser quinze siècles, jusqu'à Ibn Rushd, sans disparaître ? Comment a-t-elle pu survivre à ces temps de polythéismes jouisseurs, de barbaries obscurantistes et d'austères monothéismes ? Par une fragile chaîne de savoirs allant des Grecs aux Arabes en passant par des Romains, des Byzantins, des moines chrétiens, des Juifs et des Perses ; mais aussi des Goths, des Vandales et des Numides. Par un homme en particulier, qui servit de soutènement à la Raison au moment où elle allait disparaître, comme la pile d'un pont permet à l'arche suivante d'aller plus loin.

Cet homme a nom Boèce. Extraordinaire personnage dont on connaît mal la vie d'homme politique et assez bien l'œuvre philosophique. Parce que lui-même a beaucoup écrit, et parce qu'on a peu écrit sur lui, sinon sur sa mort, laquelle a frappé tous ceux qui, à toutes les époques, ont réfléchi aux caprices du destin, symbolisés par la Roue de la Fortune, métaphore qu'il a développée en s'inspirant des statues antiques de la déesse Fortune.

Au milieu du Ve siècle de notre ère, à la charnière de l'Antiquité et du Moyen Âge, s'opposent encore dans l'Église chrétienne – ou plutôt dans les Églises – des dizaines de conceptions théologiques. Elles se doublent d'implacables combats géopolitiques et dynastiques.

Dans ce monde si dangereux, violent, sommaire, Boèce, fils d'une grande famille ayant donné à l'Empire deux empereurs, des grands serviteurs de l'État et d'autres éminents notables, devient lui-même plusieurs fois consul. L'homme politique Boèce cherche à maintenir un frêle équilibre entre différentes conceptions du christianisme et divers pouvoirs (Constantinople, Ravenne, Rome). Le philosophe Boèce s'impose, lui, une tâche beaucoup plus ambitieuse, à la hauteur de son immense culture : traduire et commenter les traités d'Aristote et les dialogues de Platon, montrer leur accord fondamental et réfléchir rationnellement sur Dieu, « suivant l'exemple habituel en mathématiques et dans les disciplines qui en dépendent ». Déjà le grand débat entre foi et raison, qui occupera le millénaire à venir, formulant même des concepts philosophiques très neufs, comme sur la distinction entre l'*être* et l'*étant*, qu'on retrouvera jusqu'au XX\ :sup:`e` siècle.

Admirable destin qui me touche aussi par la façon dont, condamné à mort, il lutte dans sa geôle, jusqu'au dernier instant, contre la peur de mourir en rédigeant un très grand texte de philosophie, rappelant au passage que nous sommes tous, êtres vivants, dans la même situation que lui : tous condamnés à mort. Même si nous ne sommes pas toujours décidés, comme lui, loin s'en faut, à nous consacrer à l'essentiel jusqu'à notre dernier souffle de vie...

À l'époque, la Chine vit des temps troublés depuis la chute des Hans en 220. Le nord de l'Inde est encore unifié sous la dynastie des Gupta. À Constantinople règne un empereur chrétien qui se prétend le légitime successeur de celui de Rome. Depuis 402 et pour peu de temps, un autre est installé à Ravenne. Un autre encore s'autoproclame parfois empereur romain, en d'autres villes, au gré de coups d'État.

Dans ces débris d'Empire romain, comme chez ceux qu'on nomme bien à tort les « Barbares », le christianisme est devenu majoritaire, mais sous de multiples formes. Les Églises d'Orient, les plus anciennes et les plus importantes (comme celles d'Alexandrie, d'Antioche, de Jérusalem et de Constantinople), sont souvent organisées en patriarcats. En Occident, seule l'Église de Rome, où vit et règne celui qu'on nomme le « pape » depuis le III\ :sup:`e` siècle, dispose d'une influence théoriquement supérieure.

Des querelles sans merci opposent les théologiens depuis le II\ :sup:`e` siècle. Elles se concentrent sur l'énigme de la nature du Christ : est-il Dieu *et* homme ? Dieu *ou* homme ? La question n'est pas dénuée d'importance pratique : s'il est Dieu, il n'a pas d'origine humaine et donc pas d'origine juive, du coup le christianisme n'a pas à s'encombrer de l'Ancien Testament ; mais, dans ce cas, peut-il être le fils de Lui-même ? Et s'il est un homme, en quoi est-il divin ? Du IVe au VIe siècle, les ariens, les anoméens, les homéens, les monophysites, les nestoriens et les diophysites s'affrontent sur ces questions complexes. Et sur celle, qui en découle, de la liberté d'agir de Jésus, et de tout homme.

Vers 320, à Alexandrie, un prêtre, Arius, explique que le Fils (le Christ) est une créature distincte du Père (Dieu), puisqu'« il fut un temps où il n'était pas ». Pour lui, l'Esprit saint ne procède donc que du Père. Il n'y a plus alors de nécessité de la grâce : Jésus lui-même est libre au regard de Dieu. L'opinion fait scandale : l'évêque de la ville interdit à Arius d'enseigner et l'expulse ; celui-ci trouve des appuis auprès d'autres évêques et dans les milieux populaires du grand port égyptien. Naît ainsi l'arianisme. Certains parmi les ariens, les anoméens, très proches du judaïsme, soutiennent même que Jésus n'a été en réalité qu'un simple prophète. Les Ostrogoths, les Goths, la plupart des « Barbares », quand ils se convertissent au christianisme – sous l'influence en particulier de Wulfila, un Goth devenu évêque d'Antioche –, deviennent ariens. On les retrouvera au cœur de cette histoire.

Réagissant en 325, l'empereur Constantin, qui a choisi de protéger les chrétiens sans l'être encore lui-même, réunit à Nicée (aujourd'hui Iznik, en Anatolie) les évêques de la partie orientale de l'Empire en un concile œcuménique, le premier de l'histoire de l'Église. En présence d'Arius et de quelques-uns de ses partisans, l'assemblée définit la profession de foi (*credo*) chrétienne, dite « catholique » (c'est-à-dire universelle), qui affirme le principe de la « double nature, humaine et divine » (consubstantialité), de Jésus. L'Église devient alors le « véritable Israël ». Un accord (un « symbole ») est agréé par presque tous les présents, compromis complexe aux termes duquel Dieu est le seul dieu, Jésus Notre-Seigneur, procédant du Saint-Esprit qui lui-même procède de Dieu et de Jésus. Constantin expulse de leur siège épiscopal les évêques qui ne se rallient pas à ce « symbole » ; et quiconque n'adhère pas à ce texte est déclaré « hérétique ». Le même concile crée d'ailleurs l'« anathème », position défendue par les hérétiques et justiciable d'excommunication. Les

« nicéens » contrôlent alors les sièges épiscopaux de Constantinople et d'Alexandrie avec de grands maîtres comme Athanase d'Alexandrie et Grégoire de Nazianze. Ils ont l'assentiment de Rome, dont l'évêque est nommé « pape » depuis le siècle précédent. Tous les catholiques sont nicéens, car le concile se veut œcuménique et universel. La bataille, en fait, ne fait que commencer.

Les homéens tentent, eux, un peu plus tard, de défendre une position intermédiaire entre nicéens et ariens : pour eux, le Fils est simplement *semblable* au Père ; c'est une sorte de double divin. Leur point de ralliement est Antioche et ils sont soutenus par quelques empereurs régnant en Orient : Constance, puis Valens. Ils fixent leurs certitudes dans un deuxième « symbole », dit de Sirmium, en 357, sous le règne de Constance. Certains Goths resteront homéens jusqu'au VIᵉ siècle.

À partir du règne d'un général d'origine ibérique, Théodose Iᵉʳ, qui débute en 379, et après bien des péripéties (dont le bref règne de Julien dit l'Apostat, qui voulut rétablir le droit de croire en d'autres dieux), le christianisme nicéen s'impose comme religion d'État de tout l'Empire, à Rome comme à Constantinople. En 392, trois ans avant sa mort, cet empereur interdit tout comportement chrétien dissident dans les frontières de l'Empire. Homéens et anoméens deviennent alors marginaux et trouvent refuge en Perse ou en Arabie, où Mahomet rencontrera leurs descendants à La Mecque. Les Goths, eux, demeurent en majorité fidèles à l'arianisme. Des affrontements vont commencer entre ces peuples : guerres de territoires, affrontements religieux. Notre personnage y sera intimement mêlé.

Le 31 décembre 406, plusieurs peuples germaniques, Vandales, Sarmates, Alains et Alamans, païens et ariens mêlés, franchissent le Rhin et ravagent la Gaule septentrionale et occidentale. En août 410, Alaric, Goth arien, s'empare de Rome et la pille, avant de s'installer en Gaule méridionale. Les provinces danubiennes passent, pour quelque temps, de l'autorité très affaiblie de Ravenne à celle, dominante, de Constantinople.

En 428, dans cette capitale, une nouvelle catégorie apparaît parmi les nicéens : les nestoriens. Pour expliquer comment le Christ est à la fois homme et Fils de Dieu, le patriarche de Constantinople Nestorius affirme que deux *personnes*, l'une divine, l'autre humaine, coexistent en une seule, Jésus-Christ.

À partir de 429, à Rome, sous le règne commençant de Valentinien III, un seigneur d'origine barbare, Aetius, ami d'enfance d'Attila, devenu généralissime romain, redonne à l'empire d'Occident une partie de son lustre. Au même moment, en Afrique du Nord, les Vandales chassent les Romains et fondent progressivement un vaste royaume dans lequel un chrétien nicéen, Augustin, installé à Hippone, dans une région qu'on nomme aujourd'hui l'Algérie, assigne pour mission au pouvoir temporel d'aider l'Église à instaurer ici-bas la « cité de Dieu ».

En 431, un nouveau concile, à Éphèse, après d'innombrables disputes entre des délégations venues de tout l'empire, réaffirme la doctrine de Nicée et rejette à la fois l'arianisme et le nestorianisme, en spécifiant que le Christ est de deux natures distinctes, unies en une seule et même personne (c'est le « dyophysisme »). Nombreux sont ceux qui, alors, refusent ces conclusions. Ne subsistera que la résolution instituant Marie comme *Theotokos*, c'est-à-dire mère de Dieu et non plus seulement du Christ comme homme, ce que contestait Nestorius.

En 436, à Constantinople, l'empereur d'Orient, Théodose II, qui se considère alors comme le maître de tout le monde « romain », chrétien nicéen, prescrit de rassembler dans un ouvrage les milliers de « constitutions impériales » – c'est-à-dire les réglementations – émises depuis le règne de Constantin Ier. Le Code théodosien est promulgué en 438.

Vers 440, l'abbé d'un monastère proche de Constantinople, Eutychès, conteste à son tour le principe de la double nature, humaine et divine, de Jésus. Il tente d'établir un nouveau compromis entre nicéens et ariens : la nature divine de Jésus-Christ absorbe sa nature humaine *comme la mer absorbe une goutte d'eau*. Ceux qui suivent Eutychès sont appelés monophysites (du grec, *monos*, « seul », et *physis*, « nature »), car ils soutiennent que le Christ, de nature divine, est une partie de Dieu. Et que l'Esprit saint ne procède que du Père. Certains d'entre eux vont même jusqu'à estimer que c'est le Père Lui-même qui a souffert sur la Croix. Cette doctrine séduit d'emblée les chrétiens coptes d'Égypte et d'Éthiopie, les chrétiens d'Arménie et d'autres communautés du Proche-Orient. Pour certains d'entre eux, Jésus étant Dieu, son incarnation n'a pas de raison d'être considérée comme juive ; et le Dieu des chrétiens n'a rien à voir avec celui des Juifs ; l'Ancien Testament n'a plus de raison de faire partie du canon chrétien, comme le prétendait déjà, au IIe siècle, un prêtre du Pont, Marcion. De même, ils en déduisent que le Christ n'est pas libre de ses décisions. Et les hommes non plus.

Secrètement soutenue par l'empereur Théodose II, la thèse d'Euty-chès est condamnée en 451 par un concile réuni à Chalcédoine, cité de Bithynie (actuellement en Turquie), à l'entrée orientale du Pont-Euxin. Le concile condamne aussi l'ensemble du monophysisme et donne le nom de « Nouvelle Rome » à Constantinople, lui accordant de ce fait la primauté sur les autres patriarcats. L'évêque de Rome, le pape Léon le Grand, refuse cette subordination, tandis que les ariens comme les monophysites rejettent l'intégralité des conclusions du concile de Chalcédoine : se forment ainsi ce que l'on appelle désormais les « Églises des trois conciles », approuvant seulement les décisions des trois conciles précédents.

La même année (451), le généralissime romain Aetius, aidé de plusieurs peuples germaniques, contient l'invasion d'Attila en Gaule, qui se retire de la péninsule italienne pourtant à sa portée. Trois ans plus tard, Valentinien III, gendre de Théodose, poignarde lui-même son compagnon, Aetius, en qui il voit un rival, quelques semaines avant d'être lui-même assassiné par un grand-oncle de Boèce, notre personnage : le sénateur Petronius Anicius Maximus, lequel devient empereur romain d'Occident... pour deux mois !

Là commence aussi l'histoire de celui que Boèce va servir et qui le fera tuer.

Cette année-là, en effet, Théodemer, chef des Ostrogoths de la dynastie des Amales, vassale des Huns, et roi de son peuple conjointement avec ses deux frères, obtient de l'empereur Léon Ier le droit de résider en Pannonie, au bord du Danube (région comprise aujourd'hui entre Vienne et Bratislava), chassant ainsi les Huns qui vivaient là pour certains depuis près d'un siècle. En gage de leur bonne foi et de leur soumission à l'Empire, les Ostrogoths, qui sont ariens, doivent, comme le veut la tradition, livrer des otages de haut rang à leur suzerain ; ainsi Aetius lui-même l'avait-il été à la cour du père d'Attila. En 458, Théodemer envoie donc son fils de trois ans, Théodoric, en otage à Constantinople, chez l'empereur. L'enfant est élevé comme un aristocrate romain par Léon Ier, puis par son successeur Zénon, l'un comme l'autre n'exigeant pas sa conversion au catholicisme et le laissant fréquenter les ariens de Constantinople. L'enfant reçoit une formation militaire rigoureuse, pour en faire un officier supérieur, d'origine barbare, comme on en rencontre tant, à l'époque, dans les armées romaines.

En 470, son père étant mourant, Théodoric quitte Constantinople, et s'en revient chez les siens. À dix-huit ans, il connaît tout des

Romains ; il sait en particulier qu'ils ne valent plus rien, militairement parlant, et que leurs armées sont entre les mains des Barbares. Il éprouve à leur endroit une certaine fascination mêlée à un profond mépris.

En 455, Rome est la cible d'un nouveau pillage ; sa population tombe à quelque 120 000 habitants ; la ville décline. Le sénat, dernière institution encore en place, ne peut plus assurer ni les jeux, ni l'entretien des édifices publics. Même s'il est contesté par Constantinople, l'évêque de Rome, le pape, acquiert un grand prestige. L'empire d'Occident survit à Ravenne sous la direction d'empereurs éphémères et contestés.

Odoacre, roi des Hérules, peuple germanique venu de Scandinavie, prend Pavie, qu'il incendie. Puis il menace Ravenne, où un oncle de Boèce, Flavius Anicius Olybrius, gendre de l'empereur Valentinien III, devient cette année-là empereur d'Occident (non reconnu par celui d'Orient) pendant trois mois... jusqu'à sa mort naturelle.

En 474, à la mort de son père, Théodoric devient roi des Ostrogoths. En janvier 475, à Constantinople, alors que Zénon se trouve à Antioche, un de ses compagnons d'armes, le général Illus, porte au pouvoir Basiliscus, frère de Vérine, deuxième femme de Léon Ier, prédecesseur de Zénon. Celui-ci revient, livre bataille et reprend le pouvoir après vingt mois de combats, en août 476. Un peu plus tard, il épousera Ariane, fille de Vérine, qui l'a trahi.

Le 4 septembre 476, à Ravenne, l'empereur Romulus Augustule, qui vient de succéder à son père, ancien secrétaire d'Attila, est déposé par Odoacre, qui pille Rome et se fait proclamer « roi d'Italie ». C'est la fin de l'Empire romain d'Occident. Odoacre s'installe à Ravenne et envoie à Zénon les insignes impériaux en signe de soumission. L'empereur byzantin ne peut que lui laisser le pouvoir.

Odoacre ne change rien à l'ordre en vigueur. Il laisse ses attributions et son rang au sénat à Rome et s'appuie sur les grandes familles sénatoriales, telles celle de Boèce, les Anicii. Cette famille, convertie au christianisme au début du IVe siècle, sous le règne de Constantin, occupe régulièrement les plus hautes charges. On y trouve même, on l'a vu, deux empereurs au règne particulièrement bref : en 455, le sénateur Petronius Anicius Maximus, devenu empereur d'Occident pour deux mois, et, en 472, Flavius Anicius Olybrius, gendre de Valentinien III, lui aussi empereur, pour quelques mois. Un de leurs cousins, Flavius Anicius Mancius Boethius, père de notre personnage, nicéen lui aussi, est alors préfet du prétoire, une très haute fonction militaire et civile – coordinateur de l'action publique, en termes modernes, une sorte de Premier ministre – qu'il exerce depuis Rome pour le compte d'Odoacre, bloqué à Ravenne.

En 478, Théodoric, en Pannonie, se tourne contre son ancien hôte, Zénon, dont il rêve de se venger depuis l'enfance. Il s'avance jusqu'à cinq lieues de Constantinople. Repoussé, il se retire dans la province de Rhodope et finit par s'installer en Épire.

À Constantinople, les controverses et luttes entre tenants de la double nature du Christ, les nicéens, et les monophysites sont telles que Zénon, empereur nicéen, à l'instigation de l'évêque Cyrus et de Philoxène, évêque de Marbourg, ferme l'école nestorienne d'Édesse, dont les maîtres rejoignent à Nisibe, en Perse, la vieille école nestorienne, restée longtemps fameuse, qui introduira le christianisme en Chine et en Mongolie.

C'est alors que naît à Rome, vers 480, Anicius Manlius Severinus Boethius, fils du préfet du prétoire. Il est donc petit-neveu de deux empereurs et fils du bras droit du nouveau maître de l'Italie. Sa famille semble nicéenne.

En 483, à Constantinople, Théodoric obtient de Zénon, sous la menace, de l'or et un cantonnement pour son peuple en Mésie. L'empereur, qui redoute l'enfant qu'il a élevé, le nomme également patrice, maître de la milice et consul. En 484, sa statue équestre est élevée devant la porte du palais de Constantinople, honneur réservé aux empereurs. En 485, envoyé par Zénon à la tête de ses armées, il écrase les Bulgares, puis rentre à Constantinople, où il terrorise l'empereur.

Partout en Occident, les derniers restes de l'Empire romain disparaissent : Gondebaud est alors roi des Burgondes ; Clovis est roi des Francs ; Alaric II est roi des Wisigoths. En 486, en Gaule, Clovis fait même disparaître toute trace de l'autorité romaine ; la péninsule ibérique, la Gaule narbonnaise, l'Aquitaine tombent progressivement sous le contrôle des Wisigoths. Tous sont ariens, comme les Suèves de Galice, les Burgondes de Gaule lyonnaise, les Vandales d'Afrique, et tous soutiennent les ariens d'Orient.

En 487, le père de Boèce quitte son poste de préfet du prétoire pour devenir consul, fonction conférée chaque année à deux hauts personnages de l'Empire par Odoacre, comme le faisait l'empereur.

Pendant ce temps, à Constantinople, Théodoric tente le tout pour le tout pour obtenir un royaume à sa mesure : il demande à Zénon, l'autorisation d'aller conquérir un territoire pour son propre peuple. Mais pas n'importe lequel : il convoite l'Italie. Et entend devenir ainsi le successeur des empereurs d'Occident. Zénon hésite : il préférerait certes voir la Péninsule confiée à un peuple allié plutôt qu'à quelqu'un qui se dit fidèle, comme Odoacre, mais qui ne lui obéit en rien. Mais il sait que Théodoric n'en fera qu'à sa tête. Et que lui donner l'Italie, c'est la perdre. Néanmoins, Zénon n'a pas le choix : il n'a plus aucun moyen militaire de s'opposer à Théodoric, lequel pourrait, en cas de refus, fomenter un coup d'État à Constantinople et le réussirait sans doute ; Zénon fait alors approuver par le sénat de Constantinople un acte public intitulé « Pragmatique », attribuant l'Italie aux Goths. Reste à Théodoric à s'en emparer.

En 488, Théodoric, à trente-trois ans, quitte donc Constantinople, réunit tous les Goths vivant entre le Danube et le lac Balaton, et forme une armée de plusieurs milliers de combattants. Son immense talent militaire va faire le reste. Au printemps de 489, il traverse la Pannonie de son enfance et les Alpes juliennes, et bat Odoacre à Aquilée, dans la province d'Udine, puis à Vérone, et enfin, en 490, sur les bords de l'Adda, affluent du Pô. Odoacre recule et s'enferme dans Ravenne, devant laquelle Théodoric met le siège.

Cette année-là, à Rome, meurt le père de Boèce. L'orphelin – il a huit ans – est élevé dans une grande maison alliée, celle de Quintus Aurelius Symmachus, personnage de haut rang, fils d'un sénateur et alors préfet de Rome, poste auquel il a remplacé le père de notre personnage : celui-ci passe donc de la maison d'un quasi « Premier ministre » à celle de son successeur. Symmaque est aussi un érudit et un intellectuel de grande valeur, nourri de lettres grecques (chose rare à l'époque) et déterminé à favoriser leur renaissance à Rome. Il a écrit une *Histoire romaine* en sept volumes, aujourd'hui perdue, et a édité le *Commentaire* de Macrobe au *Songe de Scipion* de Cicéron. Il semble être nicéen.

En 491, à la mort de Zénon, sa veuve, Ariane, fille de l'impératrice Vérine, épouse un haut fonctionnaire d'origine modeste qui devient l'empereur Anastase Ier. Celui-ci réorganise les finances et fortifie Constantinople. Coup de tonnerre : il est monophysite et non pas nicéen, comme ses prédécesseurs ! Il persécute les nicéens, jusque-là dominants, et davantage encore les ariens. Il installe un patriarche monophysite à Constantinople, Acace, et rompt avec le pape. Un schisme se prépare.

Pendant ce temps, en Italie, Odoacre, enfermé dans Ravenne, résiste à Théodoric. En février 493, après trois ans d'un siège épuisant pour les deux armées, Théodoric propose à Odoacre de partager le pouvoir. Celui-ci accepte. Le 15 mars, au palais impérial, un fastueux banquet est organisé pour sceller l'accord. Au beau milieu du dîner, Théodoric égorge lui-même Odoacre, son fils et toute sa famille.

Théodoric, qui ne se sent plus lié à l'égard d'Anastase par le serment de soumission qu'il a fait à Zénon, ne porte plus le titre de *Rex Gothorum*, mais celui de *Flavius Rex* : son pouvoir ne s'exerce pas sur les seuls Goths, mais sur tous les habitants de l'Italie. Il garde comme premier collaborateur le principal ministre d'Odoacre, Symmaque, qui le convainc de ne pas destituer les sénateurs nommés par Odoacre. Théodoric entend affirmer la primauté spirituelle de Rome (nicéenne, alors que lui-même est arien) face au patriarcat byzantin (devenu monophysite). L'organisation politique et administrative est restaurée (sénat, préfet de la ville, gouverneurs de province, *curiales* municipaux). Reprenant les principales prescriptions du Code théodosien, Théodoric décide d'appliquer scrupuleusement la législation civile et de protéger toutes les convictions, ariennes, nicéennes et monophysites.

L'autorité d'Anastase sur Théodoric, de l'Orient sur l'Occident, n'est alors plus que théorique : quand, en 494, le patriarche monophysite de Constantinople prétend excommunier l'évêque de Rome, Théodoric soutient le pape Gélase, et défend la primauté et l'indépendance de l'Église de Rome. Malgré ces frictions, Théodoric ne rompt pas avec Anastase, dont la neutralité lui est encore utile.

En 493, Théodoric, prince arien, épouse une princesse arienne de haute lignée : Audofleda, sœur de Clovis, souverain franc, fils de Childéric Ier, roi des Francs saliens de Tournai, et de la reine Basine de Thuringe.

Clovis, de son côté, étend son territoire : en 496, ayant épousé une princesse nicéenne nommée Clotilde, il annexe les territoires des Wisigoths dans le sud de la Gaule. En 498, non loin de Cologne, à Tolbiac, il bat les Alamans, tribus germaniques établies auparavant sur l'Elbe et le Main. En guise de gratitude pour cette victoire, Clovis se convertit avec ses soldats à la religion de sa femme ; l'archevêque de Reims, Rémi, le baptise, et il devient le défenseur de l'orthodoxie romaine contre l'arianisme des Goths et des Burgondes. Et en particulier contre le mari de sa sœur, Théodoric.

Pendant ce temps, le jeune Boèce fait ses études à Rome, puis à Athènes. En 498, à dix-huit ans, il est, semble-t-il, à Alexandrie pour suivre les cours d'Ammonios, célèbre philosophe néoplatonicien qui a alors pour disciples de grands commentateurs d'Aristote : Jean Philopon, Asclépios de Tralles, Damascios le Diadoque, Olympiodore le Jeune, Simplicios de Cilicie. Dans cet univers d'une rare violence, le jeune Boèce cultive l'*otium cum dignitate* (repos honorable) cher à Salluste et à Cicéron, l'un de ses auteurs de prédilection. Il étudie les quatre « arts du nombre », le *quadrivium* : astronomie, géométrie, arithmétique et musique. Son idéal est alors le même que celui de son ami Symmaque : être un homme politique et un passeur de culture. Curieux mélange en ces temps si troublés.

Cette année-là est élu un nouveau pape, Symmaque (à ne pas confondre avec son homonyme, le sénateur, mentor de Boèce) qui excommunie l'empereur Anastase Ier pour monophysisme et pour avoir contesté la primauté de Rome. Un autre pape, Laurent, est alors élu par une fraction du clergé proche de Constantinople. Le roi Théodoric, pourtant arien, donne raison au pape nicéen Symmaque contre le monophysite Laurent.

En 500, Théodoric se rend à Rome pour la célébration de ses *tricennalia* (trente ans depuis son retour chez les siens). Il vient prier avec le pape Symmaque, « aussi plein de dévotion que s'il était catholique » (c'est-à-dire nicéen). D'un rare cynisme à l'égard de sa propre culture, il y déclare : « Nous nous réjouissons de vivre sous le droit romain, que nous souhaitons défendre les armes à la main... À quoi bon avoir repoussé le désordre barbare, si ce n'est pour tirer des lois notre règle de vie ? » Stratégie de pouvoir ; en fait, en vue de consolider son règne, il décide d'imposer le droit romain à tous ses sujets, quelle que soit leur origine, romaine ou ostrogothe.

Théodoric convoque un concile visant à ramener la paix entre les deux papes. Mais sa décision de fixer Pâques au 25 mars fait renaître le schisme, et les partisans du pape Laurent profitent d'un voyage du pape Symmaque à Ravenne pour l'accuser de corruption ; ils prennent possession des églises de Rome et s'emploient à convoquer un nouveau concile, mais Théodoric donne de nouveau raison à Symmaque et écarte Laurent.

Cette année-là, Boèce épouse Rusticiana, la troisième fille de son tuteur, Symmaque, principal ministre encore en exercice. Ils auront deux fils : Boèce et Symmaque junior. Il devient lui aussi un proche de

Théodoric et rédige un premier ouvrage : une traduction d'écrits grecs sur les mathématiques. Il semble qu'il soit nicéen, mais rien n'établit que la religion ait pour lui une grande importance, même si, à l'époque, elle range les gens selon des camps impitoyablement fermés.

En 506, Clovis, beau-frère de Théodoric, s'allie avec Gondebaud, roi burgonde, au pouvoir à Lyon après avoir éliminé ses trois frères, et fond sus aux Wisigoths en Espagne. En 507, il bat les Wisigoths à Vouillé et tue leur roi, Alaric II. Théodoric s'inquiète de l'impérialisme de son beau-frère. Il charge alors Boèce (qui vient d'écrire un traité de musique) de trouver le meilleur joueur de cithare de Rome pour accompagner une délégation envoyée à Clovis afin de solliciter la grâce des vaincus, goths comme lui, et d'autre part de trouver, pour le roi bourguignon Gondebaud, allié de Clovis, une horloge hydraulique surmontée d'un cadran solaire.

L'année suivante, ne parvenant pas à l'amadouer, Théodoric arrête militairement la progression du roi des Francs en direction de la Méditerranée et prend le contrôle de la Provence.

Le renversement d'alliances se confirme : l'Empire d'Orient s'allie à la Gaule contre l'Empire d'Occident. La guerre menace entre Anastase et Théodoric. Une armée ostrogothe ayant pénétré en Illyrie (aujourd'hui la Croatie), alors sous domination d'Anastase Ier, celui-ci se retourne contre Théodoric et cherche à s'allier à Clovis, à qui il adresse les honneurs consulaires, que celui-ci reçoit à Tours.

Théodoric se sent menacé. Le voici lâché par l'empereur d'Orient, comme Odoacre avant lui, et il devine le sort qui le guette. Il commence à s'inquiéter de savoir qui, à Rome, lui est fidèle, et qui risque de le trahir pour soutenir l'Empire d'Orient. Il conforte son alliance avec les meilleures familles et le sénat, où il nomme des amis. Et il confie l'essentiel du pouvoir à ses conseillers goths. En 510, il fait de Boèce un consul ordinaire, c'est-à-dire une sorte de ministre.

Celui-ci semble plus préoccupé par ses livres que par la politique : il rédige un commentaire sur les *Topiques* de Cicéron et la traduction latine de *L'Introduction* (*L'Isagogè*) de Porphyre, un disciple de Plotin. Il traduit en latin la totalité de l'*Organon* d'Aristote : les *Premiers Analytiques*, les *Seconds Analytiques*, les *Réfutations sophistiques* et les *Topiques* ; il publie aussi une traduction et un commentaire des *Catégories*, ainsi qu'une traduction et deux commentaires du *De interpretatione*, l'un à l'usage des débutants, l'autre pour les lecteurs avancés, où il explique la tâche qu'il s'est assignée : « J'ai ce projet bien arrêté, avec l'aide toute-puissante de la divinité : bien qu'il y ait eu d'éminents esprits dont le travail et l'étude ont beaucoup apporté à la langue latine sur les sujets que nous traitons aussi maintenant, ils n'ont cependant, en aucune façon, offert un ordre et un fil, ni les degrés dans l'organisation des disciplines ; moi, en traduisant en style latin toutes les œuvres d'Aristote qui tomberont entre mes mains, j'écrirai en langue latine leurs commentaires à toutes, pour transposer de façon ordonnée tout ce qu'a écrit Aristote [...], ramener aussi à la forme latine tous les dialogues de Platon en les traduisant et en les commentant [...], après quoi je ne négligerai pas de ramener les idées d'Aristote et de Platon à un accord. »

Projet inouï, poursuivi par beaucoup avant lui : faire connaître Aristote et établir une confrontation entre Aristote et Platon ! Sans s'encombrer du christianisme, puisqu'il ne parle que de « l'aide toute-puissante de la divinité ». Pour chaque question, Boèce avance la solution d'Aristote et celle de Platon. Ainsi sur le problème si fondamental de l'existence autonome des concepts : « Platon pense que genres, espèces et autres universaux ne sont pas seulement connus à part des corps, mais aussi qu'ils existent et subsistent en dehors d'eux ; au lieu qu'Aristote pense, etc. [...] Laquelle de ces deux opinions est vraie, je n'ai pas l'intention d'en décider, car c'est d'une philosophie plus haute. Nous nous sommes donc attachés à suivre l'opinion d'Aristote [...] parce que ce livre-ci est écrit en vue des *Catégories*... » Il prend le parti d'Aristote sans prêter attention à ce que peut penser l'Église.

Il rédige ensuite une série de traités de réflexions personnelles : *Introductio ad categoricos syllogismos, De syllogismo categorico, De syllogismo hypothetico, De divisione, De differentiis topicis*...

En 512, il aurait écrit cinq *Opuscula sacra* (opuscules théologiques), cette fois sur la lancinante question de la Trinité et de la double nature du Christ : le *De Trinitate*, le *De praedicatione*, le *De hebdomadibus*, et deux autres contre le monophysisme alors professé à Constantinople : *De Fide catholica* et *De duabus naturis* ou *Les deux natures du Christ* contre Eutychès. Sa paternité de ces textes est parfois contestée et semble contestable. Ce sont pourtant ses seuls textes clairement chrétiens.

Dans le *De Trinitate*, dédié à son beau-père Symmaque qui vient de quitter ses fonctions politiques, il aurait jeté les nouvelles bases ontologiques de ce qu'on nommera en philosophie la « prédication » (c'est-à-dire le problème de la « logique des attributions » des mots aux choses, ou de la possibilité de « dire » quelque chose de chaque chose) ;

en particulier de ce qui est la grande question philosophique du moment : peut-on dire quelque chose de Dieu ? Peut-on Lui attribuer quelque chose ? Peut-on dire qu'Il est la Trinité ? Boèce explique qu'on ne peut pas dire « Dieu est quelque chose », car Sa nature est d'« être » (tout court). Quand on « prédique » quelque chose d'un sujet, on va chercher le prédicat en dehors du sujet, et on introduit par là la multiplicité ; or Dieu est un, dit Boèce. On ne peut donc Le caractériser. On devrait donc s'arrêter à : « Dieu est ». Les catégories d'Aristote vont néanmoins lui permettre d'affirmer la triple nature de Dieu. En tout cas, ces livres lui sont attribués, peut-être pour faire accroire à son christianisme.

Dans le *De praedicatione*, dédié au diacre Jean et plus certainement de lui, il distingue la façon dont les mots sont attribués aux « choses de la nature » et aux « choses divines » : c'est l'attribution théologique, la *praedicatio in divinis*, toujours assortie de la question qui oppose les nicéens aux autres : les premiers pensant que l'Esprit saint procède du Père et du Fils, les seconds qu'il ne procède que du Père.

Dans le *De hebdomadibus* (ou *Traité des sept problèmes*), il approfondit cette distinction entre l'être et ce qu'il nomme « ce qui est » ; il jette ainsi les bases de ce qui deviendra l'ontologie, en distinguant l'être par essence et l'être par participation, la substance et l'accident. Il écrit : « L'être, et ce qui est, font deux. » « Nous saisissons l'être par l'étant, mais nous n'aurions pas conscience de l'étant sans l'être. Nous prenons conscience des choses à la faveur de la distance que nous prenons avec celles-ci. »

Quinze siècles plus tard, en 1927, Martin Heidegger reformulera ce même problème dans son œuvre majeure, *Être et Temps* (*Sein und Zeit*) : « L'être-au-monde est d'abord un tout absolument indissociable. Il n'y a pas d'un côté le *Dasein* et, de l'autre, le monde avec des *étant* éloignés et des *étant* proches. Autrement dit, l'être-au-monde, c'est le *Dasein* lui-même vu sous l'angle de la mondanéité. Ce n'est qu'existentiellement et ultérieurement que se dégage un sujet et des *étant*, mais alors le *Dasein* est perdu de vue. [...] L'Être est ce qu'il y a de plus proche tout en étant le plus éloigné. Lorsque je dis "Cette table est rouge", le "est" n'est pas qu'une simple liaison, mais la trace de l'être dans cet *étant* qu'est la table. »

Quelques-uns des protagonistes importants de l'époque disparaissent alors : Clovis, puis le pape Symmaque, puis l'empereur Anastase.

En novembre 511, Clovis meurt, laissant quatre fils qui vont se partager son royaume, au grand soulagement de Théodoric et de tous ceux qu'il menaçait ; mais au grand dépit d'Anastase qui voulait utiliser Clovis pour reprendre le pouvoir à Ravenne. Thierry, l'aîné de ses fils, issu d'un premier mariage, reçoit l'Austrasie avec Metz pour capitale. Clotaire reçoit le vieux pays salien, entre Somme et Meuse, avec Soissons comme capitale. Childebert reçoit le territoire qui s'étend de Paris à la mer, entre la Seine et la Somme, et fait de Paris sa capitale. Enfin Clodomir reçoit l'Orléanais, la Touraine, le Maine, l'Anjou, le Berry, et réside à Orléans. Il faudra beaucoup de meurtres et de guerres pour que le royaume franc recouvre son unité au VIe siècle.

En 514, le pape Symmaque meurt et est remplacé par Hormisdas, que Boèce connaît bien, semble-t-il.

En 518, à Constantinople, Anastase trépasse à son tour à quatre-vingt-huit ans, frappé par la foudre, sans laisser de descendance. Justin, chef de la Garde impériale, est élu empereur par le sénat sous le nom de Flavius Iustinus. Il est, lui, nicéen, veut restaurer l'unité de l'Église et combattre le monophysisme. En 519, l'empereur se soumet au pape, mettant ainsi fin au schisme qui perdure depuis une trentaine d'années entre Rome et Constantinople en raison du monophysisme de son prédécesseur. Il laisse son propre neveu et fils adoptif, Justinien, prendre des initiatives importantes.

Pendant ce temps, à Ravenne, Théodoric, monarque vieillissant (il a soixante-dix ans), entend resserrer autour de lui les rangs des membres de la noblesse romaine nicéenne et éviter qu'elle rallie le nouvel empereur qui, redevenu nicéen comme eux, pourrait les attirer. En 522, il attribue l'honneur du consulat à deux des fils de Boèce, qui prononce à cette occasion le panégyrique de Théodoric, lequel « a comblé sa famille des plus hautes dignités et a encouragé la renaissance des lettres en son royaume ». Boèce est lui-même nommé en septembre 522 *magister officiorum* (maître des offices), l'équivalent de ministre de l'Intérieur du royaume, siégeant à Ravenne.

À Byzance, l'empereur est décidé à en finir avec les monophysites et avec les ariens, chez lui pour commencer, puis ailleurs. En 524, il ordonne la « fermeture immédiate de toutes les églises ariennes de Constantinople ; l'exclusion de toutes fonctions publiques, civiles et militaires, de tous les citoyens reconnus comme sectateurs ariens ».

Théodoric, qui est arien, refuse d'appliquer cet édit en Italie et menace d'user de la force contre Constantinople s'il n'est pas abrogé.

Une fraction du sénat de Rome, presque entièrement nicéen, pense que l'heure est venue de se débarrasser de ce monarque et de renouer des liens avec l'Empire ; elle encourage la population romaine à se révolter contre les Goths. Théodoric sent le danger et, à l'instigation de ses deux principaux conseillers goths, Conigast et Trigguila, il fait surveiller le courrier des sénateurs. Il surprend des messagers hostiles à son endroit, adressés à l'empereur Justin par le sénateur Albinus, lequel est arrêté et accusé de comploter contre lui.

Deux personnages considérables, Boèce et son beau-père Symmaque, prennent la défense d'Albinus ; ils le déclarent innocent, incapable d'avoir trahi le roi d'Italie, bien qu'ils soient nicéens. Ils affirment même que le sénat en son entier, dernière institution de l'Empire romain d'Occident encore en fonction, peut témoigner de la fidélité d'Albinus à Théodoric.

Toutefois, courageux mais pas téméraire, confronté aux menaces de Théodoric et des militaires, le sénat refuse de soutenir l'un des siens. Boèce et Symmaque sont isolés. Personne ne s'est joint à leur témoignage en faveur d'Albinus. C'est la chute. En août 523, Boèce est mis en accusation, aux côtés de Symmaque, devant une commission composée de sénateurs. On l'accuse d'entretenir avec le nouvel empereur Justin une correspondance secrète visant à renverser Théodoric. On produit deux lettres de lui en ce sens, qu'il déclare être des faux. À la fin de l'année 524, il est jeté en prison à Vérone, puis à Pavie avec Symmaque. Théodoric tient à faire un exemple : ils sont condamnés à mort et leurs biens sont confisqués.

Au même moment, le diacre Jean, ami de Boèce, devient le pape Jean Ier.

En détention à Pavie, n'espérant pas de grâce, Boèce rédige en quelques mois un texte superbe : le *De consolatione Philosophiae* – texte fondamental que chacun devrait avoir lu. Il y dénonce la terreur qui écarte de lui les amis du temps de sa fortune passée, et la corruption de l'administration de Théodoric. Il évoque le sort de Socrate, de Zénon d'Élée, de Sénèque, eux aussi victimes en leur temps d'un tyran. Il rappelle la phrase « *Nunc dimittis* » (« Maintenant, laisse partir en paix » [ton serviteur]), citée dans Luc (II, 29-32), par laquelle Siméon reconnaît le Messie en Jésus enfant et annonce à Marie les souffrances qu'elle endurera quand l'innocent sera injustement persécuté. Il constate que ni la poésie, ni la grammaire, ni l'arithmétique, ni la rhétorique, ni même la théologie ne sauraient le consoler de sa chute. Seules, dit-il, le peuvent la philosophie et la musique. Au soir de sa vie, il néglige l'Église pour revenir à Aristote. Si tant est que l'Église ait jamais été dans sa vie...

Il rapporte alors une vision : une femme vient « subitement se dresser au-dessus de [sa] tête » ; un « brouillard de larmes » trouble sa vue et son esprit et l'empêche de reconnaître qui elle est. Il recouvre ses esprits et se souvient que reconnaître suppose, selon Aristote, d'analyser *facies* (forme extérieure), *habitus* (manière d'être) et *vultus* (expression). Il reconnaît alors la Philosophie. Il décrit son visage, sa stature, ses vêtements vieux et déchirés (par les sectes), recouverts de poussière, les plis de sa robe, son sceptre. La Philosophie lui explique que son trouble provient du fait qu'il ne comprend pas, qu'il ne réalise pas, qu'il n'accepte pas l'inconstance des choses humaines et de la Fortune. Le vrai bonheur, dit-elle, ne réside ni dans la richesse, ni dans le pouvoir, ni dans la sexualité, mais en Dieu Lui-même.

Dieu est éternel et sempiternel : éternel, Il saisit tout simultanément ; sempiternel, Il saisit tout dans la succession des événements. Dieu a à la fois un visage inamovible, éternel, et un visage mouvant, qui passe. De même, dans le temps, il y a quelque chose d'immuable (le fait qu'il y ait du temps) et quelque chose qui passe (le cours du temps) ; certains événements doivent se produire (le lever du Soleil), d'autres le peuvent (le conducteur oriente son char à droite ou à gauche). Dans l'instant présent, on ne peut juger de la causalité, qui suppose la réalisation dans le temps d'une succession d'événements. Dieu connaît à chaque instant la totalité de la chaîne des causes et de leurs effets dans l'avenir, alors que la connaissance humaine est limitée au présent. Ainsi, Dieu sait par avance, et de toute éternité, que le cocher dirigera ses chevaux vers la droite, mais Il ne le contraint pas à le faire ; Son absolue instantanéité explique et garantit la liberté humaine. Ce Dieu résout tous les paradoxes, y compris l'injustice, au profit du Bien éternel. Le Dieu dont parle ainsi Boèce est abstrait. Il n'est pas clairement celui de l'Église de Rome, qu'il ne mentionne pas.

Après la vision de la Philosophie, il a la vision de la Fortune, elle aussi indépendante de l'Église et de la grâce, et décrit la nature humaine et le destin des puissants dans une phrase devenue célébrissime : « Notre nature, la voici, le jeu interminable auquel nous jouons, le voici : tourner la Roue inlassablement, prendre plaisir à faire descendre ce qui est en haut et à faire monter ce qui est en bas. » Cette métaphore de la Roue sera universellement reprise.

L'homme doit donc prendre acte de la Fortune et demeurer indifférent aux faits extérieurs et changeants sur lesquels il ne peut rien. La destinée, si elle lui est néfaste, n'est là que pour l'éprouver. Pour accéder à la sagesse dans ce monde si précaire, Boèce conseille d'étudier deux groupes de disciplines : le *trivium* (grammaire, rhétorique et logique) et le *quadrivium* (arithmétique, astronomie, géométrie, musique). Le *trivium* fournit la méthodologie, les *voces* ; le *quadrivium* fournit le contenu, les *res*. Il conclut par cette phrase magnifique : « Quand vous agissez sous les yeux d'un juge qui distingue toutes choses, la nécessité, si vous ne voulez pas vous la dissimuler, vous impose l'honnêteté. »

Dans ce texte, aucune citation biblique, aucune citation des Évangiles. Rien. Boèce est comme Job, qui n'est pas juif et dialogue avec Dieu sur son malheur sans croire pour autant.

Le 30 octobre 525, après un an d'incarcération et de tortures destinées à leur faire reconnaître, en vain, leur trahison, Symmaque et Boèce sont, semble-t-il, exécutés à Pavie. Le grand érudit Magnus Aurelius Cassiodore, dont le père était éleveur des chevaux de la cavalerie ostrogothe de Théodoric, lui succède au poste de maître des offices.

En novembre, sitôt après cette exécution, le roi Théodoric convoque le nouveau pape Jean Ier, l'ami de Boèce, et lui ordonne de partir pour Constantinople demander le retrait des mesures prises à l'encontre des ariens. Il le menace de mort s'il ne revient pas avec des concessions. Jean accepte de s'y rendre tout en ne s'engageant à rien. En décembre, le pape est reçu à Constantinople par l'empereur mais lui demande de maintenir son édit contre les ariens. L'empereur, nicéen, l'approuve et n'accorde donc pas ce que réclame Théodoric. Il adjure Jean Ier de rester à Constantinople, mais celui-ci entend rentrer à Rome, siège de la papauté. Il passe d'abord par Ravenne porter la réponse de Justin. Fou de rage, Théodoric l'assigne avec sa suite à **résidence à Ravenne, où le pape meurt** de faim et de soif le 18 mai 526. Théodoric choisit alors lui-même son successeur, Félix IV. Trois mois après, l'empereur lui-même meurt de dysenterie.

Le nouveau pape, choisi par Théodoric contre l'empereur, prend parti contre le successeur du roi des Goths, Athalaric, et tente de restaurer l'indépendance de la papauté en interdisant l'enseignement des textes grecs dans l'Église, et l'Académie d'Athènes, créée par Platon, sera fermée par Justinien en 529.

Les textes de Boèce sont dès lors oubliés jusqu'à ce que, vers 780, ils soient redécouverts par Alcuin, un clerc anglo-saxon qui réorganise l'enseignement sous Charlemagne en le répartissant entre *trivium* et *quadrivium* – « les sept arts libéraux » de Boèce.

On lit alors plus que jamais la *Consolation*, le texte le plus diffusé au cours de cette période. Les commentaires se focalisent sur « Philosophie » et ignorent « Fortune ». On le traduit dans plusieurs langues vernaculaires et on le discute dans toutes les écoles théologiques. À la fin du IXe siècle, le roi des Anglo-Saxons Alfred le Grand en adapte le texte en langue anglo-saxonne. À la fin du Xe siècle, Notker le Lippu traduit la *Consolation* en vieil-allemand. La poésie s'empare du thème de « Fortune ». Pierre Abélard commente longuement l'œuvre logique de Boèce. Le traité des *Sept arts libéraux* de Thierry de Chartres, reprend l'œuvre logique de Boèce sous l'appellation de *logica vetus*. On voit aussi apparaître un très grand nombre de manuscrits enluminés de cette œuvre : il en existe encore cent trente-cinq exemplaires antérieurs au XIIIe siècle.

Les sept arts libéraux resteront les fondements de l'enseignement même après le XIIIe siècle, époque où Aristote sera de nouveau traduit en latin et commenté.

Aux XIIIe et XIVe siècles, la *Consolation* est encore traduite quinze fois en français, dont une par Jean Chopinel, dit Jean de Meung, qui ajoute au *Roman de la Rose* de Guillaume de Lorris de larges extraits d'auteurs antiques, dont quelques-uns du Livre V des *Consolations* de Boèce. À l'été 1534, Thomas More la paraphrase, du fond de sa prison, dans le *Dialogue du réconfort dans les tribulations*. De même, le cardinal de Retz, emprisonné à Vincennes le 19 décembre 1652 pour avoir participé à la Fronde contre Mazarin, écrit : « Je composai à l'imitation de Boèce une *Consolation de théologie* par laquelle je prouvais que tout homme qui est prisonnier doit essayer d'être le *vinctus in Christo* dont parle saint Paul. »

Tel est bien le sort de tout homme dans tous les temps : comprendre que sa vie se déroule dans la prison du temps et qu'il lui appartient de s'en consoler le plus dignement possible.

BIBLIOGRAPHIE

Boethius, His Life, Thought and Influence, ed. Margaret T. Gibson, Oxford, 1981.

CHADWICK, Henry, *Boethius, the Consolations of Music, Logic, Theology and Philosophy*, Oxford, Clarendon Press, 1990.

COURCELLE, Pierre, *Histoire littéraire des grandes invasions germaniques*, Paris, Études augustiniennes, 1964.

COURCELLE, Pierre, *La Consolation de la philosophie dans la tradition littéraire, antécédents et postérité*, Paris, Études augustiniennes, 1967.

COURCELLE, Pierre, *Les Lettres grecques en Occident de Macrobe à Cassiodore*, Paris, 1948, non rééd.

Dictionnaire des philosophes de l'Antiquité, art. de S. Gersh, sous la direction de R. Goulet, vol. 2, Paris, 1994.

GALONNIER, Alain, *Anecdoton Holderi ou Ordo generis Cassiodororum. Éléments pour une étude de l'authenticité boécienne des Opuscula Sacra*, Louvain, Éditions Peeters, 1997.

LENOIR, Frédéric, *Comment Jésus est devenu Dieu*, Paris, Fayard, 2010.

MARENBON, John, *Boethius*, Oxford, Oxford University Press, 2003.

PARGOIRE, R.P.J., *L'Église byzantine de 527 à 847*, Paris, Victor Lecoffre, 1905.

ROHRBACHER, René-François, *Histoire universelle de l'Église catholique*, Saint-Rémi, 30 vol., 2010.

TILLIETTE, Jean-Yves, Introduction à la nouvelle trad. par E. Vanpeteghem de *Consolation de Philosophie*, Paris, Lettres gothiques, 2005.

USENER, Hermann, *Anecdoton Holderi, ein Beitrag zur Geschichte Roms in ostgothischer Zeit*, Bonn, 1877 ; repr. Hildesheim, 1969.

L'empereur Constantin le Grand, protecteur du christianisme du IVe siècle, par Gilbert Dagron : http://www.canalacademie.com/Constantin-Eusebe-de-Cesaree-et-le.html.

Actes du colloque international de la Fondation Singer-Polignac de juin 1999, *Boèce ou la chaîne des savoirs*, éd. Alain Galonnier, préface de Roshdi Rashed, Louvain, Éditions Peeters, 2003.

News Directions in Boethian Studies, ouvrage collectif sous la direction de N.H. Kaylor et P.E. Phillips, Kalamazoo, Western Michigan University, 2007.

5

Hildegarde de Bingen
(1098-1179)
ou la voix de la lumière

J'ai longtemps cherché à identifier le premier musicien à qui l'on pût incontestablement attribuer des œuvres. La réponse m'a étonné : une religieuse, théologienne, médecin et conseillère des princes.

Rien ne m'a plus ému que d'entendre, dans ses compositions, sa voix venue de si loin. J'y ai ressenti ce que je sais de la musique de toutes les époques : elle est la meilleure expression de la transcendance, la plus grande source de jubilation imaginable. J'y ai aussi entendu tout ce que cette femme, une des premières à avoir l'oreille des hommes de pouvoir, avait eu à leur dire, avec sa force de conviction, sa liberté de ton, son insolence. Tout ce que peut nous apprendre une aventurière de l'esprit, en un temps où il ne faisait pas bon, pour une femme, de l'être, et encore moins de le paraître.

Hildegarde de Bingen naît dans un des siècles les plus profus de l'histoire politique, sociale et intellectuelle de l'Europe : le douzième. Villes et routes se font alors moins dangereuses, les marchés s'éveillent, les foires s'animent. On commence à orner les églises de fresques (Saint-Savin) ou de sculptures (cloître de Moissac). Le mouvement monastique se transforme : Robert d'Arbrissel fonde Fontevrault où une communauté mixte est placée – audace rare ! – sous la direction d'une abbesse. Dans la grande abbaye de Cluny créée deux siècles plus tôt, les activités intellectuelles, la pratique du plain-chant et la liturgie éloignent les moines du travail manuel ; les clunisiens fournissent un grand nombre d'intellectuels, comme Pierre le Vénérable, et de grands papes, comme Grégoire VII. En réaction à l'opulence de certains monastères qui suivent la règle de Cluny, Bernard de Clairvaux, Robert de Molesme, Robert d'Arbrissel et Bruno de Cologne imposent une stricte application de la règle de Benoît de Nursie (prière, pauvreté et charité) dans une grande partie de l'Église d'Occident.

Au tournant du millénaire, la pensée chrétienne est encore dominée par Augustin, ce théologien du Ve siècle dont la langue maternelle était le berbère, qui a enseigné à Hippone, en Algérie d'aujourd'hui, que les hommes doivent se fier à leurs sens, à leur intuition, à leur foi, plutôt qu'à leur raison. Par nature, la raison, théorique comme pratique, est, dit-il, infirme ; la science et la philosophie doivent donc rester les servantes de la théologie ; et l'homme ne peut penser et agir juste que s'il bénéficie d'une illumination, d'une grâce divine : « Comprendre Dieu est impossible à un intellect créé, quel qu'il soit ; mais que notre esprit l'atteigne de quelque manière, c'est déjà une grande béatitude. »

Après Augustin, la philosophie chrétienne, prolongeant la théorie profonde et fascinante des « attributions » chez Boèce, discute du statut des idées (des « universaux ») qui s'expriment en mots. D'étranges questions surgissent, découlant de la confrontation de la théologie chrétienne avec ses conséquences logiques : le corps ressuscité sera-t-il celui de la jeunesse ou celui de la vieillesse ? les aveugles renaîtront-ils aveugles ? le corps ressuscité aura-t-il des dents ? s'en servira-t-il pour manger ? pour manger quoi : du poisson, comme Jésus ressuscité ? le corps ressuscité aura-t-il une sexualité ? s'en servira-t-il ? si oui, avec qui ? et si une veuve a eu plusieurs maris, duquel de ces maris ressuscités sera-t-elle l'épouse ressuscitée ?

Au XIe siècle, l'Europe chrétienne redécouvre lentement – en particulier par la lecture des livres de Boèce – quelques textes d'Aristote : les *Catégories*, *De l'interprétation*, la *Logica nova*. Ses thèses, résumées et caricaturées (le monde existe de toute éternité ; l'âme individuelle, forme du corps, meurt en même temps que lui ; le bonheur sur terre est un but louable), sont combattues comme autant d'erreurs et d'absurdités par les rares théologiens chrétiens qui osent les évoquer : si l'univers était éternel, il s'y serait accumulé une infinité d'âmes qui se réincarneraient en une infinité de corps, ce qui nécessiterait un univers infini, hypothèse manifestement impossible ; l'univers n'est donc pas éternel ; et, comme le dit la Genèse, il a d'ailleurs eu un commencement.

Au même moment, d'autres théologiens plus audacieux commencent à penser que les Évangiles peuvent s'avérer compatibles avec certains concepts aristotéliciens. Ils tentent en particulier de concilier la conception grecque de la nature humaine avec l'idée à la fois grecque et chrétienne d'un Dieu fait homme. Plus généralement, ils veulent montrer que l'Église catholique et romaine peut répondre à la demande de raison émanant de la bourgeoisie marchande en formation, nouveau mécène de l'Église mais qui pourrait s'en éloigner si on lui interdisait de penser, de vivre, de raisonner.

À partir de cette époque, dans les couvents d'Allemagne et des Pays-Bas, de nombreuses femmes (Élisabeth de Schönau, puis Mathilde de Magdebourg, Marie d'Oignies, Ludgarde de Tongres, Hadewijch d'Anvers, Béatrice de Nazareth) parlent de leur attente du Christ comme d'autres parlent de celle d'un chevalier parti aux premières croisades. Elles osent même employer des mots d'amour que les hommes, de leur côté, ne se hasardent pas à utiliser.

L'une d'entre elles, se disant ignorante, « femme faible et simple » (selon sa propre définition), parlant, dit-elle, sous la dictée de Dieu, considérant l'Église comme une « forteresse dressée contre les ténèbres du monde », va pousser la témérité jusqu'à sortir de son couvent à cinquante-quatre ans pour servir d'arbitre dans des conflits politico-religieux, devenir conseillère de papes et d'empereurs, refuser le diktat théologique des évêques au nom de « visions » qu'elle aurait reçues depuis son enfance. Alors qu'elle aurait pu finir brûlée comme sorcière, elle va devenir l'une des consciences spirituelles et politiques de son temps, l'une des voix les plus écoutées d'Europe, essentielle pour la compréhension de la modernité balbutiante du continent, en même temps que – grande première pour un musicien comme pour un médecin depuis l'époque romaine – elle va laisser une trace écrite, signée de son nom.

Quand Hildegarde naît en 1098, un des centres du monde se situe encore en Chine, où prospère la dynastie Liao, assistée par une bureaucratie efficace s'appuyant sur la pensée confucéenne, devenue doctrine d'État douze siècles auparavant. L'islam domine le Moyen-Orient et le Maghreb depuis le sud de l'Espagne où les Almoravides s'emparent de Séville, puis de Saragosse, et reconstituent un empire musulman d'abord rigoriste, puis tolérant. À Constantinople, l'Empire d'Orient domine la région, mais recule face aux Turcs seljoukides.

En Europe occidentale, où les royaumes de France et d'Angleterre commencent à prendre forme, deux superpuissances se disputent l'héritage de l'Empire romain : la papauté et l'Empire germanique. Affirmant la supériorité du spirituel sur le temporel, la monarchie pontificale considère le monde comme l'image terrestre du royaume de Dieu. Selon elle, comme il n'y a qu'un Dieu dans l'univers, il n'y a qu'un prince sur la Terre : le pape, avec sous ses ordres, proclame-t-il, l'Empire dit « germanique » et des nations chrétiennes embryonnaires : la France capétienne, l'Angleterre normande, l'Italie du Nord, et, en Ibérie, quelques petits royaumes chrétiens dont la Castille et l'Aragon, qui se disputent le contrôle de terres militairement reconquises sur l'islam ou préservées de son influence. Pourtant, l'Empire d'Occident, qui continue de s'appeler *Regnum Francorum*, ne reconnaît pas l'autorité séculière du pape et se veut l'héritier de l'empire des Carolingiens, disparu à la fin du IX⁰ siècle et lui-même lointain héritier de l'Empire romain disparu au V⁰ siècle. Comme cette bataille entre la papauté et l'empire est consubstantielle à notre histoire, essayons de l'esquisser à grands traits, même si elle est d'une grande complexité.

Depuis le début du X⁰ siècle, les empereurs d'Orient ne jouent plus aucun rôle en Occident. Le fondateur du nouvel empire d'Occident, Otton Iᵉʳ, se considérant comme le représentant de Dieu sur terre, donc comme le protecteur de l'Église, nomme les évêques et prétend contrôler l'élection des papes. Après lui, Otton II continue à signer ses décisions en tant que *Romanorum imperator augustus* (empereur des Romains). Otton III se fait désigner pour sa part comme « Serviteur de Jésus-Christ » et « Serviteur des Apôtres ». À la mort du dernier Ottonien, Henri II, une nouvelle dynastie, salienne, prend le pouvoir. Son premier représentant, Conrad II, impose sa souveraineté aux Polonais et au royaume de Bohême, et reçoit le royaume de Bourgogne en héritage. Son fils Henri III maintient son autorité. Mais l'Église a maintenant la force de réagir : profitant de la minorité de Henri IV, les cardinaux décident d'élire le nouveau pape, Étienne IX, sans laisser l'empereur s'en mêler. Son successeur à Rome, Nicolas II, institutionnalise cette nouveauté en réservant l'élection pontificale aux seuls cardinaux – une réforme dont bénéficie Grégoire VII, élu selon cette procédure en 1073. En 1075, ce dernier interdit à l'empereur d'investir les évêques de leur charge, mais l'empereur Henri IV (que Luigi Pirandello évoque si bien dans la pièce qu'il lui a consacrée) le fait déposer par un concile rassemblant des évêques à sa dévotion. En guise de représailles, Grégoire VII délie les sujets de l'empereur de leur serment de fidélité et incite les princes allemands à la révolte. Henri IV doit alors faire pénitence à Canossa en 1077. L'Église a provisoirement gagné...

À Troyes s'installe une école talmudique autour de Rachi. À Londres, les successeurs de Guillaume le Conquérant, venu de Normandie, jettent les bases de l'État en créant l'Échiquier, en nommant des juges itinérants et en renforçant la compétence des tribunaux et des shérifs au détriment de la justice seigneuriale.

Dans les ports d'Europe (Bruges, Gênes, Anvers, Venise, les villes de la Hanse) et dans quelques villes de foire se développe une bourgeoisie marchande. L'agriculture accomplit d'énormes progrès avec la multiplication des moulins à eau, la diffusion de la charrue en fer à soc métallique, l'amélioration de l'attelage ; l'intensification des défrichements et l'amélioration des rendements permettent de financer les investissements. La sécurité revient sur les routes allant des Flandres à Venise en passant par la Germanie et la Champagne. La monnaie commence à circuler et les seigneurs font venir sur leurs terres des communautés juives en les contraignant à servir de prêteurs. De nouvelles techniques de mobilisation des capitaux et de construction des navires rendent possible une navigation hauturière en Méditerranée. À Venise, le « contrat de *colleganza* » associe marchands et investisseurs pour des opérations de commerce international.

C'est donc dans cette Europe en éveil que naît en 1098 Hildegarde, dixième enfant d'une famille noble du Palatinat, du domaine de Bermersheim, près d'Alzey, comté de Spanheim, en Hesse-Rhénanie.

La situation de l'Empire est alors chaotique par suite des rebondissements de la querelle entre le pape et l'empereur. À la mort de Grégoire VII, aucun pontife n'est élu pendant un an. Victor III règne ensuite pendant seize mois ; son successeur, Urbain II, s'oppose à l'empereur Henri IV. En 1087, ce dernier est contesté, dix ans après Canossa, par son fils aîné Conrad, duc de Lorraine, élu roi de Germanie. En 1098, lors d'une diète réunie à Mayence, Henri IV dépose Conrad et désigne son fils cadet comme héritier. Mais, en 1105, ce dernier arrête son père, qu'il oblige à abdiquer, et se fait à son tour proclamer empereur sous le nom de Henri V.

À la même époque, les premiers croisés débarquent en Syrie. Le Normand Bohémond s'empare d'Antioche en 1098, puis, l'année suivante, de Jérusalem. Godefroi de Bouillon prend le titre d'« avoué du Saint-Sépulcre » ; il est remplacé, à sa mort l'année suivante, par son frère Baudouin de Boulogne, sacré premier roi de Jérusalem. Les Fatimides se replient dans la forteresse d'Ascalon, prise en 1102 par les croisés après trois ans de siège. En 1104, aidés des flottes italienne et norvégienne, les croisés prennent Acre, se distribuent des seigneuries et transposent en Orient le système féodal par une législation consignée, entre autres, dans les « Assises de Jérusalem ». Des colonies de marchands génois, vénitiens et pisans s'installent dans les ports, et les richesses d'Orient alimentent le décollage économique de l'Europe occidentale. L'année suivante (1105), à Troyes, meurt Rachi.

Hildegarde, enfant fragile et maladive, est élevée par des nourrices dans le château familial. Pendant les sept premières années de sa vie, elle aurait, selon la légende, étonné son entourage par un don de prescience dont on retrouvera les manifestations tout au long de sa vie. Selon les actes de son procès en canonisation, elle aurait, à cinq ans, décrit à sa nourrice « le joli petit veau qui est dans cette vache : il est blanc avec une seule tache au front, une autre sur un pied gauche et une autre sur le dos » ; le veau en question naîtra en tous points conforme à sa description.

En 1106, à l'âge de huit ans, Hildegarde est « donnée comme oblat » à l'Église, comme c'est alors la tradition dans les familles nobles lorsqu'elles sont très nombreuses. Ses parents la confient à la fille du comte de Spanheim, Jutta, mère supérieure du monastère double (il s'agit de deux monastères, masculin et féminin, juxtaposés) du Disibodenberg (fondé au VIIe siècle par saint Disibod, moine irlandais venu là comme missionnaire). Ils ne la reverront jamais plus.

L'éducation y est sommaire : conformément aux règles de l'époque, Hildegarde n'apprend ni à lire ni à écrire – formation réservée aux moines. Elle n'apprend donc ni l'alphabet ni la décomposition des mots en syllabes : seulement à réciter par cœur le psautier.

Avec les années, ses visions se multiplient. Des hallucinations, diraient certains. Des images, des phrases, des musiques dont elle se souvient à la perfection. Elle écrira plus tard : « Jusqu'à ma quinzième année, j'ai vu beaucoup de choses et je les disais parfois en toute simplicité, si bien que ceux qui m'entendaient se demandaient d'où cela venait et ce qu'il en était. Et moi-même je m'étonnais parce que ce que j'avais vu dans mon âme, j'en avais la même vision extérieure, et comme je voyais que cela n'arrivait à personne d'autre, j'ai caché autant que j'ai pu la vision que j'avais dans mon âme. »

Elle a tôt fait de se rendre compte que ses visions intriguent et inquiètent. Elle les cache à tous, hormis à la supérieure du couvent, Jutta, qui prend conseil d'un moine du monastère masculin adjacent, confesseur des sœurs du Disibodenberg, Volmar. Qu'en faire ? Hors du couvent, l'enfant aurait pu être qualifiée de sorcière. Volmar décide de prendre en charge son éducation. Que lui apprend-il ? Nul ne le sait vraiment, car elle fera tout pour le dissimuler : toute sa vie elle prétendra n'avoir jamais appris à lire et à écrire. Volmar deviendra en tout cas son assistant et prendra, dira-t-elle, ses visions sous sa dictée.

Pendant ses années de formation, les révoltes continuent au sein de l'Empire : en Saxe, en Frise et en Westphalie, les princes de Germanie se soulèvent contre Henri V, dont ils n'ont pas admis le double coup de force perpétré contre son frère et contre son père.

En 1112, au moment où le futur saint Bernard entre à Cîteaux et où sont fondées de nombreuses autres abbayes (telles La Ferté, Pontigny, Clairvaux et Morimond), Hildegarde obtient à quatorze ans (l'âge requis) de prendre le voile. Elle prononce ses vœux conformément à la règle de saint Benoît dans le couvent où elle vient déjà de passer six ans. Elle va y rester et progresser, toujours enfermée, jusqu'à devenir la principale assistante de Jutta, puis, après sa mort, la remplacer en tant que mère supérieure. En ce temps, la clôture n'est pas totale. Les sœurs reçoivent et sortent aisément des couvents.

À la même époque s'installe à Kiev le pouvoir de Vladimir Monomaque. L'hérésie continue de se répandre à travers la chrétienté : la doctrine des cathares commence à gagner le Midi de la France et d'autres régions d'Europe ; ils prônent la haine du corps, la continence, l'ascétisme, et exigeaient de recevoir un sacrement, le « consolamentum » en sorte d'atteindre à la « perfection ». Fleurissent partout les chansons de geste (*Le Couronnement de Louis*, *La Chanson de Roland*, *Gormont et Isembart*, etc.).

Dans son couvent, Hildegarde se dit de plus en plus souvent traversée de visions qu'elle décrira et analysera avec de plus en plus de précision en d'innombrables lettres. D'abord, très générale : « J'ai vu tant de lumière que mon âme en a tremblé… » Puis plus précise dans une missive adressée à un moine qui sera plus tard très proche d'elle, Guibert de Gembloux, elle expliquera en particulier que ses visions se présentent à l'état de veille, n'entraînant aucune rupture physique ou mentale, ni aucune interruption des perceptions sensorielles. Elle éprouve simplement, dit-elle, l'impression d'un « changement d'air » ; ses yeux restent ouverts, mais elle entend et voit à l'intérieur de son âme : « Je vois et j'entends en vision » des textes et des mélodies qu'elle retranscrit dans un allemand sommaire et un latin encore plus rudimentaire. Des mots et des sons qui lui viennent en bloc et que Volmar prend parfois sous sa dictée : « Les mots ne sont pas comme des mots qui retentissent sur les lèvres de l'homme, mais comme le flamboiement de l'éclair ou comme le nuage qui s'avance dans un air pur. »

Elle pense alors que l'essentiel de sa vie consistera à recevoir et à transmettre – en mots et en musique – ce que lui dit « la Lumière vivante », nom qu'elle donne à Dieu. Mais son don reste alors secret : à l'époque, on est condamné pour sorcellerie ou catharisme pour beaucoup moins que cela.

En 1130, après la mort de Honorius II, le chaos au sein de l'Empire entraîne celui de l'Église ; deux papes sont élus par deux groupes adverses de cardinaux : le cardinal Papareschi prend le nom d'Innocent II, le cardinal Pierleoni celui d'Anaclet II – celui-ci reçoit le soutien de Roger II, duc des Pouilles et de Calabre, roi de Sicile. En France, Louis VI convoque un synode à Étampes et demande à Bernard de Clairvaux d'y siéger. Dans une intervention enflammée, Bernard se déclare en faveur d'Innocent II, lequel se réfugie en France. Lothaire III, roi de Germanie, le reconnaît à son tour et en 1133 conduit avec Bernard une expédition pour installer Innocent II à Rome et en chasser Anaclet II. C'est la fin du schisme. Ce ne sera ni le premier, ni le dernier.

En 1133, le très riche duc de Saxe devient empereur du Saint-Empire sous le nom de Lothaire III, au détriment des neveux d'Henri V, Frédéric, duc de Souabe, et Conrad, duc de Franconie. Les princes et autres seigneurs s'affranchissent de plus en plus d'un pouvoir impérial qui combat les hérétiques : ceux découverts à Trèves et à Utrecht en 1135 sont brûlés vifs sur ordre de l'empereur.

En 1136, alors que s'achève la construction du magnifique portail occidental de l'abbatiale de Conques, dans le sud de la France, meurt Jutta, la supérieure du couvent où Hildegarde vit à ses côtés depuis près de trente ans. Celle-ci est élue à sa place « magistra » du couvent, à trente-huit ans. Sans doute nourrit-elle un certain goût du pouvoir.

La situation politique et religieuse se stabilise alors en Europe : en Germanie, après Lothaire III, le pouvoir revient à Conrad III, neveu d'Henri V, qui donne naissance à une nouvelle dynastie, celle des Hohenstaufen. Un an plus tard, en 1139, le deuxième concile tenu à Rome dans la basilique Saint-Jean-de-Latran, sous le règne d'Innocent II, met un terme qu'on peut estimer définitif au schisme. Alphonse Iᵉʳ Henriques, fils d'Henri de Bourgogne, vainqueur des Maures, fonde le royaume du Portugal. En France, Louis VII réprime les révoltes communales d'Orléans et de Poitiers. À Bologne, le moine Gratien compose une compilation de près de quatre mille textes définissant la discipline ecclésiastique. À Paris, l'abbé Suger consacre le narthex et le chœur de la nouvelle abbatiale de Saint-Denis.

En 1140, à l'instigation de Bernard de Clairvaux, le concile de Sens condamne le maître Pierre Abélard pour avoir introduit le droit au doute dans le débat chrétien, ce que font pourtant depuis des siècles les philosophes juifs puis musulmans, à l'imitation des Grecs.

Cette année-là, Hildegarde décide de ne plus garder ses visions pour elle et de les faire connaître. Elle entreprend alors de les retranscrire – ou, si elle ne sait pas vraiment écrire, comme elle le prétend, de les dicter à Volmar. Étrange décision de la part d'une soi-disant analphabète ! Étrange orgueil de la part d'une religieuse ! Car elle fait non seulement retranscrire ses textes, mais elle les signe. Cet amour-propre marquera toute une vie au cours de laquelle elle parlera bien souvent d'elle-même. Parfois même de façon extrêmement narcissique, comme éblouie d'elle-même.

Elle décrit d'abord celles de ses visions qui comportent aussi leur accompagnement sonore sous le titre *Symphonie de l'harmonie des révélations célestes*. Elle dit de l'âme humaine qu'elle est « symphonique » (« *symphonialis* »), par référence au *symphonia*, autre nom de la vielle à roue, instrument à cordes frottées par une roue tournée à l'aide d'une manivelle. Pour elle, il y a accord entre l'âme, le corps et la musique : le corps « est le vêtement de l'âme, qui donne vie à la voix. Tous les arts ont été inventés à partir du souffle transmis par Dieu au corps humain. L'âme provient de l'harmonie divine. Elle est symphonique ». La musique est donc le point de passage du corps à l'âme. En particulier, les instruments à cordes expriment, dit-elle, la condition terrestre de l'âme luttant pour accéder à la lumière, alors que la flûte est, explique-t-elle, associée à la reconnaissance de Dieu.

Le but de la Création est de faire chanter les louanges du Créateur par le chœur des vivants.

Sans doute Hildegarde maîtrise-t-elle aussi l'écriture musicale : ayant grandi environnée de chants dits grégoriens, elle connaît probablement tout des neumes liquescents, du *quilisma* ou des neumes *subpunctis*, signes graphiques placés au-dessus de chaque syllabe du texte et indiquant la hauteur, la rythmique et la qualité interprétative de la note, à partir d'une ligne mélodique tracée à la pointe sèche ou à l'encre. Bien que le système de notation par des notes carrées sur une portée ait été mis au point un siècle plus tôt par Guido d'Arezzo, il faudra attendre le siècle suivant pour qu'apparaissent les barres de mesures et l'ensemble des codes de la notation qu'on utilise encore aujourd'hui. Ainsi, alors que la musique, religieuse ou laïque, était jusque-là anonyme, Hildegarde retranscrit – « sous la dictée » – soixante-dix-sept pièces, paroles et musique. Parmi elles, trente-quatre antiennes, quatorze répons et trois hymnes destinés au service divin.

Son style musical s'inspire du plain-chant de son temps, mais s'éloigne de toute musique chantée avant elle. Avec une extraordinaire charge émotive, elle juxtapose des modes différents, ose des ruptures mélodiques, assemble des cellules mélodiques. Elle les écrit sur des portées de deux ou trois lignes nécessaires à ses compositions monodiques avec des signes préfigurant la notation carrée. Avec une ingéniosité rare et une liberté étonnante, elle crée un univers sonore sans précédent. Elle utilise le *jubilus*, vocalises sur le *a* final de « Alléluia ».

Dans un rapport très étroit entre textes et mélodies, elle enchaîne des métaphores proches des Psaumes et du Cantique des cantiques, sur des thèmes autobiographiques, voire narcissiques. Par exemple :

> Et une voix sortit de ce feu vivant
> Et me dit :
> « Ô faible créature terrestre,
> Être féminin
> Qui ne possède pas la science
> Des maîtres de chair et d'os
> Sachant lire les écrits
> Avec l'intelligence du philosophe,
> Ma lumière pourtant te touche,
> Elle atteint ton être intérieur
> Tel le feu de l'ardent soleil.

Proclame, raconte et écris
Les mystères
Que tu vois et entends dans ta vision mystique. »

Elle commence aussi à consigner d'autres visions sans y associer aucune musique. Elle les rassemble dans un recueil qu'elle veut intituler *Scivias* (« Connais les voies » – pour *Sci vias Domini* : « Connais les voies du Seigneur »), qu'elle mettra dix ans à rédiger, toujours avec l'aide de Volmar.

Pour cette transcription, elle utilise l'allemand, quelques rudiments de latin et un millier de « mots obscurs », mélange des deux langues avec substitution de voyelles ou de diphtongues à quoi elle recourt quand le vocable latin ou l'allemand lui font défaut. Elle forge ainsi un idiome (*Lingua ignota per simplicem hominem*) de 1011 mots, écrit avec vingt-trois signes particuliers, les *litterae ignotae* ; on ignore si elle partage cette langue de son invention avec d'autres à l'intérieur du couvent.

En avril 1141, Hildegarde (elle a alors un peu plus de quarante-deux ans) retranscrit une de ses visions dans un texte magnifique. Là encore, elle rapporte ce que le Ciel lui dit, tout en se mettant elle-même en scène : « Ô homme fragile, cendre de cendre, pourriture de pourriture, dis et écris ce que tu vois et entends […], non selon la bouche d'homme, mais selon ce que tu vois et entends des célestes merveilles venues de Dieu. Répète-les telles qu'elles te sont dites, à la manière de quelqu'un qui entend les mots de celui qui l'instruit… »

Pendant ce temps, à l'extérieur du couvent, le monde change. En 1142 meurt Pierre Abélard. En 1144, en Orient, la prise du comté d'Édesse par l'émir Imad Ad Dîn Zengi déclenche la deuxième croisade. En 1146, Nûr al-Dîn succède à son père alors que les Almohades prennent Marrakech et marchent vers l'Espagne, menaçant les Almoravides, devenus par trop tolérants aux yeux de ces fanatiques.

Le 31 mars 1146, jour de Pâques, au milieu d'une foule de chevaliers réunis au pied de la colline de Vézelay, Bernard prêche la deuxième croisade. Au même moment, Hildegarde lui écrit pour lui parler de ses visions « divines » qu'elle n'entend plus garder pour elle :

« Ô vénérable Père Bernard – admirablement comblé d'honneurs par la vertu divine –, combien la sottise insolente de ce monde doit te craindre lorsque, sous l'étendard de la Sainte Croix, enflammé d'un amour ardent pour le Fils de Dieu, tu entraînes les hommes à combattre au sein des armées chrétiennes contre la cruauté des païens ! –, je te prie, au nom du Dieu vivant, d'écouter ma requête.

« Je suis en grand souci, Père, sur une vision que je n'ai nullement vue avec les yeux de la chair, mais qui m'est apparue dans le mystère de l'esprit. Moi, misérable et plus que misérable dans ma condition de femme, j'ai vu dès mon plus jeune âge de grandes merveilles que ma langue ne saurait rapporter si l'Esprit de Dieu ne m'avait enseigné à le croire.

« Père très doux et très bienveillant, en qui je place toute ma confiance, aie la bonté de me répondre, à moi, ton indigne servante qui n'ai jamais vécu depuis mon enfance une seule heure de tranquillité ; comme le Saint-Esprit te l'a enseigné, puise en ton âme sagesse et foi, et que ton cœur console ton inférieure. [...] Je n'ai osé parler de cela à personne – car, d'après ce que j'entends dire, il y a tellement de divisions entre les hommes – hormis à un moine dont j'ai pu vérifier la vie exemplaire en le fréquentant. Je lui ai révélé tous mes secrets et il m'a apporté une véritable consolation en les jugeant grands et redoutables. »

Bernard, qui ne la connaît pas, semble ne pas réagir.

Fin 1147, Cunon, l'abbé qui dirige alors le monastère double du Disibodenberg, dont elle-même dirige la partie féminine, informe l'archevêque de Mayence, Henri, dont son abbaye dépend, de ces visions de la supérieure du couvent féminin annexe du sien. Faut-il les tolérer ? Ne sont-elles pas l'expression du diable ? Que cachent ces transes ? Les relations, en tout cas, ne sont pas au beau fixe entre Hildegarde et l'abbé.

L'archevêque avise le nouveau pape, un ancien cistercien, Eugène III, alors à Trèves pour participer à un synode préparatoire au concile qui doit bientôt se tenir à Reims. La question alors en débat est justement celle des hérésies : la noblesse occitane, en dépit de nombreux avertissements, continue de protéger les cathares, et Eugène III, qui entend poursuivre la réforme de Grégoire VII, tient à mettre fin à leur dissidence. D'autant plus que certains hérétiques se promènent à travers l'Europe, en particulier en Germanie, et s'y montrent dangeureusement convaincants. Hildegarde serait-elle une d'entre eux ?

Le pape charge alors deux prélats d'aller à la rencontre de cette Hildegarde, d'étudier sa vie, de lire ses écrits, d'écouter sa musique, puis de lui faire rapport. Elle les reçoit, leur confie la partie déjà rédigée de son *Scivias*, ainsi qu'une lettre à l'attention du pape dans laquelle elle sollicite le transfert des dix-huit religieuses de son monastère dans un autre à construire au lieu-dit le Rupertsberg, près du port de Bingen, sur le Rhin, qu'elle ne connaît pas, mais qui lui a été indiqué, dit-elle, par l'Esprit saint. De fait, elle souhaite depuis longtemps quitter la tutelle de l'abbé Cunon et diriger elle-même un couvent entièrement féminin. Sans doute, comme elle le dira plus tard, est-elle choquée de voir les moines ne pas respecter leur vœu de chasteté et s'enrichir en vendant les sacrements qu'ils sont censés dispenser gratuitement. Elle en a aussi assez de les voir profiter des donations des familles des religieuses. En outre, la région où elle souhaite voir construire ce couvent est exceptionnellement belle : elle inspirera huit siècles plus tard les romantiques allemands comme Clemens Brentano.

Enfin, le pape, recevant le rapport des deux prélats, demande à voir lui-même ses écrits. Il est ahuri par ce qu'il lit. Si elle se décrit comme *in nomine femineo indocta* (qu'on peut traduire par « ignorante parce que femme »), ce statut d'ignare (sur lequel elle insistera sans relâche) lui permet de se montrer critique envers les moines et de se poser d'emblée en quasi-prophétesse : puisqu'elle n'a aucune connaissance de la syntaxe, son explication des textes bibliques, contrairement à celle des théologiens, est nécessairement d'inspiration divine. Elle explique donc avec une feinte naïveté qu'elle est dans l'obligation de communiquer ses révélations en raison de l'indigence de ceux (les moines dont elle souffre tant) qui devraient, de par leur rôle, expliquer le sens des Écritures.

Le pape est vite convaincu : ce texte n'est pas l'écrit d'une sorcière, ni celui d'une hérétique, mais il témoigne d'une très grande foi. En janvier 1148, pendant le synode, Eugène III – acte incroyable – lit lui-même à haute voix tout le début du *Scivias* devant les évêques, les dix-huit cardinaux, les abbés des monastères réunis, dont l'abbé Cunon, hors de lui, et en présence de Bernard de Clairvaux qui conclut, abasourdi : « Il faut se garder d'éteindre une aussi admirable lumière animée de l'inspiration divine. »

Ainsi, malgré l'opposition de Cunon qui redoute l'appauvrissement de sa communauté qu'entraînerait le départ des religieuses, Henri de Mayence donne à Hildegarde l'autorisation de faire édifier un monastère à Rupertsberg. Eugène III l'encourage même « à faire connaître tout ce que l'Esprit saint lui dicte », et entame avec elle une correspondance (on a conservé 135 lettres de lui à elle, avec les réponses). Elle lui écrit ainsi en particulier une lettre pleine d'humilité (« Ô doux père, moi qui ne suis rien qu'une pauvrette, j'ai écrit pour toi ce que Dieu a bien voulu m'apprendre en une véritable vision sous inspiration mystique »), mais où l'on peut aussi lire de la courtisanerie (« Ô père fulgureux, tu es venu personnellement sur notre terre, comme Dieu l'a prévu ; tu t'es penché sur les écrits des véritables visions telles que la lumière vivante me les a enseignées et tu les as entendues dans les embrassements de ton cœur »), et aussi de l'ironie (« Beaucoup de gens spécialistes en choses charnelles et à l'esprit plein d'indécision les critiquent à cause de la pauvreté de mon être, moi qui fus créée seulement à partir de la côte d'Adam et qui suis inculte en choses philosophiques... »). Puis vient le récit d'une de ses visions : « Toi, père des pèlerins, écoute Celui qui est : un roi valeureux est assis dans son palais entouré de solides colonnes ; elles portent des ceintures d'or, et de nombreuses perles et pierres précieuses les parent somptueusement. Mais ce qui a plu au roi, ce fut de toucher une humble plume pour qu'elle puisse voler, miraculeusement portée par un vent puissant qui l'empêcherait de tomber... »

En mars 1148, le concile de Reims condamne les hérésies du moment et ceux qui la soutiennent : Éon de l'Étoile, magicien, moine et brigand breton, est arrêté, soumis à la question et emprisonné à vie ; le fascinant Gilbert de la Porrée, théologien, connaisseur d'Aristote et de Boèce, est condamné et ses écrits sont déchirés, bien qu'il soit évêque de Poitiers.

Au même moment, le roi de France Louis VII et l'empereur Conrad III, partis pour la deuxième croisade, sont défaits par les Turcs et rentrent piteusement chez eux. À Cordoue, Abd al-Mu'min, chef des Almohades, prend le titre d'émir des croyants, cependant qu'à Khârezm le gouverneur turc prend le titre de shah.

Les œuvres musicales d'Hildegarde commencent à être connues et chantées un peu partout. Le noble normand Odon, évêque de Bayeux, qui joue un rôle important dans la conquête de l'Angleterre, lui écrit : « On dit que tu aurais créé un nouveau style de chants ? »

L'année suivante (1149), Nûr al-Dîn attaque la principauté d'Antioche. Le comte Raymond de Poitiers est tué à la bataille d'Inab. Se développe dans la France du Nord la mode courtoise et apparaît le genre littéraire des fabliaux. En Espagne, juifs et chrétiens sont expulsés de Cordoue par les Almohades.

Hildegarde intrigue et attire ; partout on parle de ses dons et de ses visions. En témoigne la lettre qu'elle reçoit d'une abbesse de Kitzingen, Sophie : « À Hildegarde, supérieure d'insigne mérite, distinguée par les saphirs des vertus spirituelles (Cantique des cantiques, 5, 14), Sophie, dite abbesse à Kitzingen, de faible efficacité pour elle-même, bien que priant sans faillir. La supériorité de ta sainteté étant parvenue jusqu'à moi, avide de lumière, de mes ailes rapides je m'envole jusqu'au sein de ton amour pour me recommander à toi, dont les révélations pour l'illumination des peuples sont méritées [...]. Que ta voix retentisse à mes oreilles, et révèle-moi la volonté de Dieu : est-il plus salutaire pour moi de me débarrasser du fardeau que je porte, ou dois-je le porter plus longtemps ? »

De nombreux malades viennent rechercher aussi auprès d'elle d'éventuelles guérisons miraculeuses. Elle pratique très activement la médecine. Des religieuses affluent pour la rejoindre. En particulier, Richardis, fille du margrave de Stade, se rend auprès d'elle et devient proche d'elle, à tel point qu'Hildegarde écrira qu'« elle l'aimait comme Paul a aimé Timothée », ce jeune homme né en Asie Mineure d'un père grec et d'une mère juive que Paul appelle « son vrai fils dans la foi ». Elle l'aide même à écrire la suite du *Scivias*.

En 1151, après trois ans de travaux qu'elle dirige en personne, Hildegarde et dix-huit de ses sœurs s'installent au couvent de Rupertsberg, près de Bingen. Elles y sont bientôt dans les cinquante. Cette année-là, Hildegarde termine l'*Ordo virtutum*, sorte d'opéra dans lequel le diable cherche à dérober l'harmonie aux humains. Il est chanté pour la première fois à l'occasion de la consécration du couvent de Rupertsberg par l'archevêque de Mayence. Dix-sept des cinquante moniales vivant alors dans le cloître interprètent les rôles des *Virtutes* ; le rôle parlé du diable est tenu par le moine Volmar, secrétaire d'Hildegarde, seul homme dans ce couvent de femmes. Les œuvres de celle-ci prennent place dans la liturgie régulière du monastère, ainsi que l'écrit Guibert de Gembloux et comme en témoignera plus tard une lettre de l'intéressée à Tengswich von Andernach.

Le monastère devient un important centre de vie spirituelle en Europe, voire un lieu de pèlerinage : « On aurait dit, après le synode de Trèves, que tout le monde catholique se mettait en mouvement... Même des régions éloignées les pèlerins arrivaient à cheval et à pied », écrit un contemporain.

La même année (1151), l'empereur Conrad III de Hohenstaufen, mourant, recommande son fils à ses prières ; mais c'est à son neveu qu'il laisse l'empire à sa mort, l'année suivante, sous le nom de Frédéric Ier Barberousse.

Une fois installée dans le nouveau couvent, Hildegarde prend enfin le temps de terminer le *Scivias* avec l'aide de Volmar et de Richardis. Après un prologue décrivant les conditions de ses expériences mystiques, elle évoque vingt-six de ses visions, qu'elle regroupe en trois groupes de 6, 7 et 13 : le Créateur et la Création ; le Messie et l'Église ; l'Histoire du salut, elle-même subdivisée en trois parties : la Création et la Chute ; la lutte du Christ contre le mal ; les prophéties sur le Jugement dernier.

Chaque vision commence par un préambule autobiographique : la description détaillée de ses perceptions. Puis vient l'explication détaillée de la vision. Dans cinq visions apparaît Ecclesia, figure mariée avec le Christ, qu'Hildegarde utilise comme métaphore pour exposer les différents sacrements : elle est la mère spirituelle de tous les croyants, devenus ses enfants grâce au baptême ; l'eucharistie est le renouvellement de la promesse de mariage entre Ecclesia et le Christ. La 13e vision du *Scivias* contient un thème déjà exploité dans l'*Ordo virtutum* mettant en scène les Vertus et le diable. Dans le *Scivias*, elle dénonce aussi les deux principaux manquements des moines aux règles de l'Église : la simonie (c'est-à-dire le trafic des repentances, la vente des sacrements et des charges ecclésiastiques) et le nicolaïsme (le mariage des prêtres) – l'argent et le sexe. Elle y parle enfin musique, expliquant que les instruments participent de la gloire divine : « La flûte de la sainteté, la cithare de la louange, l'orgue de l'humilité… », retrouvant la fonction de la musique dans les Psaumes qu'avaient rejetés les Pères de l'Église.

Puis, par un acte qui n'a encore rien d'une preuve d'humilité, elle prend grand soin de faire fabriquer de magnifiques manuscrits de ses textes. Le seul manuscrit dont on est sûr qu'il date de son vivant a été perdu pendant la Seconde Guerre mondiale. Il était conservé à Wiesbaden et a été transféré à Dresde pour être mis à l'abri… ce qui a causé sa perte. On en connaît deux autres du *Liber divinorum operum*, datés du XIIIe : l'un est à la bibliothèque de Troyes, en provenance de Clairvaux, l'autre à la Biblioteca Governativa de Lucques, illustré par un artiste anonyme de génie – en particulier pour la figure du premier Vivant (1re vision), de l'homme au sein du Cosmos (2e vision), des lieux de châtiments et de récompenses (5e vision).

À cinquante-quatre ans, Hildegarde est si respectée en Europe que le nouvel empereur, Frédéric Ier, l'invite à venir le voir en son palais d'Ingelheim en mars 1152. Elle accepte : mis à part le déménagement, c'est son premier voyage hors de son couvent, même si la clôture, à l'époque, n'est pas encore une règle stricte.

La raison de ce voyage est précise : Frédéric Ier est parvenu à récupérer les biens que s'étaient arrogés les seigneurs et en a confié la gestion à des hommes qui lui doivent tout, les *ministériaux*, tout en ménageant les Welfs, ses grands rivaux. Il affronte l'Église et refuse d'accorder l'investiture (comme le prévoyait le concordat de Worms) aux évêques qui lui déplaisent. Sans doute veut-il demander à Hildegarde son aide et son soutien face au pape. Sans doute en réponse lui demande-t-elle de céder devant Rome.

Cette même année, en avril, la jeune nonne Richardis, si proche d'elle depuis deux ans, est obligée par son frère Hartwig, archevêque de Brême, de quitter le couvent de Rupertsberg pour aller diriger un monastère en Saxe. Est-ce pour l'éloigner de l'influence d'Hildegarde ou pour conforter un pouvoir familial ? Richardis veut refuser, mais doit se résigner. Hildegarde proteste, veut s'y opposer, écrit au pape, qui refuse de s'en mêler. Elle doit céder. Hildegarde écrit à Richardis : « J'aimais la noblesse de votre comportement, la sagesse et la pureté de votre âme et de tout votre être… » Sitôt partie, Richardis tombe si malade que son frère accepte qu'elle revienne à Rupertsberg. Mais elle se révèle intransportable, et le 29 octobre, elle meurt chez son frère qui en informe Hildegarde dans une lettre bouleversante, qui dit tant sur les mœurs de l'époque :

« Hartwig, archevêque de Brême, frère de l'abbesse Richardis, exprime à Hildegarde, supérieure des sœurs de Saint-Rupert en Christ, sa soumission à la volonté divine, qui tient lieu de sœur et même plus que de sœur.

« Je t'informe que notre sœur, la mienne, ou plutôt la tienne, la mienne selon la chair, la tienne selon l'esprit, a franchi définitivement les limites de la chair en faisant bien peu cas de cet honneur que je lui avais conféré. Tandis que je me rendais auprès du roi terrestre, elle obéissait au roi des cieux, son Seigneur : s'étant saintement et pieusement confessée, ayant reçu l'extrême-onction après sa confession, entièrement habitée par les vertus chrétiennes, en larmes, elle soupirait de tout son cœur après ton monastère. Puis, se remettant à Dieu, par l'intercession de la mère du Christ et par l'intercession de Jean, s'étant signée trois fois, croyant en l'unité de la Sainte Trinité, dans une foi parfaite en Dieu, en l'espérance et en la charité, nous assertons qu'elle mourut le 29 octobre.

« Je te demande donc, si j'en suis digne, je te demande de tout mon cœur de l'aimer autant qu'elle t'a aimée. Et, s'il te semble qu'elle ait commis quelque faute à ton égard – qui ne fut pas de son fait, mais du mien –, considère au moins les larmes qu'elle versa pour revenir dans ton monastère et dont bien des personnages furent témoins. Si la mort ne l'en eût empêchée, dès qu'elle aurait pu, elle serait venue à toi ; puisque la mort la retient prisonnière, sache que, si Dieu le veut, c'est moi qui viendrai à sa place.

« Que Dieu, dispensateur de tous les biens, veuille te récompenser, aujourd'hui et à jamais, pour tous les biens que, seule entre tous et au-delà de tous, tu as accordés à ma sœur, plus que tous ses parents et amis, à leur grande reconnaissance et à la mienne, et qu'Il le fasse en tout point comme tu le désires. Veuille exprimer ma reconnaissance à tes sœurs pour toutes leurs bontés. »

En 1153, la musique, les textes et la teneur des visions d'Hildegarde se répandent dans les couvents et les cours d'Europe. De partout on lui demande un avis, un conseil, une prévision, une prophétie. On sait que le pape la consulte. Elle correspond avec nombre de princes : le duc Welf, le duc de Lorraine, Henry II d'Angleterre, la reine Aliénor d'Aquitaine, l'impératrice de Constantinople. On connaît plus de quatre cents lettres d'elle, écrites ou dictées à Volmar, qui lui sert toujours de secrétaire.

Par exemple, à Bernard de Clairvaux, celle-ci, encore flatteuse : « Père, pour l'amour de Dieu, je veux que tu me consoles et je serai rassurée. Je t'ai vu il y a plus de deux ans dans une vision sous les traits d'un homme qui regardait le soleil sans en être effrayé, mais avec une audace tranquille. Et j'ai pleuré, car, pour ma part, je rougis si facilement et je manque tellement d'audace. Père bon, doux et bien-veillant, je m'en remets à ton âme pour que tu me révèles dans ta réponse si tu désires que je parle de ces choses ouvertement ou que je garde le silence, car cette vision me cause bien des tourments : à quel point dois-je parler de ce que j'ai vu et entendu ? Par moments, parce que je me tais sur ces visions, je reste terrassée sur mon lit par de lourdes infirmités qui m'empêchent de me lever. »

Toujours à Bernard de Clairvaux, qui lui écrit juste avant de mourir à l'âge de soixante-trois ans, elle répond par une longue missive dans laquelle elle réitère son ignorance : « Je sais dans leur texte l'intelligence intérieure de ce que nous exposent les Psaumes, l'Évangile et autres volumes qui me sont montrés dans cette vision qui touche mon cœur et brûle mon âme comme une flamme, m'instruisant de ce qu'il y a de profond dans ces ouvrages. Cependant, cela ne m'apprend pas les lettres de la langue allemande, que je ne connais pas. »

Difficile à croire... Et puis, toujours, cette obsession de parler de soi, ce refus de disparaître dans l'humilité, comme le voudrait son état de femme consacrée.

En 1154, Henri II Plantagenêt devient souverain d'Angleterre et d'un empire regroupant la Normandie, l'Anjou, le Maine, l'Aquitaine, la Gascogne et la Bretagne. Il consolide les institutions centrales de son État (Échiquier, Chancellerie, Trésor...).

La même année, Nûr al-Dîn s'empare de Damas. Frédéric Ier, dit Barberousse, décide de s'installer en Italie pour mater l'Église ; il se fait même couronner empereur par le pape Adrien IV.

Pris dans les intrigues romaines et rapidement mourant, son successeur Anastase IV écrit à Hildegarde une lettre flagorneuse dans laquelle il lui rappelle qu'il sait l'affection qu'Eugène III lui portait, puis il s'épanche, se plaint et parle de sa « lassitude de corps et d'esprit » qui le fait « aller en boitant » vers la mort. Réponse plus que sèche d'Hildegarde qui ne supporte pas la mollesse geignarde du successeur de son ami, dont elle attend qu'il reprenne l'avantage sur l'empereur : « Ô homme, l'œil de ta connaissance faiblit... Pourquoi ne tranches-tu pas les racines du mal ? » Et elle soutiendra Adrien IV, successeur d'Anastase IV en 1154, seul pape anglais dans les annales de l'Église, lequel résistera en vain à l'empereur.

À la mort de ce nouveau pape, cinq ans plus tard, Hildegarde, consternée, constate la division qui règne au sein du Sacré Collège et les intrigues romaines qui entraînent une nouvelle fois l'élection simultanée de deux pontifes : Victor IV, très soutenu par Frédéric Ier, qui s'installe à Rome, et Alexandre III, élu en conclave et protégé par les autres souverains, dont le roi de France, qui va siéger à Sens pendant trois ans. C'est le deuxième schisme auquel elle assiste.

Hildegarde termine vers 1159 un second recueil de ses visions, le *Livre des Mérites de la vie* : six visions où une figure humaine regarde en direction de l'est, de l'ouest, du nord puis du sud de l'univers entier. À la fin, cette figure « se met en mouvement avec les quatre coins de la terre ». Trois siècles avant Léonard de Vinci, Hildegarde dessine là ce qui sera aussi une des visions du grand peintre italien : l'homme aux six mains au cœur du Cosmos. Elle affirme que toutes les créatures de Dieu sont parties intégrantes du Cosmos, et que tout péché fait du mal à Dieu et au Cosmos.

Elle compose alors des *Symphoniae* et le *Columba aspexit*, magnifique œuvre méditative chantée *a capella*, puis une *Symphonie des harmonies célestes* qu'elle présente comme la réminiscence de la science divine que l'homme aurait perdue avec la Chute.

À la Pentecôte 1160, désolée de voir l'Église s'affaiblir sous les coups de l'Empire et se répandre des formes d'hérésie jusque dans sa région, elle part pour un second voyage de prédication vers la très ancienne abbaye bénédictine de Saint-Maximin de Trèves (qui sera détruite cinq siècles plus tard par les troupes françaises), puis à Cologne, Metz, Wurtzbourg, Bamberg. Elle prononce une série de sermons inspirés de ses visions, presque en transe, d'un ton à la fois modeste – elle ne fait, dit-elle, que transcrire des visions – et prophétique : dénonçant les hérétiques, elle stigmatise ceux qui sont des « scorpions dans leurs mœurs, des serpents dans leurs œuvres... ».

Cas unique dans l'histoire de l'Occident : jamais, ni avant, ni après elle, une femme d'Église n'a pris ainsi la parole en public de ville en ville pour réveiller les « maîtres et prélats endormis, qui ont délaissé la justice de Dieu ». Immanquablement, après son passage, les autorités religieuses, impressionnées par ses harangues, les font reproduire et les diffusent.

En mars 1162, Frédéric Ier met le siège devant Milan, qui capitule. Il disperse la population, rase la ville et lance du sel sur les ruines. Hildegarde lui écrit à quatre reprises pour lui reprocher sa conduite et lui demander de céder au pape. Sa quatrième missive est une menace nourrie de citations empruntées au Livre de Josué et à l'Apocalypse : « Celui qui est te dit : "Je détruis la rébellion. La résistance de ceux qui me bravent, je l'écrase moi-même. Malheur, malheur sur les actes coupables des sacrilèges qui me méprisent ! Écoute ces paroles, roi, si tu veux vivre ! Sinon, mon glaive te transpercera !" » Frédéric ne répond pas. Malgré cette prophétie, il ne mourra que trente ans plus tard, sans avoir jamais inquiété celle qui l'a maudit.

En 1163, alors que commence à Paris la construction de Notre-Dame, Hildegarde se dit contrainte « par l'Esprit divin » de repartir pour un nouveau voyage de prédications le long du Rhin : Boppard, Andernach, Mayence.

En 1164, elle est à Cologne où elle explique la force des hérétiques par les faiblesses de l'Église : « Il suffit que les chefs de l'Église donnent l'exemple d'une vie chrétienne digne, et proclament bien haut la splendeur de la Création de Dieu qui englobe également le corps de l'homme et tout ce qui est terrestre. C'est alors que la foi des cathares, hostile au corps, se verra couper l'herbe sous le pied. »

Elle termine en même temps de dicter le *Livre des Œuvres divines*, qui regroupe dix visions cosmogoniques. Là encore, bien qu'elle se dise inculte, l'ensemble de ses visions se révèle particulièrement sophistiqué, mettant l'accent sur l'unité cosmique de l'homme et du monde : « Comme l'éclat du soleil qui illumine le monde entier et qui ne faiblit jamais, l'âme est tout entière présente dans la petite forme de l'homme. »

Elle réitère ses notations autobiographiques avec la même fausse modestie, parlant d'elle et encore d'elle comme seul un véritable écrivain se plaît à le faire : « Cinq années durant je m'étais débattue avec d'authentiques et merveilleuses visions. En ces visions, inculte que j'étais, j'avais reconnu, dans une saisie authentique de la lumière pérenne, la diversité des conditions humaines... Tout ce que j'ai écrit en effet lors de mes premières visions, tout le savoir que j'ai acquis par la suite, c'est aux mystères des cieux que je le dois. Je l'ai perçu en pleine conscience, dans un parfait éveil de mon corps. Ma vision, ce sont les yeux intérieurs de mon esprit et ses oreilles intérieures qui l'ont transmise. J'ai déjà bien insisté sur ce point lors de mes précédentes visions : je ne me trouvais absolument pas dans un état de léthargie. Il ne s'agissait pas non plus d'un transport de l'esprit... C'est alors que je réentendis la voix qui, du ciel, m'instruisait. Et elle disait : "Écris ce que je te dis !" »

Si ses prédictions sont classiques et on ne peut plus orthodoxes, ses thèmes cosmogoniques comme ses métaphores sont, eux, originaux : elle parle de « feux supérieurs », de « cercles du monde », de « l'homme carré ». Dans la première vision, elle décrit les « énergies divines » en des termes que ne renierait pas la poésie surréaliste : « La figure parla en ces termes : C'est moi l'énergie suprême, l'énergie de feu. C'est moi qui ai enflammé chaque étincelle de vie [...]. Sans origine, sans terme, je suis cette vie qui, identique, persiste, éternelle. Cette vie, c'est Dieu. [...] J'enflamme la beauté des terres, je luis dans les eaux, je brûle dans le soleil, dans la lune, dans les étoiles... Je suis la vie [...]. Je ne jaillis pas des pierres. Je ne suis pas fleur jaillie d'un rameau, et je ne m'enracine pas dans la sexualité d'un mâle. »

La neuvième vision se termine par une magnifique formule qui résume sa conception de l'humanité : « L'homme est la clôture des merveilles de Dieu » (en latin : *Homo est clausura mirabilium Dei*. Qui peut penser, avec cela, qu'elle ne sait pas le latin ?...).

À la même époque, un trouvère normand, Béroul, compose *Tristan et Iseut*, qui résume et ramasse dans un texte génial un nombre infini de légendes autour des thèmes de l'amour humain, du destin, de la jalousie et de la vengeance.

1165 est une année importante pour Hildegarde. Au moment de la signature à Vaucouleurs d'un accord passé entre Louis VII et Frédéric Ier contre des brigands nomades, les Brabançons, Hildegarde se trouve confrontée à un grand nombre de demandes de religieuses venues de toute l'Europe. Elle fonde alors sur la rive droite du Rhin un nouveau couvent à l'emplacement d'un ancien double couvent augustinien voisin de celui de son enfance. Assumant elle-même la direction de ce nouvel établissement, elle traverse le Rhin deux fois par semaine pour s'y rendre.

Cette année-là, lors de l'assemblée de l'Empire à Wurtzbourg, l'archevêque de Mayence, dont dépend Hildegarde, prête serment de fidélité au pape Alexandre III, rompt avec Barberousse et se réfugie en France. Hildegarde soutient le prélat.

Toujours aussi soucieuse de la qualité des traces qu'elle laissera, Hildegarde achève aussi, cette année-là, de veiller à l'exécution d'une exceptionnelle copie du *Scivias* connue sous le nom de « Codex de Rupertsberg », contenant trente-cinq miniatures, qui sera détruite pendant la Seconde Guerre mondiale et dont le monastère d'Eibingen conserve une remarquable copie sur parchemin.

Pendant que se constitue en Lombardie une Ligue destinée à se protéger de l'Empire, qu'en Germanie se développe le *Minnesang* (poésie courtoise chantée), et que le marchand Pierre Valdès fonde le mouvement des Pauvres de Lyon, Hildegarde compose une nouvelle version de la *Symphonia* dans laquelle elle insère deux chants antiphoniques sur la prescience et la sagesse divine.

De partout continuent d'affluer vers elle des gens venus chercher conseils et soins. Car beaucoup pensent que ses visions font d'elle une guérisseuse. Hildegarde soigne par les simples, comme tous les monastères de l'époque, qui possèdent leur moine herboriste et leur jardin de plantes médicinales. En ce domaine aussi, comme en musique, elle est assez soucieuse de sa trace pour faire écrire, sous sa dictée, deux traités médicaux majeurs de l'Occident du XIIe siècle, et pour les signer de son nom.

Dans le *Livre des subtilités des créatures divines*, elle s'intéresse, comme les Grecs et les Arabes, à l'équilibre d'ensemble de l'être humain : soigner le malade plutôt que la maladie, demander à Dieu l'équilibre des humeurs. De ce traité dont nous ne possédons que deux parties sous forme de manuscrits datant des XIIIe et XVe siècles, l'une, connue sous le titre *Causes et remèdes*, décrit les vertus médicinales de cinq cents plantes, arbres, animaux, oiseaux, poissons et minéraux. Hildegarde y pressent des nouveautés encore ignorées à son époque, telle l'action chimique et magnétique de différentes substances sur les organes humains. Elle analyse finement ceux-ci, toujours animée de la même recherche de l'équilibre, reprenant la thèse classique de l'identité de l'être humain et de l'univers : « Les yeux de l'homme ont été faits à la ressemblance du firmament. En effet, la pupille de l'œil offre une ressemblance avec le soleil ; la couleur noire ou grise qui est autour de la pupille offre une ressemblance avec la lune, et le blanc qui est à l'extérieur, avec les nuages. L'œil est fait de feu et d'eau. C'est le feu qui lui donne consistance et force pour exister ; l'eau lui donne la faculté de voir. Si le sang se trouve en excès sur l'œil de l'homme, il empêche cet œil de voir, car il assèche l'eau qui permet la vision ; et si le sang se trouve là en trop petite quantité, l'eau qui aurait dû donner à l'homme le pouvoir de voir n'a plus cette faculté, car ce qui devrait apporter un soutien au sang, comme un pilier, lui fait alors défaut. »

Plusieurs médecins et naturopathes modernes s'inspirent de ses intuitions sur le système nerveux et la circulation du sang.

Puis vient le *Physica* ou *Livre des subtilités des créatures divines*, qui comprend neuf livres ; on dénombre ainsi 230 chapitres dans le livre sur les plantes, et 8 chapitres dans celui sur les métaux. Elle écrit par exemple sur le laurier : « Le laurier est chaud et modérément sec : il est image de la constance. Prends de l'écorce et des feuilles de cet arbre, écrase-les et exprime leur suc ; puis, avec ce suc et de la farine de froment, fais de petites galettes que tu réduiras ensuite en poudre ; avec du miel et de l'eau, fais une boisson dans laquelle tu mettras un peu de cette poudre et que tu boiras chaque fois que tu as envie : elle purgera ton estomac de toute saleté, sans lui faire de mal. »

Comme les Grecs et les Arabes, elle note la fonction thérapeutique de « tout ce qui réjouit le cœur de l'homme ». Elle recommande la connaissance de soi comme source de toute connaissance, et met en garde ses « filles » contre les méfaits des rêves, qui « troublent la paix de l'âme ».

À son amie l'abbesse de la communauté des chanoinesses de Ratisbonne qui lui demande conseil pour sa santé, elle adresse cette phrase sublime : « Vis selon l'exemple de la colombe, et tu vivras pour l'éternité. »

En 1170, elle continue à avoir des visions et compose par exemple un texte magnifique à l'intention d'un prieur nommé Dimo : « Dans une vraie vision, j'ai vu et entendu ces mots. La vie voit la mort et la vainc. Tel David, un humble enfant, a vaincu Goliath. On voit la montagne parce qu'elle est haute, et la vallée est à ses pieds, faisant parfois pousser des fleurs dans sa viridité, mais produisant le plus souvent des herbes inutiles, des ronces et des épines. […] À présent, vois : le soldat l'emporte sur le serviteur, de crainte que la beauté de l'obéissance soit piétinée par le serviteur, car la fierté parle ainsi : il est impossible de briser les chaînes dans lesquelles j'emprisonne les hommes. Réponds-lui en écoutant la charité qui te dit : Je siège, intacte, dans le Ciel, et j'ai embrassé la Terre. L'orgueil a juré contre moi et a voulu voler plus haut que les étoiles, mais je l'ai jeté dans l'abîme. Maintenant piétine avec moi le serviteur, et reste en moi, qui suis la charité, ô mon fils ; embrasse l'humilité comme s'il s'agissait de ta dame, et jamais tu ne seras confondu – et jamais la mort ne te fera mourir. »

Cette année-là, à soixante-douze ans, elle voyage encore à Kirchheim unter Teck, en Souabe, pour parler au clergé qui lui réclame ensuite le texte de ses sermons. En 1173, à Rupertsberg, le moine Volmar, son confesseur et secrétaire depuis quelque trente années, meurt à quatre-vingts ans sonnés. Elle est inconsolable. Guibert de Gembloux le remplace en tant que secrétaire.

En 1174, à la mort de Nûr al-Dîn, Saladin étend sa domination sur le Moyen-Orient.

En 1175, cependant que Marie de France écrit ses *Lais*, Hildegarde, épuisée, reçoit le comte de Flandre Philippe d'Alsace, qui vient de faire périr un jeune chevalier, Gautier de Fontaines, l'ayant surpris en conversation avec sa femme, Élisabeth de Vermandois. Il vient demander conseil à Hildegarde : doit-il partir en croisade à l'appel du jeune roi de Jérusalem, Baudouin IV, et laisser son épouse ? Dans une allusion transparente à son crime, Hildegarde lui demande de rechercher le jugement de Dieu « afin que tes actes à toi soient justes et dépouillés de toute subjectivité... ». Philippe hésite. Quelques années plus tard, il se décide néanmoins et rejoint la IIIe croisade en Palestine où ses troupes flamandes l'ont précédé ; à peine arrivé à Saint-Jean-d'Acre, en 1191, il meurt de la peste.

En 1176, Hildegarde s'installe dans son nouveau monastère d'Eibingen, assistée désormais par Guibert de Gembloux. En 1178, un grave différend l'oppose à l'archevêque de Mayence : elle a accepté d'enterrer dans le cimetière du couvent de Rupertsberg un jeune noble excommunié, parce qu'elle pensait que la sentence qui le frappait avait été levée avant qu'il ne succombât. Terrible blasphème ! L'archevêque lui demande de faire retirer le corps du cimetière. Elle refuse. Non content de l'interdire de communion, le prélat proscrit le chant dans son couvent : cantiques, psaumes et hymnes ne doivent plus être chantés, mais seulement murmurés. En grande colère, Hildegarde lui écrit que la musique est divine et ne saurait être prohibée : « Pour que l'homme puisse jouir de cette douceur et de la louange divine dont Adam jouissait avant sa chute [...], les prophètes inventèrent non seulement des psaumes et des cantiques qui étaient chantés pour augmenter la dévotion de ceux qui les entendaient, mais aussi divers instruments de musique grâce auxquels ils émettaient de multiples sons afin que, tant des formes et des qualités de ces mêmes instruments que du sens des mots qu'ils entendaient et qui leur étaient répétés, éveillés et exercés par ces moyens, ils puissent être instruits ultérieurement. » Elle dénonce « ceux qui imposent le silence dans les cantiques de la louange de Dieu, sans que ce soit motivé par une raison certaine... Ceux-là ne jouiront pas dans le Ciel de la compagnie des louanges angéliques ». Elle s'oppose ainsi frontalement aux Pères de l'Église. Après plusieurs échanges, Hildegarde prend le dessus et l'interdiction, qui aura duré un an, est levée.

Cette dispute lui est sans doute fatale. Elle meurt quelques mois plus tard, le 17 septembre 1179, au lendemain de son quatre-vingt-unième anniversaire, et est enterrée au couvent de Disibodenberg.

Son influence disparaît avec elle. À partir du XIIIe siècle, la redécouverte d'Aristote en Europe chrétienne bouleverse le monde intellectuel. La musique d'Hildegarde est oubliée. La notation musicale change la façon de la jouer, de la penser, de l'écrire.

En 1233 commencent les enquêtes de l'Église en vue de sa canonisation. En vain : quatre tentatives sont faites, dont la dernière en 1244 sous le règne d'Innocent IV. Hildegarde ne sera jamais reconnue comme sainte, même si elle est fêtée, chaque 17 septembre, en Allemagne, où elle bénéficie de la même aura que Jeanne d'Arc en France.

Dante lui emprunte sa vision de la Trinité ; Nicolas de Cues et Paracelse s'inspirent de ses visions. Léonard retrouve, sans la copier, l'image de l'« homme inscrit dans un carré ». Au XVIIe siècle, son couvent est détruit par des invasions suédoise puis française. En 1642, ses restes sont transportés dans l'église paroissiale d'Eibingen. Entre 1900 et 1904, à l'emplacement de l'ancien cloître d'Eibingen, est érigée par le comte Charles de Löwenstein une nouvelle abbaye bénédictine dite de Sainte-Hildegarde, qui abrite une soixantaine de religieuses.

Au moment de son jubilé, Jean-Paul II a dit d'elle : « Comblée dès l'âge tendre de dons célestes, elle pénétra en profondeur les mystères de la théologie, de la médecine, de la musique et d'autres arts. Elle écrivit de nombreux livres et mit en lumière la relation existant entre la Rédemption et la Création... »

Sa poésie représente sans conteste un sommet de la littérature. Sa musique, de nouveau jouée et entendue, nous fait entendre des gens qui, dans leur foi profonde, priaient aussi pour le salut de l'humanité à venir. Hildegarde marque le début de la longue chaîne de compositeurs grâce à qui nous savons un peu de ce qu'entendaient, de ce qu'aimaient, de ce qui émouvait ceux qui vivaient avant nous.

BIBLIOGRAPHIE

L'ensemble new-yorkais féminin Anonymous 4 (Harmonia Mundi) et l'ensemble français féminin Discentus (Naïve) font magnifiquement découvrir son œuvre.

Chez Deutsche Harmonia Mundi, 1982-1999, l'ensemble allemand Sequentia, dirigé par Benjamin Bagby et Barbara Thornton, a enregistré l'intégralité de son œuvre musicale.

CHADWICK, Owen, *Une histoire de la chrétienté*, Paris, Éditions du Cerf, 1996.

DAVY, Marie-Madeleine (dir.), *Encyclopédie des mystiques,* Paris, Seghers, 1977.

DEPLOIGE, Jeroen, « Hildegarde de Bingen et son livre *Scivias* », in *Nomine femineo indocta, Kennisprofiel en ideologie van Hildegart van Bingen,* Hilversum, Verloren, 1998.

FLANAGAN, Sabina, *Hildegard of Bingen, 1098-1179 : A Visionary Life,* Routledge, 2ᵉ éd. révisée, 1998.

GIMPEL, Jean, *La Révolution industrielle du Moyen Âge,* Paris, Seuil, 1975.

GORCEIX, Bernard, présentation et traduction du *Livre des Œuvres divines (Visions)* d'Hildegarde de Bingen, Paris, Albin Michel, 1989.

MOULINIER, Laurence, « La botanique d'Hildegarde de Bingen », in *Médiévales,* vol. 8, n° 16-17, 1989.

PERNOUD, Régine, *Hildegarde de Bingen, conscience inspirée du XIIᵉ siècle,* Monaco, Éditions du Rocher, 1994.

SACKS, Olivier, *Migraine : Understanding a Common Disorder,* Berkeley, 1985.

Liste de ses écrits :
Scivias seu Visionnes (1141-1151)
Liber divinorum operum simplicis hominis (1163-1173/1174)
Liber vitae meritorum (1158-1163)
Solutionnes triginta octobre quaestionum
Explanatio Regulae S. Benedicti
Explanatio Symboli S. Athanasii
Vita S. Ruperti
Vita S. Disibodi
Physica, sive Subtilitatum diversarum naturarum creaturarum libri novem, sive Liber simplicis medicinae.
Symphonia harmoniae coelestium revelationum.
Ignota lingua, cum versione Latina
Tractatus de sacramento altaris.
Homeliae LVIII in Evangelia
Causae et curae, sive Liber compositae medicinae.

Œuvres traduites :
MOULINIER, Laurence, *Louanges* (présentation et traduction de ses poésies complètes), Paris, La Différence, 1990.

HILDEGARDE DE BINGEN, *Le Livre des Œuvres divines,* trad. B. Gorceix, Paris, Albin Michel, 1989.

HILDEGARDE DE BINGEN, *Scivias : Sache les voies, ou Livre des visions*, traduit par Pierre Monat, Paris, Éditions du Cerf, 1996.

Aux Éditions Jérôme Millon :
Le Livre des subtilités des créatures divines (I et II), traduction Pierre Monat, 1996.
Les Causes et les Remèdes, traduction Pierre Monat, 2005.
La Symphonie des harmonies célestes, traduction Rebecca Lenoir et Christophe Carraud, 2003.
Lettres, 1146-1179.
L'Origine du feu, musiques et visions d'Hildegarde de Bingen, Harmonia Mundi.

http: www/hildegard.org
http://www.lesjardinsdhildegarde.com/index.html.

6

Ibn Rushd

(1126-1198)
ou la jubilation de l'intelligence

C'est à Fès, en visitant la vieille ville, que j'ai pour la première fois entendu parler de lui. C'est en lisant une phrase de lui (« La vérité ne saurait contredire la vérité ») que j'ai découvert la force d'un personnage d'une stature immense, dont le destin m'a ensuite passionné. Maître à penser du siècle de plus grande splendeur de l'islam, dans une péninsule ibérique alors centre et lumière de l'Occident, Ibn Rushd affirme la cohérence et la compatibilité de la foi et de la science par cette phrase simple, renversante, qui sonne comme un coup de gong annonçant l'avènement des temps modernes : « La vérité ne saurait contredire la vérité, elle s'accorde avec elle et témoigne en sa faveur. » Autrement dit : « N'ayez pas peur de chercher la vérité par la science, car elle ne saurait contredire la parole divine, qui est la source de toute vérité. » Autrement dit encore : « Osez la science, car Dieu n'a rien à en craindre. » Une phrase tellement forte qu'elle fait de lui le précurseur du siècle des Lumières et la source de maints espoirs d'aujourd'hui.

Au tournant du premier millénaire de notre ère, au moment où l'Europe ferme la parenthèse ouverte avec la chute de l'Empire romain, des nations et des empires se forment, des idées surgissent, des marchands circulent. En France, en Allemagne, en Angleterre, en Italie, le christianisme impose sa loi sans pour autant freiner, dans les cours, la sécularisation de l'amour. En Chine prospère la dynastie Jin.

À l'autre bout de la route de la Soie, en Méditerranée orientale, les conquérants arabes ont créé au VIIe siècle, en moins de cinquante ans, un immense empire qui réunit, sous la bannière islamique, de l'Inde jusqu'au Maghreb et à l'Andalousie, des peuples précédemment soumis à la Perse, à Byzance ou à Rome. Les Fatimides chiites règnent en Égypte. Les Abbassides sunnites règnent à Bagdad. Leur islam organise des théocraties qu'on a pu qualifier de laïques et égalitaires, où la religion prend en charge les relations de chaque croyant avec Dieu et les relations des croyants les uns avec les autres. Malgré la renaissance de quelques villes chrétiennes, ports ou foires, la première ville d'Europe est alors Cordoue, puissant centre du commerce et des idées, capitale de l'Andalousie et du Maghreb, sous contrôle arabe depuis le IXe siècle. C'est là que commence cette histoire.

En Ibérie partiellement musulmane, l'islam tolère le judaïsme, et leur dialogue fait sortir la pensée grecque de son purgatoire. Des penseurs nouveaux en surgissent. Ce ne sont pas encore des rationalistes ou des savants au sens où on l'entend aujourd'hui ; mais déjà ils revendiquent le droit à la raison et à l'expérience dans la recherche de la vérité.

Un homme en particulier incarne cet éveil de l'Europe méditerranéenne et contribue à faire naître sur cette parcelle du continent l'avant-garde de notre temps : Ibn Rushd, que l'Occident nommera Averroès. Il est européen et musulman, médecin et juge, philosophe et écrivain. Il vient bouleverser l'énoncé des réponses aux questions qui commencent à circuler à nouveau après plusieurs siècles de quasi-léthargie en Europe : est-il possible, sans blasphémer, de chercher la vérité sur la création de l'univers ? peut-on concilier les réflexions des philosophes de l'Antiquité, en particulier celle d'Aristote, avec le monothéisme ? comment éviter que la religion soit un simple discours mystique étranger à toute logique ? la philosophie et la science sont-elles des activités interdites ? peut-on penser Dieu rationnellement ? autrement dit, à un moment où l'économie de l'Europe occidentale prend son essor, où le progrès technique commence à bouleverser les modes de vie et en appelle à la raison, faut-il laisser celle-ci s'exprimer et se construire contre Dieu ?

D'autres questions encore en découlent, qui renvoient à des interrogations présentes dans toutes les civilisations : le temps a-t-il un commencement ou est-il éternel ? l'âme des hommes, si elle existe, périt-elle avec eux ou est-elle immortelle ? et, si elle l'est, l'est-elle pour chaque homme en particulier ou pour l'humanité entière ? pourquoi Dieu laisse-t-Il les hommes faire le mal ? la liberté des hommes est-elle compatible avec l'immuabilité et la toute-puissance de Dieu ? Sans compter bien d'autres interrogations encore plus modernes : l'Univers lui-même a-t-il eu un commencement ? la science est-elle l'ennemie de la foi ? la modernité est-elle nécessairement laïque ?

Parmi ceux, très rares, qui osent, dans l'Europe d'alors, réfléchir à ces questions, le plus important peut-être, le plus audacieux en tout cas, est cet Espagnol musulman, Ibn Rushd, que les chrétiens baptiseront Averroès du jour où les musulmans l'auront oublié. Car ils l'oublieront et on oubliera avec lui que c'est par l'islam que l'essentiel de la pensée grecque a fait retour en Europe.

À la fin du XI⁰ siècle, le conflit entre l'islam et la chrétienté s'accentue avec la première croisade et avec la Reconquista en Espagne, faites de victoires chrétiennes, de contre-attaques musulmanes, de cohabitations paisibles ou aux aguets. Certains monarques chrétiens de la Péninsule (en Castille Alphonse VI, Alphonse VII et Alphonse X ; en Aragon, Jaime Iᵉʳ) se proclament même « empereurs de deux ou de trois religions », comme le sont aussi quelques émirs de l'Andalousie musulmane subdivisée en petits royaumes, les *taïfas*. Cordoue devient à ce moment une sorte de république tolérante, jusqu'à ce qu'en 1070 la ville passe aux mains d'un prince musulman voisin, celui de Séville, al-Mu'tamid, un tyran qui se pique de poésie.

À la même époque, des guerriers de l'actuelle Mauritanie, les Almoravides, récemment convertis à l'islam, deviennent les maîtres des routes commerciales du Sahara occidental. Leur chef, Abû Bakr, parvient d'abord jusqu'aux rives du Sénégal, permettant ainsi à ses caravanes de rapporter, vers le nord de l'Afrique et l'Europe, l'ivoire et l'or d'Afrique noire, comme au temps de Rome. Hostiles aux dirigeants des petits émirats du Maroc et d'Ibérie qui pratiquent un islam qu'ils jugent décadent, ces guerriers progressent vers les terres fertiles du Maroc et prennent l'une après l'autre d'importantes cités : d'abord Sijilmassa (grande oasis marocaine, cœur du commerce caravanier et transsaharien), puis Taroudant, enfin Marrakech dont ils font leur capitale (d'où viendra le mot Maroc). Simultanément, inquiet des attaques venues de la Tolède chrétienne, le prince musulman de Séville, maître de Cordoue, al-Mu'tamid, demande aux Almoravides du Maroc de lui venir en aide. Leurs guerriers traversent alors le détroit de Gibraltar, s'emparent de Cordoue en 1086 et chassent al-Mu'tamid, qui meurt en exil en 1095.

C'est par ce chemin, plus encore que par Rome, Byzance, Florence et Venise, que la pensée grecque va refaire surface dans le monde européen.

Elle a en effet survécu, enfouie, souvent caricaturée, parfois dépassée, dans les mondes romain, perse et byzantin. En particulier, au début du IVᵉ siècle, on trouve des discussions sur des concepts grecs tels que ceux de « corps » ou de « substance » ; les philosophes, notamment arabes, admettent avec Platon que l'« idée » d'une chose est la seule réalité éternelle, immuable et vraie, alors que les « phénomènes », les choses, les faits, sont éphémères et changeants. Ils admettent aussi avec Aristote que le monde des idées est régi par la raison, laquelle organise la mise en ordre de l'ensemble des connaissances. Ils discutent de la causalité : pour certains, tout phénomène doit pouvoir s'expliquer rationnellement. Ils débattent de la nature de la matière : ils discutent de la question de savoir si les atomes sont des points géométriques, s'ils ont une couleur, une saveur, une odeur ; s'ils sont sécables, divisibles à l'infini, ou créés à un moment donné par un « façonnier » – autre version de l'« Intellect agent » ou du « Premier moteur » d'Aristote.

Quand l'islam apparaît au VIIᵉ siècle, ses premiers théologiens entendent mettre la logique, la physique et la métaphysique au service du nouveau discours sur les choses divines. L'islam ne craint aucunement la concurrence grecque : il se sent capable d'assimiler la logique, faisant le pari que toute connaissance, y compris même le savoir grec, s'accordera avec la nouvelle révélation. La philosophie devient ainsi « la science des êtres éternels et universels, de leur existence, de leur essence et de leurs causes ».

Aussi, dans l'islam naissant et d'emblée conquérant, la réflexion philosophique – et sa dimension que l'on dirait aujourd'hui scientifique – est-elle tout de suite autorisée ; et la vérité, révélée par l'ange Gabriel au prophète Mahomet, l'est aussi, selon l'islam, aux philosophes (c'est-à-dire aux savants) par une autre émanation de Dieu. À la différence de la chrétienté d'alors, la recherche philosophique et scientifique est même considérée, dans cet islam des débuts, comme une valeur absolue. Le Prophète lui-même dit : « La science est en effet plus méritoire que la prière », et : « Un seul homme de science a plus d'emprise sur le démon qu'un millier de dévots… »

Le Coran demande de déchiffrer l'univers, « œuvre d'art signifiante » ; pour y parvenir, il autorise de recourir à la logique, qui n'est pas une invention musulmane, mais grecque, en tout cas aristotélicienne. La technique d'accès au vrai du vrai n'est pas religieuse, mais laïque ; elle n'est pas de Mahomet, mais d'Aristote. Le savoir scientifique ne peut donc conduire qu'à la foi, et les savants sont les meilleurs avocats de Dieu. Le Coran l'affirme : « Parmi ses serviteurs, seuls les savants craignent Dieu ».

À la différence des penseurs chrétiens, les philosophes arabes et perses (devenus ensuite musulmans) sont ainsi autorisés à débattre de la nature de l'univers ; ils cherchent, sans remettre en cause leur foi, à découvrir les mécanismes de la Création ; à y définir la place de l'homme ; à choisir le meilleur mode de vie et à utiliser le savoir pour le salut personnel. S'inscrivant dans la continuité de la pensée grecque, certains philosophes musulmans emploient même des mots grecs pour désigner leurs propres concepts : ainsi parlent-ils de « falsafa » et de « faylasûf ».

Au IXe siècle, à Bagdad devenue musulmane, la pensée scientifique – influencée aussi par le monde indien – est fortement encouragée. Une légende du moment raconte même qu'un jour le calife al-Mamûn rencontra Aristote en rêve. Il le rapporte comme suit : « Je lui dis : "Qu'est-ce que le bien ?" Il me répondit : "Ce qui est bien selon la raison." Je lui dis : "Et après ?" Il répondit : "Ce qui est bien selon la révélation." Je lui dis : "Et après ?" Il me répondit : "Ce qui est bien aux yeux de tous." Je lui dis : "Et après ?" Il me répondit : "Après ? Il n'y a pas d'après." » Selon les récits de l'époque, c'est à la suite de ce rêve que le calife en question aurait créé dans sa capitale une « Maison de la sagesse », où sont traduits en langue arabe les textes majeurs de la médecine, des mathématiques, de la logique et de la philosophie grecques, de la littérature persane et de l'astronomie indienne. Les traducteurs de ces textes effectuent un travail complexe : ils doivent collationner les quelques manuscrits qui leur sont parvenus ; établir un texte de référence, le traduire d'abord du grec en syriaque, puis en arabe. Ainsi traduisent-ils les textes alors connus d'Aristote, Platon, Galien, Plutarque et Plotin (dont les trois dernières *Ennéades*, résumées sous le titre *Théologie d'Aristote*). Ils y lisent l'éveil à la conscience de soi, à l'individualisme, à l'abstraction, à la raison. Ainsi, de Plotin, ce texte magnifique : « Souvent, m'éveillant à moi-même en m'échappant de mon corps, étranger à toute autre chose, dans l'intimité de moi-même, je vois une beauté aussi merveilleuse que possible. Je suis convaincu, surtout alors, que j'ai une destinée supérieure ; mon activité est le plus haut degré de la vie ; je suis uni à l'Être divin, et, arrivé à cette activité, je me fixe en Lui au-dessus des autres êtres intelligibles ».

Dans les premières « universités » (qui se créent alors en islam d'Orient, à l'image des académies athéniennes, bien avant de surgir en Europe), on enseigne Euclide, l'astronomie et la médecine. En Perse et en Égypte musulmanes, des dizaines de mathématiciens étudient le cosmos (l'« ordre ») et ses lois, qu'ils pensent accessibles par les mathématiques. Ainsi apparaissent, pour les besoins de l'astronomie, l'algèbre, la théorie des coniques et celle des asymptotes.

Ces philosophes rouvrent les débats d'antan entre Grecs : ainsi, au IXe siècle, celui qu'on considère comme le premier philosophe musulman, al-Kindî, soutient, à la différence d'Aristote, que l'Univers a été créé à un moment précis, à partir du néant, et qu'il n'est donc pas éternel en amont, dans le passé. Il pense qu'il faut chercher à découvrir la vérité à partir des idées grecques : « Bien qu'ils soient restés dans l'ignorance d'une partie de la vérité, [les Grecs] furent pour nous la voie et l'instrument pour parvenir à de multiples connaissances dont ils n'ont pu eux-mêmes rejoindre l'entière vérité... »

Un demi-siècle plus tard, un autre philosophe musulman, al-Fârâbî, affirmera la nécessaire séparation de la spéculation intellectuelle et de la réflexion sur le salut : il osera formuler un discours rationnel sur les questions morales.

La médecine musulmane se développe alors aussi dans la continuité de celle de Galien. À l'exemple de ce qu'elle était chez les Grecs, la santé reste encore perçue comme un équilibre entre des « qualités » et des « humeurs » (sang, bile, etc.). La maladie est la marque de l'excès d'une humeur, à éliminer par une saignée ou une drogue. Le médecin doit s'en tenir là et ne pas tenter d'expliquer plus avant le mal, car ce serait s'aventurer dans le « domaine réservé » de Dieu.

Parmi les grandes figures de cette première école de philosophie de l'islam apparue en Asie centrale se dresse Ibn Sinâ (dit Avicenne en Europe), né au Xe siècle d'une mère juive, dit-on, et d'un père chiite ; médecin, mathématicien, philosophe, conseiller du prince de ce qui est aujourd'hui une partie de l'Ouzbékistan, puis vizir, auteur de près de 300 ouvrages, dont 150 traités philosophiques, 40 livres de médecine, 50 œuvres littéraires et scientifiques. Son *Canon de la médecine* est si solide et fondamental qu'il sera enseigné pendant les six siècles suivants dans toutes les universités d'Orient, et influencera, selon d'aucuns, la représentation de l'âme chez les théologiens chrétiens.

Un siècle plus tard, à Bagdad alors en plein déclin au profit de Cordoue, al-Ghazâlî réfute l'éternité du monde et la notion aristotélicienne de l'« Intellect agent ». Pour lui, les actes de Dieu nous traversent, et le destin est une fatalité absolue. La science ne pourra jamais démontrer ni l'existence de Dieu, ni la création du monde, ni l'immortalité de l'âme. La vérité ultime est la parole divine, car « il n'y a pas d'explication à donner après Dieu » ; l'intelligence humaine est trop faible pour pénétrer le rapport que les choses entretiennent entre elles et avec Dieu.

Avec les premiers émirs musulmans, la pensée grecque parvient en Andalousie. Au début du XIIᵉ siècle, Ibn Zhur, ou Avenzoar, est alors un médecin réputé dans toute l'Europe ; le géographe al-Idrisî est le « professeur de géographie » du continent. Juifs, chrétiens, musulmans se parlent et échangent. Les penseurs des deux autres monothéismes sont tolérés en Islam, même si le juriste Ibn 'Abdûn les dénonce comme des parasites intellectuels : « On ne doit pas vendre aux juifs ni aux chrétiens de livres de science, sauf s'ils ont trait à leur propre loi ; en effet, ils traduisent les livres de science et en attribuent la paternité à leurs coreligionnaires et à leurs évêques, alors qu'ils sont l'œuvre de musulmans ! »

Après la déliquescence, à la fin du Xᵉ siècle, du califat, qui explose en de nombreuses petites principautés, Cordoue reste le centre culturel de l'islam d'Occident. Le premier grand penseur cordouan du règne des Almoravides – qui y prennent le pouvoir après 1080 et rétablissent l'unité de l'Islam d'Occident –, Ibn Bâjja, fait l'apologie de la science et des savants. L'ascèse scientifique est pour lui la seule voie d'accès à l'éternité, c'est-à-dire à Dieu, et il dénonce les prétentions des hommes de pouvoir et le sectarisme des théologiens. Seul l'intellect du savant peut, selon lui, embrasser les concepts, créatures de Dieu. En pensant, il devient lui-même « lumière » et rejoint par là prophètes, saints, martyrs et bienheureux. À propos de l'accès des masses au savoir (qui est un des thèmes constants de la philosophie musulmane andalouse), il note que la masse est, « à l'égard des intelligibles, comme ceux qui sont dans une caverne où le soleil ne se lève pas : ils ne voient pas la lumière, mais voient toutes les couleurs dans l'obscurité ». Pour lui, les hommes n'ont pas une idée naturelle de l'existence de la lumière, abstraction faite des couleurs ; de même n'ont-ils pas connaissance de l'existence de l'intellect. Aussi les idées des savants – par exemple, leurs hypothèses sur la nature de l'univers ou sur celle de la matière –, n'étant pas intuitives, peuvent-elles faire l'objet d'un consensus.

L'Occident chrétien a ainsi commencé à avoir accès à une pensée grecque passant de Cordoue à Tolède et Narbonne avant de lui parvenir *via* Byzance et Venise. En 1103, l'œuvre de Ptolémée arrive ainsi en Europe sous le titre d'*Almageste* (*al-Mijistî* ou *Grand Livre*), traduction arabe du *Megalé Syntaxis Mathematiké* (*La Grande Syntaxe mathématique*). L'*al-Jabr* (l'*Algèbre*) est traduit de l'arabe en latin par Robert de Chester. Les *Éléments* d'Euclide, traduits du grec en arabe, sont mis en latin par Adélard de Bath vers 1150, sans doute en Sicile.

Au début du XII⁰ siècle, alors que l'Europe chrétienne se lance dans les croisades et poursuit la *Reconquista*, en Andalousie la dynastie almoravide, devenue tolérante, se désagrège sous les coups d'un nouveau mouvement rigoriste, né lui aussi dans le Haut-Atlas : les Almohades.

En 1121, un lettré berbère ayant passé dix ans en Perse, Ibn Tûmart, se présente en effet comme investi d'une « mission divine ». Il rappelle l'« unicité » de Dieu (d'où le nom d'« Almohades », *al-muwahhidûn* : les Unitaires). Il accuse les Almoravides des mêmes maux que ceux dénoncés par ces derniers un siècle plus tôt : une trop grande tolérance à l'égard des infidèles. Maître exigeant, il impose à ses disciples de réciter chaque jour un chapitre de sa doctrine, sous peine du fouet, voire de mort en cas de récidive. Il se fait reconnaître comme « mahdî » (guide), titre jusque-là réservé au Prophète. En 1130, il lance une attaque contre Marrakech ; mais il échoue et meurt peu après.

Son successeur, Abd al-Mu'min, prend le titre plus modeste de « calife » (« lieutenant »). Il s'assure le contrôle du Maroc en 1147. Cette dynastie semble annoncer un âge d'or intellectuel et artistique de l'islam. C'est elle qui construit la Koutoubia de Marrakech, l'enceinte et les portes de Rabat. Mais la tolérance intellectuelle du calife est désormais nulle et, sous son règne, les philosophes doivent penser masqués, avec grande prudence. Appelé à l'aide en Andalousie par les princes musulmans attaqués par un prince chrétien, Alphonse VII, Abd al-Mu'min assiège et prend Cordoue en 1148.

C'est là et à ce moment que surgit Ibn Rushd. Il naît dans une grande famille de juristes cordouans, les Banû Rushd (« fils de la rectitude »). Son arrière-grand-père, Ahmad ibn Rushd, s'était rallié aux

Almoravides ; son grand-père, Muhammad ibn Ahmed ibn Rushd, est devenu, à la fin de 1058, un juge si célèbre que son petit-fils (notre Averroès) ne sera appelé de son vivant qu'al-Hâfid (« le petit-fils »). En 1117, Muhammad, le grand-père, accepte du sultan Alî, fils de Yûsuf ibn Tâshufin, le prince almoravide, la charge de « cadi de la communauté », c'est-à-dire juge suprême de la province. On connaît certains de ses verdicts. Ainsi, comme les Cordouans protestent contre le fait que les hommes almoravides se voilent (alors que leurs femmes – survivance du matriarcat berbère – ne le font pas), Muhammad ibn Rushd autorise le port du voile aux hommes parce que c'est, selon lui, le « signe distinctif des défenseurs de la foi qu'ils furent dès leur apparition, et l'affirmation de leur nombre, au grand dépit des Infidèles »…

Le fils de Muhammad ibn Rushd, père d'Ibn Rushd, est lui aussi magistrat, mais moins réputé que son père et moins célèbre que ne le sera son fils.

Ibn Rushd naît en 1126, l'année même de la mort de son grand-père, pendant un soulèvement de Cordoue contre le gouverneur almoravide, un an après la construction au Caire de la mosquée al-Azhar, cinq ans avant que le comte Foulque d'Anjou règne à Jérusalem et que meure le grand poète persan Omar Khayyâm. Il a quinze ans quand, à la demande de Pierre le Vénérable, abbé de Cluny, est effectuée à Tolède la première traduction en latin du Coran. Il a vingt et un ans quand, en 1147, les Almohades remplacent les Almoravides. Il en a vingt-trois quand, en 1149, est reconstruit le Saint-Sépulcre et que Cordoue, assiégée par les troupes chrétiennes d'Alphonse VII de Castille et par celles d'Abd al-Mu'min, tombe définitivement entre les mains des Almohades, appelés à l'aide l'année précédente.

Comme tous les Cordouans, le jeune homme doit prononcer un serment d'allégeance aux nouveaux maîtres. Selon un témoin de l'époque, « il promit à Dieu de s'astreindre à l'obéissance du pouvoir suprême, et d'entrer dans la loi du *tawhîd* selon l'union la plus complète ; et confessa que Dieu l'avait guidé vers la doctrine droite et la compagnie des gens du *tawhîd* ». Il semble même que cette adhésion du jeune homme aux nouveaux maîtres ait été enthousiaste. Il écrit à ce moment un *Commentaire sur la profession de foi de l'imâm Mahdî*, et un *Traité sur les modalités de son entrée dans l'état suprême*, textes aujourd'hui perdus.

Ibn Rushd se marie au moins une fois, vraisemblablement vers l'âge de vingt-cinq ans. Il aura au moins deux fils, et peut-être aussi des filles. On ne sait rien de plus de sa vie privée ni de sa santé, si ce n'est qu'il souffrira très longtemps d'arthrite aux mains et aux pieds.

En 1153 – à l'époque où les empereurs chinois de la dynastie des Jin transfèrent leur capitale à Pékin –, Ibn Rushd est appelé à vingt-sept ans à Marrakech, à la cour almohade, parmi une délégation de Cordouans venus exprimer leur soumission à Abd al-Mu'min, alors calife, à l'occasion d'une réunion d'intellectuels de tout l'empire, convoquée sans doute pour réfléchir à la façon de répondre à la progression de l'islam mystique venu d'Orient, le soufisme.

En 1154, il fait la connaissance d'Ibn Tufayl, singulier personnage, à la fois écrivain, médecin, philosophe, conseiller très puissant du prince héritier Abû Ya'qûb Yûsuf, auteur un peu plus tard d'un étonnant roman qui conte les aventures d'une sorte de Robinson Crusoé musulman.

Vers 1160, alors que l'éclatement du royaume de Castille et de León permet l'extension de la domination almohade à Almería et Grenade, Tufayl présente Ibn Rushd au prince héritier. Le philosophe tremble de rencontrer ce prince « intégriste » ; mais, à sa grande surprise, celui-ci lui demande d'écrire... des commentaires d'Aristote ! Averroès rapportera lui-même plus tard cette rencontre qui en dit long sur les étranges relations entre ces princes et la pensée grecque. Texte passionnant où l'on entend la voix d'Averroès, dont le courage n'est pas alors, semble-t-il, la vertu principale : « Lorsque j'entrai chez le prince des croyants Abû Yacoub, je le trouvai avec Abû Bakr Ibn Tufayl, et il n'y avait aucune autre personne avec eux. Abû Bakr se mit à faire mon éloge, parla de ma famille et de mes ancêtres, et voulut bien, par bonté, ajouter à cela des choses que j'étais loin de mériter. Le prince des croyants, après m'avoir d'abord demandé mon nom, celui de mon père et celui de ma famille, m'adressa de prime abord ces paroles : "Quelle est l'opinion des philosophes à l'égard du Ciel ? Le croient-ils éternel ou créé ?" Saisi de confusion et de peur, j'éludai la question et je niai m'être occupé de philosophie ; car je ne savais pas ce qu'Ibn Tufayl lui avait affirmé à cet égard. Le prince des croyants, s'étant aperçu de ma frayeur et de ma confusion, se tourna vers Ibn Tufayl et se mit à parler sur la question qu'il m'avait posée ; il rappela ce qu'avaient dit Aristote, Platon et tous les philosophes, cita en même temps les arguments allégués contre eux par les Musulmans. Je remarquai en lui une vaste érudition que je n'aurais même pas soupçonnée chez aucun de ceux qui s'occupent de cette matière et qui lui consacrent tous leurs loisirs. Il fit tout pour me mettre à l'aise, de sorte que je finis par parler et qu'il sut ce que je possédais de cette science. Après l'avoir quitté, je reçus par son ordre un cadeau en argent, une magnifique pelisse d'honneur et une monture. »

Sans préciser ni lieu ni date, Averroès enchaîne : « Abû Bakr Ibn Tufayl me fit appeler un jour et me dit : "J'ai entendu aujourd'hui le prince des croyants se plaindre de l'incertitude de l'expression d'Aristote et de celle de ses traducteurs." Il a évoqué l'obscurité de ses desseins et a dit : "Si ces livres pouvaient trouver quelqu'un qui les résumât et qui les rendît accessibles après les avoir compris convenablement, alors leur assimilation serait plus aisée pour les gens. Si tu as en toi assez de force pour cela, fais-le. Moi, je souhaite que tu t'en acquittes, étant donné ce que je sais de la qualité de ton esprit, de la netteté de ton aptitude et de la force de ton inclination à l'étude. Ce qui m'en empêche, ce n'est – comme tu le sais – que mon âge avancé, mon occupation à servir et le soin que je consacre à ce que j'ai de plus important que cela." » Et il ajoute : « C'est donc cela qui m'a conduit aux résumés que j'ai faits des livres du sage Aristote. »

Voilà donc, présenté en deux lignes fort modestes, tout le projet intellectuel de sa vie : résumer Aristote et, bien plus encore, assurer la cohérence de la foi et de la raison, de l'islam et de la science, de la religion nouvelle et de la modernité scientifique qui voit alors le jour.

Si l'on connaît assez peu de textes de son inspirateur Aristote, on connaît d'Ibn Rushd 20 000 pages réparties en quatre-vingt-huit livres allant de la philosophie à la zoologie. Seule lui échappe la musique, qu'il dit détester, bien qu'elle soit si présente dans l'islam andalou.

C'est d'abord un musulman, un bon musulman. Son islam est rationnel, logique. La religion est à ses yeux le domaine de « l'évident par soi » et du « mystère insondable ». Foi et raison sont pour lui compatibles.

Il est soucieux d'affirmer la suprématie de l'islam sur les autres religions, en particulier le christianisme. Et c'est sans doute pour mener ce combat idéologique que les princes almohades ont besoin de lui. Pour lui, comme pour tous les musulmans, les chrétiens sont polythéistes : « Les chrétiens se sont trompés en affirmant l'unité dans la substance, et ce n'est pas se soustraire à l'erreur que de prétendre, comme ils le font, qu'en Dieu la trinité se résout à l'unité. » Car, si

Dieu était une trinité, quelque entité aurait dû fabriquer cette trinité, et elle serait donc le véritable créateur, le Dieu d'avant la Trinité. Au contraire des deux autres monothéismes, qu'il dénonce comme confus et complexes, le Coran, dit-il, est « un miracle du point de vue de la clarté et de l'évidence », et on n'a pas à interpréter, sauf dans les cas où le texte sacré invite explicitement à le faire, comme dans cette sourate, très importante pour lui, qu'il analyse en des termes qui éclairent toute son attitude à l'égard de la religion : « C'est Lui qui t'a révélé le livre dont certains versets sont clairs et positifs et constituent la mère des livres, et d'autres sont ambigus. Ceux qui ont dans le cœur une propension à l'erreur s'attachent à ce qui s'y trouve d'ambigu par amour de la sédition et par désir d'interpréter ces textes ; or nul n'en connaît l'interprétation, si ce n'est Dieu et les hommes d'une science profonde [ils] disent : nous y croyons, tout cela vient de Notre Seigneur. Car nul ne réfléchit si ce n'est ceux qui sont doués d'intelligence. » Ce texte, pour tout théologien musulman, est à la fois ambigu et complexe ; n'étant pas ponctué, il peut être décomposé de deux façons différentes. On peut en effet lire en substance : « L'interprétation de ces versets n'est connue que de Dieu, et ceux qui sont d'une science profonde déclarent : Nous croyons à cela » – ce qui revient à soumettre la science à Dieu. Ou bien : « L'interprétation de ces versets n'est connue que de Dieu et de ceux qui sont d'une science profonde. Ils déclarent : Nous croyons cela », ce qui fait alors des savants les égaux de Dieu. Ibn Rushd ne prend pas clairement parti entre les deux versions. Il cite d'abord la sourate jusqu'à « et les hommes d'une science profonde », optant ainsi implicitement pour l'interprétation qui confère aux « hommes de science profonde » un pouvoir d'interprétation des textes égal à celui de Dieu. Mais il ne le dit pas explicitement, il passe à autre chose, puis y revient un peu plus loin et répète : « Nous optons, quant à nous, pour la lecture consistant à marquer une pause après les mots : "et les hommes d'une science profonde". » En effet, explique-t-il, pourquoi Dieu ferait-Il une révélation seulement pour Lui-même ? Il doit l'avoir faite pour tous les hommes, par l'intermédiaire d'hommes d'exception qu'Ibn Rushd appelle « ceux qui sont ancrés dans la science ». Naturellement, il est l'un d'eux.

Le « mahdî » ayant disparu, qui faisait peser une chape de plomb sur la réflexion philosophique almohade, Ibn Rushd s'estime libre d'accorder ce droit à l'interprétation du Coran aux savants, dont lui-même. Le Coran est ainsi un mode d'accès à la Vérité, à l'unique vérité. Pas à *une* vérité.

Là gît son programme : décrypter le Coran, y découvrir le moyen de comprendre l'univers, d'en extraire *la* Vérité. Et pour cela, dit-il, il est licite d'utiliser les travaux des philosophes, d'où qu'ils viennent, et d'abord ceux du plus grand d'entre eux à ses yeux : Aristote.

On se sait pas exactement de quels rares textes d'Aristote il dispose (et presque jamais en grec !). Sans doute au moins de deux d'entre ceux qui nous sont parvenus. Ibn Rushd le reconnaît en tout cas comme son maître absolu, un « être divin » qui a toujours raison. Ni Platon ni aucun autre philosophe grec ne revêt à ses yeux la même importance. Il écrit par exemple : « Ce point est si difficile que si Aristote n'en avait pas parlé, il eût été difficile, voire impossible de le découvrir, à moins qu'il ne se fût trouvé un autre homme comme Aristote. Car je crois que cet homme a été une norme dans la nature, un modèle que la nature a inventé pour faire voir jusqu'où peut aller la perfection humaine en ces matières. »

Il n'envisage même pas l'idée qu'Aristote ait laissé un problème sans réponse ou ait changé d'avis sur quoi que ce soit. Pour lui, la doctrine aristotélicienne est à la fois « la meilleure expression » et « la seule expression possible » de la vérité. Mais, comme il ne travaille pas pour l'essentiel sur les textes originaux en grec, il perçoit, dans les traductions dont il dispose, des lacunes ou des erreurs qu'il corrige. Il rétablit ici une négation oubliée par un traducteur ; là, il ose écrire qu'Aristote ne peut avoir conçu telle ou telle idée, et il le contredit ; il transpose aussi Aristote dans le cadre de la société andalouse, cherchant des équivalents à des concepts anachroniques, même quand il lui faut pour cela s'opposer à son maître sur un fait donné – mais jamais sur un raisonnement.

Ibn Rushd reprend ainsi la question aristotélicienne du droit à la connaissance rationnelle, et la confronte au monothéisme. Pour lui, le rationnel et le révélé ne s'expliquent pas l'un par l'autre ; ils sont extérieurs l'un à l'autre ; ils disent, chacun à leur manière, la vérité. Alors que, pour Ghazâlî, on l'a vu, la raison est subordonnée à la révélation, et que, pour al-Farabî, la raison a le premier et le dernier mot sur la foi, pour Ibn Rushd, philosophie et foi sont autonomes sans se contredire.

Il n'aime pas pour autant les théologiens, même musulmans : à ses yeux, ils détournent le texte sacré pour s'interposer entre le peuple et les hommes de savoir. Pour lui, les théologiens sont aussi critiquables aujourd'hui que l'étaient les rhéteurs, comme Isocrate, au temps d'Aristote. Il écrit dans un passage célébrissime : « Enseignant non pas l'art, mais les résultats de l'art, ils s'imaginaient qu'en cela consistait l'éducation ; c'est comme si, prétendant transmettre la science de n'avoir pas mal aux pieds, on enseignait à quelqu'un non pas l'art de faire des chaussures, ni même de savoir se procurer des choses de ce genre, mais on se bornait à lui présenter plusieurs espèces de chaussures de toutes sortes ; ce serait lui donner un secours pratique, mais non pas lui transmettre un art. »

La philosophie ne peut donc, selon lui, contredire la loi divine. Mais elle n'est pas compréhensible par tous. Il faut donc graduer la présentation de la vérité, selon la compétence du lecteur, en trois niveaux : le commun des croyants ne peut avoir accès qu'à un sens apparent, simple ; les théologiens peuvent accéder à un sens un peu plus philosophique ; seule l'élite savante est capable de bien comprendre. On se prend à songer à ce qui se passerait si on exigeait des intellectuels d'aujourd'hui de présenter leurs théories en quelques pages au grand public avant de l'élaborer en détail à l'adresse de leurs pairs. C'est ce à quoi j'essaie de m'astreindre, pour ma part, depuis que j'ai rencontré et lu Ibn Rushd...

Les raisonnements rhétoriques et dialectiques n'ont évidemment pas, pour lui, le même degré de validité que le raisonnement démonstratif : « La masse n'est pas capable de comprendre l'inférence de la conclusion qui découle de plusieurs prémisses ; de même, elle ne différencie pas la conclusion et ce de quoi la conclusion est tirée. Elle ne distingue pas dans un syllogisme les prémisses de la conclusion, mais elle avance une prémisse à laquelle elle joint la conclusion, comme lorsqu'elle dit qu'"Untel rôde la nuit, c'est donc un voleur", mais elle ne dit pas : "Toute personne qui rôde la nuit est un voleur", qui est la prémisse majeure. » Il cite cet exemple magnifique : « Le Coran et le Prophète nous ont appris que Dieu est lumière ; les esprits simples en déduisent qu'ils verront Dieu comme on voit le soleil. Les savants comprennent que la béatitude est accroissement du savoir. »

La vérité, dit Averroès dans le prolongement d'Ibn Bâjja, n'est pas intuitive ; elle suppose l'accumulation d'un savoir : par exemple, on ne peut faire de l'astronomie sans avoir une formation en géométrie ; même avec une inspiration divine, on ne pourrait parvenir à des idées contre-intuitives, comme le fait que le Soleil est cent soixante fois plus gros que la Terre. Ibn Rushd écrit : « On taxerait de folie celui qui tiendrait un tel propos, alors même qu'il s'agit là d'un fait établi en astronomie au moyen d'une démonstration qui ne soulève pas l'ombre d'un doute chez les savants en cette matière. »

Cette distinction entre raison et foi ne signifie pas qu'il y ait pour lui – comme beaucoup le lui reprocheront plus tard au sein de l'Église – une théorie de la « double vérité », l'une scientifique, l'autre religieuse. Pour Ibn Rushd, tout au contraire, il n'y a en effet qu'une vérité, la vérité scientifique ; le Coran n'est pas une vérité en soi, mais un guide vers la vérité, laquelle est nécessairement scientifique et ne saurait contredire la foi.

Ibn Rushd écrit à ce propos dans un texte éblouissant, d'une extrême importance pour notre temps : « Ce qui sera conforme à la vérité, nous le recevrons d'eux [les aristotéliciens] avec joie et reconnaissance ; ce qui ne sera pas conforme à la vérité, nous le signalerons pour qu'on s'en garde, tout en les excusant. » Et il ajoute : « Car l'instrument par lequel s'effectue le sacrifice n'a pas à être pris en compte, en tant qu'appartenant à un de nos coreligionnaires ou non, dans la validité du sacrifice. Il suffit qu'il remplisse les conditions de la validité. »

Comme paraît étrange à première vue l'idée d'Ibn Rushd d'employer la métaphore du *sacrifice* pour parler de la méthode scientifique, comme si la recherche de la vérité relevait du bourreau ! Or, de fait, à mon sens, c'est exactement le cas : la raison est l'arme du bourreau qui, en sacrifiant l'erreur, met de l'ordre dans l'univers ; tout comme le bourreau, en sacrifiant le bouc émissaire, canalise la violence et met de l'ordre dans la société. Sacrifier ou dire le vrai est une seule et même chose : c'est mettre de l'ordre : le rôle de la raison est de dire le sens dans le monde, puisque Dieu n'a pu créer qu'un monde sensé. Et le but de la philosophie, comme celui des mathématiques et du droit, est d'accumuler du savoir sur l'œuvre de Dieu. La science est donc, comme le rituel, un moyen d'accès à Dieu. Autrement dit encore, la raison est la clé donnant accès à l'œuvre de Dieu ; et le but ultime de la spéculation rationnelle est la connaissance de Dieu ; l'interdire, parce qu'il pourrait en résulter des erreurs, des abus, des blasphèmes, reviendrait à « interdire à une personne altérée de boire de l'eau fraîche et bonne, et la faire mourir de soif sous prétexte qu'il y a des gens qui se sont noyés dans l'eau ; car la mort que l'eau produit par suffocation est un effet accidentel, tandis que la mort causée par la soif est un effet essentiel et nécessaire ».

Remarquable exemple, une fois encore, et combien lourd de sens : la raison doit être utilisée pour vivre et non pour tuer. Mais elle peut faire les deux, laisse-t-il aussi entendre. Et il ajoute dans un texte qui m'a bouleversé dès sa première lecture : « Nous savons donc, nous, musulmans, d'une façon décisive, que la spéculation fondée sur la démonstration ne conduit point à contredire les enseignements donnés par la Loi divine. Car la vérité ne saurait contredire la vérité, elle s'accorde avec elle et témoigne en sa faveur. »

Texte magnifique : la vérité scientifique ne contredit pas la vérité religieuse ; elle s'accorde avec elle, elle « témoigne en sa faveur », mais sur un mode distinct. La vérité de la science est donc séparée comme par l'arme du bourreau, qui, lui aussi, crée de l'ordre en dissociant.

Dieu n'est pourtant pas accessible par un raisonnement scientifique : « La raison humaine est incapable de saisir le comment de l'opération par laquelle les corps célestes émanent du Premier principe, bien qu'elle en atteste l'existence. » Et toujours une magnifique métaphore, d'une incroyable audace : « L'aveugle se détourne de la fosse où le clairvoyant se laisse tomber. » Car même le regard est illusion. Pour Ibn Rushd, la philosophie a certes pour objet, par l'étude de l'univers, de parvenir à la connaissance de son Créateur. Mais il y a une différence de nature entre le savoir propre à la science – produite par l'homme et découlant des choses – et la connaissance de Dieu qui cause les choses. On ne saurait appliquer à Dieu les catégories et les concepts humains, car ils sont produits par Lui : « Les universaux que nous connaissons sont aussi causés par la nature des êtres. »

Il lui faut donc s'affronter à la conception de Dieu chez Aristote. Pour réconcilier celui-ci et le monothéisme, Ibn Rushd explique que le Premier moteur d'Aristote est Dieu, pensée qui soutient l'univers. Pour démontrer l'existence de Dieu, il lui suffit donc d'observer le mouvement des choses, de remonter à leurs causes et d'aboutir à un Premier moteur placé en tête d'une série de moteurs, qui meut éternellement l'univers à l'extérieur duquel il se trouve ; Un, immatériel et éternel, il « pense » l'univers ; il ne peut être qu'un intellect suprême : Dieu. Dieu qui reste sans cesse nécessaire à l'existence de Sa création qui, sans Lui, ne pourrait persister dans son être.

Ibn Rushd ose ainsi écrire, comme Aristote, que l'univers n'a ni commencement ni fin ; qu'il est infini, parfait, constitué de sphères. Le « premier ciel » est directement mû par le Premier moteur, Dieu, Lui-même immobile en dehors de l'univers, là où il n'y a ni lieu, ni vide, ni temps. Les sphères tournent éternellement.

Pour concilier au mieux cette idée de Dieu avec ce qu'en dit le Coran, Ibn Rushd doit d'abord régler la question de Son apparence. Dans maints passages du Livre sacré, il est en effet question de l'« œil » ou des « mains » de Dieu. Mais nulle part il n'est dit que Dieu a un « corps ». Ibn Rushd – qui pense qu'Il n'en a pas, mais ne peut pas le dire ouvertement sans être accusé de blasphème – utilise un double langage « selon qui lui pose la question ». Au peuple qui ne peut admettre qu'il existe quelque chose qui n'a pas de corps, Ibn Rushd répond par un verset du Coran : « Personne ne Lui est semblable et Il est celui qui écoute et qui voit. [...] À la question il est alors mis fin », conclut-il. Aux savants, il conseille : « Bien qu'il n'affirme rien de positif sur ce point, le Coran semble suggérer que le Créateur a un corps. À dire aux gens du commun que Dieu est sans corps, on risque fort de leur faire conclure qu'Il n'existe pas. La meilleure attitude consiste à ne pas aller plus loin que la Loi, c'est-à-dire à n'attribuer à Dieu ni corporéité ni incorporéité. » La meilleure façon de décrire Dieu, c'est donc de dire qu'Il est « lumière » : « La lumière est l'attribut par lequel Dieu Lui-même se décrit dans Son livre [...] lorsqu'Il dit : "Dieu, lumière des cieux et de la terre." » La lumière est un attribut sans existence apparente : « La lumière est le sensible le plus noble. [...] Et si l'on demande ce qu'Il est, il faut, se référant au texte révélé et à la tradition du Prophète, dire que Dieu est "lumière". Ainsi on ne s'écarte pas de la Loi ; on signifie aux gens du commun une existence réelle et particulièrement noble ; on rappelle aux savants que leur intelligence est aussi incapable de saisir Dieu que les yeux des chauves-souris le sont de voir le Soleil. »

Reprenant à son compte la démonstration d'Aristote, Ibn Rushd va jusqu'à affirmer que le temps est éternel, antérieur à la création de l'Univers, car s'il était produit à partir d'un moment précis, il existerait « après » avoir été « non existant ». Comme « avant » et « après » sont les dénominations de parties du temps, le temps aurait existé avant d'exister ; il y aurait donc eu un « temps avant le temps », ce qui est absurde. Le temps est donc coéternel à Dieu. Il est la mesure du changement ; il est le « nombre du mouvement », ainsi que l'avait dit Aristote. Mais Dieu ne se confond pas avec le temps. Dieu est hors du temps comme Il est hors de l'univers.

Ibn Rushd ose tout. Ou presque. Il remet en cause l'idée, reprise par l'islam, de la survie individuelle de l'âme : après la mort, pas de paradis, l'« Intellect agent » de chaque humain se sépare de son intellect matériel. Il ne se souvient plus de rien, parce que l'imagination et la mémoire, liées au corps, meurent avec le corps. Ne subsiste que l'« Intellect abstrait » qui, pour Ibn Rushd, se joint à l'âme collective (autre nom de l'« Intellect agent », du Premier moteur, de Dieu). Chacun rejoint ainsi l'« intelligible pur » et atteint à la « béatitude ». Très proche de certaines formes de bouddhisme et de judaïsme, c'est la doctrine dite du « monopsychisme » (unité des âmes), qui lui vaudra ensuite tant d'ennemis. On retrouvera aussi cette fusion des âmes en une seule chez Teilhard de Chardin avec sa « noosphère », tout comme elle existait déjà chez Aristote.

Mais, s'il n'y a pas d'éternité de l'âme individuelle, comment inciter l'homme à se comporter de façon éthique ? Et d'abord, l'homme est-il libre de le vouloir ? Non, semble dire le Coran. Oui, proteste Ibn Rushd. Car, si chaque vie est trop brève pour que puisse être mesurée l'influence que chacun peut avoir sur son propre destin, l'humanité agit librement, même à travers le temps. Il suffit, dit-il, pour se convaincre de l'existence de la liberté humaine, d'imaginer un homme vivant dix mille ans en poursuivant un but : il finira sûrement par l'atteindre au moins en partie. L'humanité accomplit donc la liberté de chacun à travers l'action de générations successives. Autrement dit, la liberté de l'humanité se manifeste par l'Histoire, non dans chaque destin individuel.

Quelques siècles plus tard, Blaise Pascal, pour qui le but des êtres mortels, à la fois produits et causés, est de rejoindre l'éternité de Dieu, parlera lui aussi, dans la préface au *Traité du vide*, d'une humanité s'accomplissant dans l'Histoire par un ensemble de brefs destins singuliers, donnant l'illusion que rien n'est accompli.

Cette liberté de l'humanité, pour Ibn Rushd, n'est pas pur caprice, car l'humanité poursuit un but magnifique : progresser dans la connaissance, tendre vers l'acte pur de penser. Il écrit : « Combien injuste est celui qui dresse un obstacle entre l'homme et la science qui est la route vers cette perfection ; nul doute que celui qui agit ainsi contrarie aussi le Créateur et s'oppose au projet divin de réaliser une telle perfection. »

En 1162 meurt le philosophe et médecin arabe Ibn Zhur (Avenzoar). En 1163, Abû Ya'qûb Yûsuf (celui-là même qui a commandé deux ans auparavant à Ibn Rushd de travailler sur Aristote) succède à son père Abd al-Mu'min et devient calife de l'Empire almohade, à Cordoue. En 1169, Ibn Rushd, qui a sans doute passé quelque temps à Fès, puis à Tanger, obtient d'être nommé juge de Séville. Poste considérable : toujours proche du prince devenu nouveau calife, il est à la fois courtisan et grand orateur. Un contemporain écrit de lui qu'il est « abondant de paroles, tant dans les cercles du sultan que dans les assemblées de la foule », et qu'il parle « dans une langue alerte et avec une tournure agréable ». Il continue pourtant à rédiger, comme le nouveau calife le lui a commandé, des commentaires sur la quasi-totalité des traités connus d'Aristote. Cette même année, il achève le *Commentaire moyen sur les traités des animaux* et, sous couvert de commentaires, continue à révolutionner l'islam.

En 1171, les Almohades sont totalement maîtres de l'Espagne musulmane, les Almoravides n'y conservant plus que les Baléares. Au Caire, Saladin abolit le califat fatimide et instaure la dynastie ayyubide sous l'autorité réunifiée du califat abbasside de Bagdad. Ibn Rushd vit toujours à Séville, où débute la construction d'une immense mosquée.

Un tremblement de terre frappe alors Cordoue. De Séville, Ibn Rushd en ressent les secousses ; c'est, semble-t-il, un événement très important dans sa vie. Il écrit : « Je n'habitais pas alors à Cordoue, mais j'y vins par la suite. J'entendis les bruits qui précèdent le tremblement de terre, et les gens croyaient que ces bruits venaient des quartiers ouest. Ces tremblements de terre durèrent à Cordoue environ un an, peut-être, et ils ne cessèrent pas avant trois ans approximativement. » Il voit dans cet événement la manifestation de la puissance de Dieu. Le monarque fait de Cordoue la capitale de son empire. Il fait reconstruire les palais et enrichit la bibliothèque qui, avec plusieurs centaines de milliers de volumes, est alors, dit-on, plus vaste que toutes les autres bibliothèques d'Europe réunies. Ibn Rushd s'installe dès lors à Cordoue, à la cour du calife, et y travaille sans cesse, renonçant à tout passe-temps mondain. « On raconte qu'il n'a pas abandonné la réflexion ni la lecture depuis qu'il a eu l'âge de raison, si ce n'est la nuit de la mort de son père et celle de son mariage. »

En 1175, il achève le commentaire de la *Rhétorique*. Il est alors malade et se croit sur le point de mourir. Mais il se rétablit et, en 1179, rédige le *Discours décisif*, puis l'*Exposition des méthodes de preuve relatives aux dogmes de la religion, Cohérence et incohérence*, en réponse à l'*Incohérence des philosophes* d'al-Ghazâlî.

L'œuvre d'Ibn Rushd n'aurait pas été possible sans la volonté de modernisation de l'islam qui a caractérisé les princes de cette sorte de Prusse musulmane qu'est alors l'Espagne almohade, inquiète de la montée du soufisme qui menace.

En 1181 est couronné Jayavarman VII, le très grand roi d'Angkor.

En 1182, l'émir devient plus austère et se montre de plus en plus méfiant envers la science. Ibn Rushd a le droit d'écrire, mais personne ne doit plus voir les textes du philosophe, qui lui sont strictement réservés. Le calife exige que tout document officiel porte en tête la mention : « Louange à Dieu ! »

En 1184, Abû Ya'qûb Yûsuf meurt et laisse la place à son fils Abû Ya'qûb Yûsuf Al-Mansur.

En 1185, à la mort d'Ibn Tufayl – le Premier ministre écrivain et médecin, son protecteur –, Ibn Rushd le remplace comme médecin du calife.

Car Ibn Rushd est par ailleurs un grand médecin. Dans *Kulliyyât* (*Généralités en médecine*, souvent appelé en Occident le *Colliget*), il traite d'anatomie, de symptômes, de médications, de prévention, de diététique. Il décrit la fonction rétinienne et analyse les glaucomes ; il signale des cas d'immunisation post-variolique préfigurant la vaccination ; il décrit l'importance de la santé de l'esprit pour celle du corps : « Nous appelons médecine l'art qui, partant de principes vrais, vise à la conservation de la santé du corps humain et à la guérison de ses maladies, autant qu'il est possible dans un corps déterminé, car la finalité de cet art n'est pas la guérison d'une manière absolue, mais de faire ce que l'on peut faire dans la mesure et le moment favorables. Ensuite il faut attendre les résultats, de la même manière que dans l'art de la navigation ou dans celui de la guerre [...]. Selon moi, le vrai bonheur des hommes peut être réalisé par l'association de la santé psychologique et mentale à la santé du corps. »

Penseur politique, Ibn Rushd se montre aussi sur ce terrain d'une formidable audace : le souverain doit se limiter à créer les conditions d'une société harmonieuse. Avant tout Andalou, il ose dire que la péninsule Arabique n'a pas vocation à être la force dominante de l'Islam, et que ni les Arabes ni les Berbères ne doivent être des peuples privilégiés. Au contraire, la culture, l'histoire, le climat et la situation de l'Andalousie lui confèrent une situation d'exception, concourant à en faire le centre de la culture et de la puissance mondiales.

Autre audace : l'avenir, pour lui, passe par l'éducation des femmes et l'égalité des sexes. Il critique les nations où « la capacité des femmes n'est pas reconnue, car elles y sont prises seulement pour la procréation. Elles sont donc placées au service de leur mari et [reléguées] au travail de la procréation, de l'éducation et de l'allaitement. Mais cela annule leurs [autres] activités. Du fait que les femmes, dans ces États, sont des êtres faits pour aucune des vertus humaines, il arrive souvent qu'elles ressemblent aux plantes. Qu'elles soient un fardeau pour les hommes, dans ces États, est une des raisons de la pauvreté de ces [mêmes] États ».

Il est aussi le premier philosophe à parler explicitement en son temps d'économie, en particulier de l'importance de la stabilité de la monnaie, alors dévorée à Cordoue par l'inflation. Il dénonce les procédés dont usent les princes qu'il sert pour altérer les pièces d'argent avec du plomb et en « rogner » ainsi la valeur.

En 1186, le nouveau calife déplace sa capitale à Marrakech et y exige la présence de tous les courtisans. Ibn Rushd n'entend pas le suivre. Mais la pression se fait très forte. Il ne se résigne qu'en 1190, à soixante-quatre ans, à rejoindre la cour. Cette année-là, les Almohades prennent le sud du Portugal de Sanche Iᵉʳ. Ibn Rushd rédige à Marrakech un grand commentaire de la *Métaphysique* d'Aristote.

Un témoin de ses dernières années racontera qu'il « portait des vêtements élimés » alors même qu'il occupait encore de très hautes fonctions, étant toujours médecin du monarque. Au moins en apparence : peut-être le fils avait-il souffert de la relation intense de son père avec Ibn Rushd.

En 1193, l'année de la mort de Saladin, les Almohades sont sur le point d'achever la construction du minaret de la mosquée de Séville (la Giralda) alors que commence en France la reconstruction de Notre-Dame de Chartres.

En 1197, la disgrâce d'Ibn Rushd – il a alors soixante et onze ans – devient visible. Pour s'être occupé de « la sagesse et des sciences des Anciens », il est renvoyé à Lucena, près de Cordoue, sa ville qu'il n'a pas revue depuis sept ans ; un édit du monarque lui interdit d'enseigner, impose même de brûler ses œuvres – hormis ses traités de médecine et de calcul.

L'année suivante – en mai 1198 –, le calife, lui-même mourant, sans doute imploré par les élèves du maître, rapporte l'édit de bannissement et le rappelle à sa cour. Épuisant voyage depuis Lucena : moins de trois mois plus tard (le 10 ou 11 décembre 1198), Ibn Rushd meurt à Marrakech, quelques semaines avant le calife lui-même, qui lui a fait tant de tort.

Il est d'abord enterré sur place, au cimetière de Bâb Taghzût. Trois mois plus tard, son cercueil est transporté à Cordoue. Selon l'historien Ibn Arabî, « on chargea le cadavre sur une bête de somme, l'autre côté du bât étant équilibré par ses écrits ». Magnifique symbole pour ce voyageur de l'esprit à la recherche d'un équilibre entre foi et science !

Après sa mort, il est très vite suspecté d'hérésie, de blasphème et d'insoumission ; ses ennemis le présentent comme un libertin, un athée, un séditieux. Le nouveau souverain laisse faire.

En revanche, il est tout de suite très lu en arabe par les juifs d'Andalousie, d'Égypte, de Catalogne et d'Occitanie, qui y redécouvrent Aristote. Il est traduit en hébreu vers 1260 à Narbonne par une grande famille de traducteurs, et à Béziers par Salomon ben Ayyub ben Joseph, venu de Grenade.

Dans le monde chrétien, une doctrine portant son nom christianisé, l'« averroïsme », va renouveler la théologie chrétienne au nom d'Aristote. Cette doctrine qui, on le verra, le caricature en lui attribuant une théorie de la « double vérité », religieuse et scientifique, est condamnée au XIIIe siècle. En dépit de ces interdictions, les livres d'Ibn Rushd sont étudiés dans les premières universités, comme constituant une porte d'accès à la pensée d'Aristote. Thomas d'Aquin fera même de celui qu'il nomme Averroès le « commentateur » par excellence d'Aristote, tout en s'opposant à certaines de ses audaces.

En 1497, Ibn Rushd est presque oublié quand, cinq ans après la chute du dernier royaume musulman d'Andalousie – celui de Grenade –, le sénat de Padoue crée à l'Université de la ville une chaire d'enseignement d'Aristote, cette fois directement à partir du texte grec. L'Occident refuse alors de reconnaître tout ce qu'il doit à l'islam, y compris la préservation de l'apport grec. Ibn Rushd devient la cible des humanistes, confondu dans une même aversion pour tout ce qui est traduit de l'arabe.

Puis on l'installe dans la légende : en 1527 paraît en latin la traduction d'une sorte de « dictionnaire biographique » des gens importants, attribué à un dénommé al-Hasan ibn Muhammad al-Wazzân al-Zayyâtî, qui a vécu à Grenade quatre siècles après Ibn Rushd, puis en Afrique du Nord et au Sahel, avant d'être esclave à Rome, baptisé sous le nom de Léon l'Africain. Dans ce dictionnaire, la notice consacrée à Ibn Rushd explique que ses biens lui auraient été confisqués dans sa jeunesse, qu'il aurait été longtemps relégué dans un quartier de Cordoue réservé aux juifs, d'où il se serait enfui pour se réfugier à Fès où, reconnu, il aurait été emprisonné. Il aurait ensuite vécu de l'enseignement du droit, à Cordoue, dans une grande misère. Aujourd'hui encore, Ibn Rushd reste très mal considéré dans toute une partie de l'islam, où certains vont jusqu'à se demander s'il était vraiment musulman.

Plus tard, oubliant leur dette envers Ibn Rushd, ses successeurs, de Thomas d'Aquin à Hobbes, les Occidentaux feront de l'Individu le seul objet de connaissance, et de la raison le seul instrument de la connaissance.

Il n'en reste pas moins un géant de la pensée, un libérateur de l'esprit, celui qui aura su le mieux parler du plaisir de penser, de la passion d'apprendre, y compris sous le joug des dictatures. « Penser, c'est vivre, c'est s'unir au cosmos », écrit-il ; c'est donc faire ce que fait Dieu, qui pense le monde pour le faire exister. Car l'homme qui pense est « assimilé à Dieu en ce qu'Il est et connaît tous les êtres : car les êtres, et leurs causes, ne sont que la science de Dieu ». De lui aussi, pour finir, cette phrase magnifique, que Thomas d'Aquin considérera pourtant comme particulièrement impie, sur le plaisir de penser : « Si le plaisir que Dieu connaît à saisir Sa propre essence est égal au plaisir que nous trouvons nous-mêmes au moment où notre intellect saisit Sa propre essence, c'est-à-dire au moment où l'intellect se dépouille de sa puissance, ce qui existe pour nous pendant un court moment existe pour Dieu éternellement. »

Relisez à l'infini cette phrase et vous ressentirez la fugace jubilation de l'intelligence, dans toute son humilité.

BIBLIOGRAPHIE

ARNALDEZ, Roger, *Averroès, un rationaliste en Islam*, Paris, Balland, coll. « Le Nadir », 1998.

ARNALDEZ, Roger, « Averroès l'Andalou : un croyant rationaliste », *Qantara*, n° 28, Paris, Institut du monde arabe, été 1998.

AVERROÈS, *Grand commentaire de la « Métaphysique » d'Aristote*, Paris, Les Belles Lettres, 1984.

AVERROÈS, *L'Intelligence et la Pensée. Grand commentaire du « De anima », livre III*, Paris, GF-Flammarion, 1998.

BADAWI, Abdurrahmân, *Averroès (Ibn Rushd)*, Paris, J. Vrin, coll. « Études de philosophie médiévale », 1998.

Encyclopédie de l'Islam, Leyde, E. J. Brill / Paris, Maisonneuve et Larose, 1991.

GUERRA, François-Xavier, *La Péninsule ibérique de l'Antiquité au Siècle d'or*, Paris, PUF, coll. « Le Fil des temps », 1974.

HAYOUN, Maurice-Ruben, et LIBERA, Alain de, *Averroès et l'averroïsme*, Paris, PUF, coll. « Que sais-je ? », 1991.

MIQUEL, André, *L'Islam et sa civilisation*, Paris, A. Colin, coll. « Destins du monde », 1990.

PLOTIN, *Énnéades*, texte établi et traduit par Émile Bréhier, Paris, Les Belles Lettres, coll. « Collection des universités de France », publiée sous le patronage de l'Association Guillaume-Budé, 1956.

SOURDEL, Dominique et Janine, *La Civilisation de l'Islam classique*, Paris, Arthaud, coll. « Les Grandes Civilisations », 1983.

URVOY, Dominique, *Ibn Rushd (Averroès)*, Paris, Cariscript, 1996.

URVOY, Dominique, *Averroès. Les ambitions d'un intellectuel musulman*, Paris, Flammarion, coll. « Champs », 1998.

7

Maïmonide

(1138-1204)
ou le pouvoir de la clarté

Comme son contemporain, le musulman Ibn Rushd, le juif Maïmonide est fils de Cordoue, capitale de la civilisation andalouse alors à son apogée économique, politique et culturel. L'un et l'autre en disent long sur le basculement de l'Occident dans la modernité.

Si Ibn Rushd vit entre 1126 et 1198 pour l'essentiel entre Cordoue, Tanger, Fès et Marrakech, Maïmonide naît en 1138, passe un temps par Fès, puis par la Palestine avant de s'installer en 1170 en Égypte et y mourir quarante ans plus tard. Ils auraient pu se rencontrer à Cordoue vers 1145 et surtout à Fès entre 1160 et 1165, mais rien ne l'établit. Pourtant, que de points communs, que de croisements entre ces deux pensées !

Comme Ibn Rushd, Maïmonide est cordouan, médecin, juge, théologien, philosophe et commentateur d'Aristote ; comme lui, il est fils et petit-fils d'un juge et chef religieux. À la différence d'Ibn Rushd, qui pense en philosophe officiel dans un islam dominant, Maïmonide pense en marge de cet islam, au cœur d'un judaïsme dominé et bientôt persécuté. Pourtant, ironie de l'Histoire, alors qu'Ibn Rushd est très vite censuré et oublié des siens, Maïmonide, lui, de son vivant et plus encore après, est hissé par les siens sur un piédestal, adulé, considéré comme un maître universel du judaïsme et de la modernité. Quoi qu'il en ait été, l'un et l'autre participent au premier rang à la naissance de l'esprit de raison dans l'Europe chrétienne : un musulman et un juif donnent le départ de la grande course aux Lumières.

Une anecdote pour commencer : en 1936, John Maynard Keynes, qui vient de publier sa *Théorie générale*, achète aux enchères, à Londres, la malle dans laquelle Isaac Newton enfermait ses manuscrits, en particulier ceux des années 1680 où, professeur à Trinity College, il rédigeait ses *Principia Mathematica* ; depuis lors, paraît-il, nul ne s'était hasardé à l'ouvrir. Keynes y découvre, au milieu de manuscrits de Newton, un livre et un seul : le *Guide des égarés*, écrit par Maïmonide en 1180, exactement cinq siècles avant que Newton ne le lise. On verra plus loin que, entre l'un et l'autre, le rapprochement n'est pas fortuit...

Le lieu de la jeunesse de Maïmonide est le même que celui d'Ibn Rushd : la Cordoue cultivée, riche et tolérante de la fin des Almoravides. Lors de sa naissance en 1138, douze ans après celle d'Ibn Rushd, les juifs y vivent encore correctement : ils y sont tolérés comme les chrétiens. La ville a depuis longtemps pris le rôle de Bagdad vis-à-vis tant de la chrétienté que du judaïsme.

Dans l'Espagne musulmane, les intellectuels, philosophes, médecins, poètes et musiciens juifs – beaucoup d'entre eux étant par ailleurs rabbins –, présents dans la péninsule depuis bien des siècles, inspirent et nourrissent la pensée des nouveaux venus musulmans, nourris quant à eux de la pensée grecque par leurs relations ancestrales avec les communautés juives du monde grec, de Jérusalem, d'Alexandrie et de Bagdad – en particulier, à partir du début de notre ère, par les œuvres de Philon d'Alexandrie, traducteur et commentateur juif de Platon et d'Aristote, que Maïmonide connaît à la perfection tout comme il connaît à la perfection la Thora et ses commentaires.

Au XIIᵉ siècle, la situation des juifs n'est vraiment bonne nulle part dans le monde chrétien. La première croisade a donné le signal d'une gigantesque chasse aux juifs ; accusés de meurtres rituels, beaucoup sont massacrés dans les royaumes de France et d'Angleterre, des principautés d'Allemagne. Ils restent tout juste tolérés dans l'Ibérie chrétienne, de Tolède à Salamanque, en Provence, en Sicile et dans tout l'Orient musulman.

Là où ils sont tolérés, les penseurs juifs exercent une fonction sociale très précise : aider leurs communautés à vivre en juifs, définir et promouvoir des pratiques capables de maintenir vivant le judaïsme en dépit de la pression assimilationniste, en particulier éviter que des juifs ne soient tentés de fuir leur foi pour les autres religions ou pour la science, la technique et la raison, dont le règne commence. À cette fin, bien avant les musulmans et les chrétiens, des théologiens juifs entendent concilier leur foi avec la pensée grecque. Certains tentent même de prouver logiquement la véracité scientifique des Écritures, et, à l'inverse, de prouver, par les Prophètes, la validité théologique de la raison. Michelet écrira à ce propos : « Il fut une heure où toute la Barbarie, les Francs, les Iconoclastes grecs, les Arabes d'Espagne eux-mêmes s'accordèrent sans se concerter pour faire la guerre à la Pensée. Où se cacha-t-elle alors ? Dans l'humble asile que lui donnèrent les juifs. Seuls, ils s'obstinèrent à penser et restèrent, dans cette heure maudite, la conscience mystérieuse de cette terre obscurcie. »

Pendant ce temps, à Cordoue, judaïsme et islam s'interpénétrent. La poésie juive d'alors doit l'essentiel de ses techniques à la métrique arabe. « La langue arabe, écrit un poète juif du temps, est parmi les langues comme le printemps parmi les saisons. » Les juifs écrivent en arabe, prient en hébreu et pensent en grec.

La vie n'est pourtant pas facile pour ceux de Cordoue. Ils sont *dhimmis*, c'est-à-dire « protégés » (mais moyennant le paiement de taxes) et soumis à maintes humiliations. Certains d'entre eux se convertissent à l'islam. Ainsi Abn-al-Barakat al-Baghdadi devient, sous le surnom d'Awhad al-Zaman (« l'Unique de sa génération »), un des plus grands philosophes musulmans ; son élève Samwal al-Maghribî, autre juif islamisé, devient un mathématicien célèbre, auteur de l'*Algèbre al-Bahir*.

Au XIᵉ siècle, le judaïsme andalou est incarné par trois grandes figures : d'abord Salomon ibn Gabirol, sublime poète pour qui Dieu est « la première essence », être inconnaissable qui accepte de « descendre » jusqu'à la matière, cependant qu'inversement l'âme humaine cherche à s'échapper du corps pour s'élever dans la hiérarchie des créatures. Pour lutter contre l'orgueil et maintenir l'identité juive, il suggère l'exercice de la pénitence par application de quatre règles : la contrition, l'abandon à Dieu, la confession directe et la quête du pardon. L'ascèse, « avant-dernier portique », passe par le refus de tout ce qui peut troubler la sérénité de l'âme, et par une méditation sur les rapports entre les devoirs du cœur et les devoirs du corps pour ouvrir à la Vérité divine. Il écrit cette phrase que Pascal n'aurait pas démentie : « Les mots sont sur la langue, la compréhension est dans le cœur, la prière dans le corps et la concentration dans l'esprit. »

Un autre très important penseur juif cordouan de la première partie du XIᵉ siècle, Bahya ibn Paquda, rendu très populaire en son temps par un livre, *Les Devoirs des cœurs*, critique ceux qui suivent la tradition les yeux fermés. Il écrit : « L'ensemble de personnes qui, sans discuter, se transmettent une tradition, est comparable à un groupe d'aveugles guidé par une personne qui voit. » Les juifs de Cordoue doivent donc, dit-il, ne pas se contenter de rituels coutumiers et répétitifs, mais s'abandonner à Dieu, pratiquer un examen de conscience permanent, être sincères dans le repentir, l'abstinence et l'ascèse. Ils doivent aussi – nouveauté radicale – étudier la nature, avoir de la considération pour les créatures, chercher à comprendre le monde : « La contemplation de la sagesse qui transparaît dans la Création est le sentier le mieux tracé vers la connaissance de la réalité divine. » La science, dirait-on aujourd'hui, est une voie d'accès à Dieu.

Enfin, un troisième grand penseur cordouan de la période almoravide est Juda Halevi : passé à la toute fin du XIe siècle de la Cordoue musulmane à la Tolède catholique, puis revenu à Cordoue, ce rabbin est anti-aristotélicien comme son contemporain musulman al-Ghazâlî. Pour lui, la foi prime sur la raison ; il faut croire en Dieu sans réfléchir, penser le bien et non le vrai. Alors que le Dieu d'Aristote est, selon lui, une sorte de « Narcisse éternel » se désintéressant du monde et des hommes, le Dieu de la foi, lui, est universel, vivant, amoureux de Sa création. Il écrit : « La servitude à Son égard est la vraie liberté, et l'humiliation devant Lui constitue l'honneur réel. » Le devoir essentiel du croyant est la purification des actes qui, seule, lui permet d'espérer accéder à l'immortalité. Premier « sioniste » au sens que le mot prendra à la fin du XIXe siècle, Halevi, malgré les objurgations de sa famille, part se faire massacrer par les croisés près de Jérusalem en 1141, sept ans avant l'arrivée des Almohades à Cordoue.

C'est dans cette Cordoue que naît, en 1138, celui qu'on nommera en Europe « Moïse Maïmonide » (connu en arabe comme « Mûsâ ibn Maymûn », et en hébreu comme « Rabbi Moshé Ben Maïmon », ou Rambam), douze ans après Ibn Rushd. Son père est Joseph Ben Maïmon, très important magistrat et dirigeant communautaire. Sa mère Rebecca donne ensuite naissance à un autre garçon, David, et à une fille.

Il a trois ans quand, en 1141, meurt en Égypte Juda Halevi, et huit ans quand Bernard de Clairvaux monte à Vézelay pour prêcher la deuxième croisade, après la défaite des chevaliers à Édesse et l'appel à l'aide lancé par le pape Eugène III, déclenchant une nouvelle vague de massacres antisémites en Germanie.

Il a onze ans quand, en 1149, les Almohades entrent dans la ville. Des juifs et des chrétiens sont massacrés, d'autres sont convertis de force ou chassés. Immense bouleversement : après trois siècles de vie commune, l'islam chasse les autres monothéistes. Cette année-là est, pour les juifs vivant dans l'islam andalou, une année aussi désastreuse que le sera pour eux 1492 dans la chrétienté castillane.

Face à cette tragédie, les communautés d'Andalousie interrogent leurs rabbins : que faire ? se convertir ? mourir ? partir ? mais où aller ? Le peuple juif a-t-il toujours les faveurs de Dieu ? N'est-il pas abandonné au profit des disciples de Mahomet ? Il faut partir, répondent la plupart des rabbins ; certains, plus rares, recommandent la conversion. D'autres conseillent le suicide. Le père de Maïmonide explique alors qu'il ne faut pas désespérer. Il autorise ses coreligionnaires à se convertir s'ils ne peuvent faire autrement : pour lui, un juif converti de force reste juif s'il murmure en secret quelques prières, même en les abrégeant, et s'il accomplit la *tsedaka*, c'est-à-dire la charité envers tous ses voisins, même non juifs. Naturellement, le converti doit tout faire pour fuir, dès que possible, là où il pourra pratiquer sa religion ouvertement.

Trois siècles plus tard, cette thèse, constante du judaïsme, servira de guide aux *conversos* de l'Andalousie devenue chrétienne, persécutés cette fois par les rois catholiques, puis par l'Inquisition. La plupart partiront sur-le-champ. Certains accepteront une conversion de façade et resteront juifs en secret : marranes, *conversos*, chrétiens d'apparence, redevenant juifs dès qu'il leur est possible d'aller vers d'autres exils.

La famille Maïmon ne se convertit pas, même si certains l'en ont ensuite accusée, et décide de quitter aussitôt Cordoue. Le père et ses trois enfants errent d'abord d'une communauté à l'autre en Andalousie chrétienne, dont Tolède, alors sous le règne d'Alphonse VII, où les juifs sont les bienvenus. Ils partent sans doute ensuite vers les communautés juives du Languedoc, à la recherche d'un abri plus sûr.

Au cours de ces voyages, l'adolescent étudie avec son père la littérature talmudique, les écoles philosophiques grecques et l'astronomie. Il entame la rédaction d'un *Traité du calendrier* et d'un *Traité de logique* pareil à un cahier de cours, remarquable introduction, en une centaine de pages, à la logique aristotélicienne, avec une définition limpide des termes les plus importants employés par le maître grec, révélatrice de sa formidable capacité de synthèse de l'enseignement qu'il reçoit de son père et des maîtres des communautés où ils résident.

En 1158, neuf ans après avoir quitté Cordoue, la famille est, semble-t-il, de nouveau en Andalousie chrétienne. Inquiet de voir le judaïsme se perdre dans des communautés aux maîtres défaillants, Maïmonide, qui a maintenant vingt ans, met en chantier un *Commentaire de la Mishnah* qui doit permettre « à chacun, et sans aide, de posséder la loi juive […] : recueil complet de toutes les institutions, des usages et décrets depuis Moïse jusqu'à la fin de la rédaction du Talmud… ». C'est déjà le résumé de ce qui deviendra le projet de sa vie : donner au judaïsme les moyens de vivre la modernité sans cesser d'être lui-même ; écrire un livre bref pour des juifs condamnés comme lui à l'errance, et mettre ainsi à leur disposition un savoir minimal. Dans le même temps, il nourrit un beaucoup plus vaste projet : montrer la compatibilité de l'enseignement rabbinique avec l'éthique d'Aristote, de la foi avec la raison.

Il commence le commentaire de chacune des six parties de la *Mishnah*, qu'il va faire précéder de six longues introductions. La plus célèbre sera l'introduction au traité *Pirke Avot*, recueil de maximes célèbres des plus grands maîtres juifs de l'Antiquité. Dans sa recherche d'une synthèse, il dénombre 613 commandements, et 14 principes l'ayant guidé dans leur dénombrement ; 14 restera son chiffre fétiche, parce qu'il peut se lire aussi en hébreu comme « main » : Maïmonide se veut la main de Dieu.

La famille n'entend pas rester en pays chrétien. Peu désireuse d'être influencée par l'anthropomorphisme de cette religion où Dieu s'est fait homme, elle préfère encore retourner vivre aux côtés des musulmans, « dont le monothéisme est irréprochable », écrira plus tard Maïmonide, et qui restent, par là, plus proches de la conception juive de Dieu. De plus, la langue maternelle de la famille Maïmon est l'arabe, et c'est en arabe qu'il va rédiger presque toutes ses œuvres (à l'exception justement de ce commentaire des textes bibliques, le *Mishné Torah*, et de quelques rares autres textes). Il écrira cependant l'arabe en usant de l'alphabet hébraïque pour préserver une certaine discrétion : il faut connaître à la perfection les deux langues pour le lire.

La famille décide de se rendre à Fès, alors une des capitales des Almohades, où réside une importante communauté juive. Elle y survit encore, très menacée, sous la direction d'un grand érudit, Rabbi Judah Ha Cohen Ibn Shushan, ami depuis leurs jeunes années du père de Maïmonide. La famille Maïmon quitte donc l'Europe en 1160, traverse le détroit de Gibraltar et s'installe à Fès. Maïmonide a alors vingt-deux ans. Étrange choix : venir se réfugier dans la gueule du loup ! Malgré ce qu'écriront certains de ses biographes (juifs compris), ni sa famille ni lui-même ne se convertissent à l'islam, ni à ce moment, ni avant ni après.

Maïmonide y termine sa formation rabbinique et poursuit ses annotations du Talmud et ses commentaires de la *Mishnah*. Il continue aussi d'étudier la médecine, peut-être à la Karaouine, alors une des très grandes universités de l'islam.

La famille séjourne à Fès cinq ans, de 1160 à 1165. Maïmonide s'y marie. Ibn Rushd s'y trouve alors lui aussi. On ne sait si les deux jeunes Cordouans s'y rencontrent. On sait que les deux pères se connaissent. On ne sait pas davantage si ceux-ci se sont vus, ni, le cas échéant, ce qu'ils ont pu se dire.

En 1165, le rigorisme almohade se durcit après le changement de calife, deux ans auparavant. Les juifs sont chassés de Fès tout comme ils l'ont été de Cordoue seize ans plus tôt. Les dirigeants de la communauté – dont rabbi Ibn Shushan – sont arrêtés, sommés d'abjurer. Des rabbins du Languedoc leur recommandent de choisir la mort plutôt que la conversion. Maïmonide, furieux, écrit alors une *Épître sur la persécution* où il s'indigne du conseil dispensé par ces rabbins qui, eux, ne risquent rien ; il explique que la vie est le plus sacré des biens ; rien ne passe avant elle. Il répète (après son père et après bien des maîtres) qu'il faut, dans un premier temps, accepter la conversion : après tout, l'islam est lui aussi un monothéisme, et les mosquées, « ces objets de pierre et de bois », ne renferment pas d'idoles, à la différence des églises chrétiennes. Il faut donc, si l'on ne peut faire autrement, se convertir pour sauver sa vie, et fuir dès que cela devient possible pour revenir en judaïsme.

Devant l'exigence almohade, certains juifs *fassis* se convertissent. Le vieux rabbin de Fès, lui, choisit le martyre, refuse la conversion et la fuite, et se laisse assassiner. La famille Maïmon décide de partir immédiatement. Le jeune homme, son père, sa sœur, son frère et sa femme montent d'abord à Tanger, où Ibn Rushd vient d'être nommé juge et principal haut fonctionnaire de la ville. L'un a alors vingt-trois ans, l'autre trente-cinq. Maïmonide est-il venu solliciter l'aide de son compatriote cordouan ? Quoi qu'il en soit, la famille choisit de quitter le Maroc.

Il pense que sa vie est finie avant d'avoir commencé : qui l'écoutera, désormais, dans ces mondes où il sera un inconnu ? Plus tard, il écrira de lui-même : « Je suis un des plus humbles érudits d'Espagne dont le prestige a décru en exil. » Nombre de créateurs déracinés diront de même plus tard, tel Stefan Zweig...

Ils embarquent pour ce que l'on nomme alors la Palestine, terre entre les mains des croisés et disputée par les musulmans. La situation des rares juifs y est misérable : Juda Halevi, qui s'y est risqué quinze ans plus tôt, y est mort massacré, dit-on, par un templier. Et les musulmans ne semblent pas non plus très soucieux d'y accueillir des juifs.

Maïmonide et sa famille arrivent à Saint-Jean-d'Acre après un voyage mouvementé : tempêtes et escales difficiles. Cinq mois plus tard, la vie des exilés étant misérable, le père du jeune médecin meurt. Moshe est maintenant chef de famille. Pas question de s'incruster en Palestine. Il emmène sa femme, son jeune frère et sa sœur vers l'Égypte, terre musulmane dont les princes ont la réputation de se montrer plutôt accueillants pour les juifs. Ils s'installent d'abord à Alexandrie, où se trouvait jadis rassemblée une des plus vastes communautés juives du monde, pratiquement disparue depuis qu'en 641 les Arabes ont établi leur nouvelle capitale à Fostat, vieux bourg voisin du Caire, ville « nouvelle » fondée en 969 pour devenir la capitale d'une dynastie fatimide.

Quelques années plus tard, devenu veuf, Maïmonide quitte Alexandrie pour Fostat. La famille se stabilise. Son frère David se lance dans le commerce de pierres précieuses avec les Indes ; il gagne fort bien sa vie et celle de toute la famille. Maïmonide, lui, devient un médecin connu et un juge apprécié.

Les communautés juives à travers le monde, pour qui Bagdad n'est plus le phare théologique qu'elle a été pendant très longtemps, se demandent alors vers où et vers qui se tourner. Parmi le monde juif qui s'étend de l'Espagne à la Chine, les marchands – lettrés ou rabbins pour la plupart – qui circulent alors de ville en ville cherchent un nouveau guide à qui transmettre les requêtes des communautés, et capable d'interpréter les textes dans le contexte de l'éveil à la modernité. Ils se posent en effet d'innombrables questions inédites, liées à l'économie, au travail, au métier de banquiers qu'on les oblige à pratiquer, au rapport avec les Gentils. En France, la tradition, lancée moins d'un siècle plus tôt par Rachi à Troyes, se trouve interrompue par les expulsions. En Allemagne, il n'y a plus grand monde. Bagdad, Troyes, Worms et Cordoue n'éclairent plus. Où brillera le nouveau phare ?

Maïmonide affirme alors son autorité intellectuelle ; il critique à haute voix les rabbins de Bagdad, où vit un exilarque discrédité, Zacharie (un « demeuré plus intéressé par l'argent que par les activités spirituelles », « un homme vraiment fou... Pourquoi devrais-je me soucier de ce vieil homme qui est réellement misérable, ignorant à tous égards ? À mes yeux, il est comme un bébé qui vient de naître... »). Il dénonce les faibles qualités intellectuelles et morales de ces prétendus sages « qui gardent pour eux-mêmes les sommes d'argent qu'ils demandent aux particuliers et aux communautés ».

Des questions, des suppliques affluent en nombre vers lui. Il y répond avec une clarté et une lucidité de plus en plus remarquées, aidant à redéfinir les conditions de vie en diaspora. Il explique qu'il faut d'abord étudier la logique, puis les sciences exactes, avant d'aborder la philosophie et, enfin seulement, la métaphysique. Pour lui, rien dans les textes sacrés ne contredit la vérité scientifique ; rien dans ces textes ne doit non plus être pris au pied de la lettre. Par exemple, la prophétie est une faculté de voir, que chacun peut acquérir par le perfectionnement moral et mental ; et les miracles sont susceptibles d'une explication rationnelle ; les anges, expression d'une vision ou d'un rêve, production de l'imaginaire du prophète, sont explicables par la raison, tout comme d'autres phénomènes surnaturels, « tels un tremblement de terre, le tonnerre ou le feu du ciel ». Ainsi le récit d'Abraham recevant la visite de trois anges (Genèse, XVIII, 1) n'est qu'un rêve. Et ce n'est que si la raison achoppe sur des difficultés insurmontables qu'il faut avoir recours à l'idée d'un message divin.

Formidable ambition : tout expliquer rationnellement, accomplir ce que d'autres nommeront plus tard le « désenchantement du monde ».

Il condamne corollairement tout fanatisme, tout nationalisme, et affirme l'universalité de la Raison contre le surnaturel et contre la force.

Il considère que les lois de la physique – que Dieu a imprimées dans l'univers – sont l'expression de la Providence générale. Il ne croit pas non plus que Dieu décide des destins individuels. Pour lui, l'immuabilité de Dieu implique qu'Il n'intervienne pas dans le destin de chaque individu : s'Il agissait sur chaque homme, Il serait modifié par ce qu'Il ferait faire aux hommes ; Il admet donc la liberté de l'homme, et donc le mal. Pour Maïmonide, rien n'oblige l'homme à faire le Bien plutôt que le Mal. Il reprend à son compte la formule magnifique d'un des plus grands maîtres du Talmud, Rabbi Akiba, écrite dix siècles plus tôt : « Tout est entre les mains de Dieu, sauf la crainte de Dieu. » L'homme est donc, pour l'homme lui-même, sa propre Providence. S'il choisit, par une manifestation de son libre arbitre, de croire en Dieu et de Le craindre, il se place volontairement sous la protection de la Providence. Le Mal est donc une création humaine. Il consiste dans le non-être d'une chose. Comme l'obscurité est l'absence de lumière, le Mal est l'absence de Dieu. La Création n'est donc pas foncièrement mauvaise, comme Dieu l'explique à Job à la fin de leur dialogue ; tout le Mal vient de l'homme, créature imparfaite.

Maïmonide devient le chef incontesté de la petite communauté juive de Fostat et du Caire, où le pouvoir politique change alors de mains. En 1171, deux ans après son arrivée au pouvoir, Saladin (« Rectitude de la foi ») abolit le califat du Caire, refuse l'autorité politique de Nur al-Dîn et se proclame sultan, fondant la dynastie ayyubide, sous l'autorité exclusivement religieuse du califat abbasside de Bagdad.

Tragédie : en 1173, David, le frère de Moshe, le joyeux drille qu'il aimait tant, disparaît en mer alors qu'il rapportait des diamants de Turquie. Ce désastre plonge Maïmonide dans un désespoir dont il ne réémergera jamais. Dans une lettre datée de onze ans plus tard, il écrira : « Chaque fois que je retrouve son écriture ou un de ses livres, mon cœur se trouve sur le point de défaillir et mon chagrin se réveille. Je descendrai dans la tombe pour porter le deuil de mon frère. S'il n'y avait l'étude de la Torah, mon délice, et si l'étude de la sagesse ne me détournait pas de mon chagrin, j'aurais succombé à mon affliction. »

Maïmonide se retrouve ainsi privé de l'essentiel de ses ressources. La communauté juive de Fostat et du Caire, qui le désigne par l'emphatique expression d'« unique maître et merveille de sa génération », lui propose de le rémunérer comme juge ; il refuse : un rabbin doit vivre de son travail ou de celui de sa famille. Il reste médecin et devient, l'année suivante, celui du vizir du sultan de Saladin, al-Fadil, gouverneur d'Égypte.

En 1174, à la mort de Nur al-Dîn, Saladin prend encore plus de distances avec ses héritiers et étend sa domination sur le Moyen-Orient, même s'il est défait au mont Gisard par des croisés.

Pour Maïmonide, le peuple juif a un rôle propre, qui consiste à faire régner la justice sur Terre pour y réaliser la pensée de Dieu. Le Messie – qui ne sera ni Dieu ni fils de Dieu – ne sera qu'un homme au service de la paix entre les hommes, et ne changera nullement les lois de l'univers. Dans une *Épître aux Juifs du Yémen*, écrite au Caire vers 1180 en réponse à une lettre venue de la péninsule Arabique, il précise cette théorie du Messie à l'occasion du surgissement d'un illuminé juif yéménite qui prétend l'être et promet la vie éternelle et le bonheur sur terre à tous ceux qui le suivront. Il n'est pas rare que de tels personnages fassent leur apparition dans l'histoire juive. Les communautés hésitent et demandent alors conseil à Maïmonide : cet homme peut-il être le Messie ? Non, répond-il, car le Messie ne peut tenir ce que promet cet homme : il ne changera pas les lois édictées par Dieu ; « aucun bouleversement des lois de la nature n'accompagnera sa venue ; les pauvres ne seront pas moins pauvres et les riches resteront riches ; ni la maladie ni la pauvreté ni l'injustice ne disparaîtront ; les déserts ne seront pas verdoyants, les montagnes ne seront pas abaissées, ni les mers comblées ». Ce ne sera pas un être surnaturel, ni une incarnation de Dieu, mais un homme qui deviendra roi des juifs. Le Messie ne fera que mettre fin à la violence entre les hommes et permettre au peuple juif de vivre libre en Israël, reconnu par l'ensemble des nations. Il mourra de mort naturelle, sans ressusciter. Son fils, puis son petit-fils lui succéderont sans que l'ordre du monde en soit modifié. Ce ne sera peut-être même pas un homme, mais un simple événement. Il viendra, mais il ne faut pas l'attendre pour rechercher la justice. Aussi ceux qui se présentent comme le Messie et promettent des miracles ne peuvent-ils être que des charlatans ou des malades, et ne méritent-ils que la prison ou l'asile.

Pour Maïmonide – qui rejoint là à sa façon Aristote, qu'il connaît bien – l'Histoire vise à la fusion de l'Homme en Dieu. Il écrit : « Le jour viendra où la Terre sera remplie de la connaissance de Dieu comme l'océan est rempli d'eau. » Confronté très jeune par son père à Aristote, qu'il lit dans ses traductions arabes et dont il étudie les commentateurs grecs et arabes, il en fait le maître absolu de sa réflexion sur le monde : il écrit qu'« on peut se dispenser des écrits de Platon, car ceux d'Aristote suffisent. [...] Les œuvres d'Aristote sont les racines et les fondements de toute œuvre scientifique. Mais elles ne peuvent être comprises sans l'aide de commentaires, ceux d'Alexandre d'Aphrodise, de Themistius, et ceux d'Ibn Rushd ». C'est une des rares fois où il mentionne son compatriote musulman, qui en fait l'inspire énormément.

Pour Maïmonide, l'essentiel de la pensée d'Aristote trouve sa source dans des textes bibliques : ainsi, la Genèse, dit-il, a inspiré la *Physique* ; le récit biblique du char céleste d'Ézéchiel a inspiré la *Métaphysique* ; c'est aussi dans la Genèse que le Grec aurait puisé l'idée de l'éternité de l'univers. Puissante intuition, vite censurée ensuite, de l'influence de la pensée juive sur la philosophie grecque.

C'est dans cette relation avec Aristote que Maïmonide se rapproche le plus d'Ibn Rushd, dont il est en somme le double, l'alter ego dans le monde juif. C'est par là que, à distance, commence un formidable dialogue imaginaire de l'un avec l'autre entre judaïsme et islam.

Comme Ibn Rushd, Maïmonide pense que l'« Intellect agent » d'Aristote est une expression rationnelle pour désigner Dieu et l'intelligibilité du monde ; que l'« Intellect agent » est l'intelligence cosmique en charge du gouvernement du monde ; que c'est un autre nom de « la lumière venue de Dieu ».

Comme Ibn Rushd, Maïmonide pense que le rôle de Dieu est de faire passer cet intellect de la potentialité à l'acte. Comme Ibn Rushd, il pense que la raison ne garantit pas l'éthique de l'Histoire, mais que foi et raison sont compatibles, parce que toutes deux créations divines.

Comme Ibn Rushd, Maïmonide ne croit pas au jugement dernier de chaque âme individuelle. Comme lui, il croit en la non-création du monde, parce que Dieu porte le monde éternellement dans son esprit. Comme lui, il pense que la matière, destructible, est le Mal ; et que l'esprit – immortel comme la raison – est le Bien. Il pense aussi, comme Ibn Rushd, que Dieu existe hors du temps, et que c'est même ce qui Le distingue de l'univers. Comme Ibn Rushd, il pense que Dieu est l'Intellect parfait, immuable.

Comme Ibn Rushd, Maïmonide réfute les miracles, car Dieu ne peut vouloir changer Ses propres lois. Comme lui, il ne pense pas que la prière soit l'expression d'une foi ou d'une requête, mais une occasion de méditer. Comme lui, il pense que l'homme est une anecdote dans l'univers et qu'il n'est pas la raison d'être de Dieu.

L'un et l'autre rejettent l'anthropomorphisme, l'anthropocentrisme, le judéo-centrisme comme l'islamo-centrisme.

Comme Ibn Rushd, Maïmonide rejette le fatalisme de certains exégètes de l'islam. L'homme est libre de faire le bien ou le mal. Il écrit notamment : « Sache que le point sur lequel s'accordent et notre doctrine religieuse et la philosophie grecque, et que corroborent des preuves péremptoires, c'est que toutes les actions de l'homme relèvent de lui-même, qu'aucune nécessité ne pèse sur lui à cet égard, et qu'aucune force étrangère ne l'oblige à tendre à une vertu ou à un vice. » Et encore : « Tout homme peut devenir juste ou coupable, bon ou mauvais ; c'est par sa volonté qu'il choisit la voie qu'il désire. Tout homme peut devenir juste comme Moïse, ou pécheur comme Jéroboam. » Et il conclut : « Si nous souffrons, c'est par des maux que nous nous infligeons nous-mêmes de notre plein gré, mais que nous attribuons à Dieu. » Là encore, Maïmonide, comme Ibn Rushd, est en désaccord avec le courant dominant de sa propre foi.

Ses audaces le portent plus loin encore : en affirmant que l'homme n'est qu'un élément parmi d'autres de la Création, que l'univers ne tourne pas autour de lui, Maïmonide annonce et préfigure le discours à venir de la science. Et l'on comprend alors pourquoi il deviendra une référence pour Newton, qui, lui aussi, fera de l'homme un élément parmi d'autres au sein de la Création.

Comme Ibn Rushd, Maïmonide est passionné d'astronomie ; il remet en question les calculs de Ptolémée (qu'il dénonce comme « des hypothèses contraires aux résultats de la science naturelle ») et doute de la théorie des sphères concentriques d'Aristote, sans aller jusqu'à proposer d'autre hypothèses d'organisation de l'univers. Comme Ibn Rushd, il n'aime pas les mathématiques, perte de temps, selon lui, quand elles ne visent pas à la connaissance de Dieu.

Cependant, Maïmonide, sur certains points, n'est pas aussi audacieux qu'Ibn Rushd : par exemple, il n'ose pas écrire que Dieu est libre de vouloir ou de ne pas vouloir le monde. Même si, comme Ibn Rushd, il pense que Dieu ne peut pas souhaiter remettre en cause la raison, il pense que Dieu ne peut pas non plus décider qu'Il n'a pas existé : Il est tenu par Sa propre raison. À la différence d'Ibn Rushd, Maïmonide n'ose pas non plus réfuter ouvertement l'immortalité et la résurrection individuelles, même s'il n'y croit pas. À un correspondant qui lui reproche de ne pas affirmer clairement sa croyance en la résurrection individuelle des corps et au jugement dernier, il répond prudemment, dans une *Épître sur la résurrection des morts*, qu'il y croit, certes, mais que la Bible n'en parle qu'à deux reprises : dans la vision du prophète Ézéchiel – des ossements desséchés recouvrant la vie –, qui n'est, pour lui, qu'une métaphore de l'histoire d'Israël après la destruction de l'État par les Assyro-Babyloniens ; et dans un obscur passage du Livre de Daniel. Par ce détour, Maïmonide veut laisser entendre qu'il n'adhère pas au dogme de la résurrection, sans pour autant l'affirmer explicitement.

Il n'ose pas non plus penser, comme le fait Ibn Rushd, que les théologiens ne servent qu'à contrôler le peuple, que la religion est une forme inférieure de la vérité, laquelle n'est en fait pleinement accessible qu'aux seules élites scientifiques. Il n'ose pas non plus croire ouvertement, comme Ibn Rushd, à la non-création du monde et à l'éternité du temps ; il ose seulement avancer que, si la science démontrait l'immortalité de l'univers, il pourrait montrer que la Bible est compatible avec cette idée-là, mais que, comme il n'en a pas la preuve, il s'en tient au texte littéral de la Genèse, pour qui l'univers a été créé par Dieu et a donc un commencement. Pourtant, il laisse entendre – comme Aristote et Ibn Rushd – que, lorsque la Genèse parle d'un « début », c'est que le temps existe déjà, puisqu'on le mesure ; or il ne peut y avoir de temps avant le temps, et le temps est donc éternel.

De même pour l'univers, car, rappelle-t-il, Dieu dit dans le deuxième verset de la Genèse : « Que la lumière soit », puis : « L'esprit divin planait à la surface des eaux » avant même la Création. Il y a donc de la matière – de l'eau – avant la création de l'univers. L'univers est donc éternel et aura éternellement besoin, pour exister, que Dieu le pense ; il est « le souvenir de Dieu ». Un de ses disciples, Moïse de Narbonne, dira plus tard joliment que l'univers est « le fantôme de Dieu ».

Sur un seul point, Maïmonide ose aller plus loin qu'Ibn Rushd : pour celui-ci, on l'a vu, on ne peut dire au peuple que Dieu est une abstraction, mais seulement lui dire que Dieu est « lumière » ; pour celui-là, au contraire, il est essentiel de faire savoir à tous que Dieu est une abstraction. Beaucoup de juifs, comme les musulmans et les chrétiens, pensent en effet a tort, dit-il, qu'il a forme humaine ; la Bible parle ainsi du « doigt », du « souffle », de la « colère » de Dieu. Certains exégètes talmudiques discutent même de la taille de Dieu, « des mesures de Dieu ». Pour Maïmonide, la Bible n'emploie de telles images que pour être accessible au peuple. Et lorsque la Genèse évoque la création de l'homme « à l'image » de Dieu, elle ne parle que de la communication possible de l'esprit de l'homme avec celui de Dieu, et non pas d'une identité de forme physique. De Dieu, on ne peut donc rien dire, sinon qu'Il est distinct de l'univers. Il n'a aucun substrat matériel ; Il est une entité abstraite, et tout attribut physique ou caractériel briserait Son infinité. Il n'a pour attributs ni « bonté », ni « jalousie », ni « orgueil », ni « justice », qui sont des anthropomorphismes. Par son essence, Il échappe à toute catégorie humaine ; le « dos » de Dieu signifie la nécessité de l'obéissance à Ses commandements ; « ses yeux » désignent la Providence. Maïmonide conseille aux théologiens de présenter Dieu comme une abstraction qu'aucun attribut ne saurait définir.

En 1186, à quarante-huit ans, alors qu'il séjourne en Égypte depuis près de vingt ans, il épouse en secondes noces la sœur d'un autre juif, lui aussi conseiller des princes égyptiens, secrétaire du vizir Ibn Amal, lequel épouse de son côté la sœur de Maïmonide. Il devient cette année-là le médecin de confiance d'un Saladin vieillissant, au point, dira-t-on, d'aller à sa demande soigner Richard Cœur de Lion, prisonnier à Ascalon.

Maïmonide rédige alors une dizaine de traités médicaux. Dans le *Traité sur l'asthme* – après des marques de déférence à l'égard de Saladin, qui le lui a commandé –, il explique que, au-delà de la personne princière, il vise à être utile à tous les asthmatiques. Il conseille, comme les Grecs, l'exercice physique quotidien (critiqué par l'enseignement rabbinique de l'époque), la « réduction du nombre des passages par le harem », et un régime alimentaire rigoureux, comprenant beaucoup de poisson et un peu de vin. « Quel dommage, Sire, ose-t-il écrire au souverain, que vous ne puissiez pas consommer un verre ou deux de bon vieux vin ! Ce serait excellent pour votre santé. » Aux juifs souffrant de l'asthme, il recommande la consommation de viandes interdites (comme le poumon de hérisson) ; il déconseille les purgatifs, les lavements et la saignée : « L'habitude de la diurèse, de la saignée, ou de l'absorption de liquides purgatifs est une grande erreur et elle n'est pas conseillée par les grands médecins. [...] L'utilisation abusive de la saignée et de la purgation est déjà révolue. » Pour lui, l'asthme n'est pas seulement une maladie du corps, mais aussi une affection de l'esprit, aggravée par un excès d'angoisse. « La thérapeutique dépend d'autres spécialités [que médicales], telles que l'étude des vertus par les philosophes ou par ceux qui s'occupent de l'éthique. »

Il conseille au prince, pour être en bonne santé, l'art de la conversation, en particulier de lire et de s'entretenir avec des philosophes. Texte éclairant : « Les enseignements des philosophes éloigneront l'homme des émotions. Ils ne se sentiront pas énervés comme des bêtes par la tristesse ou par la joie, ainsi qu'il arrive aux gens ordinaires. De même, grâce au moral et aux enseignements éthiques, on regarde le monde et ce qu'il contient avec d'autres yeux, qu'il s'agisse de bonheur ou de malheur, car, au fond, ces deux états n'existent pas. Aussi ne faut-il pas trop y penser, ni s'en réjouir ni s'en attrister, car ils ne sont grands que dans notre imagination. Après une analyse réelle, on s'aperçoit qu'ils ne sont que plaisanterie et jeu qui passent comme la nuit. » Puis il note : « Votre Altesse devra rester sur ses gardes et rejeter la crainte exagérée de la mort. » Cette « crainte exagérée de la mort » que, huit siècles plus tard, Freud retrouvera autrement est en particulier, à ses yeux, la cause principale de l'asthme.

Pour Maïmonide, inspiré par Aristote et le Talmud, le psychisme a en effet un impact sur le corps. Le psychisme est un système constitué de *midot* (« traits de caractère ») contraires : l'avarice et la prodigalité, la cruauté et la compassion, l'anorexie et la boulimie, l'alcoolisme et la sobriété. Chacun doit s'efforcer d'occuper le juste milieu entre deux des traits associés. Pour y parvenir, dans certains cas, il faut acculer le malade au déséquilibre extrême, « en rajouter sur le symptôme », car, à partir d'un certain seuil, avec l'accompagnement d'un médecin, le patient, pense-t-il, s'en reviendra au juste milieu ; il préconise par exemple de laisser l'alcoolique boire une bonne fois tout son soûl...

Dans un *Traité des huit chapitres*, il fait le bilan des connaissances de son temps sur l'imagination, la sensation, la raison, les vertus et les vices, les plaisirs. L'imaginaire, disposition de l'esprit humain à produire des images, trouve son origine, dit-il, dans la représentation du corps. Il évoque à cette occasion un traitement des maladies de l'âme dont on retrouvera trace en psychanalyse : « Les mortels ne peuvent concevoir l'existence si ce n'est dans le corps. Tout ce qui n'est pas un corps, ni ne se trouve dans un corps, n'a pas pour eux d'existence. [...] Le corps seul a, pour le vulgaire, une existence solide, vraie, indubitable. Tout ce qui n'est pas lui-même un corps et ne se trouve pas dans un corps n'est pas, selon ce que l'homme conçoit de prime abord et surtout selon l'imagination, une chose qui ait de l'existence. »

Ce qu'il écrit sur le système sanguin manifeste une connaissance de l'anatomie que l'on n'acquiert que par la dissection des cadavres, pourtant alors prohibée par la loi juive. Dans un *Traité des poisons*, il établit une liste de 350 venins dont il donne les noms en arabe, en grec, en persan et en berbère. Il y décrit avec une précision clinique inconnue en son temps les effets de chacun d'eux, et il est le premier à distinguer entre ceux des différents venins de serpents. Il préconise en particulier la constitution de pharmacies centrales où seraient rassemblés différents antidotes.

À la différence d'autres auteurs juifs (tels Juda Halevi ou Ibn Gabirol), il ne manifeste aucun intérêt pour la poésie, y compris liturgique, et encore moins pour la musique (autre point commun avec Ibn Rushd) : il souhaite même que les offices religieux ne soient pas chantés. Car tout, en l'homme, y compris même son rapport à Dieu, doit rester sous le contrôle de la raison.

En 1187 naît son premier fils, Abraham. Joie immense. La même année, Saladin, après sa victoire à Hattin face au roi de Jérusalem Guy de Lusignan, reconquiert les villes de la côte, s'empare de Jérusalem et d'Alep. Tout en rendant à l'islam l'église du Temple (mosquée Al-Aqsa), il laisse aux chrétiens le Saint-Sépulcre et leur permet de quitter les villes conquises avec une partie de leurs biens : fait rare pour l'époque et qui lui vaut l'estime de ses adversaires. Il restitue aux juifs le mur des Lamentations et leurs synagogues, que les croisés avaient occupées.

Toujours en cette même année 1187, Maïmonide conçoit le projet d'un « guide pour ceux qui sont perplexes », titre très maladroitement traduit ensuite en français par *Guide des égarés*. Les « perplexes », les incertains, sont en fait ceux qui, « au-dessus des intelligences vulgaires », réfléchissent au sens de l'existence, à l'essence des choses, et sont attirés par des réponses étrangères au judaïsme : la pensée grecque, la science, l'islam, le christianisme. Maïmonide souhaite s'adresser là à « l'homme religieux chez lequel la vérité de notre Loi est établie dans l'âme et devenue un objet de croyance, qui est parfait dans sa religion et dans ses mœurs, qui a étudié les sciences des philosophes et en connaît les divers sujets, et que la raison humaine a attiré et guidé pour le faire entrer dans son domaine ».

Dans le judaïsme comme dans l'islam, un tel projet peut se révéler dangereux ; il risque de dériver vers la remise en cause des dogmes ; l'exclusion, le *herem*, menace ce genre d'audacieux. Aussi Maïmonide masque-t-il parfois ses conclusions.

En 1190, il achève ce *Guide des perplexes* (qu'on traduit en général à tort par *Guide des égarés*), rédigé en arabe comme presque tous ses autres livres, œuvre capitale, formidablement moderne. Il y réinterprète de façon simple, claire, rationnelle, logique, les notions centrales du judaïsme et les débarrasse de tout environnement surnaturel. Il résume le judaïsme en treize propositions ou actes de foi : 1 – l'existence d'un Créateur et d'une Providence ; 2 – son unité ; 3 – son incorporéité ; 4 – son éternité ; 5 – lui, et lui seul, a droit à un culte ; 6 – la parole des prophètes ; 7 – Moïse est le plus grand des prophètes ; 8 – la révélation de la Loi à Moïse sur le Sinaï ; 9 – l'immuabilité de la Loi révélée ; 10 – Dieu est omniscient ; 11 – une rétribution dans ce monde et dans l'autre ; 12 – la venue du Messie ; 13 – la résurrection des morts.

À y regarder de plus près, seules les dix premières propositions sont pour lui importantes. Il ne croit pas vraiment aux trois dernières, sans toutefois oser le dire. La pratique de ces propositions constitue, pour lui, le ciment du peuple juif. Elles ne recèlent aucun pouvoir magique ; elles sont une fin en soi. Dieu n'est donc pas au service du monde ; l'homme est au service de Dieu et y trouve le sens de sa vie. La foi en Dieu doit par conséquent être totalement désintéressée. Il faut n'attendre aucune récompense ni aucun châtiment. L'exercice de la justice, de la vérité et de l'amour constitue en soi ses propres récompenses. Les pratiques magiques, la superstition, les pèlerinages, le culte des tombes des saints et l'astrologie relèvent pour lui du blasphème.

Il commence à être traduit en hébreu, dans le sud de la France où vit encore une importante communauté juive, avec de remarquables traducteurs de nombreuses langues vers l'hébreu. Le plus éminent d'entre eux, Judah Ibn Tibbon, a déjà traduit d'autres auteurs juifs (Bahya Ibn Paquda et Ibn Gabirol) et musulmans (al-Fârâbî et Ibn Rushd). Il est alors, pour beaucoup, celui qui rend aux communautés juives dispersées une unité de la pensée et de la doctrine.

Une controverse éclate alors entre ceux dans ces communautés qui, comme Maïmonide, pensent que les juifs doivent étudier la science et ceux pour qui la Torah doit être leur objet d'étude exclusif. Les opposants à Maïmonide s'appuient sur des rabbins du nord de la France et d'Allemagne qui dénoncent la philosophie d'Aristote ; certains d'entre eux déclareront même Maïmonide hérétique.

En mars 1193, juste après le retour vers Londres de Richard Cœur de Lion, Saladin meurt à Damas. Trois de ses fils se partagent alors son empire : au Caire, à Damas et à Alep.

L'année suivante, dans une lettre adressée aux rabbins du sud de la France, Maïmonide dénonce violemment l'astrologie, fausse science, contrairement à l'astronomie, qui constitue un authentique savoir.

Il se sent de plus en plus écrasé par son double travail de praticien et de juge, en particulier par son rôle de médecin auprès du successeur de Saladin au Caire, Al Aziz Imad ad Dîn. Quand, en 1199, Tibbon, son traducteur de l'arabe vers l'hébreu, lui annonce son intention de venir le voir, Maïmonide l'en dissuade dans un texte passionnant et très révélateur de son quotidien au long de ces années : « Pour me soutenir, je dois parfois m'appuyer contre le mur ou parfois m'allonger, car je suis devenu extrêmement vieux et faible. Pour ce qui est de ta venue ici, je puis seulement te dire qu'elle m'enchanterait, car j'ai sincèrement envie que tu sois auprès de moi, et l'idée de te rencontrer soulève en moi une joie plus grande que ce que tu peux imaginer. Il est néanmoins de mon devoir de te recommander de ne pas faire cette traversée au péril de ta vie, car tu ne tirerais aucun profit de ta visite ici. Ne t'attends absolument pas à pouvoir t'entretenir avec moi sur quelque sujet que ce soit, ne serait-ce qu'une seule heure [...], car voici comment j'emploie mon temps. J'habite Fostat et le Sultan demeure au Caire ; ces deux endroits sont séparés par une distance de quatre lieues. Mon service à la Cour du Sultan est très pénible. Je dois rendre visite au Sultan tous les matins, très tôt. S'il est souffrant, lui ou l'un de ses enfants, ou l'une des femmes de son harem, je ne puis quitter Le Caire de la journée. Il arrive aussi fréquemment qu'un des officiers royaux soit malade, rendant nécessaire ma présence auprès de lui. Ainsi, régulièrement, je me trouve au Caire dès l'aube et ne reviens à Fostat que dans l'après-midi, si rien de particulier ne se produit. Jamais je ne suis de retour avant midi. Je suis alors presque mort de faim et je trouve chez moi toutes les salles remplies de monde, non-juifs et juifs, notables et gens du peuple, juges et plaignants, amis et ennemis, une foule hétéroclite qui attend mon retour. Après être descendu de ma monture et m'être lavé les mains, je demande à mes consultants de me permettre de prendre une légère collation, le seul repas que je prends pendant les vingt-quatre heures d'une journée. J'examine ensuite mes consultants, rédige les prescriptions et les diètes que je leur recommande. Le va-et-vient dure jusque tard dans la nuit : parfois, je le jure sur la Torah, jusqu'à deux heures du matin, voire plus tard ! La fatigue m'oblige à m'étendre et je suis épuisé au point de ne plus pouvoir parler. Par conséquent, aucun juif ne peut avoir d'entretien privé avec moi, sinon le jour du Shabbat. Ce jour-là, la communauté, ou à tout le moins la majorité de ses membres, vient chez moi après la prière du matin et je les instruis sur ce qu'ils doivent faire pour l'ensemble de la semaine. Nous étudions un peu ensemble jusqu'à midi, après quoi ils partent. Certains reviennent après la prière de l'après-midi et on étudie de nouveau jusqu'à la prière du soir. »

Épuisé par sa charge, Maïmonide mourra cinq ans plus tard, le 13 décembre 1204, à l'âge de soixante-six ans, à Fostat, juste après la mise à sac, le 12 avril 1204, de Constantinople, richissime capitale de l'Empire byzantin, par les troupes de la quatrième croisade, marquant la rupture définitive entre la chrétienté orthodoxe d'Orient et la chrétienté catholique d'Occident.

Un deuil de trois jours est proclamé dans toutes les communautés juives d'Égypte. Quand la nouvelle leur est connue, toutes les autres communautés du monde observent un jour de jeûne, lisant dans les synagogues un même passage du Livre de Samuel, qui se termine par ce verset : « La Gloire a quitté Israël, car l'Arche du Seigneur a été emportée. »

Avec la traduction en Languedoc de ses livres en hébreu, il devient le maître à penser d'une très grande partie du judaïsme ; les attaques contre lui se multiplient. En 1232, certaines communautés du sud de la France, dont celle de Montpellier, vont jusqu'à demander l'aide de dominicains, eux aussi hostiles à Aristote, pour faire brûler ses livres en place publique. Parfois, c'est au contraire au nom même d'Aristote qu'il est critiqué. Ainsi, vers 1360, Moïse ben Josué ben Mar David, de Narbonne, réfute Maïmonide en se réclamant d'Ibn Rushd, pour lui interprète plus fidèle de la pensée aristotélicienne.

Bientôt le *Guide des perplexes* est traduit en hébreu, puis en latin. Il connaît aussitôt un grand retentissement parmi la chrétienté. Sa description de l'abstraction de Dieu est reprise par Albert le Grand, puis, on le verra, par Thomas d'Aquin et par maître Eckhart.

Vers 1500, Don Isaac Abravanel, dernier grand représentant du judaïsme espagnol à l'incroyable vie (conseiller du duc de Bragance, puis du roi du Portugal, puis ministre de Ferdinand et d'Isabelle, puis, après avoir été expulsé à Séville en 1492, ministre du royaume de Naples, enfin ambassadeur de la république de Venise), rédige un commentaire du *Guide*. À la différence de Maïmonide, il croit en l'intervention du divin dans l'histoire humaine et en l'astrologie. Il annonce l'avènement messianique pour 1503. Son fils Judah, connu sous le nom de Léon l'Hébreu, sera un ami de Pic de la Mirandole.

Au XVIIe siècle, Baruch Spinoza, l'ayant lu, écrit : « D'après [Maïmonide], chaque passage de l'Écriture admet plusieurs sens et même des sens opposés, et nous ne pouvons savoir quel est le vrai sens d'aucun passage qu'autant que nous savons qu'il ne contient rien, tel que nous l'interprétons, qui ne s'accorde avec la Raison ou qui lui contredise. S'il se trouve, pris dans son sens littéral, contredire à la Raison, tant clair paraisse-t-il, il faut l'interpréter autrement. »

Au XVIIIe siècle, le philosophe juif allemand Moses Mendelssohn, dont s'inspirera Kant et qui va libérer le judaïsme du corset de la tradition, considère Maïmonide comme la synthèse la plus érudite du judaïsme et de la science ; son commentaire du *Traité de logique* de ce dernier marque le début de la *Haskala*, la « Lumière », qui ouvre aux juifs d'Europe la voie de la laïcité. Un de ses élèves, Salomon Ben Josuah, choisit même le pseudonyme de « Maïmon » en son honneur : « Mon estime pour ce grand maître atteignit des dimensions telles que je le tins pour l'idéal de l'homme parfait et considérai ses doctrines comme étant d'inspiration divine. Ceci alla si loin que, lorsque mes passions et ma concupiscence prirent de l'ampleur, au point de me dominer totalement et de me conduire à des agissements qui auraient été en contradiction avec l'enseignement du Maître, je m'habituai à recourir au serment suivant en guise d'antidote éprouvé : "Je jure par le respect que je dois à mon grand maître Moïse Ben Maïmon de ne pas commettre tel acte." Et, autant que je me souvienne, ce serment a toujours eu suffisamment de force pour me retenir. »

Au même moment, en Europe centrale, se lève contre lui le mouvement hassidique, qui rejette tout recours à la raison pour démontrer la vérité de la foi ; le rabbin Nachman de Bratslav, immense théologien et écrivain hassidique, déclare « maudite » toute personne possédant le *Guide des perplexes*.

Il influence explicitement Fichte, Darwin, Freud et Lacan. Leo Strauss, philosophe allemand réfugié aux États-Unis, voit en lui un géant dont il faut lire « l'écriture entre les lignes ».

BIBLIOGRAPHIE

BRAGUE, Rémi, *Aristote et la question du monde. Essai sur le contexte cosmologique et anthropologique de l'ontologie*, Paris, PUF, 1988.

BRAGUE, Rémi (éd.), *Maïmonide. Traité d'éthique, « huit chapitres »*, Paris, Desclée de Brouwer, coll. « Midrash références », 2001.

Dictionnaire encyclopédique du judaïsme, Paris, Robert Laffont, coll. « Bouquins », 2003.

HAYOUN, Maurice-Ruben, *Maïmonide et la Pensée juive*, Paris, PUF, coll. « Questions », 1994.

HAYOUN, Maurice-Ruben, *Maïmonide ou l'Autre Moïse*, Paris, J.-C. Lattès, 1994.

HAYOUN, Maurice-Ruben, *Les Lumières de Cordoue à Berlin*, Paris, J.-C. Lattès, 1996.

HENRY, Paul, *Plotin et l'Occident, Firmicus Maternus, Marius Victorinus, saint Augustin et Macrobe*, Louvain, 1934.

HULSTER, Jean de (éd.), *Moïse Maïmonide, Épîtres*, Paris, Verdier, coll. « Les Dix Paroles », 1983.

MAÏMONIDE, *Le Guide des égarés*, Paris, éditions Rieder, 1930.

MUNK, Salomon (éd.), *Moïse Maïmonide, Le Guide des égarés*, Paris, Maisonneuve et Larose, 1866 (rééd. 1981).

8

Thomas d'Aquin
(1225-1274)
ou la volonté amoureuse de Dieu

La foi est-elle compatible avec la raison ? Cette question, que l'islam et le judaïsme ont affrontée, n'épargne pas le christianisme. Et elle continue de hanter notre temps. En ce sens, elle me fascine. Et Thomas, osant reprendre le flambeau d'Aristote, qu'on l'avait chargé de combattre, me fascine plus encore.

Au début du XIIIᵉ siècle, une quarantaine d'années après la mort d'Hildegarde de Bingen, apparaissent à Paris, Toulouse, Padoue et Montpellier les premières universités : d'abord sous l'autorité du pape, pour enseigner le droit canon ; puis, avec le soutien du roi, s'y développe assez vite l'enseignement d'Aristote et du droit civil. Rome proteste, demande qu'on n'y enseigne que le droit canon, sous peine d'excommunication. En vain.

La bataille plus que millénaire entre Aristote et les religieux se rallume et prend alors un tour plus aigu. En 1215, le quatrième concile de Latran réaffirme, contre Aristote, que le temps commence avec la création du monde. La même année, le légat du pape à Paris doit encore réitérer l'interdiction d'enseigner Aristote à la faculté de théologie de l'Université de Paris, ce qui prouve bien que les œuvres condamnées continuent d'y être discutées. L'ordre des Frères prêcheurs, fondé l'année suivante par Dominique de Guzmán (et bientôt connu sous le nom d'ordre des Dominicains), voué à la prédication itinérante, en vue de convertir les Albigeois et autres hérétiques, envoie en septembre 1217 des frères à Paris pour se former à l'université : le but est de connaître ce que pense l'« ennemi ». L'ordre reçoit de Germanie des recrues d'élite, tel Jourdain de Saxe, en 1218, et acquiert à Paris une maison près de la Sorbonne, rue Saint-Jacques – qui deviendra le couvent des « Jacobins ».

L'Empire, où débute cette histoire, est le théâtre d'une lutte terrible entre l'Église et les princes. À la mort de l'empereur Henri VI, ceux-ci refusent d'élire son jeune fils, Frédéric, pourtant déjà élu « roi des Romains » du vivant de son père, et se disputent sur le choix du nouvel empereur, laissant le pape Innocent III et les souverains anglais et français prendre part à leurs querelles. Finalement, grâce à l'appui de Rome, Frédéric devient empereur sous le nom de Frédéric II en 1220. Il renouvelle au nouveau pontife, Honorius III, le serment d'allégeance de l'Empire envers la papauté, promet de partir en croisade et de ne pas réunir la couronne de Germanie et celle du royaume de Sicile. Il accorde en 1220 à 90 évêques et abbés royaux une charte, la *Confederatio cum principibus ecclesiasticis*, aux termes de laquelle il renonce à influencer les élections comme à exercer tout droit sur les territoires ecclésiastiques.

Le premier théologien chrétien explicitement aristotélicien vient d'Allemagne ; on le connaît sous le nom d'Albert le Grand, né à Lauingen, en Souabe, au sein d'une famille noble. Disciple puis successeur de Dominique, Jourdain de Saxe attire Albert comme enseignant à l'université de Paris. Un des premiers parmi les théologiens chrétiens, Albert introduit ouvertement dans ses cours, de façon favorable, la pensée d'Aristote et la valeur de l'expérience. Il écrit : « Il faut bien du temps avant de pouvoir affirmer que, dans une observation, toute erreur est exclue. Préparer l'observation d'une certaine façon ne suffit pas, il faut la répéter sous les aspects les plus divers afin de pouvoir trouver avec certitude la véritable cause de ce qui se manifeste. » Il émet ainsi l'idée de l'expérience à répéter comme preuve du vrai, ce qui deviendra plus tard le fondement de la science expérimentale. Ailleurs, Albert ajoute : « Je ne m'intéresse pas aux miracles quand je traite des sciences physiques. » En un temps où, derrière chaque événement énigmatique, il est naturel de supposer une intervention divine, c'est là une innovation considérable. Mais il va être bientôt dépassé en audace par un de ses élèves, Thomas d'Aquin.

Thomas naît en 1225 à Roccasecca, près du bourg d'Aquin, dans la région de Naples, au sein d'une des plus importantes familles de l'Empire : il est le petit-neveu de l'empereur Frédéric Ier Barberousse, mort trente-cinq ans auparavant.

Pendant son enfance, l'Europe est en proie à une vive agitation. En 1226 meurt en France Louis VIII, remplacé par son fils Louis IX, futur saint Louis, alors âgé de douze ans et dont la mère, Blanche de Castille, devient régente. Commence en 1228 la VIe croisade, cependant que s'achève le conflit albigeois. La dispute reprend entre l'empereur et le pape. L'empereur Fréderic II, qui vient de signer avec le sultan Al Malik al-Kamil une paix à Jaffa (par laquelle les musulmans restituent aux chrétiens les villes saintes de Jérusalem, Bethléem et Nazareth, mais conservent la mosquée d'Omar à Jérusalem), est excommunié, pour cette concession, par Grégoire IX. Son fils Henri, qui le représente en Germanie, accorde aux princes séculiers l'hérédité des fiefs.

En 1221 meurt Dominique de Guzmán. Jourdain de Saxe lui succède à la tête de l'ordre. En 1228, l'Empire almohade éclate, quatre-vingts ans après sa fondation, et les derniers musulmans d'Ibérie se replient sur Grenade.

En 1229, l'université de Toulouse, qui vient d'être fondée, se flatte d'enseigner la *Physique* et la *Métaphysique* d'Aristote, déjà tolérées à l'université de Padoue récemment créée. En 1231, Grégoire IX, qui se méfie de ses évêques, confie l'Inquisition aux dominicains, neuf ans après la mort du fondateur de l'ordre, qui, pour sa part, préférait lutter contre les hérétiques par la persuasion plutôt que par la torture.

À la même époque sont fondés par des puissances religieuses, autour de la montagne Sainte-Geneviève, toutes sortes de lieux accueillant les étudiants à l'université : le collège des Bons-Enfants, ceux des Bernardins, des Carmes, des Cordeliers, des Augustins, des Prémontrés, de Cluny, du Trésorier, du cardinal Lemoine, d'autres encore, portant le nom de leur ordre ou d'un fondateur. Quelle que soit la « nation » des enseignants (Thomas, Bonaventure, Albert, Henri de Gand, Duns Scot, Raymond Lulle) ou celle des élèves, les cours sont dispensés en latin. En 1231, Grégoire IX suspend l'enseignement de la philosophie jusqu'à ce qu'une commission, qu'il nomme, réexamine le contenu de la *Physique* d'Aristote et accepte que l'on poursuive la traduction en latin de certains philosophes perses, arabes, juifs et grecs.

Au même moment, vers 1235, le père de Thomas – qui veut faire de lui un officier – l'envoie en qualité d'*oblat* chez les bénédictins du monastère du mont Cassin, où l'on enseigne la grammaire, les sciences naturelles, la science arabe et – audace suprême ! – la philosophie grecque. Il s'agit de l'y former. Rien de plus.

En 1239, à quatorze ans, jeune homme de très forte carrure, Thomas est envoyé à Naples compléter ses études avant d'entrer dans l'armée. Il rencontre là des frères prêcheurs, c'est-à-dire des dominicains. Choc spirituel : il se sent attiré par les ordres. Son père refuse de le laisser entrer en religion, *a fortiori* dans un ordre mendiant.

Au début des années 1240, alors qu'Alexandre Nevski, prince de Novgorod, défait les Suédois sur la Néva, le successeur du pape Grégoire IX, Innocent IV, reprend la lutte de son prédécesseur contre l'empereur Frédéric II.

Thomas ne renonce pas. En 1244, sans demander l'accord de sa famille, il entre à dix-neuf ans comme novice dans l'ordre des dominicains. Sa famille ne renonce pas davantage : sa mère le fait enlever et l'enferme dans le château familial.

Cette année-là, la *Métaphysique* d'Aristote circule en latin à Paris, assortie d'un des commentaires d'Ibn Rushd, dans une traduction approximative qui va déformer sa pensée dans l'Europe chrétienne.

La lutte contre les hérétiques continue. La citadelle de Montségur est prise, et deux cents cathares sont brûlés vifs.

En 1245, nouvel épisode du conflit multiséculaire entre la papauté et l'Empire : Frédéric II, le « rusé renard », qui n'a pas pu empêcher les Turcs de reprendre Jérusalem, est déposé par le pape qui, par ailleurs, par la bulle *Ad extirpenda*, légitime ouvertement l'usage de la torture dans les procédures de l'Inquisition.

La même année, après deux ans d'enfermement dans le château familial, Thomas est libéré par sa mère : cédant à l'entêtement et à la foi de son fils, elle le laisse rejoindre l'ordre des dominicains, qui l'envoie à Paris pour y poursuivre ses études.

Il rencontre là, parmi ses condisciples, deux futurs célèbres prêcheurs : Ambroise de Sienne, qui sera canonisé, et le Bruxellois Thomas de Cantimpré. Thomas est déjà extrêmement pieux. Un de ses premiers biographes, témoin de sa jeunesse, Guillaume de Tocco, note : « Tous les jours, si la maladie ne l'en empêchait pas, il servait la messe ; il en entendait une seconde, de l'un ou l'autre de ses frères, et la servait très souvent. Parfois il semblait saisi pendant la messe d'un abandon à Dieu si puissant qu'il fondait en larmes, tant il était consumé par les saints mystères d'un si grand sacrement et réconforté par ses dons. »

Comme il est de forte corpulence et d'humeur taciturne, ses camarades le surnomment « le Bœuf muet ». Albert le Grand (avec qui il se rend à Cologne en 1248 alors que débute la VIIᵉ croisade) aurait prédit que « ce bœuf emplirait un jour le monde de son meuglement ».

En 1250, Thomas est ordonné prêtre alors que meurt Frédéric II. Défait à Mansourah, Louis IX est libéré contre rançon cependant qu'en Égypte les Mameluks (mercenaires turcs de la garde personnelle du sultan égyptien) s'emparent du pouvoir et mettent fin à la dynastie ayyûbide.

Mêlant dans une curieuse synthèse des propositions d'Ibn Rushd avec des idées sans rapport avec les siennes, apparaissent alors à Paris et à Padoue des philosophes appelés « averroïstes latins », qui professent l'éternité du monde ; certains d'entre eux nient aussi l'existence de l'âme individuelle. Pour eux, Dieu n'a pas la connaissance du futur ; Il n'est pas la cause directe des événements, mais seulement leur « cause ultime ». Un des tout premiers textes de cette mouvance, un traité anonyme intitulé *De anima et de potenciis ejus*, est mis en circulation à ce moment. Pour lui, l'« Intellect agent » est une « intelligence angélique », voire Dieu Lui-même, qui se manifeste dans une des dimensions de l'âme dite « âme intellective ». Ces penseurs ont beau se réclamer d'Ibn Rushd, leurs textes n'ont qu'un très lointain rapport avec ceux du maître de Cordoue, qui n'est pourtant mort que cinquante ans plus tôt.

En 1252, Thomas commence à enseigner à l'université de Paris ; il situe son discours dans un cadre profondément spirituel. Guillaume de Tocco témoigne : « Chaque fois qu'il avait dessein d'étudier, de commenter, de faire un cours, d'écrire ou de dicter, il commençait par prier dans le secret. En priant, il demandait de pouvoir découvrir sans erreur les secrets de Dieu. Et lorsque, avant de prier, il avait eu encore un doute dans sa recherche, il revenait à son travail instruit par la prière. » Thomas place au-dessus de tout la gentillesse et déclare à un novice : « Montre-toi vraiment affable envers tous. Ne te soucie pas de ce que les autres font ou ne font pas. Ne te fie pas trop à qui que ce soit : montrer trop de confiance nous fait dédaigner et détourne de l'étude [...]. Ne t'inquiète pas de qui tu as entendu quelque chose : mais ce que tu as entendu de bon, grave-le dans ta mémoire. Donne-toi la peine de comprendre à fond tout ce que tu lis et entends. » Il prône aussi la sincérité : on raconte alors qu'un élève lui ayant demandé un jour d'aller à la fenêtre voir une vache voler, il y est allé, un de ses disciples ne pouvant, à ses yeux, lui mentir.

En 1256, il obtient le grade de docteur et dirige une des deux écoles du collège Saint-Jacques. En 1257, devenu maître en théologie, il reçoit la charge de l'une des deux chaires de théologie réservées aux ordres mendiants à l'université de Paris.

En 1258, Louis IX signe avec Jacques Ier le traité de Corbeil, puis, en 1259, avec Henri III d'Angleterre, celui de Paris. Deux ans plus tard, le pape Alexandre IV confie à Thomas un enseignement philosophique au couvent d'Orvieto.

Le monde ne cesse de bouger : le sultan mameluk Baybars Ier rétablit au Caire le califat abbasside en recueillant les descendants de cette dynastie chassés de Bagdad, et il entreprend la conquête du royaume de Jérusalem. En 1261, Michel VIII Paléologue chasse de Constantinople le dernier empereur latin, Baudouin II, et restaure l'Empire byzantin. Urbain IV devient pape. La même année commence le voyage des frères Niccolo et Matteo Polo vers la Chine. En Pologne, Boleslas le Pieux accueille les juifs expulsés d'Allemagne et de France, et leur offre des terres : c'est la naissance des communautés ashkénazes en Pologne.

À la même époque, Aristote resurgit à Paris par une autre voie : un maître ès arts de l'université de Paris, Siger de Brabant, a l'extrême audace d'affirmer l'indépendance de la philosophie vis-à-vis de la Révélation, et énonce la théorie dite de la « double vérité », qu'il présente comme reprise d'Averroès. Voici donc, pour la première fois clairement exprimée en Occident chrétien, l'idée que la foi et la raison obéissent à deux logiques parallèles, ce qui renvoie, d'une certaine façon, à la phrase d'Ibn Rushd : « La vérité ne saurait contredire la vérité », mais en la caricaturant : pour Ibn Rushd, ces deux logiques sont en effet identiques.

Cette bataille théologique autour du retour d'Aristote est essentielle : elle conduira à la glorification de la liberté individuelle et à la Renaissance.

En 1263, sentant dans ce discours une lourde menace pour la suprématie de la foi, le nouveau pape, Urbain IV, mobilise toutes les forces de l'Église dans cette bataille contre les « averroïstes ».

En 1265, Thomas entame la rédaction à Rome d'un grand projet qui deviendra sa *Somme théologique*, dans laquelle il veut s'employer à analyser les relations entre foi et raison – *a priori* pour s'opposer à Aristote, Averroès et leurs disciples. Au même moment, un autre adversaire des « averroïstes latins », le franciscain Bonaventure de Bagnorea, explique que la seule science légitime reste la théologie : l'âme connaît Dieu intérieurement sans avoir recours à aucune activité de raison.

Les averroïstes latins ne reprennent cependant pas à leur compte ce que l'Église appelle l'« hérésie monopsychiste » (l'idée d'une âme commune à toute l'humanité), par laquelle Aristote s'oppose à Platon et qu'ont reprise, chacun à sa façon, Ibn Rushd et Maïmonide.

À la recherche d'un compromis, un maître ès arts de Paris, Boèce de Dacie, explique en 1267, dans un *Traité sur l'éternité du monde*, que les propositions d'Aristote et de la Genèse ne sont pas contradictoires. Pour lui, l'affirmation biblique (« le monde a un commencement ») et celle d'Aristote (« selon l'ordre des causes et des principes naturels, le monde n'a pas de commencement ») ne se contredisent pas plus que l'énoncé « Socrate est blanc » ne contredit l'énoncé « d'un certain point de vue, Socrate n'est pas blanc ». Sophisme parfait...

En 1268, à l'instigation du prévôt de Paris, Étienne Boileau (auteur du *Livre des métiers*, qui réglemente une centaine de professions), un clerc parisien, Gilles de Lessines, adresse à Albert le Grand une liste de thèses des « averroïstes latins » et lui demande de réfuter ces erreurs qui seraient enseignées, dit-il, par des maîtres de la faculté des arts. Cette liste permet de comprendre l'énormité de la distorsion qu'a subie la pensée d'Ibn Rushd en moins d'un siècle, d'abord par ses traducteurs, puis par les « averroïstes latins ».

Selon Gilles de Lessines, la pensée d'Averroès se résumerait en effet comme suit : 1 – il n'y a qu'un seul intellect numériquement identique pour tous les hommes ; 2 – la proposition : « l'homme pense » est fausse ou impropre ; 3 – la volonté humaine veut et choisit par nécessité ; 4 – tout ce qui advient ici-bas est soumis à la nécessité des corps célestes ; 5 – le monde est éternel ; 6 – il n'y a jamais eu de premier homme ; 7 – l'âme, qui est la forme de l'homme en tant qu'homme, périt en même temps que son corps ; 8 – après la mort, l'âme, étant séparée du corps, ne peut brûler d'un feu corporel ; 9 – le libre-arbitre est une puissance passive, non active, qui est mue par la nécessité du désir ; 10 – Dieu ne connaît pas les singuliers ; 11 – Dieu ne connaît rien d'autre que Lui-même ; 12 – les actions de l'homme ne sont pas régies par la Providence divine ; 13 – Dieu ne peut conférer l'immortalité ou l'incorruptibilité à une réalité mortelle ou corporelle.

On est bien loin d'Ibn Rushd ! Seules les propositions 1 et 2 sont en fait, on l'a vu, d'une certaine façon, proches de ses idées, même s'il ne les exprimait pas du tout de cette façon ; les 3 et 4 proviennent d'autres philosophes arabes, tenants de la fatalité, qu'Ibn Rushd réfute absolument. Le reste est pure invention des « averroïstes latins ».

À la fin de 1268, Thomas quitte Rome et revient enseigner à l'Université de Paris. L'année suivante, l'évêque de Paris, Étienne Tempier, interdit l'enseignement de ces treize propositions, dites d'Averroès, et dénonce sur le mode du combat les « averroïstes latins » qui « disent que certaines choses sont vraies selon la philosophie, qui ne le sont pas selon la foi catholique, comme s'il y avait deux vérités contraires, comme si la vérité des Saintes Écritures pouvait être contredite par la vérité des textes de ces païens que Dieu a damnés ».

Thomas, appelé à combattre Aristote, veut au contraire l'utiliser contre les sectes qui prolifèrent à travers l'Europe chrétienne, dont le catharisme n'est qu'un exemple. Inquiet de voir le christianisme évoluer vers une religion du mystère, réfutant la raison qui commence à poindre au sein du monde marchand, Thomas entend jeter les bases d'une théorie rationnelle de la religion chrétienne. Il comprend qu'un monde nouveau est né et veut que le christianisme y trouve sa place. Il travaille alors à deux grands projets : une *Somme contre les Gentils* (ouvrage défendant la vérité chrétienne contre les averroïstes juifs et arabes) et une *Somme théologique* (pour établir la compatibilité de la foi et de la raison), qu'il souhaite édifier en trois parties : « Dieu », « la Vie morale de l'homme », « le Christ ». Il veut y démontrer, comme Ibn Rushd et Maïmonide avant lui, que la raison permet de conclure à l'existence de Dieu et à l'immortalité de l'âme ; en bref, au contraire de la commande d'Urbain IV, il entend concilier le dogme catholique et la philosophie aristotélicienne.

Dans ces deux livres alors en gestation, Thomas admet avec Aristote que foi et raison n'ont pas du tout le même objet : l'acte de foi consiste à croire en la Révélation, tandis que la raison opère à partir de ce qui est donné par l'expérience sensible. Mais ce n'est pas, selon lui, parce que ce qui est révélé n'est pas connu par l'expérience sensible – on ne constate pas avec les yeux que Jésus est ressuscité –, que c'est pour autant contraire à la raison. Pour lui, toute connaissance suppose certes un contact des sens avec des objets : « Rien n'est dans l'entendement qui ne soit auparavant passé par les sens » (Aristote, *De anima*). Mais l'action de l'intelligence permet à la pensée de saisir des réalités immatérielles (les concepts scientifiques, l'âme, les anges, Dieu). L'acte de connaître consiste donc à décrypter le réel pour le ramener à des concepts : des éléments universels. Par exemple, une brebis qui fuit un loup ne fuit pas un loup particulier, mais bel et bien tous les loups, « ennemis de nature », *tous* dangereux pour chaque brebis. En partant d'affirmations issues du réel, toute démonstration doit donc *extraire* par l'*abstraction* l'intelligible du sensible, « qui ne le contient que virtuellement ». Cela est possible, car (et c'est l'essentiel) le sensible est « organisé ». Organisé par Dieu, qui rend seul possible l'existence des concepts en organisant le monde de façon non absurde.

Pour Thomas, tous les universaux, tous les concepts sont ainsi accessibles à la pensée humaine. Dans un passage d'une étonnante modernité de la *Somme contre les Gentils*, il écrit : « "Comprendre" c'est connaître parfaitement, c'est-à-dire connaître un objet autant qu'il est connaissable. Aussi, lorsqu'une vérité est démontrable scientifiquement, celui qui ne la connaît qu'à la manière d'une opinion, pour une raison seulement plausible, ne la comprend pas. Par exemple, si quelqu'un sait par démonstration que la somme des trois angles d'un triangle est égale à deux droits, il comprend cette vérité ; mais si un autre la reçoit comme probable par le fait que des savants ou la plupart des hommes l'affirment ainsi, celui-là ne comprend pas, il ne parvient pas à cette manière parfaite de connaissance dont cette vérité est susceptible. » Autrement dit, c'est la raison, et non le consensus des opinions, qui établit la vérité. Toute la science moderne est là.

Cette raison qui nous permet de comprendre, de « connaître parfaitement » comment le sensible est « organisé », est une « lumière » procédant de Dieu ; elle illumine l'esprit et soutient la foi, laquelle ne saurait contredire la raison puisqu'elles émanent toutes les deux de Dieu. Tout homme, étant créé « à l'image de Dieu », peut remonter jusqu'à son Créateur par la raison. « La grâce ne contredit pas la nature, elle la perfectionne. » La philosophie et la science permettent donc l'une et l'autre d'aller vers Dieu. On croirait entendre Ibn Rushd. Toujours dans la *Somme contre les Gentils*, Thomas ajoute : « Ceux qui utilisent les textes philosophiques pour l'enseignement sacré, en les soumettant à la foi, ne mélangent pas l'eau et le vin. [...] La révélation rend possible le salut de l'homme. Mais il ne peut l'atteindre à moins qu'il ne connaisse sa fin, et cette fin, pour l'homme, est Dieu. Or Il n'est directement accessible ni par les sens, ni par l'entendement. Il faut donc que Dieu lui révèle des connaissances. »

Conscient des risques qu'il y aurait à considérer comme vérité absolue ce qui n'est qu'un état provisoire de la science, il précise néanmoins : « La vérité de notre foi devient la risée de l'incroyant quand un chrétien, ne possédant pas les connaissances scientifiques suffisantes, tient pour article de foi quelque chose qui n'en est pas en réalité, et qui, à la lumière d'un examen scientifique approfondi, se révèle être une erreur. » Autrement dit, la science ne doit pas servir de preuve à la foi, car elle est nécessairement provisoire. Là encore, cette pensée est d'une extrême modernité. Et si cette phrase absolument révolutionnaire en Europe chrétienne avait été mise en pratique, bien des martyres, dont celui de Giordano Bruno, eussent été évités.

Ainsi, pour Thomas, Dieu permet aux hommes de progresser dans la connaissance par la raison et l'expérience. La connaissance de Dieu, de l'Incarnation et de la Trinité ne saurait être remise en cause par des découvertes scientifiques, car elle ne peut être atteinte que par la Révélation. Quant à la création de l'univers, elle s'explique par ce que Thomas appelle la « volonté amoureuse de Dieu ».

Cinq *voies* permettent alors, selon lui, de prouver l'existence de Dieu : le mouvement, la causalité, la contingence, la gradation et l'ordre. Mais la voie la plus directe vers Dieu ne passe pas par la raison : car Dieu, absolument nécessaire, est aussi absolument simple, direct, et il parle au cœur, et la science n'est pas son mode d'expression.

Pour Thomas, l'univers est en effet produit par une *action* de Dieu, une « intelligence amoureuse » qui a créé l'univers par amour pour l'homme : « La charité est l'amitié de l'homme pour Dieu en échange de l'amour de Dieu pour l'homme. »

La théologie forme alors avec la philosophie *la science du sacré*. Elle démontre l'existence de Dieu à sa manière, par l'intuition, qui est la parfaite forme d'expression de la révélation divine. Ainsi, quand Moïse demande au Tout-Puissant de lui dire qui Il est, Dieu répond : « Je suis Celui qui suis. » Pas besoin de raisonnement. Si, pour Maïmonide, cela signifie que Dieu est à la fois nécessaire et objet de connaissance (« Dieu existe, mais non par l'existence. [...] [Il] est l'Être qui est l'Être, c'est-à-dire l'Être nécessaire »), pour Thomas, le « Je suis Celui qui suis » signifie que l'essence de Dieu est d'exister, et que son nom est « Qui est ». Il écrit : « Ce nom, "Celui qui est", est le nom le plus proche [possible], puisque l'existence de Dieu est identique à son essence, ce qui ne convient qu'à Lui seul. » Dieu est essence, cause première et finale de toute existence : « La lumière de gloire qui est créée, dans quelque intellect créé qu'elle soit reçue, ne peut jamais y être infinie, il est donc impossible qu'un intellect créé connaisse Dieu infiniment. Par suite, il est impossible qu'il ait de Dieu une connaissance compréhensive. » Dieu est, et parle au cœur de l'homme par son existence même.

Sa théorie de l'âme individuelle est aussi formidablement novatrice, très proche même, par ses intuitions, des sciences cognitives modernes : à la suite d'Aristote, il affirme que toute âme est divisée en trois parties (« végétative », « sensible [sensitive] » et « raisonnable [intellective] »), ce qui est à rapprocher de la distinction moderne entre cerveau « reptilien », « limbique » et « néo-cortex ».

L'âme « végétative » est responsable de la croissance et de la nutrition ; elle se subdivise elle-même, dit-il, en trois sous-fonctions : « nutritive », « augmentative » et « générative ». Une plante, qui ne possède qu'une âme végétative, croît, produit des fleurs et des fruits, et se reproduit.

L'âme « sensitive » est responsable de la locomotion et des « cinq sens extérieurs » en produisant des images mentales. Elle se divise en « mémorative » et « estimative » ; la mémoire permet de se souvenir des sensations passées (*phantasma* ou *imaginatio*), elle produit des « réminiscences ». Chez l'être humain, la fonction « estimative », aussi nommée « cogitative », évalue les données perçues par les sens et par la mémoire ; les fonctions « cogitative » et de « réminiscence » font donc appel à l'intelligence et à la raison ; elles constituent l'« intellect passif ».

Enfin, l'âme « intellective », capacité à recueillir les données des sens, n'existe que chez l'être humain ; elle construit des *abstractions, espèces intelligibles* obtenues à partir des « phantasmes ». Par exemple, le concept de « bruit » est obtenu à partir de l'ensemble des représentations sensibles des sons mémorisés en tant que « phantasmes ». Dieu rend possibles ces opérations d'abstraction en tant qu'Il a doté le monde d'un sens, l'homme d'une intelligence, sans intervenir pour autant dans chacune de ces opérations qu'il laisse chaque homme accomplir.

Thomas ajoute que les hommes pensent séparément, et non ensemble. D'ailleurs, explique-t-il, si tous les hommes pensaient ensemble, toutes les pensées porteraient simultanément sur un même objet, ce qui rendrait toute vie sociale impossible : « Si donc il y avait le même intellect possible en tous les hommes, il en résulterait que ce que pense l'un, l'autre le penserait aussi, ce qui est évidemment faux. » C'est ce qui l'amène à rejeter le monopsychisme : les âmes individuelles ne se fondent pas sur une âme collective. Ainsi est réaffirmé l'individualisme chrétien.

Chaque homme peut employer librement sa raison ; chacun peut, par son « libre arbitre », s'écarter de l'ordre naturel. Chacun est, de par la volonté de Dieu, libre d'agir, même contre Dieu. Aussi la diversité des intelligences et l'immortalité des pensées imagées et individualisées permettent l'exercice de la liberté et du jugement : « Non seulement les Latins […], mais les Grecs et les Arabes, ont pensé que l'intellect était une partie, une puissance ou une vertu de l'âme qui a pris la forme du corps. Je m'étonne que quelques péripatéticiens se soient fait gloire d'avoir pris à leur compte cette erreur, à moins peut-être qu'ils n'aient préféré se tromper avec Averroès plutôt qu'avoir raison avec tous les autres péripatéticiens, même si, pourtant, Averroès fut moins un péripatéticien que le corrupteur de la philosophie péripatéticienne. » Pour lui, il convient de ne jamais privilégier l'intellect contre la foi : « C'est cette formule qu'ils utilisent : "Par la raison, je conclus nécessairement à l'unité numérique de l'intellect ; par la foi, je tiens fermement le contraire." » Thomas voit là la menace de l'athéisme : « S'ils disent cela, c'est donc qu'ils pensent que la foi porte sur des contenus dont on peut affirmer le contraire par un raisonnement nécessaire. Donc, puisqu'un raisonnement ne peut établir nécessairement que ce qui est à la fois vrai est nécessaire, et que l'opposé du vrai nécessaire est le faux et l'impossible, il résulte de leurs propos mêmes que la foi porte sur quelque chose de faux et d'impossible. »

Pour lui, le savoir repose soit sur la foi, soit sur l'expérience, suivant que le sujet d'étude concerne le spirituel ou le matériel. Le savoir vient de l'expérience sensible ou bien de la Révélation. On peut accéder à la connaissance de l'existence de Dieu par la raison : c'est par l'étude du mouvement qu'Aristote pose l'existence d'un premier « moteur » immobile, immatériel.

Tout cela se trouve aussi, autrement formulé, chez Maïmonide et chez Ibn Rushd, même si Thomas croit contredire ce dernier. Bien plus tard, dans un essai magistral, Ernest Renan en conclura : « Thomas d'Aquin est à la fois le plus sérieux adversaire que la doctrine averroïste ait jamais rencontré, et, on peut le dire sans paradoxe, le premier disciple du grand commentateur d'Aristote. Si Albert le Grand doit tout à Avicenne, saint Thomas, comme philosophe, doit presque tout à Averroès. »

Mais Renan, malgré cette belle intuition, ne discerne pas tout ; les différences entre ces trois penseurs sont considérables : alors que, pour Ibn Rushd, la foi ouvre à la science, seule vérité, et que, pour Maïmonide, religion et science sont deux faces d'une même réalité, pour Thomas toute découverte de la raison doit être admise, mais n'a aucun rapport avec le monde de Dieu. Thomas contredit aussi Maïmonide et Ibn Rushd sur trois autres points : il ne croit pas en l'éternité de l'univers ; il croit à l'individualité de l'âme ; il ne croit pas non plus foncièrement à la liberté de l'homme : « Ôtez aux hommes toute diversité d'intellect, et il s'ensuivra qu'après la mort rien ne restera des âmes humaines que l'unique substance d'un seul intellect ; vous supprimerez ainsi la répartition des récompenses et des peines, et jusqu'à la différence qui les distingue. »

Au total, Thomas d'Aquin, plus proche de Maïmonide que d'Ibn Rushd sur nombre de points, s'oppose aux deux quand il s'agit de l'essentiel, c'est-à-dire de la valeur relative des trois monothéismes : « Comment peut-on prétendre que les "philosophes chrétiens" sont des philosophes comme les autres ? Comment ose-t-on assimiler un "article de foi" à une "opinion" philosophique ? » La vérité chrétienne n'est pas de l'ordre de la philosophie. Elle ne se discute pas.

Cela l'amène à émettre une réflexion politique sur la meilleure société humaine. Et ce n'est pas la moindre de ses contributions à l'histoire des idées.

D'abord, dit-il, l'homme doit librement choisir une conduite conforme au désir de Dieu et aux exigences de la vie en société. À cette fin, il doit observer les vertus fondamentales du christianisme : théologales (foi, espérance et charité) et cardinales (prudence, force, justice et tempérance) ; sur ce point, il n'innove en rien. Pour que chaque homme se conduise de la sorte, de façon socialement responsable, il faut qu'une autorité politique souveraine existe et poursuive le bien commun. Exigence de la nature, cette autorité politique procède de Dieu : « Tout pouvoir vient de Dieu. » Le pouvoir civil est soumis à celui de l'Église. L'empereur est donc en particulier soumis au pape.

Ainsi, pour Thomas, le meilleur régime politique est une monarchie – bien entendu chrétienne –, tempérée d'aristocratie et de représentation populaire ; le peuple et l'Église – toujours supérieurs au pouvoir temporel – devraient donc en particulier pouvoir renverser un tyran.

Il ouvre ainsi la voie à l'idée d'une conscience individuelle qui rendra possible, bien plus tard, en passant par Hobbes, la victoire de l'individualisme idéologique, philosophique, libéral, marchand et politique. Le siècle des Lumières s'annonce déjà chez Thomas d'Aquin, avant de se cristalliser chez Thomas Hobbes.

Une hiérarchie existe ainsi entre trois sortes de lois ou de droits : la loi divine (exprimée dans la Bible), la loi naturelle (tel l'instinct de reproduction) et la loi humaine (qui varie selon les lieux et les époques).

La loi divine, créée par Dieu, s'impose à tous. L'Église est la seule interprète autorisée de la loi divine ; le droit canon, fondé sur les Écritures et la tradition, est l'une des expressions de la loi divine.

La loi naturelle, dit-il, est favorable à la monogamie et refuse le divorce, l'inceste et les fiançailles entre enfants. Elle se retrouve de nos jours dans la philosophie des droits de l'homme, qui subordonne toute loi positive au respect de quelques principes moraux supérieurs. Elle conduit à extrapoler le droit des gens en droit international public, et la guerre en opération de police soumise à des règles. Thomas en déduit une théorie de la guerre juste : une guerre est juste si elle est conduite par une autorité publique légitime, en réponse à une agression préalable ou à une menace réelle et immédiate, et si l'intention du belligérant est de promouvoir le bien et de contenir le mal, ce qui l'oblige à « proportionner » sa riposte. De cela découlera jusqu'à aujourd'hui toute la théorie de la légitime défense.

La loi humaine, elle, n'est pas intangible ; lui désobéir est légitime si elle est injuste. La propriété privée, par exemple, n'est pas injuste en soi : « D'abord, parce que tout homme apporte plus de soin à obtenir ce qui est pour lui seul que ce qui est commun à un grand nombre ou à tous ; ou parce que les affaires humaines sont menées avec plus d'ordre si chacun est chargé d'une tâche particulière [...] ; troisièmement, parce que l'état de la plus grande paix est assuré à l'homme si chacun est content de son lot. »

Le pape peut censurer la loi humaine comme contraire à la loi divine ; par exemple, la loi humaine doit se montrer impitoyable avec le non-chrétien, sauf pour le convertir : « C'est pourquoi l'Église ne le condamne pas tout de suite, mais après un premier et un second avertissement [...] ; s'il se trouve que l'hérétique s'obstine encore, l'Église [...] pourvoit au salut des autres en le séparant d'elle par une sentence d'excommunication, et ultérieurement elle l'abandonne au jugement séculier pour qu'il soit retranché du monde par la mort. » Le prince doit condamner à mort tout hérétique.

En 1270 – l'année même d'une décision de l'évêque de Paris rappelant l'interdit de l'enseignement averroïste, et celle de la mort de saint Louis devant Tunis –, Thomas écrit encore, de Paris, contre les averroïstes, *De l'unité de l'intellect*, et y réfute à nouveau, contre Aristote, l'idée d'un « intellect » unique et collectif, séparé des corps individuels.

Thomas accélère la rédaction de sa *Somme théologique*. Il en termine la deuxième partie, entame la troisième et compose par ailleurs des commentaires sur l'*Éthique* et la *Métaphysique* d'Aristote. Il y écrit, pressé d'en finir : « Si la contemplation de Dieu en soi et pour soi, dans la vie contemplative, est la plus haute forme de vie chrétienne, puisqu'elle est celle qui approche de plus près la vision de Dieu dans l'éternité, l'amour du prochain a une valeur particulière, selon l'exemple de l'amour de Jésus-Christ pour l'homme sur la terre. Car, tout comme Jésus-Christ vivait dans la contemplation constante de Dieu le Père, et, en même temps, en tant qu'homme, était au service des hommes, de même le chrétien doit vivre à la fois dans l'amour de Dieu et du prochain, dans la contemplation de Dieu et dans les œuvres de miséricorde. »

En 1272, le pape l'envoie diriger à Naples une nouvelle école dominicaine pour former les frères de la province de Rome. Rodolphe Ier de Habsbourg est élu empereur germanique et renonce à la Romagne et à l'Italie du Sud.

Le 6 décembre 1273, à Naples, une vision lui interdit à jamais d'écrire et de parler : « Tout ce que j'ai écrit n'est que de la paille comparé à ce que j'ai vu. »

À la fin de ce mois de décembre, le pape Grégoire X l'envoie participer au concile de Lyon, qui proclame la réunion (éphémère) des Églises d'Orient et d'Occident. En février 1274, il se met en route. Il tombe malade en arrivant dans l'abbaye cistercienne de Fossanova, dans le Latium. On dit qu'il commente le Cantique des cantiques aux moines qui le veillent. Il va mourir. Recevant sa dernière communion, il dit : « Je Vous reçois, ô salut de mon âme. C'est par amour de Vous que j'ai étudié, veillé des nuits entières et que je me suis épuisé ; c'est Vous que j'ai prêché et enseigné. Jamais je n'ai dit un mot contre Vous. Je ne m'attache pas non plus obstinément à mon propre sens ; mais si jamais je me suis mal exprimé sur ce sacrement, je me soumets au jugement de la Sainte Église romaine dans l'obéissance de laquelle je meurs. »

Il expire le 7 mars 1274. Il n'a pas cinquante ans et laisse une œuvre immense, qui aborde tous les sujets théologiques, moraux, philosophiques, politiques, avec un vocabulaire qui lui est propre, et dont on n'a pas encore fini d'explorer tous les recoins.

S'il était arrivé à Lyon, il y aurait retrouvé, après bien des années de séparation, son maître Albert le Grand, venu lui aussi, à quatre-vingts ans, participer au concile.

Très vite, les théories de Thomas reçoivent un accueil bienveillant de la part des rabbis, que ce soit en Italie, en Espagne ou en Provence. La *Somme contre les Gentils*, traduite en hébreu, donne même naissance à une sorte de « thomisme juif ». Le traducteur en hébreu de Maïmonide, Tibbon, écrit : « La grande voie que devra choisir quiconque recherche la vérité et la paix, c'est celle de Maître Thomas d'Aquin qui suit les pas des philosophes. [...] Il a asséché les mers des hérésies. Il a sauvé ce qui était sur le point de se noyer ! »

Thomas est pourtant d'abord regardé avec circonspection par l'Église pour son indulgence envers Aristote et Ibn Rushd. En 1277, à la demande de l'évêque de Paris, Étienne Tempier, les maîtres de Paris condamnent deux cent dix-neuf « déviations », dont celles de Thomas, dénoncé comme faisant partie de ceux qui disent « que certaines choses sont vraies selon la philosophie, qui ne le sont pas selon la foi catholique ».

Les dominicains pourtant le défendent ; les franciscains, eux, l'attaquent. En 1278, parmi les seconds, Guillaume de la Mare produit un *Correctoire de frère Thomas* auquel les premiers répondent par un *Correctoire du corrupteur de frère Thomas*. La polémique ne s'apaise qu'avec la victoire des dominicains, qui rend possible la canonisation de Thomas, en 1323, par Jean XXII. En 1368, ses restes sont déplacés à Toulouse, au couvent des Jacobins où il enseigna, et où ils se trouvent toujours aujourd'hui.

Au XVIᵉ siècle, la Contre-Réforme l'utilise contre Luther ; dans la ligne de sa pensée, les sciences de la nature se détachent alors progressivement de la philosophie. Bacon s'inscrit dans sa réflexion sur l'expérience. À la fin de ses *Méditations métaphysiques*, Descartes écrit que la physique mathématique nous rendra « maîtres et possesseurs de la nature ». Au XVIIIe siècle, des empiristes comme George Berkeley et David Hume réaffirment, comme Thomas, que seule l'expérience peut fonder le savoir, et que la raison ne joue qu'un rôle secondaire. Au XIXe siècle, Hegel se confronte à la pensée d'Aristote et à celle de Thomas. Darwin, sans le savoir, en fait autant. Puis sa victoire est complète au sein de l'Église quand Léon XIII fait du thomisme sa doctrine officielle et demande aux philosophes et théologiens chrétiens de « construire une philosophie fondée sur le thomisme ». En 1914, Pie X impose l'enseignement du thomisme dans les universités et les collèges catholiques.

Un peu plus tard, le père Ledochowski, alors général des jésuites, obtient du pape Benoît XV que les thèses de Thomas ne soient pas considérées comme vérité absolue. Vers 1930, des jésuites comme le père d'Alès s'opposent encore aux thomistes comme le père Garrigou-Lagrange.

En 1950, Pie XII, dans l'encyclique *Humani generis*, affirme que la philosophie thomiste reste « le guide le plus sûr de la foi catholique ». Il la résume ainsi : « L'âme humaine est immédiatement créée par Dieu, et la science seule ne peut pas rendre compte, pour l'homme, de l'expérience de connaissance métaphysique, de conscience de soi et de réflexion sur soi, de la conscience morale, de la liberté, ou encore de l'expérience esthétique et religieuse. » Jean-Paul II s'inspire à son tour de Thomas, presque mot pour mot, dans l'encyclique *Fides et ratio*, d'une phrase qui condamne des siècles de pratique pontificale : « La foi, privée de la raison, [...] tombe dans le grand danger d'être réduite à un mythe ou à une superstition. »

BIBLIOGRAPHIE

FOREST, A., *La Structure métaphysique du concret selon saint Thomas d'Aquin*, Paris, Vrin, 1956.

GILSON, Étienne, *Introduction à l'étude de saint Augustin*, Paris, J. Vrin, coll. « Études de philosophie médiévale », 2003 [2e éd.], p. 31.

GILSON, Étienne, *La Philosophie au Moyen Âge*, Paris, Payot, 1986 [1922].

GILSON, Étienne, « Le christianisme et la tradition philosophique », *Revue des sciences philosophiques et théologiques*, 1941-1942.

GILSON, Étienne, *Le Thomisme*, Paris, Vrin, 1989 [1919].

GILSON, Étienne, « Pourquoi saint Thomas a critiqué saint Augustin », *Archives d'histoire littéraire et doctrinale du Moyen Âge*, Paris, J. Vrin, 1926.

HOLTE, Ragnar, *Béatitude et sagesse. Saint Augustin et le Problème de la fin de l'homme dans la philosophie ancienne*, Paris, Études augustiniennes, 1962.

IVANKA, Endre von, *Plato christianus. La réception critique du platonisme chez les Pères de l'Église*, Paris, PUF, coll. « Théologiques », 1990.

JOLIVET, Régis, *Essai sur les rapports entre la pensée grecque et la pensée chrétienne*, Paris, Librairie philosophique J. Vrin, 1931.

JOLIVET, Régis, *Saint Augustin et le Néoplatonisme chrétien*, Paris, Denoël et Steele, coll. « Les Maîtres de la pensée religieuse », 1932.

LE GOFF, Jacques, *Les Intellectuels au Moyen Âge*, Paris, Seuil, 1957.

LIBERA, Alain de, *La Philosophie médiévale*, Paris, PUF, 1993.

MENJOT, Denis, *Les Espagnes médiévales, 409-1474*, Paris, Hachette, coll. « Carré Histoire », 1996.

PAQUET, J. et IJSELIN, J., *Les Universités à la fin du Moyen Âge*, Actes du Congrès international de Louvain de 1973, Louvain, 1978.

POIRION, D., « Le mouvement théologique dans la France de Philippe Auguste », *in* Jean Châtillon, *D'Isidore de Séville à saint Thomas d'Aquin. Études d'histoire et de théologie*, Londres, Variorum Reprints, XV, 1985.

RENAULT, L., *Dieu et les créatures selon Thomas d'Aquin*, Paris, PUF, 1995.

THOMAS D'AQUIN, *Contre Averroès*, trad. A. de Libera, Paris, GF-Flammarion, 1985.

THOMAS D'AQUIN, *De la Vérité ou La Science en Dieu* (*De veritate*, qu. 2), Fribourg, Éditions universitaires de Fribourg / Paris, Cerf, 1996.

THOMAS D'AQUIN, *Somme contre les Gentils*, trad. C. Michon, Paris, GF-Flammarion, 1999.

THOMAS D'AQUIN, *Somme théologique*, trad. A.-M. Roguet, Paris, Cerf, 1994.

THOMAS D'AQUIN et FREIBERG, Dietrich de, *L'Être et l'Essence. Le vocabulaire médiéval de l'ontologie*, trad. A. de Libera et C. Michon, Paris, Seuil, 1996.

VERGER, Jacques, « Les étudiants au Moyen Âge », *L'Histoire* n° 34, mai 1981, p. 34-43.

VERGER, Jacques, *Les Universités au Moyen Âge*, Paris, PUF, 1957.

VERGER, Jacques, *Les Gens de savoir en Europe à la fin du Moyen Âge*, Paris, PUF, coll. « Moyen Âge », 1997.

9

Giordano Bruno

(1548-1600)
ou la noblesse de l'esprit

Je n'ai jamais eu grande estime pour la figure de Galilée, trop prudent, trop intéressé, trop pleutre à mon goût. Je lui ai toujours préféré celle de Giordano Bruno, pour son courage physique, son audace intellectuelle, son génie multiforme, son destin bouleversant. Peut-être aussi parce qu'il a servi de modèle à l'un des plus grands personnages de la littérature mondiale : le Prospero de *La Tempête* de Shakespeare, auquel si souvent je retourne. Enfin parce que, bien avant la NASA, il s'est penché sur le plus ambitieux projet de toute l'histoire de la conquête de l'espace : la recherche d'autres formes de vie dans l'univers.

On sait aujourd'hui que la probabilité d'en trouver n'est pas nulle : dans notre seule galaxie, autour de centaines de milliards de soleils tournent des milliers de milliards de planètes dont certaines sont peut-être « vivables », situées à une distance de leur soleil telle que de l'eau a pu s'y constituer. Et c'est pour ne parler ici que des formes de vie que nous sommes capables d'imaginer…

Il y a seulement quatre siècles, un homme mourait sur un bûcher dressé au cœur de Rome, sur ordre exprès du pape Clément VIII, pour avoir été le premier à penser, à dire et à écrire exactement cela : « Un nombre infini de soleils existent ; un nombre infini de terres tournent autour de ces soleils comme les sept planètes tournent autour de notre soleil. Des êtres vivants habitent ces mondes. »

Cet homme est Giordano Bruno et c'est au sein de l'Église qu'il ose proférer cette folle audace.

Dans l'Italie de la fin de la Renaissance, quiconque veut se faire une place dans le monde sans être, comme c'est son cas, ni seigneur, ni artiste, ni marchand, entre dans les ordres. L'Église est alors en pleine effervescence réactionnaire : religieuse, par sa réaction contre la Réforme, avec le concile de Trente qui s'ouvre en 1545 ; et philosophique, par sa réaction contre la science, en particulier l'astronomie. L'Église brûle des milliers de livres ; le pape, qui a interdit la copie d'innombrables manuscrits, censure leur impression à partir de Gutenberg. L'Inquisition est plus puissante que jamais. La reconnaissance par le pape, en 1540, de la Compagnie de Jésus fondée par Ignace de Loyola, donne à la Contre-Réforme les moyens intellectuels qui lui faisaient encore défaut face aux redoutables attaques de Luther, de Calvin et de leurs disciples. L'Église dénonce comme activités magiques toutes les pratiques qui formeront bientôt les bases de la science : le travail sur la mémoire et l'organisation du savoir, la recherche de concepts, la méthode expérimentale, l'observation de la nature, la transformation de la matière.

Partout, en ce milieu du XVIe siècle, l'Église torture, brûle, enferme des clercs et des laïcs au moindre soupçon de protestantisme, d'athéisme, de scepticisme, de magie, de sorcellerie ou de judaïsme secret.

Depuis de nombreux siècles, beaucoup, y compris en son sein, murmurent que la Terre n'est pas plate et qu'elle n'est pas située au centre de l'univers. Et quand Copernic retrouve, après bien d'autres, les intuitions héliocentriques grecques, il n'échappera aux foudres de l'Inquisition qu'en ayant le bon goût de mourir, en 1543, au moment où est publié son *De Revolutionibus*.

Comme la nature est censée se conformer aux Saintes Écritures, la seule science tolérée est la théologie. Ainsi, il est difficile de remettre en cause l'idée selon laquelle la Terre est un disque plat situé au centre d'une sphère céleste sur laquelle tourne le Soleil et où sont fichées la Lune et les étoiles. Pourtant, déjà vers 250 avant notre ère, Aristarque de Samos avait émis l'hypothèse d'un univers centré sur le Soleil...

Il n'empêche : dans le même temps, l'Europe s'ouvre. En France, où règne Henri II, Marguerite de Navarre, sœur de François Ier, entame l'écriture de l'*Heptaméron* ; La Boétie écrit le *Discours de la servitude volontaire*, hymne à la liberté et dénonciation de la tyrannie ; Rabelais publie le *Quart Livre*. En Italie, Vasari, dans sa *Vie des plus excellents peintres*, utilise pour la première fois le terme « Renaissance ». Quelques intellectuels juifs et musulmans osent encore copier, traduire, enrichir et faire circuler le savoir accumulé depuis des millénaires par l'humanité. Florence devient un de leurs refuges. Certains poussent même la témérité jusqu'à revendiquer le bonheur ici et maintenant, libérer la morale du péché, et même, crime majeur, s'intéresser à la vérité.

C'est alors que naît, en 1548, Bruno, Philippe, dit Giordano, dans une famille de la noblesse pauvre (son père est « homme d'armes ») de Nola. C'est une petite ville résidentielle au-dessus de Naples, alors dominée, comme le reste de l'Europe, politiquement par l'Espagne, théologiquement par Rome, économiquement par Gênes.

Le jeune Philippe semble avoir été un enfant gai, doté d'une prodigieuse mémoire et d'une grande impertinence. Ses parents l'envoient à quatorze ans, en 1562, à Naples faire ses humanités, c'est-à-dire étudier la logique, la dialectique et la théologie.

À l'époque, on ne plaisante pas avec le savoir, et la Contre-Réforme impose ses diktats. En 1559 paraît ainsi le premier *Index*, liste des ouvrages interdits par l'Église. En 1563, lueur de tolérance : la signature en France de l'édit de pacification d'Amboise met fin à la première guerre de religion en rétablissant une liberté limitée du culte protestant. Provisoirement…

En 1565, à dix-sept ans, Philippe – devenu Giordano, sans doute en hommage à son maître le dominicain Giordano Crispo – entre comme novice dans un des plus célèbres monastères d'Italie, San Domenico Maggiore, à Naples. Philippe y apprend la rhétorique, la métaphysique, la théologie, le français, l'allemand, le latin, le grec, et y découvre l'art de cultiver la mémoire. « Ce fut une petite étincelle qui, progressant en une méditation ininterrompue, propage un incendie sur de vastes hauteurs. De ces feux flamboyants ont jailli nombre d'étincelles. » À l'époque, la mémoire est encore un instrument essentiel de l'intelligence : nul ou presque ne dispose d'une bibliothèque privée ; on ne peut donc ni écrire, ni enseigner, ni passer pour un lettré sans cultiver sa mémoire. Or le jeune « Nolain » – il aime à se faire appeler ainsi, du nom de sa ville natale – retient tout ce qu'il lit : Platon, Pythagore, Aristote, la Bible, les Pères de l'Église et des lectures plus subversives comme Érasme, Maïmonide et même Copernic, que lui font découvrir ses maîtres dominicains, passionnés d'astronomie.

Très vite, il se fait détester de ses professeurs pour sa capacité à discuter de tout, à douter, à ironiser, à ne rien prendre pour vérité s'il ne l'a démontré lui-même, y compris quand il s'agit de la divinité de Jésus ou de la virginité de Marie. On le tolère, sans doute à cause de son exceptionnelle intelligence et de son immense aptitude à l'apprentissage théologique : on préfère l'avoir dans l'Église que contre l'Église, même quand il décroche les portraits de saints accrochés aux murs de sa cellule ou qu'il conseille à un autre novice d'abandonner la lecture des *Sept Allégresses de Marie* au profit de « livres plus sérieux ».

Fin 1568, deux ans après la mort de Soliman le Magnifique, Giordano se rend, selon ses dires, à Rome afin de montrer ses compétences mnémotechniques au pape Pie V. Après la congrégation du Concile, chargée de veiller à la bonne application des décrets du concile de Trente et créée en 1564 par Pie IV, le nouveau pape fonde la congrégation de l'Index, pour surveiller tout ce qui est imprimé contre l'Église, et la congrégation pour la Conversion des hérétiques et des infidèles, qui doit organiser une croisade contre les Turcs. Le souverain pontife soutient financièrement la guerre contre les protestants français et condamne alors les propositions de Michel de Bay, qui, sur la grâce et la prédestination, défend une thèse proche de celle de Jean Calvin.

En 1571, à la bataille de Lépante, la flotte de la Sainte Ligue écrase celle des Turcs ; en 1572, en France, se déclenche une troisième guerre de religion. Profitant de la présence à Paris des chefs protestants pour le mariage d'Henri de Navarre avec Marguerite de Valois, Catherine de Médicis et les chefs catholiques déclenchent le massacre de la Saint-Barthélemy et l'assassinat de nombreux protestants dans plusieurs villes du royaume.

Au même moment, Tycho Brahe décrit une étoile nouvelle, une *nova stella* apparue soudain dans le ciel. Information fort gênante pour la cosmogonie aristotélicienne, qui postulait l'immuabilité des sphères célestes.

Un nouveau pontife, Grégoire XIII, révise le mode de formation du clergé et fonde l'Université grégorienne, qu'il confie aux jésuites.

En 1573, Bruno est ordonné prêtre sans cesser pour autant de se rebeller contre ses professeurs, qui, écrit-il, « tentent de m'éloigner d'occupations plus hautes, d'enchaîner mon esprit et de transformer un homme libre au service de la vertu en esclave d'un système misérable et absurde ». Il entretient sa prodigieuse mémoire et apprend à la mettre en valeur, à un moment où l'imprimerie la rend moins nécessaire.

Deux ans plus tard, en 1575, il devient lecteur en théologie et, malgré ses indisciplines et ses colères, se prépare à devenir professeur de philosophie dans une grande université de l'Église, quand, l'année suivante, le provincial de l'ordre l'accuse d'hérésie pour sa critique du dogme de la Trinité et ses lectures, notamment celle d'Érasme, mort quarante ans plus tôt.

La foudre lui tombe sur la tête : on lui interdit de dire la messe en attendant que la justice ecclésiastique statue sur son sort. Les portes des universités d'Europe lui sont fermées, puisqu'elles sont toutes sous contrôle de l'Église ou des réformés. Sa carrière est finie avant d'avoir commencé.

Où aller ? Aucun autre métier ne s'ouvre à un défroqué sans famille ni relations. Tout naturellement, il se dirige d'abord vers Rome pour y plaider sa cause, mais, menacé d'excommunication, il ne peut rester dans la Ville sainte, où l'Inquisition fait la loi. Il part pour Gênes, alors une des capitales économiques du monde européen, où il réussit un temps à vivoter en donnant des leçons de grammaire et d'astronomie à des enfants d'armateurs. Sans doute fut-il de ceux qui, en 1577, y observèrent une comète filer à travers le ciel.

Pendant que sir Francis Drake entame son voyage autour du monde, Bruno tente sa chance à Padoue, où se trouve une université prestigieuse au service de Venise, à Brescia, à Bergame. Mais son état de moine défroqué lui ferme toutes les portes. En 1579, il part pour Genève. Selon certaines rumeurs, qu'il démentira ensuite sous la torture, il y serait devenu calviniste. Il y survit en tout cas comme correcteur d'imprimerie, mal vu en fait des réformés en raison de son passé de moine. Aucune certitude ne lui convient. Il se rend alors à Toulouse, ville universitaire, îlot de résistance catholique dans une région majoritairement huguenote. Nul ne semble y connaître sa disgrâce. Il y obtient même un diplôme de théologie et y enseigne la cosmologie et la philosophie sans avoir le titre de professeur. La prudence semble l'avoir calmé. Sa mémoire émerveille : il sait des milliers de vers, des centaines de pages par cœur.

En 1580, année où paraissent les *Essais* de Montaigne, le *Livre de Concorde* fixe l'orthodoxie luthérienne dans l'Empire germanique.

Bruno, découvert comme défroqué, vient en 1581 s'établir à Paris. Il espère beaucoup en Henri III, qui s'est entouré de savants italiens pour contrebalancer le dogmatisme de la Sorbonne. Quand le roi apprend l'arrivée d'un savant à la mémoire si vertigineuse, il lui fait offrir une chaire de « lecteur extraordinaire et provisionné » au Collège des lecteurs royaux, l'actuel Collège de France. Une période heureuse commence pour le réfugié. On ne lui connaît aucune aventure féminine. Il donne des conférences sur Thomas d'Aquin, sur l'astronomie, sur la théologie et sur la mémoire. Il se nourrit d'Ibn Rushd, d'Érasme, de Scot Érigène, de Marsile Ficin, de Nicolas de Cues et de toute la littérature hermétique. Il écrit un *Art de la mémoire*, inspiré des travaux de saint Augustin et de Raymond Lulle. Il dédie au roi *Sur les ombres des idées*, réflexions sur l'éducation de la mémoire par la mise en relation du texte à retenir avec des images, celles de palais à visiter, de jolies femmes soigneusement décrites, ou, conformément à une méthode qu'il met alors au point, de mots inventés, construits par la combinaison aléatoire de cinq syllabes issues de quatre langues.

L'art de la mémoire le conduit à réfléchir à la structure de la pensée, au processus de découverte, à la nature de l'homme et à sa spécificité dans l'univers. Bien avant Leibniz et Spinoza, il explique à des auditeurs incrédules et scandalisés que l'homme n'est qu'un accident dans la matière vivante universelle, que la réalité est construite par l'esprit et que « les idées sont les astres de la vérité ».

Le milieu universitaire comme les théologiens s'inquiètent et le rejettent. Pour se venger d'eux, incapable de résister à la tentation de faire preuve de son esprit critique, il publie en 1582, un an après son arrivée à Paris, une pièce de théâtre de facture complexe, *Le Chandelier*, comédie dans laquelle il se moque de l'hypocrisie des théologiens, de leurs obsessions érotiques et notamment des frères dominicains de son ancien couvent. Le théâtre sera désormais son mode d'expression, sa façon de mettre en scène la vie et les travers de ses ennemis.

On se plaint alors de lui au roi, qui l'envoie à Londres chez Michel de Castelnau, son ambassadeur, pour le mettre à l'abri ou comme espion, voire les deux. En tout cas, il y dispose de protecteurs puissants et approche la reine Elizabeth Ire, qui règne depuis 1558. Il semble n'avoir aucune vie sentimentale, même s'il parle joliment de l'amour dans plusieurs textes datant de cette époque. À Londres, il écrit, dispute, publie plusieurs textes mystiques à la limite de la magie : *L'Explication des trente sceaux, Le Sceau des sceaux*. Il donne des conférences sur les travaux de Copernic, sur l'immortalité de l'âme et la réincarnation, etc. Il s'introduit dans les milieux du théâtre, rencontre peut-être Shakespeare, alors en errance entre Stratford et Londres. Que se sont-ils dit ? Mystère...

Très vite, il se fait tout aussi mal voir dans la capitale britannique qu'à Paris. Les Anglais le trouvent trop radical ; il les noie sous les citations, les écrase de son savoir. Il les trouve ignorants et xénophobes, les compare à des « ours » et à des « loups ». Il écrira un peu plus tard : « Sachez que l'universel me déplaît, que je hais le vulgaire, que la multitude me contrarie. » Il inspirera, semble-t-il, à Shakespeare le personnage de Biron dans *Peines d'amour perdues*, pièce composée dix ans plus tard : un intellectuel si obsédé par ses recherches qu'il refuse pendant trois ans le sommeil, la nourriture et la compagnie des femmes. Avec plus d'évidence encore, il lui inspire l'immense personnage de Prospero, magicien lucide contrôlant les esprits et les airs dans *La Tempête*, la dernière pièce de Shakespeare. Oui, Prospero, mon héros préféré, qui semblerait *a priori* un autoportrait de Shakespeare lui-même, c'est d'abord et avant tout Giordano Bruno, à qui s'appliquent si bien les derniers vers de son ultime monologue, comme une préfiguration de son propre destin : « À présent je n'ai plus d'esprit pour dominer, d'art pour enchanter, et ma fin est désespoir si ne vient à mon secours la prière toute pénétrante qui livre assaut à la Merci même et délie toute faute. Si vous voulez que soient pardonnées nos offenses, que votre indulgence me délivre... »

Le mercredi des Cendres 1584, un débat intellectuel féroce oppose Bruno à deux docteurs d'Oxford. C'est pour lui prétexte à écrire peu après un livre majeur, *Le Banquet des Cendres*, ouvrage de philosophie paru en italien, parce que c'est alors la langue de l'élite intellectuelle et commerciale en Europe (le français est plutôt celle du politique, et l'anglais encore peu répandu).

Se moquant des professeurs d'Oxford, qui en savent plus long, dit-il, sur la bière que sur les Grecs, il affirme que non seulement la Terre n'est pas située au centre de l'univers, mais que le Soleil ne l'est pas non plus. Pour lui, l'univers est composé d'une infinité d'univers tous équivalents au nôtre (« Montre que la consistance des autres mondes dans l'éther est pareille à celle de celui-ci »). Et Dieu est situé à l'intérieur de cet infini, car « l'Infini n'a rien qui soit extérieur à lui-même » ; il est « la force, l'identité qui emplit le tout et illumine l'univers ». Si tout est équivalent et éternel, alors rien ne se perd et rien ne se crée (« L'annihilation étant impossible nulle part dans la nature, ce globe entier, cette étoile, non sujette à la mort, se renouvelle de temps en temps par partie »). Rien n'est fixe, tout est relatif : la position, le mouvement, le temps lui-même. « Il n'y a pas de haut ni de bas, pas de disposition absolue dans l'espace. Il n'y a que des positions relatives aux autres. Partout il y a un incessant changement de positions relatives à travers l'univers, et l'observateur est toujours au centre des choses. » En conséquence, l'humanité n'a aucune valeur prééminente dans l'univers : « Nous-mêmes, avec ce qui nous appartient, nous allons et venons, passons et retournons. Il n'est rien de nôtre qui ne nous devienne étranger, rien d'étranger qui ne devienne nôtre. » Formulations d'une extraordinaire modernité ! En allant aussi loin, Bruno contredit évidemment le récit de la Genèse et ne laisse pas grande place aux Évangiles. Ainsi, il remet en cause la prééminence de l'Église catholique sur les autres approches de Dieu faites au nom de l'Église.

Le style du *Banquet des Cendres* est magnifique, même s'il est difficile à rendre dans les traductions modernes : « Ce n'est pas une bagatelle, comme le banquet des Sangsues ; ni une facétie à la Berni, comme le banquet de *L'Archiprêtre de Pogliano* ; ni une comédie, comme le banquet de Bonifacio dans *Le Chandelier*. Non : c'est un banquet à la fois grandiose et humble, magistral et estudiantin, sacrilège et religieux, allègre et colérique, âpre et enjoué, maigrement florentin et grassement bolonais, cynique et sardanapalesque, badin et sérieux, grave et burlesque, tragique et comique... »

Ce livre connaît d'emblée un énorme succès parmi l'intelligentsia italophone de l'Europe entière. Tout le monde en rit, parfois sous cape. Malgré ses audaces, Bruno semble sans crainte. Il se sent libre et ose tout : dans une langue claire, admirable et accessible, il mêle Dieu et la science dans une quête éperdue de l'unité de l'univers. Il ne peut qu'être l'ennemi de toutes les orthodoxies. Il est même, pour cette raison, l'un des tout premiers à réprouver la conquête de l'Amérique, faite au nom de l'Église, au moment précis où elle commence à rapporter or et argent et où les Anglais, du coup, se mettent à leur tour à s'y intéresser.

En 1584, toujours à Londres, Bruno compose un magnifique hymne à la liberté de penser et à la sienne propre : « Persévère, cher Filoteo, persévère ; ne te décourage pas et ne recule pas, parce qu'avec le secours de multiples machinations et artifices, le grand et solennel sénat de la sotte ignorance menace et tente de détruire ta divine entreprise et ton grandiose travail ! »

La même année, il prend une distance encore plus grande avec l'Église en publiant *L'Expulsion de la Bête triomphante*, où il affirme croire en la réincarnation : l'âme de chaque homme est Dieu lui-même, qui passe de corps en corps, de destin en destin. « Chaque acte apporte sa récompense ou sa punition dans une autre vie. Le passage dans un autre corps dépend de la façon dont il s'est conduit dans l'un. Le but de la philosophie est la découverte de cette unité. » Certains progressent d'âme en âme, devenant des héros ou des artistes, jusqu'à rejoindre l'esprit divin. À ses yeux, « toutes les âmes font partie de l'âme de l'univers, et tous les êtres à la fin sont un ». Pour lui, « l'âme de chaque homme est animée par une flamme qui nous donne des ailes pour approcher le soleil de la connaissance ».

Le soleil de la connaissance...

Une nouvelle fois, sa situation se gâte quand les catholiques, dont il est, font l'objet de persécutions par l'Église anglicane. Étant rejeté à la fois par celle-ci et par Rome, il lui faut partir encore, mais pour où, cette fois ? Il songe aux Pays-Bas, terre de libertés, mais l'assassinat de Guillaume d'Orange en 1584, dans des conditions épouvantables, y provoque une grande instabilité. Pas question non plus de rentrer en Italie, où l'Inquisition le mettrait aussitôt à mort. Reste le retour en France, où le protestant Henri de Navarre est devenu l'héritier putatif de la couronne à la mort du duc d'Anjou, frère d'Henri III. La situation n'y est pourtant pas excellente. Le nouveau pape Sixte Quint, élu en 1585, déclare en effet Henri de Navarre hérétique et relaps. La Ligue catholique, dirigée par le duc de Guise, fait paraître un violent manifeste contre les réformés. Commence une nouvelle guerre de religion, la plus meurtrière.

Bruno quitte pourtant Londres pour Paris en octobre de cette année-là. Il ne réussit pas à se faire admettre à la cour d'Henri de Navarre, ni à se faire coopter par les professeurs de la Sorbonne, parce qu'il affirme toujours ne croire que dans le doute. Il ne parvient pas davantage à se réconcilier avec l'Église, qui lui pose comme conditions le retour dans son ordre et la répudiation de son œuvre. La négation de ses écrits ? Pas question ! Il a quarante ans, il est seul et survit de traductions, de relectures, de conférences. Il a souvent faim et froid. L'Italie lui manque, mais l'Inquisition y constitue une trop lourde menace. Il hésite et décide de partir à nouveau, cette fois pour l'Allemagne.

C'est d'abord Marbourg, en 1586, où il est mal reçu. Puis tout semble de nouveau lui sourire : il est accepté comme professeur dans une des meilleures universités de l'Europe de la fin de la Renaissance, Wittenberg, ville de Saxe située au bord de l'Elbe ; il y passe sans doute les deux plus belles années de sa vie. Il y écrit que sa propre religion « est celle de la coexistence pacifique des religions, fondée sur la règle unique de l'entente mutuelle et de la liberté de discussion réciproque ». Il est heureux : il enseigne la philosophie, la cosmogonie et l'art de la mémoire. Il soutient que le savoir a de multiples dimensions, à la fois artistique, magique et musical, et que la Bible elle-même ne doit pas être prise au pied de la lettre. Il inculque à ses élèves l'obligation du doute, ce qu'il appelle « la liberté philosophique ». Il s'intéresse de plus en plus à la magie et compte même en ce domaine des disciples, en secret, pour ne pas être accusé de sorcellerie.

En 1588, année de la naissance de Thomas Hobbes, alors que se produit le désastre de l'« invincible Armada », l'assassinat du duc de Guise incite les Ligueurs à se retourner contre Henri III, lequel se rapproche alors d'Henri de Navarre.

La tranquillité allemande de Bruno est de courte durée. La même année, les luthériens prennent le pouvoir dans son université. N'étant plus le bienvenu, il doit partir, d'abord pour Prague, auprès de Rodolphe II de Habsbourg, qui vient de s'y installer. Ce prince extraordinaire, grand admirateur de tout ce qui pense, grand amateur de femmes, protecteur d'Arcimboldo, de Spranger, de Tycho Brahe et de Johannes Kepler – dont Leo Perutz dressera un merveilleux portrait –, est entouré d'alchimistes et d'astrologues. Bruno lui dédie un livre, mais sans obtenir de poste. Il repart alors pour Helmstedt, espérant cette fois la protection du duc de Brunswick, mais celui-ci meurt. L'assassinat, la même année, à Paris, d'Henri III par le moine Jacques Clément, le prive de son ultime soutien princier.

Sa pensée le conduit de plus en plus vers l'hermétisme, la magie, la kabbale. En 1590, il se rend à Francfort, centre de la jeune industrie de l'édition, pour y faire publier ses livres, de plus en plus ésotériques. Dans *Des fureurs héroïques*, il écrit que « les mages peuvent faire plus au moyen de la foi que les médecins par les voies de la liberté ». Dans *De Magia*, il propose d'en revenir à la magie et aux hiéroglyphes égyptiens, car, selon lui, les « termes latins, grecs et italiens échappent à l'écoute et à l'intelligence des divinités supérieures et éternelles ». Autre intuition fulgurante, celle-ci d'une extrême modernité : l'univers est composé d'un nombre limité de lettres, entités élémentaires aux formes géométriques – triangles, carrés, cercles, pyramides, courbes – qu'il relie à une substance qui « les anime tous ». « Et il n'est pas nécessaire qu'il y ait beaucoup de sortes et de formes d'éléments infimes, comme du reste de lettres non plus, pour former d'innombrables espèces. »

Dans un texte qui lui sera beaucoup reproché lorsqu'on l'accusera de sorcellerie, il ajoute : « Il n'est pas de réalité qui ne soit accompagnée d'un esprit et d'une intelligence. »

Ses écrits se font sans cesse plus amers, plus virulents. Toujours à Francfort, où il vivote, il rédige un livre où il mêle magie et mémoire : *De la composition des images, des signes et des idées*, dans lequel il imagine un système incroyablement sophistiqué de géométrie magique répartissant des *ailes de mémoire* en vingt-quatre salles, elles-mêmes subdivisées en neuf *lieux de mémoire*, quinze *campi*, subdivisés à leur tour en neuf lieux et trente *cubiculae*.

Le supérieur du couvent de Carmes qui l'héberge quand il n'a pas où dormir le décrit comme « un homme universel mais qui n'avait point de religion, occupé la plupart de son temps à écrire, à créer des chimères et à se perdre à de nouvelles rêvasseries ».

C'est de sa fascination sulfureuse pour la magie que vient sa perte : en novembre 1591, à Francfort, deux libraires venus de Venise où ils ont vendu certains de ses livres lui rapportent l'invitation émanant d'un jeune et riche Vénitien, Giovanni Mocenigo, qui a lu ses livres et le veut comme professeur particulier. Bruno hésite : l'Italie est pour lui dangereuse, mais il sait vacante la chaire de mathématiques à Padoue, où il a essayé d'enseigner douze ans plus tôt ; il pense, de plus, qu'il sera à l'abri en Vénétie et se rêve en Luther de l'Italie, qui réconciliera l'Église et la science, en particulier qui convaincra le nouveau pape, Clément VIII, de la nécessité, pour l'Église, d'admettre les vertus de la Raison.

Il accepte la proposition de Mocenigo et se rend à Venise en mars 1592. Mais son hôte vénitien se révèle être un jeune mondain capricieux. Il exige très vite de Bruno qu'il lui enseigne la magie. Bruno devine le piège : le faire, c'est risquer d'être accusé de sorcellerie. Il explique au jeune homme qu'il ne peut rien lui enseigner de tel, qu'il est un philosophe et un savant, et ne connaît rien à la magie. Mocenigo insiste. Bruno tergiverse.

Pendant qu'il essaie encore de se faire nommer à Padoue et d'obtenir le pardon de Clément VIII, il fait croire à Mocenigo qu'il rédige spécialement à son intention un « Art de l'invention ». Ses démarches à Padoue et à Rome restant vaines, Bruno décide de repartir pour Francfort. Mais, la veille de son départ, dans la nuit au 22 au 23 mai 1592, Mocenigo l'enferme dans sa chambre et déclare qu'il ne le laissera sortir que s'il promet de lui enseigner « les termes de la mémoire des mots et les termes de la géométrie ». Bruno refuse. Ivre de colère, Mocenigo le séquestre dans un grenier et le dénonce à l'Inquisition pour faits de sorcellerie.

Bruno est ensuite conduit à la prison vénitienne de l'Inquisition, San Domenico di Castello. Mocenigo est entendu. Il accuse Bruno, « par contrainte de sa conscience et sur ordre de son confesseur », d'avoir professé l'existence d'un univers infini et d'un nombre infini de systèmes solaires, d'être un « ennemi de la messe », de critiquer le Christ, d'être un faux mage, de réfuter la Trinité au nom de la perfection divine, de nier la Création au nom de l'éternité de l'univers, de croire en l'infinité des mondes, de ne pas croire à la punition des péchés, d'aimer le roi français Henri IV, de croire en la métempsycose, de décrier la théologie, de mépriser l'Inquisition, de nier la virginité de Marie, de séduire les femmes et de considérer la liberté sexuelle comme « propre au service de la nature ». Une seule de ces accusations, si elle est établie, le conduira à sa perte.

Une semaine plus tard, devant les enquêteurs de l'Église, Bruno répond calmement à toutes, comme ferait un professeur à ses élèves. « Je comprends qu'un être est en tout et au-dessus de tout, et qu'il n'est rien qui ne participe à l'être, et aucun être sans essence. Ainsi rien n'est étranger à la divine présence. » Il avoue son incapacité à comprendre la Trinité, reconnaît ne pas croire à la virginité de Marie ni à l'unicité du système solaire. Selon les procès-verbaux des jours suivants, il est torturé et déclare : « Le contenu de tous mes livres en général est philosophique et [...] j'y ai toujours parlé en philosophe, suivant la lumière naturelle, sans me préoccuper de ce que la foi nous commande d'admettre. » Et encore : « C'est à l'intellect qu'il appartient de juger et de rendre compte des choses que le temps et l'espace éloignent de tout. »

Le 30 juillet 1592, après sept interrogatoires et autant de séances de tortures, il n'a rien admis. Informée, l'Inquisition de Rome exige qu'on le lui envoie. Le doge refuse : il se doit de protéger l'indépendance de Venise. Le sénat de la ville confirme ce refus. Clément VIII insiste : Bruno est napolitain et Venise n'a aucune raison de le protéger. Venise hésite encore, puis cède.

Le 27 février 1593, Bruno est transféré à Rome et enfermé dans la prison de l'Inquisition qui jouxte la basilique Saint-Pierre. Il demande à voir le pape Clément VIII, qui refuse de le recevoir. Un nouveau procès commence. On en sait peu de chose : toutes les archives en furent rapportées à Paris par Napoléon, puis vendues comme vieux papiers à recycler pour une usine de fabrication de carton...

Après plusieurs années de procédure, on demande au cardinal Bellarmin, jésuite, théologien, expert du Saint-Office, de mener les interrogatoires. C'est un personnage considérable, un grand intellectuel qui a cherché à calculer la vitesse de rotation du Soleil autour de la Terre et qui réfute l'idée du caractère infini de l'univers. Pour Bellarmin, la théorie de l'héliocentrisme est peut-être scientifiquement intéressante, mais elle est « stupide en philosophie ». En effet, toute critique de la vérité biblique, si limitée soit-elle, conduit à la « défaite de la religion ». La religion forme donc un tout qu'il ne faut pas tenter de dissocier. Il entend forcer Bruno à renoncer aux « fantômes philosophiques » et aux « matières désespérées ».

Huit interrogatoires se succèdent sur deux ans, entrecoupés de longs intervalles de temps où on l'oublie. À chaque interrogatoire, ponctué de tortures, il fait des concessions : sur la Trinité, il dit qu'il est prêt à renoncer à ses doutes ; sur la métempsycose, il admet que ce n'est pour lui qu'une hypothèse philosophique. Mais il tient ferme sur la pluralité des mondes et l'éternité de l'univers.

Fin 1594, alors qu'Henri IV, l'ami de Giordano, qui pourrait le sauver, se convertit au catholicisme et est sacré roi de France à Chartres, le dossier d'accusation contre Bruno est bouclé. Il ne renferme rien de convaincant. Aucun aveu. Aucune preuve. Le pape Clément VIII demande alors qu'on étudie ses livres. Ce qu'on fait pendant trois ans, sans même l'interroger.

Ce n'est qu'en 1597, cinq ans après son arrestation à Venise, qu'on le questionne enfin à propos de ses « vaines conceptions sur la pluralité des mondes ». Autant, sur le reste, il est prêt à lâcher du lest, autant, là-dessus, il tient bon, en particulier lors de son dix-septième interrogatoire, malgré le supplice de la corde.

En 1598, on lui demande encore de renoncer à ses propositions hérétiques. Bruno se dit prêt à renoncer si l'Église déclare qu'elles ne sont hérétiques qu'« à partir de maintenant ». Comble de l'ironie ! Bellarmin refuse : pour lui, ces idées sont depuis toujours condamnables.

Il n'y a toujours pas de preuve décisive justifiant une condamnation au regard du dogme. Bellarmin pense à le gracier. Pour sa part, Clément VIII s'y refuse : il veut une rétractation pleine et entière.

En 1599, le mysticisme est à son paroxysme en Italie, où l'ouverture de la châsse d'une sainte Cécile morte au début du IIIᵉ siècle révèle, dit-on, un corps intact, prodige qui suscite une émotion considérable. L'heure n'est pas aux demi-mesures.

Quand commence son vingt et unième interrogatoire, le 10 septembre 1599, Bruno souhaite négocier, se déclarant prêt à une rétractation partielle si on l'autorise à poursuivre ses recherches philosophiques. Le 21 décembre, le pape s'y oppose. Alors qu'en France Henri IV promulgue de nouveaux statuts de l'université, à Rome les juges demandent encore une fois à Bruno de se rétracter totalement. Il est las, n'a plus envie de négocier. Il répond : « Je ne crains rien et je ne rétracte rien, il n'y a rien à rétracter et je ne sais pas ce que j'aurais à rétracter. » On lui envoie des dominicains, ses frères d'ordre. Il persiste : non, il n'a rien écrit d'hérétique.

Le 20 janvier 1600, Clément VIII ordonne de le livrer à l'Inquisition, qui lui accorde quarante jours pour reconsidérer sa position. Le 8 février 1600, il est conduit chez le cardinal Madruzzi, piazza Navona. On lui lit sa condamnation en présence des neuf cardinaux inquisiteurs et du gouverneur laïc de la ville. On le fait mettre à genoux pour écouter la sentence ; celle-ci ordonne de le « punir sans verser le sang » – ce qui signifie le bûcher. On lui laisse encore huit jours pour se repentir. « Vous avez certainement plus peur en prononçant cette sentence que moi en l'écoutant ! » crie-t-il alors à ses juges.

À l'aube du jeudi 17 février, alors que Kepler arrive à Prague pour travailler avec Tycho Brahe, sept pères de quatre ordres différents viennent le chercher dans sa cellule et le supplient une dernière fois de renoncer à « ces mille erreurs et vanités ». Il refuse. On le mène au Campo dei Fiori sous la conduite des moines de San Giovanni Decollato. On le ligote au bûcher, on lui attache la langue pour qu'il ne parle pas. Quand, au dernier moment, on lui tend un crucifix, il détourne les yeux.

Après sa mort, tout est fait pour qu'on l'oublie et qu'on le discrédite. L'Église le dénonce *urbi et orbi* comme espion, assassin, athée. Le 7 août 1603, toute son œuvre est mise à l'Index, ce qui veut dire que l'Église menace d'excommunication quiconque voudrait le lire, le citer ou reprendre ses théories.

Un peu plus tard, en 1616, Galilée, confronté aux mêmes menaces du même Bellarmin, pour des thèses beaucoup moins audacieuses, n'aura pas le courage de Giordano. Même s'il déclare : « L'intention du Saint-Esprit est de nous enseigner comment on doit aller au Ciel, et non comment va le Ciel », il cédera et ne sera qu'assigné à résidence. À l'inverse, tous les honneurs seront réservés à Bellarmin, enterré en grande pompe en 1621 dans le magnifique tombeau qu'il a lui-même commandé au père du Bernin.

Il faudra attendre 1728 et les observations de Bradley sur l'aberration de la lumière pour avoir une première preuve directe du mouvement de la Terre par rapport aux étoiles. En 1741, le Saint-Office donnera son imprimatur à la première édition des œuvres complètes de Galilée, à condition d'écrire que le mouvement de la Terre est « supposé ».

On redécouvre alors l'œuvre de Bruno, d'abord en Angleterre, où il a tant écrit et souffert, puis dans l'Italie qu'il aimait tant. Au XIXᵉ siècle, il devient l'idole des intellectuels du Risorgimento, le symbole du philosophe vagabond, du courage à la fois vulnérable et obstiné, de l'homme insolent, anticlérical et libre penseur.

Mais l'Église catholique ne désarme pas. En 1889, le pape Léon XIII s'oppose, en vain, à l'érection par la municipalité de Rome d'une statue à l'endroit exact où il a été brûlé. Le 29 juin 1930, l'Église va même jusqu'à canoniser le cardinal Bellarmin et répète à toutes les occasions que Bruno a été condamné à juste titre pour ses « erreurs théologiques ». En 1979, Jean-Paul II charge une commission d'étudier la controverse ptoléméo-copernicienne des XVIᵉ-XVIIᵉ siècles, considérant qu'il ne saurait être question à ce sujet de réhabilitations, le Tribunal ecclésiastique qui condamna Bruno et Galilée n'existant plus…

Bruno n'était pas dupe : il a toujours su qu'il aurait à payer cher le fait d'être en avance sur son temps, d'avoir eu l'intuition de ces disciplines qui se nomment aujourd'hui l'épistémologie, la sémantique, la relativité, la génétique, la cosmologie, la théorie générale de l'univers.

Un jour de déprime, lors d'une de ses errances, pourchassé par l'ignorance et la bêtise, il écrivit (cher Prospero dont le destin m'émeut aux larmes) ce qui reste aujourd'hui encore comme l'indépassable lamento de tous les découvreurs, spectateurs de leur propre marginalité : « Voyons ce qui arrivera à ce citoyen et serviteur du monde, fils de son père le Soleil et de sa mère la Terre, voyons comment le monde qu'il aime trop doit le haïr, le condamner, le persécuter et le faire disparaître... »

BIBLIOGRAPHIE

BRUNO, Giordano, *De la magie*, Paris, Allia, 2000.

BRUNO, Giordano, *Œuvres complètes*, collection dirigée par Yves Hersant et Nuccio Ordine, Paris, Les Belles Lettres, 1993-2000.

LEVERGEOIS, Bertrand, *Giordano Bruno*, Paris, Fayard, 1995.

THUILLIER, Pierre, « Giordano Bruno : martyr de la science ou illuminé ? », in *La Revanche des Sorcières. L'irrationnel et la pensée scientifique*, Paris, Belin, 1997, p. 32-43.

YATES, Frances Amelia, *Giordano Bruno et la tradition hermétique*, Paris, Dervy-Livres, 1996.

10

Caravage
(1571-1610)
ou l'insolence du génie

Combien de fois ne me suis-je pas demandé quel personnage était au juste l'auteur de ce fantastique autoportrait en forme de tête de Méduse qui ne cesse de m'obséder chaque fois que je passe le voir à Florence ; de ces figures du Christ inoubliables, à la mesure de leur humilité ; du si pathétique *Martyre de saint Matthieu* ; de la diaphane et si présente Marie-Madeleine en arrière-plan d'une bouleversante *Mise au tombeau*. Je l'ai scruté, de musée en musée, d'exposition en exposition, comme j'avais fait antérieurement pour un autre très grand peintre mort peu avant sa naissance, Pieter Bruegel. Poursuivant mes recherches, j'ai été fasciné par l'incroyable trajectoire de ce voyou génial, de cet arrogant amateur de rixes et de bas-fonds, de ce mystique amoureux de la transgression, révolutionnant le dessin pour mieux révéler les feux de la passion et la face obscure de l'humaine nature. Premier artiste à oser imposer ses vues à ses commanditaires, premier artiste sans foi ni loi, par sa vie, son œuvre et sa mort, il préfigure un autre artiste contemporain : Pasolini.

Quand Michelangelo Merisi, qui deviendra le Caravage, naît le 29 septembre 1571 à Milan, le duché de Milan est sous occupation espagnole depuis qu'en 1535 Charles Quint l'a conquis, à la mort sans héritier de Francesco II Sforza. Un gouverneur, Alvaro de Sande, administre alors le duché pour le compte du roi d'Espagne Philippe II, en s'appuyant sur la noblesse et la bourgeoisie marchande pour maîtriser ouvriers et artisans assujettis à des corporations. Tous sont sous la coupe de l'autorité ecclésiastique, elle-même successivement exercée par deux cousins, deux fortes personnalités, les cardinaux Charles puis Frédéric Borromée, qui résident à Milan et non pas à Rome comme la plupart des autres membres du Sacré Collège.

Dans l'Église, la Contre-Réforme initiée par le concile de Trente de 1545 étend sa loi sous Pie V puis Grégoire XIII. Il s'agit, pour Rome, de tenir un discours théologiquement convaincant, de se montrer impitoyable envers les réformés, mais, dans le même temps, de donner du catholicisme une image plus avenante, contrastant avec l'austérité affichée du protestantisme. L'art joue là un rôle essentiel.

En Italie (espagnole au nord, avec le duché de Milan, et au sud, avec le royaume de Naples, la Sicile et la Sardaigne), les puissants (princes, marchands, cardinaux) font en effet de l'art, en particulier de la peinture, un signe extérieur de puissance et un instrument de propagande. Princes et marchands veulent des portraits dans leurs salons, des fresques pour décorer leurs villas et leurs chapelles ; les cardinaux entendent s'en servir pour donner de l'Église une image plus flatteuse ; tous cherchent à attirer les meilleurs peintres, sculpteurs et architectes de l'époque. Ils sont si férus de beaux-arts qu'ils en deviennent experts. On admire encore Michel-Ange et Léonard de Vinci, mais plus du tout Botticelli, Bellini, ni Piero della Francesca. On discute de la question de savoir si la peinture est plus importante que la sculpture, si la qualité du dessin doit primer sur la couleur. En Lombardie, les élites princières et ecclésiastiques privilégient la simplicité et l'attention prêtée au détail. Ailleurs prédomine une *maniera* picturale éloignée de la nature. Aux uns, les natures mortes ; aux autres, les allégories. On assiste aussi au retour de la peinture de chevalet, facile à vendre et à installer, pratiquée en atelier, espace propice à l'échange et au débat culturel.

Le 7 octobre 1571, quelques jours après la naissance du Caravage, la flotte de la Sainte Ligue, conduite par Don Juan d'Autriche, à bord de laquelle se trouve Miguel de Cervantès, qui y perdra un bras, écrase celle des Turcs à Lépante.

Le père de Michelangelo, Fermo Merisi, né sans doute en 1539, est originaire de Caravaggio (cité de la province de Bergame, en Italie du Nord, peuplée à l'époque d'environ 15 000 habitants). Il habite depuis huit ans Milan où il travaille comme *mastro* ou *magister* (à la fois artisan et contremaître) pour le compte du marquis de Caravaggio, Francesco

Sforza. Le père de Fermo était lui aussi *mastro* et tenait un commerce de vins dans le modeste quartier de la Porta Seriola. Fermo Merisi a épousé Lucia Aratori, d'une famille pouvant prétendre à la noblesse, le 14 janvier 1571 à Caravaggio, dans une église de campagne proche de Porta Seriola, en présence du marquis Francesco Sforza. Amis de longue date du père de Lucia, les Sforza, branche issue de Ludovic le More, contrôlent alors la petite cité.

En 1572 à Paris, où les tensions religieuses font rage, se déchaîne la Saint-Barthélemy. La même année, en Hollande, première puissance du temps avec Gênes et Venise, Guillaume d'Orange est nommé *stadhouder*. À Milan, où il vit jusqu'à l'âge de cinq ans, le jeune Caravage voit probablement son père travailler à des ouvrages de maçonnerie et l'aide peut-être déjà à préparer des enduits destinés à des peintres de fresques. En ce temps-là, à Venise, Titien tente d'achever sa *Pieta*, une de ses dernières œuvres.

C'est alors qu'apparaissent en ville les premiers cas de peste. Dix-sept mille Milanais en meurent, et le cardinal Charles Borromée doit user de toute sa foi et de son ascendant personnel pour rassurer une population tentée de fuir.

Le grand-père, le père, la mère et les cinq enfants Merisi (Michelangelo, une demi-sœur, une sœur, deux frères) se réfugient à Caravaggio. Mais la peste, qui s'éteint progressivement à Milan, suit les déplacements des familles vers les campagnes et les rejoint bientôt. Le père du Caravage en meurt le 20 octobre 1577, trois heures après son propre père. Sur son lit de mort, il fait jurer à l'enfant de retourner à Milan étudier la peinture.

Lucia Aratori gère l'héritage de son mari ; elle parvient à faire vivre sa progéniture avec l'aide de son père et du marquis de Caravaggio jusqu'à sa mort au début de 1584, laissant les enfants sous la protection de Costanza Colonna, fille d'une grande famille de *condottiere* et épouse de Francesco Sforza, marquis de Caravaggio.

Le 7 mars 1583, le frère de Michelangelo, Giovan Battista, devient prêtre dans le diocèse de Crémone. Michelangelo, qui a alors treize ans, fréquente probablement l'école, ainsi que le confirmera plus d'un inventaire de ses biens, prouvant qu'il sait lire et écrire.

En 1584, obéissant à la volonté posthume de son père, il s'en revient à Milan et signe, le 6 avril, un contrat d'apprentissage de quatre ans avec Simone Peterzano, peintre bergamasque, qui se dit élève du Titien et signe d'ailleurs ses toiles *Titiani alumnus*. Un ami du même Peterzano,

Lomazzo, publie alors un traité dans lequel il annonce la fin de la Renaissance, à laquelle va se substituer le *maniérisme*.

Cette année-là meurent à Moscou Ivan IV le Terrible et à La Haye Guillaume d'Orange.

De 1584 à la mi-1588, Michelangelo Merisi s'initie à toutes les techniques de la peinture, y compris celle des fresques, art qu'il déteste. Il découvre le réalisme de la tradition lombarde avec Vincenzo Foppa, la perspective selon Mantegna, le maniérisme de Campi ; il étudie les œuvres de Moroni, Moretto, Savoldo, tous alors fascinés par Giorgione, Lotto et Titien, qui travaillent à la cité des Doges. Il apprend en particulier de Savoldo le rendu de la lumière d'intérieur et de l'éclairage artificiel, savoir-faire qu'il poussera à l'extrême. C'est déjà un jeune homme arrogant, volontiers batailleur, vantant son propre talent et décriant celui des autres, hormis celui de Michel-Ange, qu'il vénère.

À la même époque, à Bologne, deux frères et leur cousin, les Carrache, fondent l'*Accademia degli Incamminati*. Ludovic en est le gestionnaire ; Augustin, le théoricien ; Annibal, le peintre. Admirateur de Raphaël, Annibal entend s'affranchir de la préciosité, recherche la beauté et la simplicité classiques, tout en s'appliquant à atténuer les manifestations de la souffrance et de la mort (par exemple dans *La Vierge pleurant le Christ*) pour ne pas trop heurter les spectateurs.

À Rome, Sixte Quint, devenu pape en 1585, rétablit l'ordre dans les États pontificaux et limite à soixante-dix le nombre des cardinaux ; il crée la congrégation des Réguliers et celle des Procès consistoriaux (qui examine toutes les affaires portées devant le consistoire). Il entend faire de Rome le centre de la Contre-Réforme, mais aussi la capitale de l'art baroque. La Ville éternelle est alors divisée entre pro-Français, favorables à toutes les audaces des artistes, et pro-Espagnols, défenseurs de l'esprit du concile de Trente et d'un art plus austère.

Le pape entame de grands travaux d'embellissement de la ville, qu'il confie à l'architecte Domenico Fontana. Il déclare que « Rome n'a pas seulement besoin de la protection divine et de la force sacrée et spirituelle ; il lui faut aussi la beauté que dispensent le confort et les ornements matériels ». Il ouvre la *via Sistina*, ainsi que des axes monumentaux partant de Sainte-Marie-Majeure vers les très anciennes églises alors restaurées comme Saint-Jean-de-Latran. Il remodèle les collines du Quirinal, de l'Esquilin et du Pincio, déplaçant des obélisques pour en orner places ou fontaines. Surtout, il fait construire la Bibliothèque vaticane et dresse l'obélisque sur la place Saint-Pierre.

À Rome, un cardinal français, Matthieu Cointrel, dit Matteo Contarelli, en échange de sa participation financière aux travaux de rénovation de l'église Saint-Louis-des-Français, y a acquis une chapelle, et projette de la faire décorer de scènes inspirées de la vie de son saint patron ; mais il meurt en 1585, avant même le moindre début d'exécution des travaux. L'Église reçoit la majeure partie de son héritage, à charge pour elle de réaliser son projet, mission que freine tant qu'il peut l'exécuteur testamentaire pour bénéficier le plus longtemps possible des intérêts du legs. Caravage va bientôt trouver là un rôle à sa mesure.

En 1588, alors que le jeune peintre poursuit son apprentissage milanais et que naît Thomas Hobbes en Angleterre, le désastre de l'Invincible Armada met fin au dessein de Philippe II d'Espagne d'installer Marie Stuart sur le trône d'Angleterre et de placer un roi ultra catholique sur celui de France pour mieux reconquérir ensuite les Pays-Bas et en finir avec la Réforme.

Le 7 juin, le frère puîné du peintre, Giovanni, meurt à Caravaggio : le jeune homme s'y rend alors pour vendre son héritage, dont un terrain possédé en copropriété avec ses frères et sœurs. Le jeune Caravage séjourne quelques semaines à Caravaggio. De retour à Milan, il loge à la paroisse San Vito in Pasquirolo. Certainement habité par une foi intense, c'est déjà un homme violent, révolté ; il ne souscrit à aucune règle, aucune loi, aucune norme, aucun canon esthétique, hormis ce que lui inspirent son plaisir et l'accomplissement de son œuvre, laquelle le plonge souvent dans une sorte d'hypnose et de délire verbal. Il semble aussi avoir fait à cette époque l'objet d'une condamnation pour vol.

Comme tous les artistes, il est attiré par la puissance et la gloire. Il rêve de tenter sa chance à Rome, où résident les plus riches mécènes. Rome où Urbain VII succède à Sixte Quint. Rome où, placés sous l'autorité temporelle du pape, les sept provinces des États pontificaux sont chacune dirigées par un gouverneur nommé par le successeur de saint Pierre.

En 1592, le jeune homme se décide : il repasse par Caravaggio pour parachever le partage de l'héritage familial avec sa sœur Caterina et son frère Giovan Battista, puis part pour la Ville éternelle. Il ne remettra jamais plus les pieds dans sa bourgade natale.

À Rome, au moment où y débarque le Caravage, le contexte politique est particulièrement lourd. Après le très bref pontificat d'Innocent IX, Ippolito Aldobrandini vient tout juste d'être élu pape, le 30 janvier 1592, sous le nom de Clément VIII. Il se réconcilie avec le roi de France Henri IV, c'est-à-dire qu'il le reconnaît comme catholique, revenant ainsi sur les termes de la bulle de Sixte Quint qui l'avait déclaré hérétique ; il instaure dans ses États une nouvelle rigueur morale et rétablit la sécurité dans les rues. Procès et condamnations d'intellectuels se multiplient : Tommaso Campanella, Giordano Bruno figurent parmi les victimes. L'architecte Domenico Fontana est remplacé par Della Porta. Annibal Carrache est chargé de la décoration de la galerie du palais Farnèse, l'un des plus prestigieux de Rome.

Caravage vit d'abord dans le dénuement. Il est hébergé par un ami de sa famille, Mgr Pucci, pour qui il copie des tableaux religieux en échange d'un toit et d'une simple salade quotidienne, qui vaut bientôt à son hôte le surnom de *Monsignor Insalata*. Il frappe à la porte du cardinal Borromée et des oratoriens, qu'il a fréquentés à Milan, et exécute pour eux des copies en même temps qu'il griffonne d'innombrables croquis de scènes de misère dans des rues de Rome : voleurs, prostituées, joueurs, compagnons de ribaude. Il découvre un milieu artistique encore tourné vers Raphaël et Michel-Ange avec Nebbia et Zuccari. Le très jeune Giuseppe Cesari, qui deviendra bientôt le Cavalier d'Arpin, connaît alors une grande vogue ; avec un sens aigu des affaires, celui-ci peint alors une fresque sur la voûte Contarelli de Saint-Louis-des-Français ; de nombreux peintres passent par son atelier, de Van Dyck à Jan Bruegel de Velours, père de Pieter Bruegel l'Ancien.

Caravage entre dans l'atelier de Lorenzo Carli, dit Lorenzo Siciliano, puis dans celui d'Antiveduto Grammatica, où il continue à peindre trois copies par jour, destinées à des amateurs peu fortunés. Il exécute alors son premier tableau personnel, un *Bacchus malade,* qui est aussi son premier autoportrait : ricanant, renfrogné et souffrant. Premier de ses biographes, son contemporain Bellori le décrira justement comme « sombre de peau, les yeux sombres, les cils et les cheveux noirs ».

Sa situation s'améliore quelque peu. Il fréquente un petit cercle d'intellectuels qui admirent Giordano Bruno, ainsi que des artistes tels Guido Reni, Francesco Albani, Giovanni Lanfranco et Domenico Zampieri (le Dominiquin). En juin 1593, il travaille encore dans l'atelier d'Antiveduto Grammatica quand il apprend que Giuseppe Cesari – le Cavalier d'Arpin – cherche un apprenti capable d'imiter les œuvres flamandes. Il se présente et est admis. Mais il n'apprend que peu, essentiellement astreint à peindre de modestes natures mortes pour Cesari, qu'il quitte brusquement en janvier 1595. Libéré des canons inculqués dans sa jeunesse, il peint vite, sans presque dessiner, avec audace et énergie. La sûreté de sa technique est stupéfiante, et son style naturaliste, peu répandu alors à Rome. Parmi ces premières toiles, bouleversantes : le *Garçon mordu par un lézard*, le *Jeune garçon avec un panier de fruits*, le *Jeune garçon pelant un fruit*. Fond neutre, nature morte, jeune éphèbe éclairé d'une lumière oblique. Pour obtenir ce dernier tableau, un mécène, le cardinal Scipion Borghèse, fait arrêter le Cavalier d'Arpin sous un prétexte fallacieux et en profite pour saisir toutes les toiles de son atelier, dont ce tableau.

Apparaissent aussi autour de lui des jeunes gens efféminés, volontiers provocants, qu'on peut voir notamment dans un *Concert de jeunes gens*, musiciens en répétition – d'où l'hypothèse, plausible mais jamais explicitement confirmée, d'un Caravage homosexuel. Sans doute est-il, en fait, ouvert à tous les plaisirs.

Ainsi, trois ans après son arrivée à Rome, il n'a toujours pas rencontré le succès qu'il escomptait. Il est alors mis en contact avec Monsù Valentin, un marchand de tableaux français tenant boutique près de l'église Saint-Louis-des-Français. Celui-ci le présente au cardinal Francesco Maria Borbone del Monte : cette rencontre fait basculer son destin.

Del Monte est un collectionneur compulsif. Né à Venise, esprit scientifique, mélomane, ami de Galilée, grand mécène et bon vivant, se vantant d'être apparenté aux Bourbons de France, il est proche du marquis de Caravaggio. Le Palazzo Madama, sa résidence, voisin de Saint-Louis-des-Français, emploie plus de deux cents familles.

Au début de 1596, le cardinal del Monte loge Caravage avec son compagnon, Mario Minniti, dans les combles de son palais. « Fort charmé » par sa peinture, rapportera Bellori, le prélat lui passe commande d'un plafond pour sa maison de campagne des environs de Rome.

Des archives policières romaines datant de 1597 le décrivent alors comme un « vigoureux jeune homme de vingt à vingt-cinq ans, trapu, avec une barbe noire en broussaille, des sourcils épais, qui va vêtu d'un habit noir débraillé, et porte une paire de chausses noires un peu déchirées, et dont la tête est couverte d'une abondante chevelure noire retombant sur le front ».

Cette année-là, Caravage peint deux chefs-d'œuvre pour del Monte : *La Diseuse de bonne aventure* et *Les Musiciens*, où l'on voit une bohémienne lire l'avenir à un jeune homme tout en en profitant pour lui subtiliser sa bague. Les visages sont expressifs, les costumes chatoyants ; uni et neutre, le fond fait d'autant mieux ressortir les personnages, coupés à mi-corps. Un rayon latéral tombant sur eux provoque des reflets sur les surfaces. Dans le magnifique *Joueur de luth*, peint à la même période, la partition du luthiste, qu'on peut déchiffrer, est celle d'une œuvre de Jacques Arcadelt, musicien de la chapelle pontificale. Le modèle masculin est probablement Mario Minniti, son ami d'alors.

Sa technique se précise : pour peindre, il multiplie les croquis, puis, avec le manche d'un pinceau, trace rapidement les grands traits de la composition et les principaux contours. Il peint personnage après personnage suivant des modèles vivants, après avoir médité soigneusement l'organisation d'ensemble. Pour réaliser les contrastes, il plonge son atelier dans une semi-pénombre traversée d'une unique source de lumière située en hauteur. Un assistant broie les pigments et les mélange à l'huile de lin. Parfois il superpose à la peinture humide une fine couche de détrempe à l'œuf. Concentré, rapide, son talent s'exprime comme une explosion longuement préméditée.

Révolution radicale dans la peinture : il campe des amis, des gens du peuple, des voleurs et des assassins. Il se peint lui-même dans un miroir, sans aucun respect pour les modèles classiques et la beauté « idéale » où excellent les autres artistes. Il rend la condition humaine telle qu'il la voit, avec une audace folle, mêlée à une technique à couper le souffle.

La protection du cardinal et l'impunité qui paraît en résulter lui font perdre le sens du danger. Il fréquente les bas-fonds de Rome, multiplie les altercations avec les argousins et les séjours derrière les barreaux. Le 4 mai 1598, un adjoint du chef de la police l'arrête au Campo Marzio pour port de l'épée sans licence et le fait incarcérer à la prison de Tor di Nona, là où Giordano Bruno est au même moment détenu et torturé.

Toujours sur commande de del Monte, Caravage commence aussi, pour le bouclier d'une armure, *La Méduse* – devenue célébrissime depuis lors pour son regard épouvanté –, qui préfigure la succession des « têtes coupées », obsession et motif récurrent de sa peinture ;

l'œuvre, jamais achevée, l'accompagnera ensuite dans toutes ses pérégrinations.

En 1599, il peint et repeint des *Corbeilles de fruits*. L'une est acquise par le cardinal Borromée. Minutie des détails, choix délicat des coloris confèrent à cette nature morte une apparence de vérité sans précédent. Ce genre est jusqu'alors considéré comme mineur, apanage exclusif des Flamands, des « décorateurs » appelés *grotteschi* et des peintres de triomphes et de guirlandes tels que Giovanni da Udine ; mais il y ajoute une dimension plus élevée, chaque composition recélant un message d'inspiration mystique.

1599 marque un tournant dans son art : il peint *Judith décapitant Holopherne*, œuvre magistrale – encore une « tête coupée » – dans laquelle les contrastes entre ombres et lumières accentuent la violence de la scène. Il peint Judith d'après sa maîtresse d'alors, une prostituée, Fillide Maladoni. Il se peint lui-même en Holopherne. Victoire du Bien sur le Mal. La mort de Béatrice Cenci, décapitée la même année, l'a sans doute inspiré, tout comme celle d'une autre Béatrice avait inspiré Michel-Ange pour peindre, dans la chapelle Sixtine, une autre Judith et sa servante portant la tête d'Holopherne, celui-ci également autoportrait du peintre. Avec Michel-Ange, seul et unique artiste dont il reconnaisse le génie, son dialogue ne fait alors que commencer.

Cette année-là, alors que s'achève le procès de Giordano Bruno, l'église Saint-Louis-des-Français est rouverte au culte après bien des années de travaux. Pour célébrer cette réouverture, le cardinal del Monte, préfet de la Fabrique de Saint-Pierre chargée de poursuivre l'aménagement de la chapelle Contarelli, s'oriente vers l'installation de toiles peintes, nouveauté dans les églises romaines, où l'on trouve jusqu'ici essentiellement des fresques. Cesari a bénéficié d'un contrat d'exclusivité pour travailler en cet endroit, mais, submergé par les commandes papales, il n'exécute que les peintures de la voûte. C'est son ancien assistant Caravage, âgé seulement de vingt-huit ans, qui prend sa suite. Le 23 juin 1599, moyennant le même contrat que le Cavalier d'Arpin, le jeune homme reçoit ainsi commande de deux tableaux pour 400 écus : la *Vocation de saint Matthieu* et le *Martyre de saint Matthieu*. Sidérant non-conformisme de la part de prélats qui, au même moment, soumettent Giordano Bruno à la torture pour ses idées, ni plus ni moins subversives que ce que peint le Caravage.

Le 17 février 1600, ce dernier assiste d'ailleurs à l'exécution de Bruno, sur le Campo dei Fiori, juste à côté du palais Farnèse. Rares sont alors ceux qui connaissent le pauvre hère bâillonné que l'on supplicie.

La *Vocation de saint Matthieu,* une des deux toiles commandées pour le mur de façade de la chapelle Contarelli, fait scandale : on y voit le saint, qui paraît ivre, appelé à une nouvelle vie par le Christ ; on y devine le changement de regard de Matthieu ; on y retrouve la main d'Adam telle qu'elle figure dans la *Création* de Michel-Ange. La première version d'un des tableaux de la chapelle, *Saint Matthieu et l'Ange,* est refusée en raison de la pose lascive de l'ange et de la saleté des pieds du saint, mais aussitôt achetée par le marquis Vincenzo Giustiniani, issu d'une famille vénéto-génoise, qui a bâti sa fortune dans le commerce avec l'île de Chio. Plusieurs autres de ses œuvres majeures, jugées par trop vulgaires, voire scandaleuses, lui seront ainsi refusées par ses commanditaires et trouveront preneurs chez de riches amateurs d'art comme le marquis de Giustiniani ou le duc de Mantoue.

Pour obéir aux héritiers Contarelli, Caravage repeint *Saint Matthieu et l'ange.* La seconde version rencontre un énorme succès et son accrochage lui vaut de nouveaux clients. Il peint aussi, à cette époque, la seconde toile destinée à la chapelle Contarelli, cette fois pour son mur de droite : le *Martyre de saint Matthieu.* Chef-d'œuvre lui aussi ambigu : en apparence, la lumière du jour traverse le tableau pour éclairer le corps de l'assassin au moment où il va frapper, un drap ceint autour de la taille, comme un ange descendu du ciel pour accomplir le dessein de Dieu ; le saint, lui aussi vêtu de blanc, écarte les bras comme pour accueillir la mort. Pourtant, à y regarder de plus près, la situation est autre : au fond, un groupe de silhouettes prend la fuite ; le jeune homme que l'on prend *a priori* pour l'assassin a en fait arraché l'épée de la paume encore ouverte de l'un des fuyards, et porte en réalité secours au saint. Comme si l'artiste voulait laisser entendre que l'assassin n'est pas vraiment celui qu'on croit : c'est un tableau sur l'erreur judiciaire, dont lui-même se dira souvent victime.

De fait, les rixes forment son lot quotidien. À partir de la fin mai 1600, son nom apparaît régulièrement dans les archives du tribunal d'État de Rome, toujours à l'occasion de bagarres ou de port d'armes prohibées, sauf dans un cas où il est cité comme s'étant interposé.

Durant l'été, cette année-là, il blesse à la main un jeune homme près du palais Madama ; le 25 octobre, il s'en prend à un peintre qui fréquente le même atelier que lui, Marco Tullio : il parvient encore une fois à s'en tirer et à éviter le procès. Fin 1600, il blesse un gardien du château Saint-Ange, qui l'expédie au tribunal, puis se réconcilie avec lui et annule les poursuites. Ces démêlés avec la justice se concluent en général favorablement, sans doute grâce à l'intervention d'un de ses puissants protecteurs, même si aucun document ne l'atteste, ni qu'il soit formellement établi, comme il est vraisemblable, qu'il leur fait don, en échange, d'une de ses œuvres.

Deux mois après l'installation des toiles à Saint-Louis-des-Français, où elles se trouvent encore, un autre prestigieux mécène, Tiberio Cerasi, trésorier général du Vatican, lui passe commande de deux tableaux sur les mêmes thèmes, mais appliqués à d'autres saints : un *Martyre de saint Pierre* et une *Conversion de saint Paul*, destinés à une chapelle de l'église Santa Maria del Popolo. Contrat difficile à tenir : il lui faut exécuter ces deux œuvres en moins de huit mois, sur des panneaux de cyprès de deux mètres de haut, à coté d'Annibal Carrache qui y peint une *Assomption de la Vierge*. Les relations entre les deux artistes sont orageuses. Mais le mécène meurt quelques jours avant la date de remise de la commande. Caravage aurait alors demandé et obtenu de refaire les deux œuvres « à son gré », prenant en compte la manière dont elles s'inséreraient dans l'espace et l'architecture de la chapelle, et cette fois sur toile, à son atelier, en se contentant d'un prix moins élevé.

En cette première année du XVIIe siècle, il peint sans relâche, et autant de chefs-d'œuvre : un *David*, un *Christ à la colonne*, un *Couronnement d'épines*, un *Saint Jean-Baptiste au bélier* qu'il montre sous les traits d'une petite gouape au regard provocateur.

De plus en plus violent, irascible, il court les tripots. Le corps masculin devient pour lui une obsession : jeune ou vieux, délié ou trapu, svelte ou imposant et doté de muscles saillants. On ne lui connaît pas de représentation de femmes nues, même si des portraits de femmes en arrière-plan, comme celui de Marie-Madeleine, dans la *Mise au tombeau*, sont d'une grâce sublime.

En 1601, il agresse un peintre, Tommaso Salini, et peint encore pour les héritiers de Contarelli une nouvelle version de la *Conversion de saint Paul*, où l'on voit le saint sur le chemin de Damas : le cheval en est en fait la figure centrale ; tandis que le soldat et le paysage s'effacent, le saint, coincé sous la monture, tend les bras comme pour accueillir la vie.

Il peint une *Fuite en Égypte*, sans doute pour un proche de Giustiniani et de del Monte, probablement le cardinal Pietro Aldobrandini. C'est l'un des plus mystérieux de ses tableaux : humble, regardant ses pieds, Joseph tient une partition dont on voudrait en savoir davantage ; Marie est épuisée et comme distante ; un ange est peut-être le plus beau de tous ceux qu'offre de l'histoire de l'art ; le paysage, l'un des rares qu'il ait peints, montre un enchevêtrement de chênes et de peupliers se reflétant dans des eaux calmes.

Il déménage en 1601 et quitte le palais Madama, résidence de del Monte, pour le palais Mattei, ancienne résidence du cardinal Mattei, grand amateur d'art. Il y peint une *Incrédulité de saint Thomas*, où trois apôtres examinent la blessure du Christ, représenté avec une sensualité toute particulière. Là encore, dans son audace, il respecte la lettre de la Bible, explicite dans sa description du geste de Thomas (« Avance ta main et la mets dans mon côté et ne sois plus incrédule, mais fidèle », Jean, XX, 27). Sans doute a-t-il veillé à en parler en détail avec ses commanditaires avant d'oser se mettre au travail.

Caravage laisse dire et travaille intensément entre deux orages. En 1602, dans le *Repas d'Emmaüs*, il peint la stupéfaction des apôtres, saisie comme par un instantané photographique. Pour le marquis Vincenzo Giustiniani, il représente aussi un *Couronnement d'épines* où le Christ apparaît dans un abandon total.

Il peint alors le très sensuel *Amour victorieux*, que son commanditaire, le marquis Giustiniani, met théâtralement en scène, le dissimulant derrière un rideau pour ne le révéler qu'au tout dernier instant à ses invités. On dit alors que Giustiniani serait lui-même homosexuel et que le modèle de l'*Amour victorieux* serait un assistant du peintre, Cecco del Caravaggio.

C'est le même Caravage qui, en 1602, dans un de ses *Saint Jean-Baptiste*, utilise savamment le thème du sacrifice d'Isaac, annonciateur de celui du Christ, en le flanquant d'un bélier plutôt que de l'agneau rituel. Tout le monde applaudit et on se précipite pour lui passer commande.

Devant son succès, des « caravagesques » apparaissent. Un certain Gentileschi recopie son *Amour victorieux* sans rencontrer le même engouement.

Caravage peint pour Laerzio Cherubini une *Mort de la Vierge* qui provoque un grand scandale à cause de la représentation très réaliste du ventre gonflé de Marie ; on murmure que le modèle en aurait été le cadavre d'une prostituée enceinte, retrouvée noyée dans le Tibre. À côté du corps de Marie, Madeleine et les douze apôtres pleurent, tous arborant des expressions différentes : tristesse, déchirement, faiblesse, doute, etc. Cherubini accepte le tableau pour sa chapelle funéraire située dans l'église de Santa Maria della Scala, mais les carmes, à qui appartiennent les lieux, s'offusquent, la refusent et commandent une nouvelle *Mort de la Vierge* au peintre vénitien Carlo Saraceni ; ce tableau orne toujours la chapelle mortuaire de Cherubini, tandis que celui du Caravage se trouve au Louvre.

Celui-ci est désormais presque riche et ne dépend plus d'un seul et unique mécène ; il loue alors une fastueuse maison sur le vicolo di San Biagio, emploie un domestique.

Au comble de son audace et de sa liberté, il attaque tout le monde. Le peintre et critique Giovanni Baglione le caricature en peignant *L'Amour divin et l'Amour profane*, parodie de son *Amour victorieux*, mettant en scène un jeune garçon surpris par un ange dans ses ébats avec un satyre dont la tête, tournée vers le spectateur, permet de deviner les traits du Caravage.

En avril 1603, juste après la mort d'Augustin Carrache, Baglione utilise le clair-obscur de Caravage pour un tableau d'autel destiné à l'église du Gesù, qui lui rapporte une fortune. Caravage est fou de rage. Le 28 août 1603, Baglione intente un procès en diffamation au peintre et à quatre de ses amis qui auraient composé deux poèmes satiriques, injurieux et obscènes, dans lesquels ils ont apostrophé directement Baglione et un certain Mao Salini (que Caravage a blessé au cours d'une altercation, deux ans auparavant). La violence de cette charge révèle bien ce que sont le caractère et le style du Caravage. On entend sa voix dans ce libelle : « Giovanni Baglione, tu n'as pas idée à quel point tes toiles sont des œuvres de bonne femme. J'espère que tu ne gagneras jamais le moindre sou avec, car même si on te donnait autant de toile nécessaire à la confection d'un pantalon bouffant, tu montrerais à tout le monde ce qu'est une vraie merde. Reprends donc les dessins et cartons que tu as faits pour Andrea, ou bien torche-toi le cul avec, ou bien défonce le con de la femme de Mao qu'il ne baise même plus avec sa bite de mulet. » Arrêté piazza Navona, il est expédié le 11 septembre en prison ; il est libéré le 25 septembre grâce à l'intercession de l'ambassadeur de France à Rome, Philippe de Béthune (frère de Sully), venu améliorer les relations entre la papauté et la France. Philippe repartira pour son pays avec deux toiles de Caravage, un *Pèlerinage à Emmaüs* et *L'Incrédulité de saint Thomas*, sans doute offertes en remerciement pour son aide.

C'est pourtant l'auteur de ces propos salaces qui peint la même année pour Maffeo Barberini (lequel deviendra Urbain VIII) un *Sacrifice d'Isaac* où l'ange aborde Abraham avec beaucoup d'humanité en caressant la tête de l'animal à sacrifier en lieu et place d'Isaac. Comme pour l'*Amour victorieux*, son modèle est encore son jeune assistant Cecco del Caravaggio. Il peint aussi une *Arrestation du Christ,* d'une grande intensité dramatique, bousculade incroyable où il se campe en porteur de lanterne, comme pour signifier que son rôle est de braquer la lumière sur les souffrances du monde.

En 1604, Carel van Mander, peintre et écrivain flamand, qui rédigera des biographies de peintres, offre, dans son *Livre de la peinture*, le premier témoignage d'un contemporain sur le Caravage : « Il y a à Rome un certain Michel-Ange de Caravage qui fait des choses merveilleuses. […] Sa maxime est que si ce qui a été peint et figuré n'est pas tiré du vrai, ce ne saurait être qu'enfantillage et bagatelle. […] Pour lui, il n'y a rien de mieux que de suivre la nature. Le Caravage ne travaille pas avec assiduité. Quand il a travaillé quinze jours, il se donne du bon temps pendant un mois. Épée au flanc et un page derrière lui, il va d'un endroit à un autre, toujours prêt à se battre en duel et à se bagarrer, à tel point qu'il n'est pas très agréable de l'accompagner. »

Le 24 avril 1604, nouvelle dispute dans une auberge avec un serveur. Caravage lui jette au visage un plat d'artichauts et dégaine son épée : « Damné cocu, tu t'imagines servir un foutu minable ? » Il est arrêté puis relâché. Le 19 octobre, il est à nouveau coffré puis élargi après un incident du même genre.

En 1605, Clément VIII est remplacé au Saint-Siège par Alessandro Ottaviano Medici, légat à Paris, qui devient pape sous le nom de Léon XI. Moins de quatre semaines après, il décède. Le 28 mai, Camillo Borghèse lui succède sous le nom de Paul V. C'est le triomphe d'une famille qui soutient Caravage depuis longtemps.

Celui-ci peint alors *La Madone des palefreniers*, dite également *Madone au serpent*, qui choque ses commanditaires par la nudité hyperréaliste de l'enfant Jésus. La toile ne reste qu'un mois sur l'autel auquel elle était destinée. Il peint aussi *La Madone de Lorette,* destinée à la chapelle San Agostino, voisine de Saint-Louis-des-Français. Lena Antognetti, dont on dit qu'elle est alors une des maîtresses de Michelangelo, y sert de modèle, et son décolleté audacieux choque certains prélats.

Ses fréquentations, ses accès de violence vont de pis en pis. En avril 1605, année où paraît la première partie du *Don Quichotte* de Cervantès, on doit le soigner à Rome pour une blessure à l'épée (qu'il déclare s'être faite seul !). En mai, il est condamné pour port d'arme illégal. En échange de toiles, des protecteurs se portent garant de lui une nouvelle fois, ce qui lui épargne la prison. Le 29 juillet, nouvelle rixe piazza Navona, au cours de laquelle il blesse un notaire nommé Pasqualone, amoureux de la jeune modèle, Lena, qui vient de poser pour ses deux *Madone*.

Caravage se cache alors à Gênes, pendant un mois, chez son ami Filippo Colonna – l'un de ses principaux mécènes. Il rencontre là-bas le prince Marcantonio Doria, qui souhaite lui confier la décoration d'une loggia de sa résidence campagnarde de Sampierdarena, pour 6 000 écus, somme énorme ; il décline, se refusant à faire de la fresque.

Trois semaines après sa fuite, les protecteurs du Caravage se sont arrangés pour régler l'affaire et il s'en revient à Rome présenter ses excuses à Pasqualone en présence du cardinal Scipion Borghèse. Il est alors sans domicile fixe : sa logeuse romaine, Prudenzia Bruna, a, en son absence, porté plainte contre son locataire pour loyers impayés depuis quelque six mois et pour un plafond dégradé. Les biens de l'artiste sont mis sous séquestre par les juges. De rage, il se rend nuitamment sous les fenêtres de sa logeuse et lui lance des pierres. Il ne manque pourtant de rien : il est payé jusqu'à 600 écus environ par toile, en particulier pour sa bouleversante *Mort de la Vierge*. Mais il dilapide son argent en jeux, en rixes et en fêtes. Et il en vend moins qu'il ne pourrait, contraint qu'il est de faire don de toiles à ceux qui le tirent de ses mauvais pas.

Le dimanche 28 mai 1606 arrive ce qui devait arriver : une nouvelle altercation, cette fois pour tricherie au jeu de paume (où 1000 écus sont en jeu), se termine par un duel sur le Champ de Mars. Caravage y blesse grièvement un certain Ranuccio Tomassoni, qui succombe. L'acte est considéré comme un meurtre. Forfait impardonnable : personne ne peut plus rien pour lui. Il risque la peine de mort. Il prend la fuite, terrifié, et se réfugie hors de Rome, à Zagarolo, chez le prince Marzio Colonna, dont le fils est un intime de del Monte dont il espère la grâce. On lui explique qu'il est allé trop loin. La panique s'empare de lui.

Pendant qu'il attend son procès par contumace, il peint un second *Repas d'Emmaüs*, beaucoup plus grave et retenu que le premier : extraordinaire méditation sur l'instant de la révélation de la Résurrection. Ottavio Costa, banquier génois proche du cardinal Giustiniani, en fait l'acquisition. Il peint aussi une *Révélation à saint Matthieu* : une ombre descend le long du mur, conduisant le regard de la main du Christ à celle de saint Matthieu qui, incrédule, se désigne lui-même. Il peint aussi une *Marie-Madeleine* envoyée à Rome pour y être offerte à un cardinal qui a promis de lui obtenir la grâce du pape – en vain.

Le verdict papal tombe à la fin de 1606 : condamnation à mort, quel que soit l'endroit où il se trouve. Il doit fuir. Où ? Les Costa et les Colonna l'expédient à Naples, où les Carafa, proches parents des Colonna, sont très puissants. Carafa lui promet d'obtenir la grâce du souverain pontife. Il lui conseille de ne pas s'inquiéter, mais de ne songer qu'à peindre encore et encore.

Naples est alors une des villes les plus peuplées d'Europe, la deuxième après Paris avec 270 000 habitants (trois fois plus que Rome). C'est la capitale du royaume des Deux-Siciles, réunifié depuis 1501 sous la tutelle du roi d'Espagne ; chaque monarque castillan porte le titre de « roi de Sicile des deux côtés du détroit ». Même si les Napolitains détestent les Espagnols, ils ne font rien pour les chasser. C'est la seule ville d'Italie, à part Rome, qui peut permettre à Caravage de travailler « en grand ». Quand Caravage y arrive, à l'automne 1606, année de la naissance de Rembrandt, Juan Alonso Pimentel y Herrera, aristocrate espagnol, y est vice-roi. Il loge d'abord dans le somptueux palais de Luigi Carafa. Il y reste dix mois et y déploie une intense activité : il exécute une première commande (la *Vierge du Rosaire*) pour l'église San Domenico ; puis une autre, des gouverneurs du Mont-de-Piété ; et, pour orner le maître-autel de l'église de la Confrérie, *Les Sept Œuvres de miséricorde*, qu'il termine vite, au début du mois de janvier 1607, soulevant à nouveau des polémiques par ses entorses à la doctrine et pour le traitement prosaïque des pieds et mains souillés des anges. Il peint pour obtenir sa grâce, pour l'argent, mais aussi parce que telle est sa façon de libérer sa propre violence.

Il peint le retable de l'église principale de la ville : on y voit des aubergistes, des cavaliers, une ruelle de Naples. Puis c'est un *Christ à la colonne*, œuvre révolutionnaire dans la mesure où le Christ, totalement humain, y est semblable à ses bourreaux. Au printemps 1607, il peint encore une *Flagellation*, un *David*, une autre *Flagellation*, une *Crucifixion de saint André* que le vice-roi emportera à son retour en Espagne, trois ans plus tard.

Son obsession reste d'obtenir la grâce du Vatican et de revenir ainsi à Rome. Les Colonna et le cardinal Borghèse la lui promettent en échange d'innombrables toiles. En vain. Pourtant l'influence de Scipion Borghèse est grande : il est, par sa mère, Ortensia Borghèse, le neveu du nouveau pape Paul V, qui l'autorise à porter son nom et ses armoiries, l'a fait cardinal le 18 juillet 1605 et légat pontifical en Avignon en 1607. Scipion fait alors construire la villa Borghèse, qui abrite les nombreuses collections d'art de la famille et du cardinal. Essaie-t-il pour de bon d'obtenir la grâce du peintre ? ou bien le prétend-il pour obtenir toujours plus de toiles du Caravage ? Toujours est-il que rien ne se passe.

Le peintre s'impatiente. L'été 1607, cinq galères de l'ordre de Malte, venant de Marseille et ayant fait escale à Gênes, mouillent à Naples. Elles sont placées sous le commandement de Fabrizio Sforza Colonna, autre membre de la famille. Caravage entend dire que les chevaliers de Malte, dont le bailli, Ippolito Malaspina, est un parent d'Ottavio Costa, pourraient faire annuler sa condamnation. Il décide d'aller les trouver.

Originellement chargés d'accueillir les pèlerins à Jérusalem (après la perte de Saint-Jean-d'Acre en 1291, qui marque la fin des États latins, l'ordre se replie à Chypre, à Rhodes, puis à Malte), tous les membres de l'ordre sont nobles de naissance ; le Grand Maître est élu à vie, assisté d'un chapitre, formé de « baillis » de chacune des neuf « nations », et de chevaliers, célibataires et nobles, qui font vœu d'obéissance, de pauvreté et de chasteté, en tout cas pour les années qu'ils passent au sein de l'ordre. Les chevaliers ont leur propre marine de guerre et frappent monnaie ; ils ont des envoyés diplomatiques dans les différentes cours d'Europe et forment un État souverain. Des esclaves barbaresques vivent sur l'île parmi une population bigarrée. La violence y règne et les chevaliers, jeunes et turbulents pour la plupart, n'y donnent pas toujours l'exemple.

Le 25 juin 1607, onze jours après l'arrivée de la flottille maltaise, Caravage quitte Naples, rempli d'espoir, à bord d'une des galères de l'ordre, commandées par l'un des six fils de la marquise Costanza Colonna. Il arrive le 12 juillet à La Valette et y est reçu avec le maximum d'égards. Il rencontre le jour même le Grand Maître, Alof de Wignacourt, qui cherche un artiste pour repeindre les salles principales de son palais.

Entièrement reconstruite et modernisée après le « Grand Siège » de l'île en 1565, la ville de La Valette est alors en plein essor. À son arrivée, le peintre est logé dans la maison d'un chevalier sicilien, Giacomo Marchese. Un peintre grec qui loge sous le même toit est arrêté ce jour-là pour bigamie.

À la demande du bailli de l'ordre Ippolito Malaspina, il peint d'abord un *Saint Jérôme écrivant* pour la chapelle de la « nation italienne », dans la cathédrale San Giovanni. Il travaille ensuite à une *Décollation de saint Jean-Baptiste* – encore un fantasme de sa propre exécution – pour l'oratoire de la même chapelle, sur commande du Grand Maître, dont on remarque le blason sur le cadre d'origine. Avec ses 3,61 mètres sur 5,20 mètres, c'est la plus grande toile qu'ait peinte le Caravage. La tension extrême du tableau tient à l'instant précis où se déroule la scène : le bourreau s'apprête à décapiter le saint ; un filet de sang s'écoule de sa tête, formant le nom de l'artiste (F. Michelangelo). Le mot *fra* précède la signature : c'est la seule connue de cette facture. Le prince Henri II de Lorraine, de passage à Malte, lui commande une *Annonciation*, qu'il installera dans une église de Nancy l'année suivante.

Le Grand Maître souhaite le garder à son service. Lui-même n'aspire qu'à repartir. Il sent bien qu'on veut le garder pour peindre, alors qu'il n'est venu que pour obtenir la grâce pontificale. Devinant sa hâte de prendre le large, l'année suivante (en 1608), le Grand Maître le fait chevalier de grâce en obédience, de sorte qu'il ne puisse plus quitter l'île sans son autorisation. Ce grade suppose l'accord du pape. Après de multiples tractations, la dispense romaine est accordée le 15 février. C'est en tout cas ce qu'on lui dit, car il est pour le moins étrange qu'un condamné coupable de meurtre soit fait chevalier de Malte ! Ce n'est peut-être qu'une mystification du Grand Maître pour le contraindre à rester. Une année de noviciat est obligatoire : le Grand Maître étant pressé, le noviciat lui est comptabilisé à partir de son débarquement dans l'île, et il peut donc être fait chevalier le 14 juillet 1608. Caravage promet de respecter les convenances de son rang et de vivre en bon frère de l'ordre, c'est-à-dire dans l'austérité. Tout pour être gracié ! Wignacourt « lui passa autour du cou une chaîne en or et lui fit don de deux esclaves », raconte Giovan Pietro Bellori.

Ses promesses de bonne conduite ne tiennent pas longtemps : dans la nuit du 18 au 19 août, il est impliqué, ainsi que six autres Chevaliers, dans une bagarre. Arrêté quelques jours plus tard, il est jeté au cachot dans la forteresse Sant'Angelo. Il essaie de regagner les faveurs du Grand Maître en lui faisant envoyer son *Judith et Holopherne* de 1599, emporté avec lui depuis Rome, ainsi que quelques autres toiles. En vain.

Quelques jours à peine après son incarcération, le 6 octobre, il s'évade, probablement avec l'aide de quelques amis haut placés, escaladant les murailles, puis nageant jusqu'à l'extérieur du port en évitant les sentinelles. Lorsque sa fuite est ébruitée, Gerolamo Varaya, procureur de justice, confie une enquête à deux frères de l'ordre, Giovanni Honoret et Biagio Suarez. Mais l'artiste demeure introuvable. Le 1er décembre, une assemblée solennelle réunissant les plus nobles et anciens chevaliers lui retire son titre : « Il a été chassé et exclu de notre ordre et association tel un membre corrompu et fétide. »

C'est ainsi que ses biographes de l'époque racontent son départ de Malte, mais il n'existe aucune trace écrite de cette arrestation ni de cette évasion dans les archives de l'ordre, et son nom n'apparaît pas parmi la liste des crimes et délits de l'année commis par des chevaliers.

Quoi qu'il en soit, il est certain qu'à la fin 1608 il quitte Malte, et qu'au début 1609, quand meurt Annibal Carrache, il débarque à Syracuse, où il sait retrouver un compagnon de ses débuts à Rome, Mario Minniti, avec qui il vivait dans les étages supérieurs du palais de del Monte. Il continue à se considérer comme un chevalier de Jérusalem, espérant que rien ne transpirera de son histoire avant la grâce papale qu'il quête plus que jamais. À moins qu'il ne le soit encore pour de bon et que l'histoire de son arrestation soit pure affabulation ? Toujours est-il que Minniti le présente au sénat de la ville et lui obtient commande d'un *Enterrement de sainte Lucie*, puis d'une *Nativité*. Œuvre magnifique où l'espace s'étend à tel point que les personnages semblent s'y perdre.

Imagine-t-on sa situation : deux fois proscrit, par Rome et par Malte, et pourtant peignant sans cesse pour l'Église en vue d'obtenir sa grâce ! Une Église qui, de son côté, ne pense qu'à le faire peindre pour arrondir la fortune de prétendus mécènes...

En avril, Caravage est invité à Messine par un important prieuré des chevaliers de Malte (où ceux-ci semblent le considérer encore comme un des leurs). Il y est reçu de façon triomphale, comme l'artiste le plus brillant d'Italie, gagnant des fortunes grâce à des commandes importantes. Un chevalier de Saint-Jean à Messine, fra Orazio Torriglia, lui présente un riche marchand génois, Giovanni Battista de Lazzari, seigneur d'Alfano, qui lui passe commande, pour le maître-autel de sa chapelle, dans l'église des Pères Crociferi, d'une *Résurrection de Lazare* pour l'énorme somme de mille écus. En juin, il livre cette toile, où le prodige de la Résurrection apparaît une fois de plus comme un instantané photographique ; Caravage aurait demandé qu'on lui apporte un cadavre déjà décomposé pour peindre le corps de Lazare, et il signe le tableau *Michel Angelo Caravaggio militis Gerosolimitanus*. Le tableau obtient un si grand succès qu'il entraîne la commande par le sénat de la ville (également pour la somme de mille écus) d'une bouleversante *Adoration des bergers* destinée à l'église de Santa Maria. On y voit une sublime Marie, si féminine, recevant l'hommage des bergers, avec, à côté d'elle, au premier plan, les objets quotidiens meublant la vie des plus pauvres.

De plus en plus craintif et agité, redoutant sa capture par Rome, il dort avec une dague à portée de main. L'un de ses clients du moment, Niccoló di Giacomo, parle de lui comme d'un « cerveau à l'envers ». Selon Susinno, critique d'art du XVIIIe siècle, Caravage, « dont l'esprit était plus houleux que la mer autour de Messine », serait entré un jour dans l'église de la Madonna del Piliero ; on lui aurait offert de l'eau bénite pour la remise de ses péchés véniels et il aurait répondu en pleurant : « Je n'en ai pas besoin, tous mes péchés sont mortels. »

Il peint alors d'autres tableaux dont on a perdu la trace. Puis, après une querelle avec un maître de grammaire, don Carlo Pepe, qui lui aurait reproché de tenter de séduire certains de ses jeunes élèves jouant près de l'Arsenal, il fuit à nouveau : la pédérastie est, en Sicile, punie de pendaison. C'est son troisième exode après Rome et Malte.

Il arrive sans doute à la fin de l'été 1609 à Palerme, troisième ville d'Italie pour le nombre d'habitants après Naples et Venise : elle compte 110 000 habitants. Le cardinal Giannettino Doria y a fait un an plus tôt une entrée triomphale en tant qu'archevêque. Caravage y reçoit commande d'une *Nativité avec saint François et saint Laurent* pour l'oratoire du Collegio di San Lorenzo, qu'il peint entre septembre et octobre 1609. Volé le 17 octobre 1969 par la Mafia, ce tableau a disparu.

Il espère plus que jamais obtenir la grâce du pape : il est exilé depuis presque trois ans et c'est le laps de temps au bout duquel on peut d'ordinaire escompter un pardon papal. Par lettres, il harcèle le marquis Vincenzo Giustiniani, le duc de Mantoue Vincenzo Gonzaga et surtout le cardinal Scipion Borghèse. On lui laisse toujours entrevoir l'imminence de sa grâce en échange de toiles.

Au début de l'automne 1609, il quitte Palerme pour Naples, où il se sent sans doute en grand danger ; ses ennemis y sont en effet nombreux : les Espagnols, les Maltais, la famille de sa victime à Rome, Ranuccio Tomassoni. La violence ne le quitte pas : en septembre 1609, il est gravement blessé et même défiguré au cours d'une rixe. On ignore tout de l'identité de ses agresseurs. La nouvelle de sa mort remonte même jusqu'à Rome. Il loge via Chiaia, chez sa protectrice de toujours, la marquise Colonna, qui se trouve à Naples pour régler des affaires familiales. De septembre à décembre, il y peint en six mois plusieurs toiles, notamment une *Résurrection* commandée par un riche négociant de Bergame, Alfonso Fenaroli, dans laquelle le Christ bondit hors du tombeau au milieu de ses gardiens, encadré par deux scènes représentant, l'une, saint François recevant ses stigmates, l'autre, saint Jean-Baptiste. Pour le prince Marcantonio Doria, fils du doge de Gênes Agostino Doria, il peint un *Martyre de sainte Ursule* figurant les personnages à mi-corps au paroxysme de la violence.

Les commandes affluent : de Naples, du prince Doria à Gênes, d'aristocrates, de négociants et même de Scipion Borghèse, à Rome, qui ne le lâche pas et lui fait encore miroiter sa grâce. Parmi ces toiles, le célébrissime *David tenant la tête de Goliath*, où l'on reconnaît son autoportrait en Goliath, bouche béante, comme implorant son pardon. Toujours, chez lui, le sentiment de culpabilité et le désir de repentance mêlé à la peur du trépas. Toujours la tête coupée. Sur la lame de l'épée de David, on peut lire ses initiales et d'autres lettres que certains déchiffrent comme H-ASOS, les rattachant à ce que disait saint Augustin de David et Goliath : « *Humilitas occidit superbiam.* » Un David triste en dépit de sa victoire. Il représente encore un *Saint Jean-Baptiste*, pour lequel il emploie le même modèle que pour son *David*. Au début du printemps 1610, il travaille encore à trois tableaux qu'il transporte avec lui depuis 1598 comme des talismans : un *Saint Jean-Baptiste*, un portrait de *Marie-Madeleine* fait et refait à l'image d'une femme aimée, et un tableau aujourd'hui disparu qu'il désigne alors comme son « Grand-Œuvre ».

Puis, début mai 1610, arrive la lettre tant attendue : un sauf-conduit pour Rome émanant du cardinal Federico Gonzaga, fils de Vincent Ier de Mantoue et d'Eléonore de Médicis : le pape Paul, dit la lettre, est sur le point d'apposer son sceau sur l'acte de grâce.

Fou de joie, Caravage embarque le 27 mai sur une felouque qui assure la liaison entre Naples et Port'Ercole, sur la presqu'île d'Orbetello, au sud de la Toscane. Il emporte avec lui les trois derniers tableaux qui lui restent et qui le suivent depuis dix ans.

L'embarcation fait escale à Palo, modeste havre fortifié entre Civitavecchia et l'embouchure du Tibre, fief des Orsini de Bracciano et des Farnèse, en territoire papal, à 40 kilomètres de Rome. Il est presque arrivé à destination.

La suite de l'histoire a donné lieu à plusieurs versions. Alors qu'il descend un moment se détendre à terre, laissant ses tableaux à bord de la felouque, Caravage aurait été arrêté par erreur par la garde et jeté au cachot par le capitaine de la forteresse de Palo. La felouque serait repartie sans lui vers Port'Ercole. Ayant acheté au prix fort sa sortie de prison, deux jours plus tard, le 10 ou 11 juillet 1610, il se serait retrouvé, lui, le peintre le plus célèbre d'Italie, seul, oublié dans un village infesté de moustiques, sans ses peintures, compromettant par là son accueil à Rome. Dans la canicule, il aurait pris en chasse la felouque par mer et sur terre, le plus souvent à pied, tâchant d'éviter Civitavecchia, où la présence d'une garnison pontificale aurait pu lui causer des ennuis, à défaut de pouvoir encore exciper d'une grâce certaine. Il serait arrivé à Port'Ercole pour apprendre que la felouque en était déjà repartie avec ses trois toiles. Perdu, fiévreux, il aurait erré sur la plage en plein soleil et aurait fini par mourir à l'infirmerie de la confrérie de San Sebastiano, Santa Maria Auxiliatrice.

Autre version : lors de son arrestation, ses toiles auraient été descendues du bateau et mises en sûreté non loin de lui, dans la maison de la douane, à Palo. Mais il serait tombé malade et aurait succombé.

Autre version encore : il serait arrivé en bateau à Port'Ercole, où il aurait été assassiné par un « ennemi » qui le poursuivait depuis Malte.

Seule certitude : son certificat de décès, dans le registre de la paroisse Saint-Érasme de Port'Ercole, retrouvé en 2001 et daté du 18 juillet 1609, signale qu'il est mort « à l'hôpital de Sainte-Marie-Auxiliatrice, des suites d'une maladie », à trente-neuf ans. « Il mourut mal, comme il avait mal vécu », écrit Baglione, son biographe, rival et imitateur.

À Rome, parmi tous ceux qui l'ont adulé de son vivant, nul ne s'intéresse à son corps. Le cardinal Scipion Borghèse ne cherche à récupérer que les trois tableaux ; il découvre alors qu'ils ont déjà été retrouvés et mis à l'abri par Vincenzo Carafa, un des membres de la grande famille napolitaine qui l'a hébergé, sous prétexte qu'ils appartiendraient aux chevaliers de Malte. Intervient alors la marquise de Caravaggio, Costanza Colonna : elle expose que l'exclusion de l'ordre qui a frappé l'artiste interdit aux chevaliers de Malte de récupérer ces toiles qu'elle réclame pour elle-même. Le comte de Lemos, successeur du comte de Benavente, qui détient déjà la *Crucifixion de saint André*, revendique lui aussi le *Saint Jean-Baptiste*. Au terme d'un accord difficile, le cardinal Scipion récupère le *Saint Jean-Baptiste* (qui se trouve aujourd'hui encore à la galerie Borghèse) ; le comte de Lemos en obtient une copie. La marquise de Caravaggio reçoit la grande *Marie-Madeleine*. Le troisième tableau disparaît à jamais.

Personne – ni les del Monte, ni Giustiniani Mattei, ni le marquis de Caravaggio, ni sa famille – ne demande la restitution de la dépouille de Michelangelo Merisi. Aucune stèle, aucun monument ne la signale. Sa tombe, ce sont ses toiles.

Plus tard, Giambattista Marini lui rendra hommage dans un recueil de poèmes, *La Galeria*, assurant que « le talent d'imitation de Caravage était tel que la cause de son décès était la jalousie de la Nature, parce qu'il l'avait surpassée ».

Peu après surgit son premier grand disciple, à peine connu, pourtant d'un talent hors pair : Artemisia Gentileschi, première femme admise à l'Académie des arts du dessin de Florence. Elle aussi peint une *Judith*, comme une vengeance après un viol.

En 1642 paraît la première biographie de « Michelangelo da Caravaggio » par Giovanni Baglione, son contemporain, et Giovanni Pietro Bellori. Ils y racontent qu'« il se mit à peindre selon son propre génie, ne regardant pas et dépréciant même les merveilleux marbres de l'Antiquité et les peintures si célèbres de Raphaël... ».

Son influence va se révéler considérable : son clair-obscur marquera Vélasquez par l'intermédiaire de Giuseppe Ribera, dit « Spagnoletto », qui travaille à Naples. Il influence aussi Rembrandt, qui commence à peindre dix ans après sa mort, ainsi que les peintres français qui visitent Rome au début au XVIIe siècle, tels Valentin de Boulogne, Claude Vignon et Nicolas Poussin – qui dira de lui, ivre de jalousie : « Caravage est venu pour détruire la peinture. »

Après un XVIIIe siècle oublieux, Géricault, venu à la pinacothèque du Vatican étudier et copier la sublime *Mise au tombeau*, qu'il admirait à l'égal de tout l'œuvre de Michel-Ange, reprend les techniques du Caravage dans le *Radeau de la Méduse*, qui, par son organisation, présente une incontestable analogie avec la *Madone au Rosaire*. Fin 1820, la *London Literary Gazette*, qui commente élogieusement le *Radeau de la Méduse*, note : « Dans cet impressionnant tableau des souffrances humaines, la main de l'artiste n'a pas craint de mettre à nu les détails de faits horribles avec la sévérité de Michel-Ange et la sombre lumière de Caravage. »

En 1829, dans ses *Promenades dans Rome*, Stendhal écrit : « Cet homme fut un assassin ; mais l'énergie de son caractère l'empêche de tomber dans le genre niais et noble qui, de son temps, faisait la gloire du Cavalier d'Arpin : le Caravage voulut le tuer. Par horreur pour l'idéal "bête", le Caravage ne corrigeait aucun des défauts des modèles qu'il arrêtait dans la rue pour les faire poser. J'ai vu à Berlin des tableaux de lui qui furent refusés par les personnes qui les avaient commandés, comme trop laids. Le règne du laid n'était pas arrivé. »

D'autres ne reculent pas à le qualifier en effet de « peintre de la laideur ». Ainsi l'article que lui consacre une encyclopédie de la fin du XIXe siècle : « Considéré comme peintre, Caravage est un exécutant de premier ordre : sa peinture est ferme et d'une belle pâte, mais son naturalisme l'a entraîné vers les confins de la laideur, et l'on peut concevoir des doutes sur la légitimité du système de clair-obscur qu'il a mis à la mode et qui fait jouer au noir un rôle abusif. »

Trop de noir...

Sa technique inspire Damien Hirst et Piero Manzoni, Sally Mann et Robert Mapplethorpe, Joel-Peter Witkin et un cinéaste de génie, Orson Welles. Contre la société bien-pensante de tous les temps qui admire ceux qui la dénigrent, qui les adule et les paie pour frémir délicieusement au spectacle de ses propres turpitudes.

BIBLIOGRAPHIE

ARASSE, Daniel, pour les chapitres consacrés à Caravage dans plusieurs de ses livres.

BERNE-JOFFROY, André, *Le Dossier Caravage : psychologie des attributions et psychologie de l'art*, Paris, Éditions de Minuit, 1959 ; réédition annotée par Arnauld Brejon de Lavergnée, Paris, Flammarion, coll. « Idées et Recherches », 1999.

BOLARD, Laurent, *Caravage ; Michelangelo Merisi, dit Le Caravage, 1571-1610*, Paris, Fayard, 2010.

ESTEBAN, Claude, *L'Ordre donné à la nuit*, Paris, Verdier, 2005.

FERNANDEZ, Dominique, *La Course à l'abîme*, Paris, Grasset, 2003.

GOMBRICH, Ernst, *Histoire de l'art*, Paris, Flammarion, 1982.

HILAIRE, Michel, *Caravage, le Sacré et la Vie*, Paris, Herscher, coll. « Le Musée miniature », 33 tableaux expliqués.

LANGDON, Helen, *Caravaggio, A Life*, Londres, Pimlico, 1999.

LEVEY, Michael, *Histoire de la peinture de Giotto à Cézanne*, Paris, Flammarion, 1962.

LONGHI, Roberto, *Le Caravage*, Paris, Seuil, coll. « Regard » (1927 et réédition 2004).

PONNAU, Dominique, *Caravage, une lecture*, Paris, Éditions du Cerf, 1993.

SALVY, Gérard-Julien, *Le Caravage*, Paris, Gallimard, coll. « Folio », 2008.

SCHÜTZE, Sebastian (dir.), *Le Caravage – L'œuvre complet*, Taschen, 2009.

11

Thomas Hobbes
(1588-1679)
ou l'urgence d'État

Depuis que, dans mon enfance algérienne, j'ai assisté au soulèvement d'un peuple et à la riposte d'un État, j'ai su que la gestion de la
violence était au cœur de la question du pouvoir. C'est chez Thomas
Hobbes que j'ai trouvé théorisée pour la première fois la nécessaire
violence de l'État. Mais aussi les premières interrogations sur sa
dérive : sans violence d'État, il n'y a que chaos ; mais la violence d'État
peut elle-même dégénérer en barbarie. Et, encore, la source profonde
de la pensée de Marx.

Analyste hors pair de la nature humaine, Hobbes comprend, bien
avant les penseurs des Lumières, que la liberté individuelle, exigence
surgie du fond des temps, requiert un État capable de faire respecter
les contrats ; qu'une société ne peut fonctionner pacifiquement sans
accorder à l'État le monopole de la violence ; que, en particulier, le
commerce ne peut que déboucher sur le chaos, à défaut d'une autorité
capable d'instaurer la confiance.

Comme pour tant d'autres penseurs, ses théories trouvent à s'éclairer
par le cours de sa vie. Elles en sont même la traduction exacte, évoluant
avec les épisodes historiques qu'il traverse. Et quelle histoire !

Hobbes mène pendant près d'un siècle, entre la France et l'Angleterre,
une vie en apparence très tranquille. En réalité, c'est durant une phase
très agitée de l'évolution de ces deux pays, où il ne fait pas bon, comme
si souvent, être, comme lui, un intellectuel réfléchissant sur le pouvoir.

L'un des premiers intellectuels soucieux de raconter sa vie, il laisse deux biographies en latin : d'abord en prose (*Thomas Hobbes Angli Malmesburiensis Vita*), puis en vers (*T.H.M. Vita carmine expressa*). Deux ans après sa mort, deux de ses amis, Richard Blackburn et John Aubrey, ont en outre rédigé chacun une vie de *Mr Thomas Hobbes de Malmesbury* : textes hagiographiques, évidemment, mais riches d'enseignements sur la façon dont on se figurait alors la trace qu'il allait laisser.

Thomas naît à Malmesbury, dans le Wiltshire, le 5 avril 1588, un Vendredi saint, un an après l'exécution de Marie Stuart sur ordre d'Elizabeth Ire, de la maison Tudor, reine d'Angleterre et d'Irlande depuis trente ans, excommuniée après avoir fait de l'anglicanisme la religion d'État en 1559. Cette exécution marque le début d'une longue période de violences dont va émerger, de façon inattendue, la démocratie anglaise. La reine déclenche d'abord les hostilités avec Philippe II d'Espagne, qui voulait placer Marie Stuart sur le trône d'Angleterre, installer un fantoche ultra-catholique sur celui de France, reconquérir les Pays-Bas pour en finir avec la Réforme. Enragé à la nouvelle de la mort de Marie, le souverain madrilène décide d'envoyer une expédition punitive contre la perfide Albion. Et quelle expédition : 130 navires transportant 30 000 hommes, dont 20 000 soldats, formant l'« Invincible Armada », quittent le port de Lisbonne, en mai 1588, cap sur les côtes anglaises.

Thomas racontera dans son autobiographie qu'il est né avant terme à cause des effets sur sa mère de l'annonce du départ de l'Armada. Certains biographes en ont déduit son caractère craintif et inquiet. En réalité, la flotte de Philippe II ne quitte Lisbonne qu'un mois après la naissance de Hobbes, et les nouvelles du départ de cette expédition, puis de son naufrage, en août, ne sont connues du grand public anglais que trois mois plus tard, en octobre, alors que Thomas a déjà six mois. Trait typique de ce qu'il fera souvent : enjoliver le récit de sa propre existence pour l'inscrire dans la Grande Histoire. Pourtant ce n'est pas vraiment nécessaire : par hasard plus que par choix, il va être témoin et même acteur d'événements considérables.

En 1592, à l'âge de quatre ans, il commence à apprendre à lire avec son géniteur, vicaire anglican de Charlton et de Westport, près de Malmesbury ; ce père est un homme haut en couleur, pas vraiment un grand théologien, qui se contente de connaître les prières et de lire les homélies.

Thomas est un enfant précoce. À six ans, il commence à s'initier au grec et au latin. À huit ans – l'année de la naissance de Descartes –, il suit ses premiers cours de rhétorique. À quatorze, en 1603, il est déjà capable de traduire du grec en anglais la *Médée* d'Euripide.

Cette année-là, la mort sans héritier d'Elizabeth Ire marque la fin de la maison Tudor. Elle laisse une situation désastreuse. Le Trésor est vide, les institutions affaiblies, la bureaucratie corrompue. Jacques VI, roi d'Écosse depuis 1567 – un an après sa naissance –, devient, à trente-six ans, Jacques Ier, roi d'Angleterre et d'Irlande (Fils de Marie Stuart que la reine Elizabeth a fait exécuter, il n'en est pas moins l'arrière-petit-fils de Marguerite Tudor, elle-même sœur d'Henri VIII). Il entend gouverner sans tenir compte du Parlement et imposer l'anglicanisme à tous ses sujets.

En 1604, à la suite d'une altercation avec un autre révérend du voisinage, le père de Thomas doit quitter la région, laissant ses trois enfants à l'un de ses frères, Francis, gantier aisé grâce auquel le jeune Thomas va pouvoir poursuivre ses études à Oxford, au Magdalen Hall (devenu depuis lors le Hertford College), dirigé par un puritain, John Wilkinson.

Le 5 novembre 1605 est mis au jour un complot de catholiques anglais connu sous le nom de « conspiration des Poudres », visant, avec l'appui espagnol, à faire exploser le palais de Westminster le jour de l'ouverture de la session du Parlement, dans le but de tuer le roi, sa famille et l'essentiel de l'aristocratie. La découverte de la conjuration (une lettre anonyme a conseillé à un lord catholique de ne pas se rendre à la cérémonie) débouche sur une répression sévère contre les chrétiens restés fidèles à Rome.

Thomas reste à Oxford jusqu'à ses vingt ans, en 1608. Il y cultive l'aristotélisme et la philosophie scolastique. Il en sort peu satisfait de ces études. Il quitte Oxford avec le diplôme de *bachelor of Arts* et cherche (comme c'est alors fréquemment le cas pour les jeunes gens bien formés issus de la classe moyenne) un poste de précepteur (*tutor*) d'un jeune noble. Brillant, bien considéré, il est recruté par une des plus riches et plus influentes familles de l'aristocratie anglaise, le comte de Devonshire, sir William Cavendish de Hardwick, qui a participé à la colonisation des Bermudes et de la Virginie, et qui sera bientôt promu premier duc du Devonshire. Il s'agit de s'occuper de son fils aîné, William, issu d'un premier mariage, qui n'a que deux ans de moins que Thomas. Les deux jeunes gens deviendront vite amis.

De 1609 à 1615, Hobbes accompagne comme *travelling tutor* son élève en France et en Italie, où il commence à être de bon ton, pour les jeunes aristocrates britanniques, de voyager longuement. Il n'a que vingt ans, ce qui est jeune pour un tel emploi.

Quelques années plus tôt, un juriste des Provinces-Unies, Hugo Grotius, publie *Mare liberum*, qui pose le principe de la liberté de circulation sur les mers, marquant la naissance du droit international moderne ; en 1610 meurt Michelangelo Merisi, dit Caravage, et Henri IV est assassiné par Ravaillac à Paris, où le jeune aristocrate et son mentor se trouvent alors. Si cet acte fait frémir l'Europe entière, ce ne sera pas le seul régicide dont Hobbes sera témoin.

De retour en Angleterre à la fin de l'année, il continue à travailler avec son élève, traduisant et commentant pour lui Aristote et Thucydide – « l'historiographe le plus politique qui ait jamais écrit », lui explique-t-il, le premier à avoir écarté la mythologie pour raconter les faits auxquels il a assisté, au Ve siècle avant notre ère, et dont le récit des guerres entre Athènes et Sparte « contient, dit-il, un enseignement dont les nobles peuvent tirer profit et qui peut se révéler utile à la conduite d'actions de grande portée ».

Dix ans se passent ainsi. Cependant, Jacques Ier gouverne à Londres avec pour conseiller un intellectuel fascinant, sir Francis Bacon, qui théorise la science expérimentale dans le droit-fil de la pensée – toujours lui ! – d'Aristote. Bacon devient *attorney general* en 1615, membre du Conseil privé en 1616, garde des Sceaux et grand chancelier en 1618. Il aide le souverain à unir les royaumes d'Angleterre et d'Écosse.

En mai 1620, Francis Bacon rencontre Hobbes chez lord Devonshire et découvre l'immense savoir du jeune homme. Il lui demande de l'aider à la rédaction de son *Novum Organum* (« Nouvel Outil »), dans lequel il entend définir le rôle du savant ainsi que les principes de la science expérimentale (utilisation du laboratoire, confrontations d'idées, expérimentations), encore valables de nos jours. Les deux hommes sont d'accord sur l'essentiel : même défiance envers la scolastique, même amour pour la recherche scientifique et la « philosophie naturelle ».

Bacon tombe en disgrâce, en 1621, sous prétexte de corruption ; il est condamné, emprisonné, mais Jacques Ier le gracie au bout de quelques jours. Hobbes devient son secrétaire tout en restant lié aux Devonshire. Par Bacon, il entre en relation épistolaire avec le père Mersenne, ami à Paris de Grotius et de Pascal, « secrétaire de l'Europe savante » qui l'informe des recherches et expériences de Gassendi (mathématicien, philosophe et astronome français), de William Harvey (médecin anglais exerçant au St Bartholomew's Hospital, et qui vient de commencer à enseigner les bases de la circulation sanguine).

Pour Bacon, comme pour Harvey ou Gassendi, la vérité passe par l'expérimentation, alors que pour Hobbes elle passe par la logique pure. Selon lui, les lois sociales découlant de l'expérience ou de la théorie doivent pouvoir s'exprimer mathématiquement, et il pense pouvoir accéder à une connaissance rigoureuse de la nature humaine en transposant les lois de la physique aussi bien à l'éthique qu'à la politique. Hobbes s'éloigne de Bacon, puis se rapproche de Harvey.

En 1625, Jacques Ier meurt, laissant le trône à son fils, qui a épousé Henriette de France, fille d'Henri IV et de Marie de Médicis. Il règne sous le nom de Charles Ier.

Grotius publie alors à Paris, où il réside, le *De jure belli ac pacis*, qui traite du statut légal de la guerre et pose, après Thomas d'Aquin, les fondements de la distinction entre droit et religion, déclarant que le « droit des gens » peut être élaboré hors de toute théologie, par accord entre États, et comporter, dans certains cas extrêmes, bien codifiés, le droit de recourir à la force pour réparer une injustice ou s'opposer à une guerre de conquête ; il introduit une différence fondamentale entre « auteurs » d'une guerre et « exécutants d'une guerre », distinguant ainsi deux niveaux de responsabilité des criminels de guerre – distinction encore en vigueur aujourd'hui.

En 1628, alors que William Harvey, qui a succédé à Hobbes comme secrétaire et médecin de Bacon, et avec qui il est maintenant lié d'amitié, décrit la circulation du sang (*De motu cordis et sanguinis*), et que le Parlement de Londres réclame au roi Charles Ier de partager avec lui le pouvoir, l'élève et ami de Thomas, l'aîné des Cavendish, meurt à l'âge de quarante ans. Sa traduction de Thucydide paraît cette année-là.

Toujours lié à la famille, Hobbes, qui en a quarante-deux, devient le *tutor* du fils du comte de Clifton, avec qui il retourne à Paris en 1629 pour ce qu'on appelle le « Grand Tour ». Mais il s'entend mal avec cet élève, beaucoup moins intelligent et curieux que le précédent.

La même année, Charles Ier refuse de céder au Parlement, qu'il dissout. C'est le début de la « tyrannie de onze ans » alliant le Trône à l'Autel. Thomas se trouve alors encore avec son nouvel élève à Paris, où il séjourne dix-huit mois. Il feuillette par hasard, dans une librairie, un exemplaire des *Éléments* d'Euclide, dont la rigueur déductive le frappe ; il pense de plus en plus que les mathématiques, qu'il ne pratique pas, vont lui fournir les clés de la science sociale. Beaucoup, bien après lui, nourriront la même illusion. Il continue à promener son élève en Suisse, en Italie du Nord, à Venise. En vain : le garçon ne s'intéresse qu'aux fêtes.

De retour en Angleterre en 1632, Thomas revient au service des Cavendish et se voit confier l'éducation du jeune frère de William, avec qui il se rend en France pour un troisième voyage, de 1634 à 1636. Il éprouve une vive émotion en parcourant à nouveau les chemins empruntés par l'aîné disparu de son nouvel élève.

Lors de ce troisième séjour en France, il rencontre Marin Mersenne qui l'introduit dans la société savante où Blaise Pascal vient de faire son entrée. Il y fait la connaissance de Gassendi, avec qui il correspond depuis huit ans. Toujours avec le jeune Cavendish, il part ensuite pour Florence, où il rencontre Galilée, condamné à la prison à perpétuité, en résidence surveillée depuis trois ans dans sa maison d'Arcetri, où il finit de rédiger son *Discours sur deux sciences nouvelles*, jetant les fondements de la mécanique en tant que science, et où il aborde la question de la résistance des métaux. Galilée l'encourage à transposer les lois de la mécanique à l'éthique : la société, dit-il, doit obéir à des lois, tout comme la matière. Hobbes y fait aussi la connaissance de Torricelli, qui s'essaie à mesurer la pression atmosphérique. Il commence à songer à élaborer une théorie scientifique de l'exercice du pouvoir.

À son retour à Londres en 1636, tout en demeurant au service des Cavendish, il se met à travailler, en anglais, à un ensemble de quatre livres qu'il entend intituler *The Elements of Law* : d'abord un essai sur la « nature humaine », suivi par un essai sur la société civile et son organisation, puis un autre sur l'homme (*De homine*), enfin un dernier sur le citoyen (*De cive*). Il y travaille quatre ans durant, jusqu'en 1640.

Cette année-là, il fait circuler le manuscrit du premier des quatre tomes, *De la nature humaine ou Exposition des facultés, des actions & des passions de l'âme, & de leurs causes déduites d'après des principes philosophiques qui ne sont communément ni reçus ni connus,* dans lequel il explique que, « pour se faire une idée claire des éléments du Droit naturel et de la Politique, il est important de connaître la nature de l'Homme ». Il entend énoncer les principes d'une science du social découlant de l'analyse du comportement des individus qui le composent, et une classification des facultés et passions humaines : entendement, imagination, langage, foi, etc. L'homme, explique-t-il, est par nature un être de désir, mû par le désir de persévérer dans son être. Son analyse de la nature humaine finit là où commence celle de la politique, confrontation des désirs de chacun, qu'il compte développer dans les volumes suivants.

La politique anglaise, cette année-là, redouble de violence. Le 13 avril 1640, après onze ans de dictature, Charles Ier, qui a grand besoin de ressources financières dans sa lutte contre les Écossais presbytériens (qui refusent de se voir imposer une nouvelle liturgie fondée sur le *Book of Common Prayer* anglican), se résigne, sur le conseil de sir Thomas Wentworth, comte de Strafford, son principal conseiller, à convoquer le Parlement, où siège Cromwell, pour lever l'impôt. Avant de voter les fonds nécessaires à la poursuite de la guerre, les parlementaires veulent régler au préalable le problème de la réparation des abus royaux commis pendant la période précédente. Charles Ier refuse d'en discuter et, contre l'avis de sir Thomas Strafford, qui lui conseille de négocier avec le Parlement, il dissout ce dernier, le 5 mai 1640, au bout d'à peine trois semaines de session : on parlera du « Court Parlement ». Le roi est à bout de ressources pour son armée et ne peut lever l'impôt sans le Parlement. Début octobre, les Écossais occupent Newcastle. Charles est obligé de convoquer à nouveau les Communes : c'est le « Long Parlement », qui ne s'autodissoudra que vingt ans plus tard.

À peine réunis, les députés accusent Charles Ier et Thomas Strafford d'avoir attenté aux lois fondamentales du royaume. Le monarque lâche son conseiller pour se sauver lui-même. Le Comte de Strafford est jugé pour trahison par la chambre des Lords qui, sous la pression des Communes, vote sa condamnation à mort. Les lords, dont les Cavendish, inquiets pour eux-mêmes, ne le soutiennent pas et s'en remettent au roi, qui le laisse décapiter le 12 mai 1641.

Fin 1641, Thomas Hobbes apprend que certains leaders anglicans qui ont lu le manuscrit de *Human Nature* l'accusent d'athéisme. La situation est alors si mouvante, la lâcheté des lords face aux Communes si inquiétante que, malgré le soutien des Cavendish, il décide de fuir Londres et va trouver refuge en France auprès de Mersenne et de Gassendi. Même si les Cavendish continuent à lui garantir une situation matérielle, il travaille comme secrétaire auprès de nobles anglicans émigrés.

La fureur du Parlement ne s'assouvit pas avec l'exécution de Strafford. Début janvier 1642, certains membres des Communes, dont John Pym, qui dirige l'opposition puritaine au monarque, s'en prennent aux évêques catholiques siégeant à la Chambre des lords. Charles Ier craint alors pour la reine Henriette, catholique et française, et ordonne l'arrestation de certains parlementaires trop remuants, dont Pym. La menace s'en trouve décuplée. En février, le roi signe pour la dernière fois des lois votées par le Parlement, puis quitte Londres et se réfugie à Nottingham avec les plus loyaux de ses partisans pour tenter de reconstituer ses forces et se battre.

Le 22 août 1642 commence la guerre civile : les *Cavaliers*, anglicans et royalistes, alliés aux Irlandais catholiques, bataillent contre les *Têtes rondes* de Cromwell, puritains soutenus par les Écossais presbytériens.

Hobbes se trouve alors à Paris et s'intéresse par-dessus tout aux sciences. Sur la suggestion de Mersenne, il rédige des *Objections* aux *Méditations* de Descartes, qui l'appelle le « célèbre philosophe anglais », et il achève le manuscrit du *De cive*, dernier de la série des quatre tomes prévus, rédigé avant les deux autres censés suivre *De la Nature humaine*, resté impublié par prudence.

Le drame politique que traverse son pays le conduit à chercher à définir rationnellement, dans ce *De cive*, le statut de l'État et celui du citoyen face à celui-ci. Il souhaite fonder la légitimité d'une monarchie souveraine qui serait indépendante de l'Église et du Parlement. Pour lui, la politique n'est pas l'affaire de Dieu, mais des hommes. Il se veut « à la recherche du droit de l'État et du devoir des sujets ». La toute-puissance du souverain est seule capable, à ses yeux, d'enrayer la violence propre à la nature humaine. « Bien qu'il ne faille pas rompre la société civile, il faut pourtant la considérer comme si elle était dissoute, c'est-à-dire qu'il faut bien comprendre quel est le naturel des hommes, ce qui les rend propres ou incapables de former des cités, et comment doivent être disposés ceux qui veulent s'assembler en un corps de république... » Le citoyen doit accepter de transférer à l'État l'exercice de certaines de ses propres prérogatives (mais non le pouvoir en soi), et même s'engager à prêter assistance à l'État contre quiconque, y compris contre lui-même. La dictature doit donc être volontaire, par le consentement de tous au commandement d'un individu ou d'un conseil, et par abandon volontaire par tous de « tout leur pouvoir et de toute leur force à un seul homme ou à une seule assemblée, qui puisse réduire toutes leurs volontés, par la règle de la majorité, en une seule volonté ». Ce qui revient à passer « une convention de chacun avec chacun, comme si chacun disait à chacun : "J'autorise cet homme ou cette assemblée, et je lui abandonne mon droit de me gouverner moi-même, à condition que tu lui abandonnes ton droit et que tu autorises toutes ses actions de même manière." »

En 1644, alors que naît Henriette-Anne, neuvième enfant de Charles Ier et d'Henriette de France, Thomas ose faire publier ce volume, *De cive*, mais à Paris. Prudence... Il le dédie à lord Cavendish. « La partie qui se trouvait être la dernière dans l'ordre logique se trouva être la première dans l'ordre du temps », écrit-il en préface. Hobbes se pense l'inventeur, par ce traité, de la philosophie politique. Il écrira plus tard avec orgueil, dans l'épître dédicatoire d'un des trois autres tomes, le *De corpore* : « Si la physique est une chose toute nouvelle, la philosophie politique l'est encore bien plus. Elle n'est pas plus ancienne que mon ouvrage *De cive*. » On ne retient d'ordinaire de ce livre que la formule « L'homme est un loup pour l'homme », empruntée d'ailleurs à Plaute (« *Homo homini lupus* »), dans *Asinara*, acte II, scène 4, qu'il reproduit en ajoutant par ailleurs : « Les désordres des méchants contraignent ceux qui sont les meilleurs à recourir à la force et à la tromperie par droit de légitime défense. » C'est évidemment en pensant au roi qu'il écrit cela.

En 1645, alors que la reine a fui en France avec un amant, Cromwell et son « armée nouvelle » (les *Ironsides*) écrasent les royalistes à Naseby ; le roi Charles est fait prisonnier. Les lords, dont Cavendish, duc du Devonshire, se rallient au Parlement cromwellien. En 1647, les « Niveleurs », qui rassemblent les puritains extrémistes (John Lilburne, Richard Overton, William Walwyn, John Wildman), proposent de dissoudre le « Long Parlement » et d'instaurer une nouvelle Constitution aux termes de laquelle tous les Anglais devront signer un « pacte du Peuple » et participer à l'administration de l'État. Malgré leur influence au sein de l'armée, ils sont écartés.

À Paris, Hobbes, horrifié par la guerre civile et inquiet pour le monarque, modifie son plan de travail ; il n'écrit pas les deux tomes prévus entre *Nature humaine* et *Du citoyen*, mais s'attelle à un nouvel ouvrage beaucoup plus ambitieux : une synthèse de ses idées sur la violence d'État, qu'il entend intituler *Léviathan*, du nom par lequel il veut désigner le monstre que peut devenir l'État lorsqu'il se laisse aller à la violence, par référence au monstre marin évoqué par Dieu comme une de Ses créatures dans le Livre de Job.

En 1647, le jeune prince de Galles – il n'a que dix-sept ans – est autorisé à se réfugier en France, où sa mère, la reine Henriette, vit déjà en exil depuis trois ans. Son cousin germain, âgé de huit ans, doit devenir roi sous le nom de Louis XIV après la régence de sa propre mère, Anne d'Autriche. Hobbes devient précepteur du prince héritier britannique, dont la mère s'occupe peu. Sa sœur, Henriette-Anne, qui a pu fuir en France déguisée en paysanne, est envoyée au couvent par sa mère. Son frère, le futur Jacques II, est aussi en France.

Hobbes s'oppose alors à un autre exilé, l'évêque Bramhall, disciple d'Arminius, théologien protestant hollandais qui réfute les thèses de Calvin sur la prédestination. Pour Hobbes, les phénomènes obéissent au principe de causalité et à la Providence : « Il n'est pas dans le pouvoir présent de l'homme de se choisir la volonté qu'il doit avoir. [...] La volonté de Dieu fait la nécessité de toutes choses », écrira-t-il dans un texte relatant son débat avec l'évêque, *Question touchant la liberté, la nécessité et le hasard, éclaircies et débattues entre le docteur Bramhall, évêque de Derry, et Thomas Hobbes de Malmesbury.*

L'année suivante (1648), le jeune Charles II, sur ordre de Mazarin, qui ne veut pas d'ennuis avec les Anglais, part pour la Hollande, où il va résider chez sa sœur Marie et son beau-frère Guillaume II d'Orange. Sa mère demeure en France. Hobbes reste lui aussi à Paris.

En décembre, Cromwell fait arrêter plus de la moitié des membres des Communes, suspectés de royalisme ; le reste du Parlement, dit « Parlement-croupion », fidèle ou terrifié, vote tout ce qu'exige Cromwell, en particulier la création d'une Cour spéciale, avec trois juges et cent cinquante commissaires, dont Cromwell, afin de juger Charles Iᵉʳ. Le roi refusant d'en reconnaître la compétence, il est jugé *in abstentia* et condamné à mort, le 20 janvier 1649, par 59 voix, dont celle de Cromwell, pour « trahison, meurtre et tyrannie ». La République (Commonwealth) est alors proclamée. Le mardi 30 janvier, le roi est décapité à la hache devant Whitehall. Des témoins sortent leur mouchoir pour le tremper dans son sang.

Le commerce et les affaires continuent : Cromwell veut favoriser le négoce et l'industrie. Il prépare les *Navigation Acts*, qui seront promulgués à partir de la fin 1651.

Hobbes, encore à Paris, achève la rédaction de son grand livre sur le pouvoir, le *Léviathan*, qui va théoriser ce dont il vient d'être le contemporain.

L'année suivante (1650), il publie à Paris *De la nature humaine,* dont la rédaction remonte à dix ans. Après en avoir lu la traduction faite par le baron d'Holbach, Diderot écrira à Sophie Volland : « C'est un livre à lire et à commenter toute sa vie. »

Cette même année, Hobbes envoie à Londres, aux éditeurs Andrew & William Cooke, le manuscrit de son nouveau traité, qu'il intitule *Leviathan, or the Matter, Forme and Power of a Common-Wealth Ecclesiastical and Civil.* Dans ce livre qu'il ose donc publier à Londres, Hobbes cherche à définir les conditions théoriques du fonctionnement d'une société démocratique et d'une économie de marché, voire à établir une science mathématique du pouvoir politique : « L'art d'établir et de maintenir les républiques repose, comme l'arithmétique et la géométrie, sur des règles déterminées, et non, comme le jeu de paume, sur la seule pratique. » Il se prépare à rentrer. Ce livre sera comme son avant-garde et son viatique. Les Cavendish l'attendent.

L'homme, dit-il comme dans son livre précédent qui vient de paraître, est animé par différentes passions qui se ramènent toutes au désir de pouvoir, c'est-à-dire « des moyens présents d'obtenir quelque bien apparent dans le futur ». Pour lui, « richesses, savoir et gloire ne sont que diverses sortes de pouvoir ». Chaque individu cherche à avoir la liberté « d'exercer son pouvoir » pour obtenir « ce qui lui semble bon et éviter ce qui lui semble mauvais », mais aussi pour augmenter indéfiniment son pouvoir : il s'agit d'« un désir perpétuel et sans repos d'acquérir pouvoir après pouvoir », « qui ne s'arrête qu'avec la mort ». En outre, « le pouvoir s'accroît lorsqu'il s'exerce ». Le plus grand des pouvoirs est celui du souverain, « qui est composé du pouvoir des autres unis par le consentement en une personne, naturelle ou civile, qui peut utiliser à sa guise les pouvoirs des autres ».

Le chaos ou la guerre civile, qu'il ne connaît que trop bien, relèvent de l'« état de nature » et de la « guerre de tous contre tous ». Pour les écarter, il faut un gouvernement fort, cherchant à assurer « la paix et la sécurité » des citoyens, et contre qui nul ne puisse se rebeller. L'État est un géant composé de tous les individus, personnifié par un individu ou par une assemblée d'individus. Si l'État cesse de protéger la population, l'homme retournera alors à l'état de nature, jusqu'à ce qu'un nouveau contrat lui soit proposé.

Le pouvoir délégué suppose la capacité de former une coalition et de s'attacher des hommes disposant eux-mêmes d'un pouvoir. Pour y parvenir, celui qui quête ce pouvoir doit avoir de la gloire, de l'argent, de la chance, du savoir, et tout ce qui permet aussi, ajoute-t-il, d'obtenir la faveur des femmes.

Hobbes entend définir les conditions qui permettent à une société humaine de jouir de la paix, fondement de sa prospérité. Il précise, fort de son expérience, certains concepts : le contrat social est passé entre un *Author* et un *Actor*. L'*Author* est l'ensemble des citoyens, ou les membres d'un groupe social, ou un prince étranger. Cet *Author* passe contrat à la majorité simple avec un *Actor*, personne ou assemblée en charge de l'exercice de l'autorité. L'*Actor* est *attorney*, *deputy*, *procurator*, *souverain*. Son action ne peut qu'être juste : « Ce sont les lois civiles nées de la compétence du Souverain qui, manifestant pour tous les requêtes fondamentales de la Raison, définissent le juste. » L'État, qui est l'*Actor*, rend possible l'établissement des contrats, en particulier l'exercice du droit de propriété. Il permet le fonctionnement de l'ordre marchand. L'ensemble, uni en une seule personne morale, forme ce qu'il nomme *Commonwealth*, en latin *Civitas*. Le contrat entre l'*Author* et l'*Actor* est irrévocable, c'est-à-dire établi pour une durée indéfinie sous l'empire d'une crainte réciproque.

La démocratie est donc limitée au choix du souverain : l'*Author* ne contrôle pas l'*Actor*. Une fois celui-ci en place, aucune coalition d'intérêts particuliers, aucun corps intermédiaire, ni politique ni économique, ne doit pouvoir le remettre en cause ni déclencher une guerre civile, à moins d'avoir été « investi de l'autorité du Souverain ». Seuls restent autorisés ceux des corps intermédiaires qui ne sont pas susceptibles de devenir des groupes de pression : les familles, à l'image de la famille Cavendish, incluant quelques *serviteurs*, lesquels ne doivent pas être trop nombreux.

On comprend bien ce que cette thèse emprunte à l'histoire anglaise et à sa récente escalade de violence : pour Hobbes, il faut une dictature, voulue par le peuple, mais irréversible.

Léviathan paraît en 1651. Il s'ouvre sur un frontispice représentant un géant dominant la campagne et la ville, gravé selon des indications précises données par l'auteur à Abraham Bosse, célèbre graveur français rencontré à Paris et qui illustre au même moment les travaux de géométrie de Descartes.

Comme tant d'autres avant et après lui, Hobbes espère que ce livre lui permettra de devenir conseiller d'un prince. Pourquoi pas Cromwell ? Il écrit : « Je me remets à espérer quelque peu qu'à un moment ou à un autre, mon présent travail pourrait tomber entre les mains d'un souverain qui en prenne connaissance par lui-même, sans l'aide d'un interprète intéressé ou envieux, et qui, par l'exercice de sa pleine souveraineté, en donnant sa protection à l'enseignement officiel de mon ouvrage, convertisse cette vérité spéculative en vérité pratique. »

En fait, à Londres, le livre est mal accueilli, car on peut le lire comme signifiant que jamais le souverain n'aurait dû être en situation de remettre en cause la légitimité du roi ; ou, à l'inverse, que personne ne peut désormais remettre en cause celle de Cromwell...

Aux Pays-Bas, le jeune Charles II, entouré d'évêques et de lords hostiles aux idées du philosophe, se méfie de son ancien précepteur. À Paris, sa réputation dans les cercles d'émigrés est de plus en plus ambiguë, car on craint qu'il n'aille soutenir Cromwell, et la publication du *Léviathan* à Londres rend on ne peut plus délicates ses relations avec les royalistes exilés en France.

Il rentre alors à Londres et retrouve un emploi auprès des Cavendish, à Chatsworth, avec, au surplus, un petit héritage laissé par William Harvey qui vient de mourir.

Hobbes mène alors la même vie, d'une exemplaire régularité, consacrée à la réflexion, que sur le continent. Il note en cours de promenade ses pensées, qu'il met en forme chaque après-midi à sa table de travail.

En 1654, alors qu'Oliver Cromwell s'est déclaré « Lord-protecteur du Commonwealth », Hobbes achève *Of Liberty and Necessity*, en réponse à l'évêque de Bramhall. L'année suivante (1655), il publie *De corpore* (où il prétend résoudre notamment le problème de la quadrature du cercle). Dans sa dédicace, il loue son ami Harvey et le range, aux côtés de Copernic, parmi les « plus importants initiateurs de la science moderne ».

Au même moment, à Paris, Blaise Pascal écrit la première des dix-huit lettres composant *Les Provinciales*, qui narguent les jésuites en réaffirmant la théorie de la grâce.

En 1658, Hobbes publie à Londres le *De homine*, dans lequel il développe en latin les thèses qu'il a exposées sous le manteau quinze ans plus tôt dans *Human Nature*. Il continue de débattre avec les savants de son époque : John Wallis, mathématicien anglais, qui lui reproche ses erreurs de calcul (in *Elenchus Geometriae Hobbianae*) ; Seth Ward (détenteur de la *Savilian Chair of Astronomy* à Oxford), qui riposte aux critiques portées par Hobbes dans *Léviathan* contre le savoir académique ; Robert Boyle, chimiste et physicien irlandais qui défend l'existence du vide contre Hobbes, qui la nie.

En 1658, Cromwell meurt après dix ans d'un pouvoir sans partage. Son fils Richard ne parvient pas à s'imposer : il commence par rejeter la demande de l'armée de dissoudre le Parlement, puis cède quand les troupes se rassemblent devant Saint-James. Le 7 mai 1659, menacé par l'armée, il abdique.

Charles II revient alors des Pays-Bas et est rétabli sur le trône par le général Monck, l'homme fort de Cromwell, pour le compte duquel il a mené une féroce répression en Écosse. La mère de Charles II, veuve du roi décapité, vient à Londres assister au couronnement de son fils, puis rentre en France à la cour du jeune Louis XIV. Dès son retour, Charles reçoit chaleureusement son ancien tuteur, Hobbes, et lui accorde une pension.

Certains, auprès du monarque, reprochent à Hobbes d'être rentré en Angleterre sept ans plus tôt et d'avoir ainsi fait allégeance à Cromwell ; on l'accuse même en particulier d'avoir rédigé le *Léviathan* pour s'attirer les faveurs de ce dernier – puisqu'il n'y défend pas exclusivement l'absolutisme du pouvoir royal, mais, plus généralement, un absolutisme politique –, et qu'il s'y est opposé à toute révolte qui aurait pu remettre en cause son pouvoir.

Wallis, Boyle et ses amis du cercle de savants qui se réunit à Gresham College, à Londres, reprochent dans le même temps à Hobbes de s'opposer à la méthode expérimentale de Francis Bacon au nom d'une méthode purement mathématique et déductive.

Pour bien montrer qu'il n'a pas soutenu Cromwell, Hobbes entend préciser qu'il n'est nullement favorable à un gouvernement qui abuse du pouvoir ; or cela a été clairement, pour lui, le cas de Cromwell. À cette fin, il travaille à une histoire de la guerre civile anglaise dans un ouvrage qu'il intitule *Béhémoth* (l'autre monstre mentionné avec le Léviathan dans le Livre de Job : monstre terrestre, alors que ce dernier est un monstre marin). Hobbes y définit plus explicitement que dans *Léviathan* la source de la légitimité : « Les lois civiles sont les lois de Dieu en ce que ceux qui les ont faites ont été désignés par Dieu pour les faire. » Les parlementaires doivent donc obéir à l'autorité royale. Il en va de même, dit-il, des sectes religieuses : l'Église épiscopale, qui s'occupe surtout de ses privilèges garantis par le roi ; les presbytériens, qui s'appuient sur les campagnes ; les papistes, toujours à redouter, surtout en Irlande et en Écosse.

En 1661, alors que meurt Mazarin, que Louis XIV prend le pouvoir et qu'Henriette-Anne, une des sœurs de Charles II, épouse Philippe, frère de Louis XIV, son adversaire John Bramhall est nommé par le roi évêque d'Armagh, en Irlande du Nord, et confirme une restauration anti-puritaine : le *Clarendon Code* renforce la puissance de l'Église d'Angleterre contre Charles II, qui tente en vain de réintroduire le catholicisme. En 1665, certains imputent même au *Léviathan* la responsabilité de la Grande Peste, suivie en septembre 1666 du grand incendie de Londres.

En janvier 1667, Thomas est accusé aux Communes d'hérésie, de blasphème et de sacrilège, et les conseillers de Charles II, c'est-à-dire surtout les évêques, dont John Bramhall, cherchent à le discréditer auprès du souverain. Le roi n'ignore pas qu'il n'est plus à même, pour sa part, de tenir tête au Parlement et lui demande de ne plus écrire ni sur la politique, ni sur la religion, et de s'abstenir même de publier son dernier livre pour ne pas rouvrir les plaies de la guerre civile.

Hobbes achève la rédaction de *Béhémoth*, dont des copies circulent à partir de 1670. Il rédige un *Dialogue between a Philosopher and a Student on the Common Laws of England* (qui sera publié onze ans plus tard), où il réfléchit à nouveau sur la loi naturelle, la souveraineté, le système des tribunaux anglais. Sa vie intellectuelle ne ralentit pas en dépit de l'âge.

En 1668, Hobbes publie à Amsterdam une édition latine du *Léviathan*, qu'il a lui-même traduit – à moins qu'il n'en ait écrit le texte original en latin avant de le transcrire en anglais ?

En 1670, à vingt-six ans, meurt en France Henriette-Anne d'Angleterre, sœur de Charles II, épouse de Philippe d'Orléans. Bossuet a là l'occasion d'écrire et de prononcer de sa voix envoûtante sa plus belle oraison : « Ô nuit désastreuse ! Ô nuit effroyable où retentit tout à coup, comme un éclat de tonnerre, cette étonnante nouvelle : Madame se meurt, Madame est morte... »

À partir de 1670, Hobbes traduit Homère en anglais – « parce que je n'avais rien d'autre à faire », écrit-il. Ce qui ne l'empêche pas de mettre la dernière main à son autobiographie en prose et en vers latins, qui ne paraîtra que deux siècles plus tard.

Son œuvre commence à être connue : en décembre 1670, le jeune Leibniz (alors âgé de vingt-quatre ans), conseiller à la chancellerie de Mayence, écrit dans une lettre à un juriste et philosophe allemand, Thomasius : « Le *Léviathan* est un livre monstrueux, comme le titre lui-même l'indique », et il note dans sa préface à la *Théodicée* : « Étant encore petit garçon […], j'ai lu avec soin le livre ingénieux du célèbre Hobbes contre l'évêque Bramhall… »

En 1673 est promulgué le *Test Act*, qui stipule que toute personne exerçant un emploi public doit faire acte d'allégeance à l'Église anglicane.

En octobre 1679, quatre mois après le vote de la loi sur l'*Habeas Corpus*, qui condamne les arrestations et détentions arbitraires et permet aux magistrats d'obtenir dans les trois jours la comparution de tous les prévenus, Hobbes est victime d'une attaque de paralysie. Il meurt le 4 décembre.

Le 21 juillet 1683, l'université d'Oxford, où il a fait ses études, condamne et fait brûler publiquement le *De cive* et le *Léviathan*, parce que leur auteur attribue à l'autorité civile une origine populaire, et qu'il considère le désir de survivre comme une loi fondamentale de la nature remettant en cause la toute-puissance de Dieu, qui accorde ou refuse sa grâce.

Cependant, le pouvoir du roi anglais s'amenuise encore : en 1689, les treize articles de la « Déclaration des droits » consacrent le pouvoir fiscal du Parlement esquissé par la *Magna Carta* : le souverain n'a plus le droit de lever des impôts ou une armée sans l'aval du Parlement.

Au siècle suivant, Hobbes revient au cœur du débat : en 1764, dans la *Richesse des nations*, Adam Smith critique sa position sur la relation entre richesse et pouvoir. Pour lui, la richesse matérielle ne constitue pas en soi un pouvoir : « La richesse, dit M. Hobbes, c'est le pouvoir. Mais celui qui acquiert ou crée une grande fortune n'a pas nécessairement acquis ou créé un pouvoir politique, civil ou militaire. Sa fortune peut peut-être lui fournir les moyens de l'acquérir, mais la simple possession de la fortune ne l'implique pas. Le seul pouvoir qu'il obtient, c'est le pouvoir d'achat, un certain contrôle du travail ou du produit du travail mis sur le marché. » De plus, Smith, à la différence de Hobbes, estime que l'État n'est pas nécessaire : « Sans aucune intervention de la loi, les intérêts privés et les passions des hommes les amènent à diviser et à répartir le capital […] dans la proportion qui approche le plus possible de celle que demande l'intérêt général. »

Au même moment, Diderot écrit dans une lettre à Sophie Volland : « Hobbes fut un philosophe trop moderne dans un monde trop vieux », et il parle du *Léviathan* comme d'un « traité sublime de la nature humaine ».

Un siècle plus tard encore, lors des séances des 20 et 27 juin 1865 du conseil général de l'Association internationale des travailleurs, Karl Marx présente sa théorie de la plus-value dans un texte intitulé *Salaire, prix et plus-value,* qu'il reprendra plus complètement deux ans plus tard dans *Le Capital.* Il y reconnaît devoir à Hobbes l'intuition majeure de son travail, la théorie de la plus-value, expression de la lutte des classes, moteur de l'Histoire : « Hobbes, l'un des plus anciens économistes de l'Angleterre, l'un des philosophes les plus originaux, avait déjà, d'instinct, mis le doigt sur ce point qui n'a pas retenu l'attention de ses successeurs. La valeur d'un homme, écrit-il dans son *Léviathan,* ce qu'il y a de précieux en lui, c'est, comme en toute chose, son prix : c'est-à-dire ce qu'on donnerait pour l'usage de sa force. »

Aujourd'hui, il ne s'agit plus de choisir entre la dictature de Charles Ier et celle de Cromwell, mais de combler l'absence de lieu où inscrire un pouvoir souverain : pas de parlement à dissoudre ni de monarque à décapiter. Personne à qui faire porter le poids du désordre. Personne non plus à qui confier l'intérêt général. La mondialisation moderne, sans souverain, donnerait sans doute à Hobbes le sentiment que le pire de ses cauchemars est en bonne voie. Il dénoncerait l'État national englué dans la multiplicité de ses instances, et la mondialisation paralysée par son absence d'instances. Il parlerait sans doute de l'urgente nécessité d'un contrat social planétaire, condition de la survie du *Commonwealth* humain.

BIBLIOGRAPHIE

COHEN, Daniel, *La Prospérité du vice, une introduction (inquiète) à l'économie*, Paris, Albin Michel, 2009.

DOCKES, Pierre, *Hobbes, économie, terreur et politique*, Paris, Economica, 2008.

GOYARD-FABRE, Simone, introduction au *Citoyen* de Hobbes, Paris, GF-Flammarion, 1982.

MARTINICH, Aloysius, *Hobbes, a biography*, Cambridge, Cambridge University Press, 1999.

MINTZ, S.I., *The Hunting of Leviathan*, Cambridge, 1962.

MUCHEMBLED, Robert, *Une histoire de la violence*, Paris, Fayard, 2008.

NAVILLE, Pierre, *Thomas Hobbes*, Paris, Plon, 1988.

SKINNER, Quentin, *Hobbes et la Conception républicaine de la liberté*, Paris, Albin Michel, 2009.

STRAUSS, Léo, *La Philosophie politique de Hobbes*, 1964, trad. franç., Paris, Belin, 1991.

TERREL, Jean, *Hobbes, vies d'un philosophe*, Rennes, Presses universitaires de Rennes, 2008.

TONNIES, F., *Contribution à l'histoire de la pensée de Hobbes*, in Archives de philosophie, 1936.

VIALATOUX, J., *La Cité de Hobbes. Théorie de l'État totalitaire*, 1936.

12

Madame de Staël
(1766-1817)
ou la femme du monde

Ma relation avec Mme de Staël commence sur un malentendu : j'ai longtemps cru qu'*Adolphe*, une de mes premières rencontres avec le romantisme, avait été écrit par Benjamin Constant en hommage à celle qui fut longtemps sa compagne. En réalité, scrutant sa vie, j'ai compris qu'il l'avait au contraire écrit pour une autre, en la quittant. Dans le même temps, je découvris qu'elle était, pour bien d'autres raisons, un des meilleurs guides de voyage possibles à travers les turbulences de la Révolution et de l'Empire, auxquelles elle survécut miraculeusement. En elle s'affirme une des premières pensées absolument libres ; s'exprime un des premiers visionnaires de ce que va être le XIXe siècle dans ce qu'il aura de meilleur, et de la première moitié du XXe dans ce qu'elle aura de pire : la question allemande.

Si Stefan Zweig choisira génialement de nous faire traverser cette période en escortant la plus grande girouette, l'opportuniste le plus cynique du moment, en la personne de Joseph Fouché, il me plaît de le faire en mettant mes pas dans ceux de la plus extraordinaire ambitieuse de son temps : cette Genevoise, qui adorait la France et fut épouse d'un ambassadeur de Suède, se fit la première avocate de l'Allemagne du jour où elle fut chassée de Paris par Napoléon.

En sa personne, sa vie et son œuvre, la baronne de Staël marie l'héritage du XVIIIe siècle à toutes les grandes aspirations du XIXe : du siècle des Lumières, elle garde le goût pour les idées abstraites et le règne de la raison ; du XIXe siècle, elle a l'enthousiasme, la passion, voire l'exaltation jusqu'au délire. Rompant avec la dialectique sereine de l'amour qui prévalut à la fin du XVIIIe siècle, elle rend compte du mal-être qui l'emporte dès l'orée du siècle nouveau : ce « sentiment douloureux de l'incomplet de sa destinée » ; ce qu'un autre des premiers « enfants du siècle », Pierre Pivert de Senancour, décrira dans son journal intime imaginaire, *Oberman*, par la formule : « Il y a l'infini entre ce que je suis et ce que j'ai besoin d'être » ; et ce qu'Alphonse de Lamartine résumera vingt ans plus tard dans son poème « L'Homme », dédié à Byron : « L'homme est un dieu tombé qui se souvient des cieux [...]/ Borné dans sa nature, infini dans ses vœux... »

Tout commence en 1732 par la naissance à Genève de son père, Jacques Necker. La superpuissance du moment est encore les Pays-Bas : Amsterdam demeure la capitale économique du monde. En France, Louis XV a atteint l'âge de la majorité, mettant fin à la régence de son oncle Philippe, duc d'Orléans, en 1723 ; il a confié la responsabilité du gouvernement au cardinal de Fleury. La Grande-Bretagne est régie par la dynastie des Hanovre ; George II a accédé au trône en 1727. La guerre fait rage au Canada entre les Français, au bord de la ruine, et les Anglais, en pleine expansion. La traite organisée par des négriers européens est à son comble ; à son terme, elle aura raflé plus de 10 millions d'Africains.

Jacques Necker est le second fils de Charles-Frédéric Necker, avocat qui a délaissé le barreau de Küstrin, sa ville natale, à l'époque prussienne, aujourd'hui polonaise, pour sillonner l'Europe en tant que précepteur de jeunes aristocrates, à l'instar de beaucoup d'autres avant lui, comme Thomas Hobbes. Charles-Frédéric est d'abord en charge des enfants d'un étonnant gentilhomme vaudois, François-Louis de Pesme, général de Saint-Saphorin, militaire qui, huguenot, refusa de servir la France, passa au service de la Hollande, puis de l'Autriche, avant de devenir lieutenant général de Sa Majesté britannique et ambassadeur d'Angleterre à Vienne. En 1720, à la demande du général de Saint-Saphorin, le Parlement de Londres accorde à Charles-Frédéric Necker une dotation annuelle pour ouvrir à Genève un établissement d'éducation destiné aux jeunes Anglais souhaitant se parfaire sur le continent.

Grâce à cette subvention, Charles-Frédéric s'installe à Genève, où il se marie en 1727 avec Jeanne Gautier, fille d'un syndic de la cité, ce qui lui permet d'obtenir rapidement les droits de la bourgeoisie, indispensables pour occuper un emploi civil dans la République, où les familles étrangères doivent souvent attendre l'octroi de ces droits pendant plusieurs générations. Faveur rare : quelques années plus tard, il siège au Consistoire.

La Suisse est alors une confédération de treize cantons dont la neutralité et l'indépendance ont été reconnues en 1648 par les traités de Westphalie qui mirent fin à la guerre de Trente Ans. Rousseau y vit encore. Voltaire s'y rendra en 1755.

Le couple réussit dans ce métier d'enseignant et place tous ses espoirs en son fils aîné, Louis, né en 1730, brillant sujet, tout en délaissant quelque peu le cadet, Jacques, né deux ans plus tard.

À seize ans, en 1748, au sortir du collège, celui-ci entre comme teneur de livres à la banque Vernet. Deux ans plus tard, on l'envoie à Paris, au siège de la banque. Il y réussit si bien qu'en 1756 (il a alors vingt-quatre ans) il devient l'un des trois associés d'une nouvelle société en commandite portant son nom : *Vernet, Thellusson & Necker.* Il mène une existence laborieuse, enfermé jour et nuit dans les bureaux de la société. Quand il sort – rarement –, c'est pour retrouver ses collègues chez une Lausannoise, Mme de Vermenoux, belle-sœur de son associé Thellusson.

Sept ans plus tard, en 1763, devenu riche, il y rencontre à trente-trois ans Suzanne Curchod, dite « la belle Curchod », que Mme de Vermenoux vient de faire venir de Lausanne en qualité de demoiselle de compagnie.

Intellectuelle, méprisant la sexualité, considérant le corps comme une « misérable guenille », Suzanne Curchod est sans ressources depuis la mort de son père, pasteur du pays vaudois et précepteur, lui aussi, auprès de jeunes Anglais. Deux ans plus tôt, elle a noué à Lausanne une idylle platonique avec le futur grand historien britannique Edward Gibbon, alors âgé de vingt ans, installé là depuis cinq ans pour étudier chez le père de Suzanne. Quand le jeune Edward veut la demander en mariage, son père s'oppose à ce qu'il épouse une étrangère sans le sou et le rappelle outre-Manche. Gibbon écrira plus tard : « J'ai soupiré comme un amant, j'ai obéi comme un fils. »

Cette année-là, Suzanne quitte donc Lausanne pour servir de demoiselle de compagnie à Paris à Mme de Vermenoux. Dans les salons parisiens, on parle alors de la prise de Montréal par les Anglais, de la défaite française au Québec, du traité de Paris par lequel la France abandonne ses possessions d'Amérique du Nord, à l'exception de la Louisiane, de Haïti, des Antilles, de Saint-Pierre-et-Miquelon et des droits de pêche autour de Terre-Neuve.

Jacques et Suzanne se rencontrent à Paris à la fin de 1763. C'est le coup de foudre entre ces deux Suisses exilés dont les pères exerçaient la même profession. Le 30 septembre 1764 à minuit, Jacques et Suzanne se marient à Paris dans la chapelle de l'ambassade des Provinces-Unies, pays qui compte parmi les rares soutiens des protestants français, durement éprouvés depuis Louis XIV.

Le 22 avril 1766, Suzanne, devenue Necker, donne naissance à Paris, rue de Cléry, à Anne Louise Germaine Necker. Née de deux parents suisses, l'enfant n'est pas française, sinon pour le *jus soli*. « On m'avait caché avec tant de soins les détails révoltants d'un accouchement que j'en ai été aussi surprise qu'épouvantée », écrit Suzanne à une amie. Elle est alors la proie d'obsessions si morbides qu'elle demandera qu'après sa mort son cadavre soit conservé dans l'alcool.

En cette année de naissance de Germaine, après la mort de Stanislas Leszczynski, la Lorraine est rattachée à la France ; Wallis entame le voyage qui lui fera découvrir Tahiti ; Bougainville entreprend un tour du monde au cours duquel il découvrira les Samoa et les Nouvelles-Hébrides.

Début 1768, les compatriotes genevois de Necker, fiers de son succès parisien, lui offrent le poste de *résident*, c'est-à-dire d'ambassadeur de la république de Genève près la cour de France. Formidable promotion pour ce fils d'un ex-Prussien directeur d'école ! Le salon de Necker à Paris devient un lieu de rencontre des Encyclopédistes.

Cette année-là, l'empire ottoman déclare la guerre à la Russie ; Gênes vend ses droits sur la Corse à la France ; Cook explore l'hémisphère sud et découvre l'Australie. L'Allemagne, à laquelle Germaine de Staël s'intéressera tant, s'éveille ; Lessing y achève la publication de *La Dramaturgie de Hambourg* après avoir fait paraître son *Laocoon*, dont Goethe dit qu'il « ouvre les champs libres de la pensée ». À Vienne, Mozart compose son premier opéra-bouffe, *La Finta semplice*, et fait représenter *Bastien et Bastienne*, qui lui vaut de se voir octroyer, l'année suivante, le poste de *Konzertmeister* de l'archevêque de Salzbourg. À Paris, dans ses *Doutes proposés aux philosophes économistes sur l'ordre naturel et essentiel des sociétés politiques*, l'abbé de Mably soutient que la propriété privée est cause de désordres en tant que source d'inégalités, et que le droit de propriété doit être subordonné à ceux de la personne.

En 1769, Necker quitte son ambassade pour devenir (à la demande de la Cour, qui a remarqué sa fortune et son talent) directeur de la Compagnie des Indes, durement touchée par la guerre de Sept Ans et la perte de ses établissements en Asie. Necker a pris sa décision : il veut devenir puissant en France. Il n'est pas le premier étranger à rêver d'y devenir Premier ministre. Le souvenir de Mazarin est encore dans toutes les mémoires.

En 1773, il se fait connaître du public par un *Éloge de Colbert* couronné par l'Académie. Sur le conseil de Choiseul, il se retire officiellement de la banque, s'y faisant remplacer par son frère Louis (devenu M. de Germany), qu'il a fait venir de Genève pour se mettre à l'abri des reproches de malversations ou de conflits d'intérêts que pourraient provoquer ses fonctions à la tête de la Compagnie des Indes.

La même année, pour avoir la paix avec la France, le pape Clément XIV se trouve contraint de supprimer l'ordre des jésuites, bannis de France depuis 1764. Le 10 mai, en Amérique, la « Boston Tea Party » marque les débuts de la résistance des colons à la Grande-Bretagne.

En France, le 13 septembre 1774, face à la pénurie de pain, Turgot, nommé au contrôle général des Finances par Louis XVI, libéralise le commerce des grains, provoquant une hausse des prix. Une vague d'émeutes se lève, en avril et mai 1775, dans le nord, l'est et l'ouest du pays. C'est la « guerre des farines », qui contribue à discréditer Turgot.

Mme Necker se prépare à élever avec une rigueur calviniste son enfant, qu'elle souhaite unique. Lectrice admirative de Rousseau, elle applique pourtant des principes d'éducation à l'opposé de ceux exposés dans l'*Émile*. Suzanne établit un programme très complet pour Louise, à qui elle enseigne elle-même le latin, l'anglais, les mathématiques et l'histoire. Sans compter les leçons de danse, de maintien et de déclamation par Melle Clairon, la grande actrice, tout juste revenue d'Ansbach, où elle était la maîtresse du margrave. Craignant autant les athées que les papistes, Suzanne se plaint, dans une lettre, de devoir confier sa fille à une nourrice catholique.

À Paris, le salon de Mme Necker ne désemplit pas. Gens de lettres, économistes, savants, philosophes s'y fréquentent. La jeune Germaine (elle a alors neuf ans) y croise ceux qui travaillent maintenant dans l'ombre à l'élévation de son père au rang de contrôleur général des Finances en lieu et place de Turgot.

En 1774, à l'avènement de Louis XVI, Goethe publie à vingt-cinq ans un roman épistolaire, *Les Souffrances du jeune Werther*, dont le héros ne peut trouver de repos que dans la mort. Immense succès. En 1775, les Comédiens-Français donnent le *Barbier de Séville* de Beaumarchais – audace que personne ne prend au sérieux. À Lexington, en Amérique du Nord, une fusillade marque le début de l'insurrection armée contre Londres sous le commandement d'un des plus riches planteurs de Virginie, George Washington.

La même année, Necker, banquier de plus en plus riche, publie un *Essai sur la législation et le commerce des grains*, espérant ainsi entrer au gouvernement du royaume. En 1776, il achète un château à Saint-Ouen, près de Paris, sans quitter pour autant la rue de Cléry. C'est une région bien fréquentée : ils ont pour voisins Mme d'Épinay, sa belle-sœur la comtesse d'Houdetot, le duc de Nivernais, le prince de Conti et la comtesse de Boufflers. Profondément attachée à la foi calviniste, Mme Necker accueille chez elle les gens de finance, grands commis de l'État ou banquiers étrangers (suisses, évidemment) pour faire progresser la carrière de son mari. Avant d'accepter l'invitation, Mme du Deffand, l'illustre aveugle, demande à Voltaire ce qu'il faut penser de l'*Éloge de Colbert* ; ayant reçu l'aval du philosophe, elle admet les Necker dans son cercle, fréquenté par la maréchale de Luxembourg, la princesse de Beauvau et des athées déclarés tels l'abbé Raynal, le baron d'Holbach, Helvétius et Diderot, qui viennent ensuite à leur tour chez les Necker. Les Encyclopédistes font ainsi sauter Germaine, âgée de dix ans, sur leurs genoux ; Buffon (amoureux de madame Necker et qui sera le dépositaire de son cœur conservé dans l'alcool) et Diderot s'intéressent à ses études ; Carmontelle exécute d'elle un dessin remarquable ; le grand médecin Tronchin la soigne. Les dames qui rendent visite à sa mère la complimentent sur sa tenue et sur son esprit. Catherine Huber, longtemps sa seule amie, écrira dans ses *Souvenirs* : « Il fallait voir comme Melle Necker écoutait ! Ses regards suivaient les mouvements de ceux qui parlaient et avaient l'air d'aller au-devant de leurs idées. Elle n'ouvrait pas la bouche et pourtant semblait parler à son tour, tant ses traits mobiles avaient d'expression. Elle était au fait de tout, saisissant tout, même les sujets politiques qui, à cette époque, faisaient déjà un des grands intérêts de la conversation. »

En avril 1776, juste avant la déclaration d'indépendance des treize colonies américaines et la publication par Adam Smith des *Recherches sur la nature et les causes de la richesse des nations,* Germaine accompagne son père et sa mère en Angleterre. Mystérieux voyage effectué sur la recommandation de l'ambassadeur de Grande-Bretagne, lord Stormont, au moment précis de la disgrâce de Turgot. Ils sont attendus outre-Manche par l'ancien amoureux de Mme Necker, l'historien Gibbon. La banque les a pourvus de toutes les facilités et ils mènent grand train pendant un mois et demi. En novembre, à leur retour, Necker est nommé directeur du Trésor royal. Étant protestant, il ne peut accéder au Contrôle général, ce qui lui attribuerait *de facto* une place au Conseil du roi. Il en assume les fonctions sans en avoir le titre, que prend le marquis de Taboureau.

Ainsi, à onze ans, Germaine se trouve être la fille de l'homme le plus puissant de France après le roi. Le salon de Mme Necker devient un des centres de la vie parisienne ; les grands noms de la littérature prennent le chemin de la rue de Cléry, où la famille réside en hiver. Germaine se familiarise avec les gloires politiques, littéraires et mondaines qui l'entoureront toute sa vie.

Cette année-là – 1777 –, le marquis de La Fayette, parmi d'autres volontaires européens, rejoint outre-Atlantique les *Insurgents.*

Dès sa nomination, Necker constate que l'État est ruiné. Il tente alors d'associer les notables à l'administration des provinces par la création d'assemblées locales. L'année suivante, il supprime la mainmorte et les servitudes personnelles sur le domaine royal, et essaie de réformer l'assiette de l'impôt. Devant la menace de faillite imminente, il accorde même un prêt personnel colossal de deux millions de livres au Trésor royal, remboursable à l'échéance finale, en 1792. Ce prêt poursuivra la famille pendant trente ans.

Le 26 mars 1778, en compagnie de Mme du Deffand et de la maréchale de Beauvau, Mme Necker et sa fille rendent visite à Paris à Voltaire mourant. Germaine s'initie au théâtre, qui lui plaît plus que tout. À douze ans, elle écrit même une comédie intitulée *Les Inconvénients de la vie de Paris,* dont parle la *Correspondance littéraire* de Melchior Grimm, homme de lettres bavarois d'expression française, ami de Diderot, qui tient une chronique de la vie intellectuelle dans la capitale française, adressée aux souverains européens et lue jusque chez la Grande Catherine.

Germaine passe l'été 1778 avec sa mère en Suisse. Là, elle fait la connaissance des principales familles du pays de Vaud. Gibbon se trouve alors de nouveau à Lausanne, et la jeune Germaine danse avec le fils de celui qui courtisait jadis sa mère.

Dès cette année-là, et malgré son âge tendre, les prétendants ne manquent pas à Germaine, bien qu'elle n'ait pas embelli en grandissant. Les Necker, qui pensent à tout, cherchent déjà pour elle l'« oiseau rare » : ils ne veulent à l'évidence pas d'un papiste pour gendre, ce qui exclut tout Français ; ils veulent cependant un Parisien, si possible possédant un titre, mais pas nécessairement un homme riche. Déjà, au siècle précédent, La Bruyère notait : « Si le financier manque son coup, les courtisans disent de lui : c'est un bourgeois, un homme de rien, un malotru ; s'il réussit, ils lui demandent la main de sa fille. » L'oiseau rare est difficile à trouver.

Charlotte Hippolyte de Campet de Saujon, comtesse de Boufflers par son mariage, femme de lettres qui tient un brillant salon, présente aux Necker un certain Éric-Magnus de Staël. Il correspond à peu près aux critères : âgé de vingt-neuf ans, attaché de l'ambassade de Suède à Paris, il est protestant, parisien, noble, il a belle figure mais de grosses dettes, et peut se prévaloir de grands succès auprès des femmes, dont Mme de Luxembourg et la comtesse de la Mark. On suggère au roi de Suède, Gustav III, d'encourager un mariage entre de Staël et Germaine Necker et d'accorder à cette fin le poste d'ambassadeur au jeune homme, ce qui permettrait à la fois de ne plus avoir à entretenir l'ambassade à Paris, l'immense fortune de Necker y pourvoyant, et de rehausser le prestige bien affaibli de la noblesse suédoise. Le souverain accepte : Éric-Magnus est nommé ambassadeur de Suède à Paris et entreprend ses démarches auprès de Necker. Mais il est écarté par le baron : il sera trop vieux, estime celui-ci, quand Germaine, qui n'a que douze ans, sera en âge de convoler.

En 1779, Louise-Germaine voyage en compagnie de ses parents en Avignon, à Montpellier et à Lyon. La France est écrasée par sa dette. Il est de plus en plus difficile de financer les dépenses de la Cour et celles liées à la guerre d'indépendance américaine, qui coûte près d'un milliard de livres. Necker se fait beaucoup d'ennemis. Il obtient de Maurepas, le Premier ministre, le renvoi de Sartine, secrétaire à la Marine, qui refuse de se plier aux économies qu'il exige.

L'éveil de l'Allemagne se confirme : à Mannheim, Schiller triomphe avec sa première pièce, *Les Brigands*, procès d'une société corrompue où sévit l'injustice. À Königsberg, Kant publie la *Critique de la raison pure*, magistrale formalisation des multiples activités de la raison.

En janvier 1781, dans un souci de transparence, Necker publie son *Compte rendu* annuel au roi, qui expose la situation des finances du pays, et en particulier celle du Trésor royal. Ce livre réquisitoire, qui révèle pour la première fois au public l'état des recettes et des dépenses du royaume, fait scandale. Maurepas conseille au roi de ne plus écouter Necker, lequel préfère démissionner le 19 mai. Il se retire à Fontainebleau, immensément riche.

En 1782, *Les Liaisons dangereuses* de Choderlos de Laclos, qui dénonce la condition faite aux femmes, remporte un immense succès. En 1783, à Versailles, un traité signé par la Grande-Bretagne reconnaît l'indépendance des États-Unis d'Amérique.

L'année suivante, Jacques Necker se porte acquéreur, pour 500 000 livres, du château de Coppet, baronnie délabrée, inhabitée, propriété d'un fils de son ancien associé, Thellusson. Le voici baron. Les Necker repoussent alors un deuxième projet de mariage de leur fille (elle a dix-sept ans et, physiquement, ne s'est pas beaucoup arrangée) avec William Pitt, le second fils de lord Chatham. C'est pourtant un magnifique parti : à vingt-trois ans, le jeune Anglais vient d'être appelé au poste de chancelier de l'Échiquier, ministre des Finances, poste convoité en France par Necker. Le baron met pourtant son veto, car Pitt aurait emmené leur fille à Londres. Pour les Necker, le mieux serait un ambassadeur en poste à Paris, et non papiste. Aussi, faute de mieux, après avoir écarté les coureurs de dot et les catholiques, se résignent-ils à accepter la demande formulée cinq ans plus tôt par Éric-Magnus de Staël, encore ambassadeur de Suède à Paris. Louise n'est pas vraiment consultée ; de son conjoint, elle dira un jour assez drôlement : « De tous les hommes que je n'aime pas, c'est celui que je préfère... » Et des hommes, elle en aimera beaucoup !

Elle va sur ses vingt ans et il en a trente-sept quand, le 6 janvier 1786, la famille royale de Suède paraphe le contrat de mariage, célébré à Paris dans la chapelle de l'ambassade. Le 31, la jeune Mme de Staël est présentée à la Cour à Versailles. En même temps que d'état, elle change de prénom, préférant porter désormais celui de Germaine. « C'est une jouissance enivrante que de remplir l'univers de son nom, d'exister tellement au-delà de soi qu'il soit possible de se faire illusion sur l'espace et la durée de la vie », écrira-t-elle dix ans plus tard au premier chapitre de son livre *De l'influence des passions*.

Deux mois après son mariage, Germaine, nouvelle ambassadrice de Suède à Paris, envoie à Gustav III, roi de Suède, son premier bulletin recensant les nouvelles mondaines et littéraires parisiennes. Elle se rend à Plombières, station thermale vosgienne alors à la mode, avec ses parents, depuis cinq ans en relative disgrâce. Elle y croise Beaumarchais.

Incapable de se résigner au rôle d'épouse d'ambassadeur, elle devine qu'une France nouvelle cherche à naître, dans laquelle sa génération et sa classe sociale occuperont une place prépondérante. Le 22 juillet 1787, à Paris, elle met au monde Gustavine – nom choisi, évidemment, en hommage au roi de Suède. À la différence de sa mère, elle aime les hommes et l'amour, et ne s'occupe guère de sa fille. Juste après cette naissance, elle rejoint ses parents à Fontainebleau, où son père se trouve encore reclus volontaire. Son mari, vite devenu un ami, ne constitue jamais un obstacle à la vie qu'elle veut mener. De son côté, elle s'intéresse à tout ce qui bouge et gronde à travers le monde. Et le monde ne va pas tarder à gronder.

Cette année-là (1787) est fondée à Londres, pour lutter contre l'esclavage, la Société des amis des Noirs, dont la branche française est créée l'année suivante à Paris autour de Mirabeau, Condorcet et La Fayette. Mozart écrit son *Don Giovanni* pour le théâtre de Prague. Schiller fait jouer *Don Carlos*, pièce construite autour du thème de la liberté.

Germaine rédige en 1788 une série de *Lettres sur les ouvrages et le caractère de J.-J. Rousseau,* éditées à petit tirage. C'est sa première publication. 1788 est aussi l'année de sa rencontre avec le premier de ses nombreux amants : le comte Louis de Narbonne, ami intime de Talleyrand et de Mesdames, tantes du roi, dont il est le demi-frère caché, puisque fils naturel de Louis XV, auquel il ressemble beaucoup. Germaine est séduite par son brio mondain et par le mystère qui entoure sa naissance.

Le déficit public, résultant pour l'essentiel des emprunts cumulés depuis la guerre d'Amérique, se creuse. La faillite est proche. En août, Necker, réputé savoir trouver de l'argent, est rappelé, cette fois comme ministre d'État, malgré sa nationalité. Il dénonce la spéculation et interdit l'exportation des céréales et l'achat de grains hors des marchés. Il rappelle le parlement de Paris, dont les membres avaient été exilés, et convoque les états généraux pour pouvoir augmenter les impôts.

Le 4 avril 1789, George Washington est élu premier président des États-Unis. Le 7, Gustavine, atteinte du croup, meurt. Le 4 mai, Germaine assiste à la procession solennelle d'ouverture des états généraux et, le lendemain, au discours de son père sur l'état des finances : pendant près de trois heures, le baron Necker décrit la situation du pays et annonce en particulier un déficit de 55 millions sur des dépenses ordinaires de 531 millions (bien moins qu'aujourd'hui…). Son discours est très mal reçu par les députés, qui ne s'intéressent véritablement qu'à la seule question du corps électoral et du droit de vote du tiers état.

Le 6 juin, le tiers état prend le nom de « Communes » et annonce qu'il va s'ériger en Assemblée nationale. Le roi entend s'y opposer. En désaccord avec lui, Necker refuse d'assister à la séance du 23 juin, au cours de laquelle Louis XVI fixe les limites des concessions qu'il est disposé à faire aux députés du tiers état. Ceux-ci refusent d'obéir au monarque et de se séparer « avant d'avoir donné une constitution à la France ». Le roi feint de capituler, mais rassemble des troupes autour de Paris ; le 11 juillet, il congédie secrètement Necker, l'accusant de connivence et de « condescendance extrême » à l'égard des états généraux. Le baron et sa famille quittent aussitôt la France pour Bruxelles. Le 13 juillet, l'annonce de son renvoi précipite la crise politique et la prise de la Bastille ; le 16, Louis XVI se résout à le rappeler ; Necker fait un triomphal voyage de retour et prend le titre de Premier ministre en charge des finances. Germaine, qui est de ce voyage, assiste à l'apothéose de son père, le 30 juillet 1789, à l'Hôtel de Ville.

Pendant toute la fin de l'été 1789 et jusqu'à l'été 1790, Necker participe désormais au Conseil d'En-Haut, qui gère les Affaires extérieures, et au Conseil des Dépêches, qui s'occupe des Affaires intérieures sous la présidence du roi. Il s'oppose cependant rapidement à l'Assemblée constituante, en particulier à Mirabeau, qui entend tout financer par l'émission d'assignats, ce que Necker considère comme une dangereuse illusion.

Alors que Germaine, enceinte d'un géniteur incertain (sûrement Louis de Narbonne), assiste le 14 juillet 1790 au *Te Deum* de Gossec chanté pour la fête de la Fédération, et que le refrain *Ah ! Ça ira* commence à être colporté dans les rues de Paris, la presse s'acharne sur son père et sur elle. Rivarol dédie un livre « à la fille du plus grand ministre de l'an passé, à la fille du plus grand génie de l'an passé, à une fille qu'on peut regarder comme le plus grand débris de la gloire de son père... ».

La noblesse prend peur. Le 31 août, Germaine accouche d'un fils, Auguste, qui ressemble beaucoup à Louis de Narbonne. Le 1er septembre, Mirabeau, devenu l'un des grands orateurs de la Constituante, vient réclamer au roi le renvoi de Necker : « Le ministre actuel des Finances ne se chargera point de diriger, comme elle doit l'être, la grande opération des assignats-monnaie. [...] Il n'est rien moins qu'en bonne intelligence avec l'Assemblée nationale. Il ne gouverne plus l'opinion publique. On attendait de lui des miracles et il n'a pu sortir d'une routine contraire aux circonstances. »

Deux jours plus tard, un an après être revenu au pouvoir, refusant de succomber à la folie des assignats, Necker démissionne. Il part de nouveau en exil avec sa femme, sa fille et son petit-fils, cette fois-ci pour Bâle.

Au même moment, à Paris, au Salon, David expose son *Brutus*. En octobre, Babeuf, dans son *Cadastre perpétuel,* revendique la gratuité de l'instruction et des secours pour les indigents. Le pape Pie VI condamne la *Déclaration des droits de l'homme et du citoyen*. Érigeant en principe la souveraineté des peuples, l'Assemblée jette les bases d'un nouveau droit international. Dans un article, « Sur l'admission des femmes au droit de cité », Condorcet réclame que les droits politiques soient reconnus à celles-ci.

Mme de Staël reste à Bâle avec ses parents, sans son mari ni son fils, jusqu'à la fin de l'hiver 1790. Elle y publie à petit tirage deux pièces de théâtre composées en 1786 et 1787 : *Sophie* et *Jane Grey*. Mais, vite, elle n'y tient plus : elle est parisienne, c'est là-bas que l'histoire, la Grande Histoire se déroule. Elle revient en avril 1791 à l'ambassade de Suède ; elle ouvre un salon qui devient le lieu de rencontre des révolutionnaires modérés, dont Sieyès, lesquels y élaborent la nouvelle Constitution. Les « constitutionnels » expliquent qu'il n'y a de salut pour la France que dans une monarchie contrôlée par deux Chambres. Mais les jacobins sont devenus une force « organisée comme un gouvernement, plus que le gouvernement lui-même, observera-t-elle plus tard dans ses *Considérations sur la Révolution*. Dès lors qu'on admet dans un gouvernement un pouvoir qui n'est pas légal, il finit toujours par être le plus fort ». Le 16 avril 1791, elle publie, sans le signer, un article pour *Les Indépendants*, sans doute le premier de ceux qu'elle destine à la presse (« À quels signes peut-on reconnaître quelle est l'opinion de la majorité de la nation ? »), dans lequel elle tente d'expliquer que la voix la plus forte n'est pas nécessairement représentative d'une majorité.

En fait, la force prévaut. Germaine est en Suisse, le 21 juin 1791, quand Louis XVI est arrêté à Varennes alors qu'il tente de gagner clandestinement l'Autriche. Le monarque est ramené aux Tuileries. Elle assiste, le 18 septembre, à la fête de la Constitution, qui consacre le principe de l'assemblée unique, ce qui revient, explique-t-elle, à remplacer un despotisme par un autre (« Que la Constitution d'Angleterre est plus habilement combinée ! »). Elle travaille à faire nommer Narbonne, son amant, dans le gouvernement, et réussit à le faire désigner comme ministre de la Guerre, le 6 décembre – Claude Antoine de Valdec de Lessart, un intime de Jacques Necker, cumulant Finances et Affaires étrangères. Elle est alors toute-puissante à Paris. Mais cette prééminence ne dure pas. Narbonne est remplacé dès le 9 mars 1792 par Antoine François de Bertrand de Molleville et part pour Rome avec ses demi-sœurs, Mesdames de France, filles de Louis XV, qui se refusent à « communier des mains d'un fonctionnaire », nom qu'elles donnent aux prêtres depuis le vote de la constitution civile du clergé, le 12 juillet 1790.

Mme de Staël, qui cohabite encore épisodiquement avec son mari à l'ambassade de Suède, est accusée d'adultère dans une comédie qui n'est pas représentée, mais qui circule largement, ce qui n'arrange pas ses relations avec M. de Staël ni les relations de celui-ci avec Gustav III, lequel rappelle son ambassadeur en avril 1792.

Le 20 avril, sous la pression des girondins, l'Assemblée déclare la guerre au « roi de Bohême et de Hongrie », c'est-à-dire à François II, empereur d'Autriche. Seul Robespierre vote contre.

En mai, Louis de Narbonne, qui a quitté Rome pour rejoindre Germaine à Paris, propose à Louis XVI un nouveau plan d'évasion que la reine rejette. La France envahit la rive gauche du Rhin. Le sentiment national, jusqu'alors apanage des intellectuels, se popularise avec cette annexion de la Rhénanie.

Narbonne part retrouver La Fayette à l'armée du Nord, où Germaine le rejoint pour quelques jours. Le 20 juin, des émeutiers venus des faubourgs forcent l'entrée des Tuileries et contraignent Louis XVI à coiffer le bonnet phrygien. Les nobles commencent à être arrêtés. Avant de se séparer, la Législative laïcise l'état civil, institue le divorce et proclame la patrie en danger. Rouget de Lisle compose les paroles du

Chant de guerre pour l'armée du Rhin, chanté par les volontaires marseillais tout au long de leur marche vers Paris et lors de leur entrée triomphale aux Tuileries le 30 juillet 1792.

Plus question pour Necker, alors en Suisse, d'obtenir le remboursement de son prêt de 2 millions de livres au Trésor royal, remontant à 1775 et venu alors à échéance. Germaine passera des années à chercher à rentrer dans ces fonds.

La situation devient on ne peut plus délicate pour les nobles. Le 7 août, Narbonne abandonne le front et s'en revient à Paris. Il est dénoncé comme « traître à la patrie » par les jacobins et désavoué par les girondins. Stanislas de Clermont-Tonnerre, un constitutionnel ami de Mme de Staël, est arrêté, puis remis en liberté et massacré par des émeutiers à coups de faux. Le 10 août, fédérés et sans-culottes s'emparent des Tuileries, où Narbonne, dont elle attend un deuxième enfant, tente de protéger le roi.

Le 14 août 1792, elle réussit de justesse à faire passer son amant en Angleterre, manque d'être massacrée place de l'Hôtel-de-Ville, puis obtient pour elle-même, à la dernière minute, un passeport de Jean-Lambert Tallien, alors une des figures les plus en vue de la section des Lombards, subdivision de la ville de Paris.

Le 23 août, Longwy est pris par les Prussiens. Le 3 septembre, Tallien envoie une circulaire en province à toutes les sections pour justifier les massacres parisiens et recommander de faire de même. Germaine arrive en Suisse début octobre, juste après la victoire de Valmy, l'abolition de la monarchie et la proclamation de la République. Elle rejoint ses parents, fous d'inquiétude.

C'est en Suisse, à la fin de l'année, que naît son second fils, Albert, lui aussi enfant de Narbonne, qu'elle rejoint alors à Londres avec le nouveau-né, laissant son aîné, Auguste, à ses parents désespérés par son inconduite. Son mari, lui, est resté à Paris.

Elle passe la fin de 1792 et le début de 1793 à Juniper Hall, une « retraite profonde » à dix lieues de Londres, avec Narbonne et quelques amis émigrés (Talleyrand, Lally-Tollendal, Matthieu de Montmorency). C'est là qu'elle apprend avec effroi l'exécution, le 21 janvier 1793, de Louis XVI, puis celle de Marie-Antoinette après un procès qu'elle suit depuis Londres et qui lui inspire des *Réflexions sur le procès de la reine.*

Elle travaille à une étude sur les souffrances qu'engendrent les passions : *De l'influence des passions sur le bonheur des individus et des nations* ; la seule consolation qui vaille, écrit-elle, est l'étude, qui fait progresser la pensée. Elle ne résiste plus à publier des textes franchement narcissiques : « Calomniée sans cesse, et me trouvant trop peu d'importance pour me résoudre à parler de moi, j'ai dû céder à l'espoir qu'en publiant ce fruit de mes méditations, je donnerais quelque idée vraie des habitudes de ma vie et de la nature de mon caractère. »

Justement, sa passion pour Narbonne s'éteint. Elle retourne alors en Suisse chez ses parents, laissant son amant à Londres. Elle publie ses *Réflexions sur le procès de la reine.* Installée à Traxenhouse, près de Nyon, avec ses enfants, elle y reste toute l'année 1793 et la moitié de 1794. Elle y cache des amis émigrés qu'elle fait sortir de France : la princesse de Broglie, la maréchale de Beauvau, la comtesse de Noailles. Elle obtient la levée du décret d'accusation de la Convention contre Talleyrand, avec qui elle entretient une longue correspondance et à qui son père prête 24 000 francs.

En juin 1793, elle rencontre en Suisse le comte Adolf Ribbing, l'un des assassins de Gustav III, tué en mars 1792 au cours d'un bal masqué à l'Opéra royal de Stockholm (cet épisode inspirera à Verdi son opéra *Un bal masqué*). De vieille noblesse suédoise, descendant des Vikings, beau visage, fière allure rehaussée par le prestige d'un crime historique, Ribbing inspire à Germaine un nouveau coup de foudre qui lui fait oublier complètement Narbonne, relégué outre-Manche. Ses parents, eux, sont outrés.

Après la publication en avril 1794 d'une nouvelle assez fleur-bleue, *Zulma*, elle part en voyage avec Ribbing. Mais ils ne tardent pas à se séparer et elle s'établit alors à Mézery, près de Lausanne. Narbonne vient l'y rejoindre, mais ils se quittent à nouveau tandis que Mᵐᵉ Necker meurt à Beaulieu, en mai, après lui avoir dit : « Ma fille, je meurs de la douleur que m'a causée votre coupable et public attachement. » La même Mᵐᵉ Necker demande par testament que son cœur embaumé soit remis à Buffon, qui lui faisait la cour vingt ans plus tôt.

Puis débute sa grande histoire d'amour : à l'automne 1794, à Lausanne, chez sa cousine Constance Cazenove d'Arlens, Germaine de Staël rencontre Benjamin Constant de Rebecque. Ce rouquin de vingt-six ans, dénué de séduction physique, a déjà vécu, aimé, voyagé. Il vient d'arriver des universités allemandes et de la cour du duc de Brunswick. Bien qu'il ait été mis en garde par Mᵐᵉ de Charrière contre Mᵐᵉ de Staël, elle le subjugue, alors qu'elle-même éprouve a priori à son endroit une singulière « antipathie physique ». Commence alors entre eux une liaison particulièrement orageuse.

Robespierre est arrêté le 9 thermidor an II et guillotiné le lendemain, 28 juillet 1794 ; son exécution marque la fin de la Terreur.

À la fin de 1794, Germaine rédige ses *Réflexions sur la paix, adressées à M. Pitt et aux Français*, inspirées par la chute de l'Incorruptible. À Paris, la Clairon console le mari suédois délaissé.

En mai 1795, alors qu'un traité franco-prussien met fin à la première coalition, prônant la communauté des biens et des travaux, Germaine revient à Paris avec Benjamin Constant et rouvre son salon. Elle publie dans les journaux une profession de foi républicaine et fait imprimer ses *Réflexions sur la paix intérieure*.

Accusée de conspiration par son ancien boucher, Legendre, le Comité de salut public la bannit le 15 octobre 1795. Dans ses *Mémoires,* Constant rapportera qu'un noble qu'elle avait soustrait à la guillotine aurait négligemment lâché, quelques mois après, apprenant qu'elle venait d'être exilée : « Aussi, pourquoi se mêle-t-elle de tout ? » Elle-même écrira trois ans plus tard à l'une de ses amies : « J'ai vu des gens à qui j'avais sauvé la vie m'accuser d'*activité excessive…* »

Elle quitte donc à nouveau la France et passe toute l'année 1796 entre Coppet et Lausanne avec ses enfants et son père. Elle achève le « Traité des passions » commencé pendant sa liaison avec Narbonne et le publie à Lausanne en octobre sous le titre *De l'influence des passions sur le bonheur des individus et des nations*. Goethe le traduit en allemand. Elle tombe enceinte de Benjamin Constant, ce que masque une opportune visite à Coppet de M. de Staël, venu spécialement de Stockholm cependant que l'amant s'éclipse pour quelques jours.

Avec sa collaboration, Constant rédige *De la force du gouvernement actuel*, puis la laisse en Suisse et s'en revient à Paris à la fin de 1796. Elle-même essaie de rentrer et de se faire reconnaître la qualité de Française ; mais le ministre de la Police, Joseph Fouché, signe un mandat d'arrêt lui interdisant de remettre les pieds à Paris. À partir de janvier 1797, elle séjourne à Hérivaux, à 30 kilomètres au nord de Paris, chez Constant. Il y rédige avec elle *Des réactions politiques*, qui paraissent en avril 1797. Fouché se laisse alors apitoyer par ses plaidoyers et l'autorise à revenir dans la capitale. Elle y fonde avec son amant le club de Salm – sans son mari, rappelé à Stockholm – et le loge dans l'hôtel du même nom, où l'ambassade de Suède vient d'emménager. Le 8 juin 1797, elle donne naissance à une fille, Albertine ; l'enfant a les cheveux roux et Constant lui témoignera une nette prédilection, même s'il n'a jamais reconnu officiellement sa paternité.

Le 17 juillet 1797, après avoir fait la cour à Barras, l'un des plus influents Directeurs, Germaine obtient que Talleyrand soit nommé ministre des Relations extérieures à la place de Charles Delacroix. Après la signature du traité de paix de Campoformio entre l'Autriche et la France, Bonaparte est accueilli comme un héros par le Directoire. C'est alors, le 6 décembre 1797, qu'elle rencontre le général victorieux. La façon de ce dernier de poser des questions brèves et précises ne lui laisse pas le loisir de déployer son esprit, et Bonaparte, de son côté, reste insensible à l'éloquence de cette femme, qu'il considère d'emblée comme une dangereuse mondaine et une redoutable intrigante. Mortification cuisante pour elle. Au début de 1798, la victoire du général en Égypte inquiète l'Angleterre, laquelle forme avec la Russie, Naples, l'Autriche, la Suède et la Turquie la Seconde Coalition. Bonaparte devient héros national : David peint un *Bonaparte*, et Gros *Le Pont d'Arcole*. Haydn compose *La Création*.

Germaine cherche encore à obtenir le remboursement des deux millions de livres prêtées par son père, vingt ans plus tôt, au Trésor royal. À cette fin, elle écrit à plusieurs reprises à Bonaparte, mais ses lettres restent sans réponse.

En avril 1798, son mari la rejoint dans son ambassade à Paris, mais il est définitivement démis de ses fonctions au cours de l'été. Elle se fait alors délivrer, par précaution, un certificat de citoyenneté genevoise et passe le reste de l'année dans le château de son père, à Saint-Ouen, où elle écrit *Des circonstances actuelles*, ouvrage qu'elle ne publie pas (et dont l'existence ne sera révélée qu'un siècle plus tard par Édouard Herriot dans sa thèse) : on y trouve, entre autres, un éloge de la liberté de la presse et cette distinction entre le métier de journaliste et celui d'écrivain : « Faire un journal est un emploi public, tandis qu'écrire un livre n'est que l'exercice d'un droit consacré. »

En février 1799 lors d'une fête donnée par Talleyrand en son honneur, Germaine revoit Bonaparte. Voulant lui arracher un hommage, elle lui demande *ex abrupto* : « Général, quelle est la femme que vous aimeriez le plus ? – La mienne, répond-il. – C'est tout simple, concède Mme de Staël, mais quelle est celle que vous estimeriez le plus ? – Celle qui sait le mieux s'occuper de son ménage, réplique-t-il. – Je le conçois encore, mais enfin, quelle serait pour vous la première des femmes ? reprend-elle. – Celle qui ferait le plus d'enfants ! » lance Bonaparte en lui tournant le dos.

En juillet 1799, alors que Beethoven compose sa sonate *Pathétique*, elle quitte le château de Saint-Ouen, s'en retourne à Coppet, chez son père, pour ne revenir à Paris qu'au soir du 18 brumaire (9 novembre), après le coup d'État organisé par Sieyès, membre du Directoire, sous l'impulsion de Bonaparte. Benjamin Constant, nommé au Tribunat le 24 décembre, se range courageusement dans l'opposition. Le 25 est promulguée la nouvelle Constitution, celle de l'an VIII, qui confie la réalité du pouvoir au Premier consul. Le 5 janvier 1800, un discours de Constant au Tribunat déchaîne la fureur de Bonaparte, qui rend Germaine de Staël coupable de l'avoir inspiré, d'autant plus qu'elle se répand bruyamment contre lui dans les salons. Elle ne comprend pas qu'avec lui les délits d'opinion sont les moins pardonnables, ce que son père, depuis Genève, perçoit d'emblée, lui recommandant de prendre garde à ses paroles comme à ses écrits.

Elle quitte Paris pour ses « six mois de Coppet » avant la découverte d'une conspiration fomentée par le général Bernadotte et par Moreau, deux de ses familiers, ce qui lui épargne l'embarras d'y être impliquée. Elle déclare alors que les trois hommes qu'elle aime le plus « depuis [ses] dix-huit ans » sont Narbonne, Talleyrand et Mathieu de Montmorency, ancien député de la noblesse aux états généraux.

Cette année-là, elle commence à s'intéresser à l'Allemagne. Elle publie en avril *De la littérature*, où « elle fait effort pour sortir du cercle étroit où l'a renfermée son éducation française », écrira un peu plus tard Humboldt à Goethe. À Coppet, elle entame l'étude de la langue allemande avec Guillaume de Humboldt. Elle écrira : « Lorsque j'ai commencé l'étude de l'allemand, il m'a semblé que j'entrais dans une sphère nouvelle où se manifestaient les lumières les plus frappantes sur tout ce que je sentais auparavant de manière confuse. » Elle amorce aussi la rédaction de *Delphine*, un roman d'amour.

De retour à Paris pour l'hiver, elle demande – et obtient – sa séparation d'avec M. de Staël, et vit désormais ouvertement avec Benjamin Constant. Elle publie, en octobre 1800, une deuxième édition de *De la littérature considérée dans ses rapports avec les institutions sociales* et fait la connaissance de Juliette, très jeune et jolie épouse du banquier Récamier. À l'été 1801, elle repart en Suisse, où Benjamin la rejoint. Puis elle revient à Paris, prête à une lutte frontale contre Bonaparte :

« Il y a une jouissance physique à résister à un pouvoir injuste », écrit-elle.

Le 24 janvier 1802, Bonaparte écarte les membres du Tribunat hostiles au coup d'État du 18 brumaire, dont Benjamin Constant. En signant la paix d'Amiens avec l'Angleterre, le 25 mars, puis, ratifiant le concordat avec le pape, le 8 avril suivant, il s'acquiert une immense popularité dans le pays. Il entend en profiter pour renforcer sans tarder son pouvoir et le pérenniser.

M. de Staël étant tombé soudain gravement malade, Germaine, dont il est séparé, le fait venir à Coppet en avril 1802. Il meurt à Poligny le 9 mai. Cette mort subite affecte son ex-épouse plus qu'elle n'aurait cru : « Je me faisais un vrai bonheur de lui payer en soins ce que je n'avais pu lui donner en sentiments », écrit-elle à Pictet de Rochemont, un politicien, agronome et diplomate suisse originaire du canton de Genève.

Napoléon enrage contre elle et la rend responsable de trois ouvrages hostiles : en juillet 1802, le *Vrai sens du vote national sur le Consulat à vie*, de Camille Jordan ; en août, les *Dernières vues de politique et de finances*, par son père, Jacques Necker ; et, en décembre, *Delphine*, d'elle-même, histoire attendrissante et peu marquée par la politique, mais dont la préface en appelle à « la France silencieuse mais éclairée », ce qui laisse clairement entendre que le Premier consul l'oblige à se taire. Par ailleurs, alors que Bonaparte a restauré en grande pompe le culte catholique, elle critique dans son ouvrage l'esprit de parti, le caractère superstitieux du catholicisme romain et l'inhumanité des vœux perpétuels. Le roman connaît un immense succès en France comme dans le reste de l'Europe.

Le 2 août, les citoyens français se rendent aux urnes pour répondre à la question qui leur est posée par plébiscite : « Napoléon Bonaparte sera-t-il consul à vie ? » Dans le second semestre 1802, Bonaparte s'intéresse à l'Amérique et songe à développer la Louisiane à partir de Saint-Domingue, puis, devant les troubles qui s'y déroulent, il se ravise et vend en 1803 cette possession à Jefferson, président des États-Unis, pour financer un débarquement en Angleterre.

Le Premier consul est toujours furieux contre Mme de Staël : dès février 1803, elle reçoit l'ordre de s'éloigner à « quarante lieues au moins de Paris » ; elle aura beau multiplier les démarches et les promesses d'être « sage », Napoléon, tout en continuant à lui témoigner certains égards, ne cédera jamais. La surveillance de la police de Fouché à son endroit devient de plus en plus étroite.

Au printemps 1803, Germaine rencontre Charles de Villers, professeur de littérature française à l'université de Göttingen, en Allemagne : extrêmement cultivé, celui-ci connaît le meilleur des deux cultures, la française et la germanique. Au même moment, Friedrich Schlegel fait paraître les premières pages de son *Voyage en France* ; il y écrit : « Paris, en tant que centre, est le lieu idéal où former les réflexions les plus générales, et la ville en tire une partie de son intérêt. »

L'idée vient alors à Germaine de consacrer un ouvrage à l'Allemagne, qu'elle annonce à ses amis et à son père sous le titre *Lettres sur l'Allemagne* ; elle commencera un journal dans la tristesse de l'exil.

Contrainte de quitter Paris, Germaine refuse de vivre en province, ou à Genève, ou en Italie, pays de peu d'intérêt politique et mondain ; c'est vers les cours princières et les cénacles intellectuels allemands qu'elle se dirige alors en compagnie de Benjamin Constant.

Elle arrive d'abord à Weimar en décembre 1803 et y séjourne jusqu'au 1er mars 1804. C'est alors la capitale du duché de Saxe-Weimar. Elle y rencontre Goethe et Schiller. Elle va au théâtre, prend des notes, rédige des traductions et découvre à quel point, en France, on ignore tout de l'Allemagne. En 1804, *Guillaume Tell*, dernière œuvre de Schiller, illustrant le droit des peuples à la liberté, y remporte un énorme succès.

Après Weimar, dont elle gardera une intense nostalgie, Germaine gagne Berlin ; elle y fréquente la cour de Frédéric Guillaume III et les salons littéraires. Elle y fait la connaissance d'August Wilhelm Schlegel, une des étoiles montantes de la littérature nouvelle, frère de Friedrich, qu'elle persuadera de venir à Coppet avec elle. Précepteur de ses enfants en même temps qu'informateur de choix pour la rédaction de son ouvrage sur l'Allemagne, il devient peut-être aussi son amant.

C'est la mort de son père, le 9 avril, à l'âge de soixante-douze ans, des suites d'un arrêt cardio-respiratoire, alors qu'elle se trouve à nouveau à Weimar, qui ramène Germaine à Coppet en compagnie d'August Schlegel. Ce deuil l'affecte profondément ; son père était sans doute le seul véritable homme de sa vie. Elle publie alors les *Manuscrits de M. Necker*, précédés par *Du caractère de M. Necker et de sa vie privée,* qu'elle rédige en juin.

En même temps lui vient l'idée d'un roman qu'elle entend situer en Italie, *Corinne*, dans lequel elle souhaite faire l'apologie de l'Angleterre.

En octobre, Friedrich Schlegel séjourne chez elle à Coppet, où son frère August Wilhelm se trouve déjà comme précepteur. Friedrich est le théoricien du romantisme qui entend proclamer la rupture entre le monde de la raison, des « chiffres et des figures », et celui du sentiment et du merveilleux.

En décembre 1804, Germaine part pour l'Italie, toujours accompagnée d'August Schlegel, pour y écrire *Corinne*. Elle écrira dans *De l'Allemagne* : « On aurait tort de se faire l'historien d'un pays qu'on n'aurait pas vu soi-même ». À Milan, elle rencontre le poète Monti, admirateur de Napoléon ; puis elle visite Rome, Naples, Florence, Venise. Elle regagne Milan peu après le couronnement de Napoléon comme roi d'Italie. À Coppet, où elle revient passer l'été 1805, elle rejette la demande en mariage de Constant, car elle est désormais amoureuse de Prosper de Barante, fils du préfet de Genève. Constant la quitte. Orages nouveaux. Se succèdent chez elle les visiteurs illustres, dont Chateaubriand. L'hiver, à Genève, elle compose un drame, *Agar dans le désert*, cependant que la Grande Histoire voit se succéder Trafalgar en octobre et Austerlitz en décembre.

En 1806, Napoléon domine l'Europe ; ses frères sont rois de Naples et de Hollande. Le 6 août 1806, le dernier empereur du Saint Empire romain germanique, François II, renonce à la couronne impériale et délie tous les États allemands de leur fidélité. Hambourg, Brême, Münster, Aix-la-Chapelle, Mayence et Coblence deviennent des chefs-lieux de départements français. Mis à part la Prusse, tous les dirigeants des autres États allemands, restés indépendants, sont désormais à la solde de la France.

Mme de Staël est rentrée en France au printemps de 1806, au château de Vincelles, près d'Auxerre, à bonne distance de Paris ; elle y reçoit ses amis, mais elle s'ennuie loin de la capitale et de son amant du moment, resté à Genève. Elle est aussi jalouse de Charlotte du Tertre, le nouvel amour de Constant, qu'elle a pourtant quitté. Quand ce dernier vient la voir à Vincelles pour lui lire des extraits d'un roman qu'il a commencé, *Adolphe*, elle croit y retrouver tout leur amour. Elle le pense écrit pour elle, alors qu'il l'est pour Charlotte ; saisissant sa méprise, elle lui fait une scène violente, comprenant que cet homme à qui elle a appris à écrire vient de produire un chef-d'œuvre en hommage à une autre.

Alors qu'elle achève de rédiger *Corinne*, Napoléon multiplie les avertissements à Fouché, qu'il trouve trop indulgent à son endroit.

En novembre 1806, Friedrich Schlegel rejoint son frère August Wilhelm chez Mme de Staël à Vincelles. En avril 1807, après quelques jours passés clandestinement à Paris, elle regagne Coppet et, le 1er mai, publie *Corinne,* qui connaît un succès immédiat, ce qui ne peut que dégrader encore ses relations avec Napoléon puisqu'elle y fait l'apologie de l'Angleterre.

En 1807, elle passe un autre été à Coppet en compagnie de nombreux amis qui viennent la voir de toute l'Europe : elle monte et joue plusieurs pièces de théâtre, travaille à *De l'Allemagne*, écrit *Geneviève de Brabant*. En s'initiant à la littérature allemande, elle y découvre, comme chez les Anglais, tout ce qu'elle appréciait chez Rousseau : le lien entre le peuple et la nature. Mais elle reste fidèle à l'idéal des Lumières et à la vision morale qu'elle tient de son père, ce qui la préserve des positions les plus excessives des romantiques allemands.

Elle voit beaucoup le vieux prince de Ligne, homme brillant et érudit (dont les Mémoires, écrits en français, font mes délices). Pendant ce temps, parmi ses anciens amants, Constant rédige son *Wallstein* et August Wilhelm Schlegel publie son *Parallèle entre la Phèdre d'Euripide et celle de Racine*.

Au début de l'année 1808, Auguste de Staël, son fils aîné, polytechnicien à Paris, demande à être reçu par l'Empereur pour solliciter la grâce de sa mère et le remboursement des deux millions prêtés par son grand-père à la France trente ans auparavant. L'Empereur accepte de le recevoir à Chambéry, mais lui transmet un message sans appel : « Dites bien à votre mère que, tant que je vivrai, elle ne rentrera pas à Paris ».

Germaine passe les cinq premiers mois de 1808 à Vienne avec les frères Schlegel. De là, elle remonte vers Dresde et Weimar. Elle y rencontre à deux reprises Goethe, qui vient d'être décoré de la Légion d'honneur par Napoléon, lequel a lu sept fois, dit-il, *Les Souffrances du jeune Werther*. Mais Goethe, qui la trouve depuis toujours beaucoup trop bavarde, cherche à l'éviter, disant qu'en matière esthétique « elle a des goûts bourgeois ».

Elle est alors, avec Chateaubriand, l'écrivain le plus célèbre, le plus lu, le plus discuté et le plus surveillé d'Europe. Ses faits et gestes, pendant son périple autrichien, la font ranger à Paris parmi les ennemis de l'Empereur.

Elle achève alors *De l'Allemagne* : des milliers de pages, fruit de milliers d'heures de lectures et de conversations. Le 8 juillet 1808, elle écrit au prince de Ligne : « J'ai fait coudre un cahier pour mes lettres sur l'Allemagne et j'ai écrit dix lignes que je relis avec une sorte de peur. » Car son livre sur l'Allemagne est d'abord un prétexte pour régler ses comptes avec la France napoléonienne. Elle y dénonce l'épuisement de la littérature française, contrôlée par les salons, puis par la dictature. Elle y déplore « trop de freins pour des coursiers si peu fougueux ». Elle réclame du neuf : « Rien dans la vie ne peut être stationnaire, et l'art est pétrifié quand il ne change plus ». Le théâtre – « la littérature en action » – doit, comme en Allemagne, faire montre de liberté, tirant parti de la nature, des religions anciennes, des mondes fantastiques. Elle incite les Français à découvrir les drames de Goethe et de Schiller : *Wallstein, Marie Stuart, Guillaume Tell, Iphigénie, Faust*. Elle dénonce la retenue de la raison française : « Beaucoup de gens sont prévenus contre l'enthousiasme ; ils le confondent avec le fanatisme, et c'est une grande erreur. Le fanatisme est une passion exclusive dont une opinion est l'objet ; l'enthousiasme se rallie à l'harmonie universelle : c'est l'amour du beau, l'élévation de l'âme, la jouissance du dévouement, réunis dans un même sentiment qui a de la grandeur et du calme. Le sens de ce mot, chez les Grecs, en est la plus noble définition : l'enthousiasme signifie *Dieu en nous*. En effet, quand l'existence de l'homme est expansive, elle a quelque chose de divin ». Le romantisme puisera toute sa force dans ces quelques lignes.

L'année suivante, l'Autriche est battue à Wagram et doit signer le traité de Vienne. Mme de Staël revient dans la vallée de la Loire et édite à Paris, chez l'éditeur Nicolle, en février, *Lettres et pensées du prince de Ligne*, lesquelles remportent un vif succès, au grand dam de Napoléon. À Paris, Fouché, abasourdi par sa disgrâce, est remplacé par Savary, duc de Rovigo, lequel lui est nettement plus hostile. En août, Nicolle ose prendre la décision d'imprimer le début de *De l'Allemagne*, tandis que Mme de Staël achève d'en écrire la dernière partie. C'est à Vincelles qu'elle finit de corriger les épreuves, le 23 septembre 1810.

Le texte est, en creux, un réquisitoire contre l'Empire, et des phrases comme : « Dans l'empire de la littérature comme dans beaucoup d'autres, l'unanimité est presque toujours un signe de servitude » ne peuvent que déplaire à Napoléon, qui refuse de laisser paraître l'ouvrage. Il lui écrit : « Nous n'en sommes pas encore réduits à chercher des modèles dans les peuples que vous admirez. Votre dernier ouvrage n'est point français. » Le 24 septembre 1810, Savary, ministre de la Police, ordonne à Mme de Staël de quitter la France dans les quarante-huit heures et de remettre à la police manuscrits et épreuves de son livre. Elle multiplie les démarches pour contrer la mesure – en vain. Elle doit partir. L'Europe se réduit désormais pour elle à Genève et à Coppet.

Le 11 octobre, les planches et les formes de son livre sont saisies chez Nicolle. Le lendemain, l'ouvrage est pilonné par les gendarmes. Mme de Staël réussit à quitter la vallée de la Loire sans avoir été fouillée et emporte dans ses bagages deux jeux d'épreuves et le manuscrit du troisième tome. Elle les confie à son ami Friedrich Schlegel, lequel les met en sûreté chez lui, à Vienne. Elle revient à Genève, où elle retrouve Prosper de Barante, son jeune amant d'alors, dont le père, le baron Claude-Ignace de Barante, est remplacé début 1811 à la préfecture du Léman. Ils se séparent. Elle songe dès lors à quitter Genève, de plus en plus sous influence française et où elle se sent menacée. Elle y passe encore néanmoins l'hiver 1810-1811 et y rencontre Albert Rocca, de vingt-deux ans son cadet (elle en a alors quarante-cinq). Ce Genevois est un grand blessé de la guerre d'Espagne. Nouveau coup de foudre. Elle admet être « exagérée », car les âmes froides « appellent exagéré tout ce qu'elles ne sentent pas et disent qu'on est monté sur des échasses alors qu'on est plus grand qu'eux ». Très vite elle attend un enfant de lui.

La haine de Napoléon à son endroit est extrême. Tous ceux qui viennent lui rendre visite (Montmorency, Mme de Récamier) sont aussitôt éloignés de Paris sur ordre de l'Empereur. À la naissance, gardée secrète, d'un nouveau fils, Louis-Alphonse, en avril, elle entame la rédaction de *Dix années d'exil, Réflexions sur le suicide*, et *Richard Cœur de Lion*.

Le 23 mai 1812, elle quitte Genève avec le deuxième jeu d'épreuves de son livre sur l'Allemagne (l'autre se trouve à Vienne) dans un hallucinant voyage à travers l'Europe en guerre : Vienne, Brno, Brody, Moscou, Pétersbourg, puis Stockholm, la ville de son ex-mari, où elle séjourne plusieurs mois. Le ministre français de la Police lui interdit tous les ports de la Manche, craignant son passage en Angleterre. En mai 1813, elle n'en réussit pas moins à passer à Londres, y rouvre son salon et y fait enfin paraître en français son livre sur l'Allemagne, chez Murray. Elle réédite ou édite plusieurs autres textes et entreprend d'écrire ses *Considérations sur la Révolution*.

À la fin de 1813, elle revient à Stockholm auprès de Bernadotte, devenu prince-héritier du trône de Suède, plus loyal à son nouveau royaume qu'à l'Empereur. Son second fils, Albert, devenu officier dans l'armée suédoise (par attachement pour son père, qui ne l'était pas), est alors tué en duel à l'âge de vingt et un ans, tandis que Bernadotte obtient du Danemark le rattachement de la Norvège à la Suède, dont il est le régent.

Peu après l'abdication de Napoléon, le 6 avril 1814, Mme de Staël rentre en France, sans joie devant la défaite. Elle s'installe à Saint-Ouen, où elle reçoit souverains, ministres et généraux encore à Paris. Sa première préoccupation est de faire publier enfin *De l'Allemagne* à Paris, chez Nicolle, l'éditeur courageux. En mars 1815, la nouvelle du débarquement de Napoléon en Provence et de sa remontée triomphale sur Paris la renvoie à Coppet. Benjamin Constant, qui l'appelle « la trop célèbre », se rallie alors à l'Empereur et rédige la nouvelle Constitution, quasi similaire à la Charte établie par Louis XVIII un an auparavant. Mais, en juin, Waterloo sonne le glas de l'épopée napoléonienne. Mme de Staël se rallie aux Bourbons, qui lui rendent, après plus de trois décennies de vaines démarches, les deux millions prêtés par son père à Louis XV.

Elle passe l'hiver 1815-1816 à Pise, où sa fille Albertine, fille de Benjamin Constant, épouse en février 1816 le duc Victor de Broglie. Constant, en exil, assiste au mariage de sa fille, qu'il n'a pas reconnue. Durant l'été 1816, qu'elle passe à Coppet, elle voit beaucoup lord Byron.

Le 10 octobre 1816, très fatiguée, elle épouse en secret son jeune amant, Albert Rocca, surnommé John, et tous deux repartent pour Paris. En février 1817, lors d'un bal chez le duc Decazes, elle est victime d'une attaque qui la laisse paralysée. Elle survit encore cinq mois, recevant ses amis étendue sur un lit, dans un hôtel de la rue des Mathurins. À l'âge de cinquante et un ans, le soir du 13 juillet, elle s'endort sous l'influence de l'opium et, au matin, ne se réveille pas. Elle est inhumée à Coppet le 28 juillet. Le caveau, dans lequel elle rejoint son père et sa mère conservés dans l'esprit-de-vin, est muré le 5 août. John Rocca reconnaît alors leur fils Louis-Alphonse.

L'année suivante, son fils, le baron Auguste de Staël, et son gendre, le duc de Broglie, font publier deux livres d'elle : *Considérations sur la Révolution française* et *Dix années d'exil*.

Lamartine écrit à son sujet : « Elle trouvait le génie dans l'âme au lieu de le chercher dans l'artifice ; elle faisait de la pensée exprimée dans la littérature non plus un métier, mais une religion. » Chateaubriand corrige de son côté : « Madame de Staël aimait le monde ; elle se regardait comme la plus malheureuse des femmes dans un exil dont j'aurais été ravi. Qu'était-ce à mes yeux que cette infélicité de vivre dans ses terres, avec les conforts de la vie ? Qu'était-ce que ce malheur d'avoir de la gloire, des loisirs, de la paix, dans une riche retraite à la vue des Alpes, en comparaison de ces milliers de victimes sans pain, sans nom, sans secours, bannies de tous les coins de l'Europe, tandis que leurs parents avaient péri sur l'échafaud ? Il est fâcheux d'être atteint d'un mal dont la foule n'a pas l'intelligence. »

Auguste de Staël meurt sans enfant en 1827. Louis-Alphonse Rocca meurt en 1838, également sans descendance. Sa fille Albertine, duchesse de Broglie, est l'ancêtre d'une lignée de personnages illustres. Les archives de Coppet sont longtemps restées interdites par les héritiers, peu désireux que la réputation de leur aïeule « porte atteinte à des descendants très proches et encore vivants ».

Et pourtant, quelle vie que celle de Germaine de Staël ! Pas une seule minute sans s'être trouvée au cœur de l'action, pas une minute sans penser, écrire, aimer...

BIBLIOGRAPHIE

BALAYÉ, Simone, Introduction et notes à *De l'Allemagne*, Paris, GF-Flammarion, 1968.

BREDIN, Jean-Denis, *Une singulière famille. Jacques Necker, Suzanne Necker et Germaine de Staël*, Paris, Fayard, 1999.

DIESBACH, Ghislain de, *Madame de Staël*, Paris, Perrin, 1983.

WINOCK, Michel, *Madame de Staël*, Paris, Fayard, 2010.

13

Simon Bolivar
(1783-1830)
ou la gloire de l'échec

Comment un homme sorti de nulle part change-t-il par son seul charisme, à quelque trente ans, le sort de toute une région du monde ? Est-il un acteur de l'Histoire ou seulement son porte-voix ? Ces questions, souvent posées à travers le temps, trouvent une réponse particulière dans l'Amérique du Sud du XIXe siècle avec Simon Bolivar, libérateur d'un sous-continent qui, pourtant, lui échappe pour se subdiviser. Immensément célèbre de son vivant, seul à savoir qu'il a échoué, avant de finir abandonné de tous et abandonnant tout, par lassitude d'être trahi.

Quand Simon Bolivar Palacios vient au monde le 24 juillet 1783, l'Amérique hispanique est partagée en quatre vice-royautés : la Nouvelle-Espagne (Mexique), la Nouvelle-Grenade (Colombie, Équateur, Panama, Venezuela), le Pérou, le Rio de la Plata (Argentine et Uruguay). Ce ne sont que des provinces éloignées de l'Espagne, gérées par des officiers et des administrateurs venus de métropole, au service d'une aristocratie coloniale paresseuse et rentière, incapable de rompre avec Madrid. Les *cabildos*, administrateurs coloniaux, ne vivent pour l'essentiel que de la production, par des Indiens ou des esclaves, de métaux précieux et de canne à sucre. Ils sont en complet décalage avec les audacieuses élites marchandes des « treize colonies » d'Amérique du Nord dont l'indépendance est reconnue, l'année même de la naissance de Simon, par un traité signé à Versailles par le roi d'Espagne Charles III, confiant dans l'alliance américaine pour défendre ses colonies, contre l'avis de son Premier ministre d'alors, Floridablanca, qui prévient son souverain avec une rare prescience : « Par cette signature, Votre Majesté vient de perdre les Amériques. »

Simon naît au Venezuela, pays qui fait partie à l'époque de la « viceroyauté de Terre ferme », bientôt rebaptisée Nouvelle-Grenade. C'est alors la seule colonie espagnole ouverte aux influences du reste du monde, en particulier nord-américaines et des Antilles françaises et anglaises.

Son ancêtre, le premier des Bolivar venu en Amérique, Simon de Bolivar Jauregui de la Rementaría, d'origine basque, s'est installé dans ce qui allait devenir Caracas, à la fin du XVIᵉ siècle, en tant que haut fonctionnaire envoyé par Philippe II comme *procurador* ; ses descendants y sont restés et ont su accumuler et conserver une vaste fortune. En 1773, à quarante-sept ans, le futur père de Simon, Don Juan Vicente de Bolivar, propriétaire terrien, colonel des milices de volontaires des vallées d'Aragua, épouse Concepcion, la très belle et toute jeune (elle a tout juste quinze ans) fille de ses voisins, les Palacios y Blanca, appartenant comme lui à la haute société de la province, de ceux qu'on nomme les *mantuanos* parce que leurs femmes jouissent du droit de fréquenter l'église vêtues du *manto*, marque de haute distinction sociale.

Dix ans plus tard, en 1783, naît Simon (qui reprend le prénom du premier Bolivar débarqué en Amérique). C'est le quatrième enfant de sa mère, laquelle n'a que vingt-cinq ans. Épuisée par ses premiers enfants, elle confie le soin de l'allaiter à une amie, puis à une esclave noire, Hipolita. Bien plus tard, Simon recommandera à sa sœur aînée, Maria Antonia, de veiller sur Hipolita : « Elle m'a alimenté de son lait, et je n'ai connu d'autre père qu'elle. » De fait, son géniteur, dont la vie se résume à gérer son immense fortune, meurt en 1786, alors que l'enfant n'a pas encore trois ans.

Au même moment, aux États-Unis d'Amérique du Nord, les travaux de la convention de Philadelphie, qui réunit 55 délégués élus par les assemblées des États américains pour amender les articles de la Constitution, débouchent en 1787 sur un texte rédigé, entre autres, par George Washington et Benjamin Franklin. Le 4 mars 1789, Washington est élu premier président des États-Unis.

En Amérique du Sud, la révolte commence timidement. Le 10 mai 1789, au Brésil, Joachim José Da Silva Javier, surnommé Tiradentes, embauché par l'administration portugaise pour prospecter des gisements de minerais, est arrêté pour avoir réclamé l'indépendance du pays et le partage des richesses.

En Europe, tout bascule aussi : à Paris, le 14 juillet 1789, la prise de la Bastille marque le début de la Révolution française. Et en Amérique du Nord, le 10 juin 1791, un acte constitutionnel du Parlement britannique divise le Québec en deux parties, l'une française (le Bas-Canada), l'autre anglaise (le Haut-Canada).

En 1792, la mère de Simon meurt de tuberculose à trente-trois ans. Orphelin de père et de mère à neuf ans, l'enfant est confié à un de ses oncles, Don Carlos Palacios, vieux garçon égoïste et sévère qui le met entre les mains d'un précepteur exceptionnel, Don Simon Rodriguez Carreno, lequel lui fait découvrir la littérature européenne consacrée aux mouvements politiques en Amérique, lui parle de Spinoza (« Tous les rois sont des exploiteurs »), de Montesquieu (« La monarchie doit être tempérée d'un régime représentatif ») et de Rousseau (« Les députés du peuple ne peuvent être ses représentants, ils n'en sont que les commissionnaires »). Ce précepteur exerce sur lui une influence considérable.

En 1793, un compatriote de Bolivar, Francisco Miranda, alors âgé de quarante-trois ans, hôte en Russie de la Grande Catherine, puis « bellâtre préromantique » dans le Paris révolutionnaire, devenu ensuite général français, fait la preuve de son inaptitude militaire dans l'armée du général Dumouriez lors de la bataille de Neerwinden contre l'armée autrichienne du prince Frédéric de Saxe-Cobourg. On le retrouvera en Amérique du Sud.

En 1794, alors qu'à Paris la Convention abolit l'esclavage dans les colonies françaises, Simon Bolivar est séparé à onze ans de son précepteur par son oncle, qui l'expédie à l'académie régie par le capucin Francisco de Andujar ; il y étudie pendant quatre ans les rudiments de la formation des officiers espagnols (histoire, géographie, littérature, mathématiques, physique, dessin topographique). Il est ensuite incorporé comme cadet dans la milice de volontaires blancs des vallées d'Aragua, dont son père était colonel ; il se révèle un prodigieux cavalier, talent qui lui sera ultérieurement fort utile.

L'année suivante (1795), par le traité de Bâle, Madrid cède à la France la partie orientale de l'île de Saint-Domingue en échange de l'évacuation de territoires occupés en Espagne.

En 1797, l'ancien précepteur de Simon, Don Rodriguez Carreno, impliqué dans une conspiration contre le pouvoir espagnol, doit s'exiler aux

États-Unis. Avant de partir, il conseille à Simon, qu'il n'a jamais cessé de voir, de faire, dès qu'il pourra, un voyage en Europe pour y découvrir la liberté et l'Histoire en marche.

L'année suivante, Simon a quinze ans ; ses notes sont excellentes et sa nomination au grade de sous-lieutenant incite son oncle à accéder à sa demande et à l'envoyer à Madrid, pour un an au plus, chez un frère de sa mère, Don Estebán Palacios.

L'Espagne est alors médiocrement gouvernée par Charles IV et sa femme, la reine Marie-Louise, et surtout par l'amant de celle-ci, Manuel Godoy, qui en fait un satellite de la France et la cible de l'Angleterre.

Simon quitte Caracas en janvier 1799 ; après un séjour à Mexico et une escale à La Havane – les Anglais ont été contraints de lever le blocus de l'île –, il traverse l'Atlantique en évitant la flotte de l'amiral Nelson. Il débarque en avril 1799 non pas à Cadix, ainsi que prévu, mais dans un petit port de la côte Cantabrique ; il traverse en diligence la Biscaye (d'où son ancêtre Simon était originaire), puis le cœur de l'Espagne, et découvre des terres arides, des villages misérables, paysages bien éloignés de l'image qu'il s'était faite de la puissance coloniale.

En arrivant à Madrid au printemps de 1799, il trouve une ville en pleine effervescence : la reine vient de remplacer son amant, Godoy, par un autre, Manuel Mallo, originaire de l'actuelle Colombie, qui est le meilleur ami de l'oncle de Simon, Estebán Palacios, lequel devient ainsi très influent.

Simon est donc invité à la cour d'Espagne, alors en villégiature à Aranjuez. Il y partage les distractions du prince des Asturies Ferdinand, qui a le même âge que lui (seize ans). Il racontera plus tard que, au cours d'une partie de volant, il envoie valdinguer le béret du prince d'un malencontreux coup de raquette. Face à la colère de ce dernier, les courtisans conseillent à Simon de présenter ses excuses ; la reine prend la défense du jeune neveu de l'ami de son amant et explique à son fils que, en conviant l'un de ses sujets à partager ses jeux, il en a fait son égal pendant la durée de la partie et n'a donc pas à exiger de lui d'égards particuliers. Plus tard, quand le prince sera devenu le roi Ferdinand VII, Simon, qui aura combattu victorieusement contre ses troupes, écrira : « Qui aurait dit ce jour-là à Ferdinand que je devais lui arracher plus tard non seulement son béret, mais le plus beau fleuron de sa couronne ? »

En janvier 1801, Toussaint Louverture (esclave affranchi devenu général des armées d'Espagne avant de rejoindre les révolutionnaires français pour combattre les Britanniques et les Espagnols) entre à Saint-Domingue à la tête de ses troupes, en chasse l'administrateur espagnol. Il est le premier noir à fonder une république. Personne ne comprend que commence ainsi un mouvement de libération nationale qui mettra deux siècles à s'accomplir à l'échelle du monde.

Cette année-là, Simon, qui va sur ses dix-huit ans, rencontre à Madrid un vieil homme cultivé originaire de Caracas, lui aussi de souche basque, le marquis Jeronimo d'Ustariz, qui lui ouvre sa bibliothèque et lui fait rencontrer une société élégante, libérale et éclairée, où l'on discute des grands idéaux du siècle des Lumières, de la Révolution française, de l'ascension de Bonaparte, de l'expulsion des jésuites de plusieurs pays européens et de la franc-maçonnerie, dont son maître, Don Rodriguez Carreno, lui a déjà parlé.

Le jeune homme s'éloigne alors de l'atmosphère décadente de la cour et de son oncle, qui vient alors d'être disgracié et risque même l'incarcération.

Simon quitte l'Espagne, qu'il méprisera désormais, pour rejoindre la France, qui fascine toute la jeunesse d'Europe. Il arrive à Paris à la fin 1801 et assiste au début de 1802 aux réjouissances qui accompagnent la conclusion de la paix d'Amiens entre le Royaume-Uni, d'une part, et l'Espagne, la République batave et la France, d'autre part. Simon est ébloui par ce qu'il découvre. D'après son futur aide de camp et biographe, le général O'Leary, « Bolivar en déduisit que seul un gouvernement républicain pouvait assurer la félicité d'un peuple, et de là date son profond républicanisme ». La réalité n'est pas aussi idyllique : au même moment, Napoléon donne l'ordre d'arrêter Toussaint Louverture, qu'il fait transférer dans une prison du Jura où il succombera l'année suivante à une pneumonie.

En avril 1802, Simon quitte Paris et s'en revient à Madrid ; il retrouve, chez le marquis d'Ustariz, une jeune noble espagnole de deux ans son aînée, Maria Teresa del Toro y Alaysa, dont il s'est épris deux ans plus tôt. Il l'épouse le 26 mai et la ramène à Caracas en septembre. Il ne rêve plus que de mener, dans l'hacienda familiale de San Mateo, la vie régulière dont il a été privé, conforme au rythme dont il a entendu dire qu'il était celui de son père : lire, recevoir, administrer sa propriété. Même s'il est déjà habité par le rêve d'une Amérique latine indépendante, ce n'est pas encore son combat.

Sa vie de famille est de courte durée : le 22 janvier 1803, soit quatre mois après leur arrivée à Caracas, Maria Teresa est emportée par une fièvre. Veuf à dix-neuf ans, inconsolable, Simon met ses affaires en ordre, en confie la gestion à l'un de ses frères, et, assuré de pouvoir compter sur les considérables dividendes de sa fortune, repart pour la France dès le printemps pour se distraire et se repaître de ce qui s'y passe.

Dans le *Díaro de Bucamangara* (recueil de confidences de Bolivar publiées plus tard par Perú de Lacroix, officier français enrôlé au service de la Colombie), on trouve cette note consignée dans le style ampoulé de l'époque : « La mort de ma femme me plaça très tôt sur le chemin de la politique ; elle m'amena à suivre le char de Mars au lieu de la charrue de Cérès. » L'écrivain Salvador de Madariaga, ministre sous la République espagnole de 1931 à 1934, écrira avec une emphase justifiée : « La disparition subite d'une jeune femme de vingt et un ans a sans doute été l'un des événements-clés de l'histoire du Nouveau Monde. »

En mars 1804, Simon débarque à Cadix ; le voici une nouvelle fois en Espagne. Mais ce n'est pour lui qu'une escale sur le chemin de la France. Il est mis en relation par son ancien maître, Don Rodriguez Carreno, alors en exil à Bayonne, avec des francs-maçons et se fait initier dans la succursale locale d'une obédience parisienne, la « Grande Loge américaine ».

Au début de mai, il est de retour à Paris, où il mène grand train, et s'installe dans un luxueux appartement, rue Vivienne. Il s'annonce chez une lointaine cousine, Fanny de Villars (née Aristeguieta), dont le salon est alors un des plus brillants de la capitale ; sa séduction naturelle, sa fortune et son magnétisme lui permettent d'être admis sans réticence dans les cercles les plus en vue : ceux de Mme d'Houdetot et de Mme de Talleyrand. Il y fait la connaissance de Germaine de Staël, alors de passage à Paris incognito, puisque bannie par l'Empereur, et d'Alexandre de Humboldt, naturaliste, géographe, explorateur allemand, de retour d'un voyage de cinq ans aux Amériques en compagnie du botaniste français Aimé Bonpland. Humboldt a dépensé le tiers de sa fortune dans cette expédition qui l'a conduit de La Havane aux Andes et qui fascinera Charles Darwin. Le baron lui décrit les richesses de l'Empire espagnol. Bolivar, déjà habité par l'idéal de liberté transmis par son précepteur, lui répond : « Quel brillant destin que celui des colonies espagnoles si les habitants arrivaient à se libérer du joug des oppresseurs ! » Humboldt répond : « Je crois que votre continent est mûr pour l'indépendance, mais je ne vois pas d'homme capable de prendre la tête du mouvement. – Les révolutions produisent elles-mêmes les grands hommes aptes à les mener à bien », réplique Bolivar, qui fréquente pourtant aussi les salons de l'ambassade d'Espagne.

En août 1804, il retrouve à Paris son premier maître à penser, Don Rodriguez Carreno, qu'il n'a pas revu depuis huit ans et qui vient d'arriver de Bayonne pour ouvrir à Paris une école de castillan après s'être fait connaître par une traduction de l'*Atala* de Chateaubriand, paru trois ans plus tôt (même si un moine vénézuélien avait crié au plagiat). Rodriguez critique sévèrement le train de vie du jeune homme, qui, dès le lendemain, abandonne son luxueux appartement de la rue Vivienne, s'installe avec son professeur rue de Lancry et reprend avec lui des études politiques.

Le 2 décembre, malgré l'opposition de Rodriguez, adversaire de tout monarque, il accepte l'invitation de l'ambassadeur d'Espagne à assister au sacre de Napoléon dans la loge officielle de la délégation espagnole. Il écrira : « Cet acte magnifique m'enthousiasma, moins par sa pompe que par les sentiments d'amour qu'un peuple immense manifestait au héros… La couronne que Napoléon plaça lui-même sur sa tête, je la considérai comme chose misérable et désuète. Ce qui me parut grand, ce furent l'acclamation universelle et l'intérêt qu'inspirait sa personne. Cela, je le confesse, me fit penser à l'esclavage de mon pays et à la gloire que gagnerait celui qui le libérerait. Combien j'étais loin d'imaginer que je serais cet homme-là ! »

Plus tard, il reviendra sur son enthousiasme et dira à son confident, O'Leary : « Je l'ai adoré comme le héros de la République, comme l'étoile brillante de la gloire, le génie de la liberté […]. Il se fit empereur et, à partir de ce jour, je le regardai comme un tyran hypocrite. »

Au printemps 1805, Simon part avec Rodriguez pour l'Italie et se trouve à Milan, le 26 mai, pour assister au deuxième couronnement de l'Empereur, cette fois comme roi d'Italie : « Je mettais toute mon attention en Napoléon, je ne voyais que lui, ma curiosité ne pouvait se rassasier. » À la mi-juillet, les deux hommes sont à Rome, où ils retrouvent les frères Humboldt (Guillaume étant alors chargé d'affaires de Prusse près le Saint-Siège), Gay-Lussac, Mme de Staël alors en exil, et Sismondi. Sur la colline Palatine où la plèbe romaine s'était jadis révoltée contre le Sénat, il soliloque, rapportera plus tard la légende, et jure à son vieux maître : « Je jure devant vous, mon maître, je jure sur mon honneur que je ne laisserai ni répit à mon bras, ni repos à mon âme tant que je n'aurai pas brisé les chaînes qui nous oppriment par la volonté du pouvoir espagnol ! »

De retour à Paris le 11 novembre 1805, il est fait compagnon à la loge maçonnique Saint-Alexandre d'Écosse.

La révolte en Amérique du Sud commence, mais sans lui : en 1806, alors que les troupes napoléoniennes occupent l'Espagne, dont le contrôle sur ses colonies se relâche, l'Angleterre finance une expédition de Miranda au Venezuela. C'est un échec complet. L'infortuné général regagne Londres. L'Espagne, elle, compte sur le soutien des États-Unis d'Amérique, qui ne font rien pour aider les colonies de l'hémisphère sud.

Au printemps, Bolivar fréquente à Paris un couple croisé à Bilbao lors de son premier séjour en Europe : il s'agit d'une noble famille d'origine péruvienne, Don Mariano de Tristan y Moscoso et son épouse, mère d'une petite Flora qui « deviendra une beauté dotée d'un fichu caractère » : ainsi juge-t-il la future Flora Tristan, qui figurera trente ans plus tard à l'avant-garde de la bataille pour les droits des femmes.

Sentant que les événements se précipitent et qu'il est temps pour lui d'y prendre part, Simon profite d'un passage sur un bateau neutre en partance pour Charleston et part sans son précepteur, encore interdit de séjour outre-Atlantique. Il débarque aux États-Unis le 1er janvier 1807, visite les champs de bataille de la guerre d'Indépendance et les grandes villes du pays : « Pendant ma visite aux États-Unis, il m'a été donné de voir pour la première fois la liberté rationnelle. » En avril, il retrouve le Venezuela, où quelques rêveurs pensent que l'occupation de l'Espagne et du Portugal par les armées napoléoniennes rend désormais l'indépendance possible.

Mais le 2 mai 1808, à Madrid, commence une insurrection contre l'occupation française. Le 5, son ancien compagnon de jeu, devenu roi d'Espagne, Ferdinand VII, doit renoncer au trône après une entrevue à Bayonne avec Napoléon qui l'installe au château de Valençay, dans l'Indre. L'Espagne perd ses colonies, qui deviennent pour quelques semaines possessions françaises avant d'être restituées à la couronne d'Espagne, désormais portée par le frère aîné de Napoléon, Joseph. Le 21 juillet 1808, une partie de l'armée française capitule en Andalousie face aux Anglais (devenus alliés des Espagnols contre Napoléon), cependant que l'Empereur entre dans Vienne où il épousera l'archiduchesse Marie-Louise en 1810. Dans la Péninsule, la résistance est d'abord conduite par des juntes locales, puis par une « junte suprême » qui siège d'abord à Aranjuez, ensuite à Séville. En 1809, la Martinique est occupée par les Anglais ; en 1810, c'est au tour de l'île de la Réunion.

Profitant de la confusion qui règne en Espagne, se déclenchent au Mexique les premiers soulèvements indépendantistes menés par des prêtres, Miguel Hidalgo et José Maria Morelos. Au même moment, des émeutes éclatent à Buenos Aires et à Carthagène. En avril 1810, à Caracas, le capitaine général espagnol est déposé ; une *Junta conservadora* (la « Junte suprême conservatrice des droits de Ferdinand VII ») prend les rênes ; Bolivar, qui l'appuie, l'exhorte à proclamer l'indépendance, alors que ses chefs tergiversent et ne proclament en définitive que l'autonomie du Venezuela et sa fidélité à l'ancien compagnon de jeu de Simon, le roi d'Espagne, alors en résidence surveillée en France. Après d'âpres discussions avec les membres de la junte pro-espagnole, qui ne souhaitent toujours pas entendre parler d'indépendance, comptant sur Napoléon pour obtenir l'instauration d'une démocratie, Bolivar, qui sait qu'il n'y a rien à attendre de ce côté-là, est envoyé à Londres pour tenter d'obtenir une reconnaissance britannique de l'autonomie. Mais, peu soucieuse de s'aliéner ses nouveaux alliés espagnols qui se battent alors contre Napoléon, l'Angleterre se garde bien de répondre positivement.

À Londres, le 13 juillet 1810, le jeune Bolivar (il n'a que vingt-sept ans) rencontre pour la première fois Francesco Miranda, dit le « Précurseur », réfugié là après sa déroute. Simon le convainc de rentrer au pays. Miranda et lui débarquent à Caracas en décembre, le temps, pour Simon, d'organiser un retour digne de la stature légendaire de son compagnon de voyage. Miranda, qui devient l'ami de Hamilton, croit en l'aide des États-Unis, lesquels ne bougent pas.

En Espagne, le pouvoir au sein de la résistance contre les Français appartient alors à un conseil de régence, puis il passe à une assemblée, les Cortès, sorte de Constituante qui siège à partir de septembre 1810 au nez et à la barbe des troupes françaises. Pas question, pour ces Cortès, d'accepter l'émancipation des colonies. Simon envoie son frère Juan Vicente aux États-Unis, qui refusent d'accorder une quelconque aide, ayant besoin de leur allié espagnol.

Au printemps de 1811, Bolivar obtient enfin que la « junte suprême » déclare l'indépendance du Venezuela et proclame la république. Le 3 juillet, il prononce une allocution enflammée devant le

« Congrès national » : « On discute ici de ce qui devrait être décidé depuis longtemps, et que dit-on ? Que nous devons attendre l'issue des affaires politiques en Espagne ? Mais qu'importe que l'Espagne vende ses esclaves à Bonaparte ou qu'elle les conserve, puisque nous sommes résolus, nous, à être libres !... » Quarante-huit heures plus tard, le 5 juillet, l'indépendance est proclamée. C'est le premier pays indépendant d'Amérique du Sud. Ce que les historiens appellent « Première République » est nommée « Confédération américaine du Venezuela », ou « Provinces-Unies du Venezuela ». Malgré ses piètres talents militaires, Miranda est nommé général en chef des armées de la République, puis dictateur généralissime. Les loyalistes restés fidèles à l'Espagne, dirigés par un capitaine de frégate, Juan Domingo de Monteverde, déclenchent une guerre civile.

À l'automne, Bolivar participe aux combats contre ces loyalistes qui s'appuient sur l'Église, les petits commerçants et les gens de couleur. Le 11 novembre, le port de Carthagène-des-Indes s'autoproclame « indépendant de toutes les nations du monde », et Bolivar vient lui prêter main-forte.

En mars 1812, le jeudi saint, un terrible séisme, qui ravage la zone libérée, est interprété par l'Église comme un châtiment de Dieu. Les forces pro-espagnoles commandées par Monteverde reprennent partout l'avantage ; Bolivar est battu à Puerto Cabello. Au même moment, à Cadix, les Cortès adoptent la première Constitution espagnole. En juillet, à Caracas, Miranda consolide quelques positions, mais finit par échouer et se rendre piteusement avec 5 000 hommes : c'est la « capitulation de San Mateo ». Pour Bolivar, il s'agit d'une trahison. Avec d'autres, il décide alors de laisser Miranda, qui s'apprêtait à fuir en Angleterre, tomber entre les mains des Espagnols du général Monteverde. Les Cortès espagnoles, junte républicaine, l'emprisonnent à Cadix où il mourra quatre ans plus tard d'une congestion cérébrale. Monteverde place alors l'immense fortune de Bolivar sous séquestre.

Bolivar n'a plus rien ni personne : ni argent, ni Miranda en qui il avait mis ses espoirs, ni son précepteur, resté en Europe. Sept ans auparavant presque jour pour jour, il avait juré solennellement, à Rome, de débarrasser sa patrie des chaînes espagnoles.

Le 10 août 1812, sous la pression des troupes anglaises et espagnoles, Joseph Bonaparte doit fuir Madrid. Le 14, le maréchal Soult évacue Séville et l'Andalousie. L'Amérique latine est à nouveau sous contrôle des partisans du roi d'Espagne.

Le 27 août, Bolivar réussit à échapper aux hommes de Monteverde et s'embarque en compagnie de quelques fidèles pour Curaçao, île sous contrôle hollandais. Il devient ainsi, à moins de trente ans, le porte-parole de ses propres idées.

À Curaçao, un avocat hollandais, Mardochaï Ricardo, trouve à lui prêter un million de pesos avec pour seule caution ses biens pourtant saisis au Venezuela. Simon se rend alors à Carthagène, en Nouvelle-Grenade (aujourd'hui la Colombie). Le 15 décembre, il y rédige un *Manifeste* qui analyse les causes de l'échec et dénonce d'abord l'impréparation des masses, manipulées par « des rustres des campagnes et des citadins astucieux ».

Partant de Carthagène avec les 573 hommes qu'il a pu rassembler, il entreprend une marche sur Caracas à travers les Andes. En avril 1813, il arrive à Mérida, première ville vénézuélienne après la frontière, à 1600 mètres d'altitude, sur les premiers contreforts des Andes. Il est acclamé pour la première fois aux cris de « *Viva el Libertador !* » Le surnom lui restera.

La petite armée républicaine grandit. Il avance par les pics enneigés de la cordillère en livrant une succession de combats rapides contre les Espagnols. Le 14 juin, il est à Trujillo. Bolivar a tiré les leçons du passé et il entend bien impliquer le peuple. Il dicte un *Decreto de guerra a muerte* pour motiver les paysans, métis et indiens : « La patrie est le patrimoine commun à tous ceux qui y sont nés, indépendamment des castes et des races. » La troupe grossit et progresse : los Horcones, San Carlos, Valencía, los Taguanes… Pourtant mieux dotés en artillerie lourde, les loyalistes fuient devant les troupes républicaines, désormais plus nombreuses. C'est « l'Admirable Campagne ».

Le 21 juin 1813, à Vitoría, Wellington bat les Français, qui évacuent l'Espagne ; peu après, Napoléon perd à l'est la bataille de Leipzig.

Le 6 août, Bolivar entre à trente ans en vainqueur à Caracas. Il est ceint de lauriers par une jeune beauté vêtue de blanc, Josefina Machado, dont il apprécie aussitôt les charmes, avant de se faire proclamer dictateur. C'est la deuxième indépendance du Venezuela.

Il entreprend d'organiser l'État vénézuélien. Le 7 août, il établit ce que les historiens vénézuéliens appellent la « Deuxième République ». Monteverde, réfugié à Puerto Cabello, refuse de ratifier sa capitulation, espérant des renforts d'Espagne, où Ferdinand VII n'est toujours pas autorisé à rentrer, pendant que les Cortès se réunissent à Madrid.

Puis le chef loyaliste part pour Puerto Rico et Cadix, où il mourra avec le rang de général.

Devenu le chef du premier État libre d'Amérique latine, Simon Bolivar entend doter le pays d'institutions adoptées par une consultation populaire, pour lui seule source légitime du pouvoir et seule raison d'être de l'indépendance. En octobre 1813, à Caracas, dans la salle capitulaire de l'église San Francisco, il réunit une assemblée de notables (fonctionnaires civils, ecclésiastiques, conseillers municipaux), se démet de ses fonctions de dictateur issu d'une victoire militaire pour se faire élire aussi démocratiquement que les circonstances le permettent, évitant malgré tout un suffrage universel qui eût sans doute été favorable aux partisans de l'Espagne.

Pendant les derniers mois de 1813, les loyalistes espagnols reprennent l'avantage sous la direction de José Tomas Boves, aidé par les *llaneros* (hommes à cheval des grandes plaines), éleveurs nomades, métis, mulâtres, zambos et Indiens caraïbes. Boves massacre, mutile, pille et détruit cependant que les jeunes recrues de l'armée de Bolivar s'affaiblissent et souffrent du manque de munitions. Bolivar les rassemble le 4 décembre, à la veille de la bataille d'Araure, face à des troupes espagnoles en surnombre. Il leur lance : « Soldats du bataillon sans nom, si vous voulez des armes, allez les prendre ! » L'issue de l'affrontement est incertaine. Les jeunes recrues arrachent à l'ennemi, au corps à corps, fusils et baïonnettes, rapportant même l'étendard du régiment d'élite royal Numancía. « Ce sera maintenant votre emblème, et vous porterez le nom de vainqueurs d'Araure ! » leur clame solennellement Bolivar.

Le 11 décembre 1813, Ferdinand VII, toujours retenu au château de Valençay, signe un traité avec la France. Il revient sur le trône le 3 mars 1814, révoque la Constitution de 1812 et envoie à Boves, au Venezuela, l'armée de reconquête que celui-ci attend depuis deux ans. Bolivar doit alors céder. Partout en Amérique latine, les patriotes ont joué et perdu, sauf à Buenos Aires, grâce à San Martín, qui, après une carrière militaire en Espagne contre les Français, tient encore tête aux Espagnols.

Le 8 septembre 1814, Simon Bolivar doit reprendre le chemin de l'exil. Il rédige le *Manifeste de Carupano*, dans lequel « le Libertador du Venezuela, général en chef de ses armées », fait le point comme à chaque fois : « Je sens que l'énergie de mon âme augmente et s'élève face à la magnitude des périls... »

Parvenu fin septembre à Carthagène, il est mal reçu par Manuel Castillo, militaire mexicain qui a déserté au début de l'« Admirable Campagne » avec une centaine d'hommes et s'est autoproclamé « roi de Carthagène » sans plus reconnaître l'autorité de personne.

Simon décide alors de repartir : « Si je restais ici, la Nouvelle-Grenade se diviserait en partis, et la guerre serait éternelle. Après mon départ, il n'y aura que le parti de la Patrie, lequel, puisqu'il est unique, sera toujours le meilleur. »

Il se dirige en avril 1815 vers la Jamaïque, où il débarque le 13 mai, sans ressources (le prêt accordé trois ans auparavant par l'avocat Ricardo a été englouti dans la guerre, et il n'a plus aucun moyen de le rembourser). Le gouverneur de la Jamaïque, William Montagu, duc de Manchester, refuse de le recevoir. Il songe alors à gagner les États-Unis, mais personne là-bas ne s'intéresse au sud du continent ni ne veut l'aider. Il renonce.

En septembre, après que Waterloo a sonné le glas de l'épopée napoléonienne et que l'Angleterre a fait adopter au congrès de Vienne l'abolition de la traite des Noirs, Bolivar, seul et sans moyens, dicte de Kingston, sous l'auvent d'une sordide auberge, sans le secours du moindre ouvrage de référence, une *Lettre de la Jamaïque* qu'il réussit à faire imprimer, destinée surtout aux Américains du Nord restés « spectateurs immobiles de la lutte ». Ce document capital montre chez son auteur une profonde connaissance de l'histoire, du droit et de la sociologie. Il y expose l'histoire de l'Amérique espagnole, y analyse ses peuples, ses croyances : « Le succès couronnera nos efforts. Le destin de l'Amérique est à tout jamais fixé. Les liens qui l'unissaient à l'Espagne sont désormais brisés : ils ne valaient que du consentement de toutes les parties de l'immense monarchie qui se prêtaient à leur rapprochement mutuel. Or ce qui rapprochait naguère la métropole et l'Amérique maintenant les divise. La haine que nous inspire la Péninsule est plus grande encore que la mer qui nous en sépare. » Il cite Montesquieu : « Il est plus difficile de tirer un peuple de la servitude que d'en asservir un libre. [...] Dans le système espagnol en vigueur, les Américains n'occupent d'autre place dans la société que celle de serfs propres au travail, et tout au plus de simples consommateurs. » Il analyse les caractéristiques de chacune des entités du monde hispano-américain dans une vision de leur évolution qui s'est révélée prophétique. Il y défend leur droit à l'indépendance, car l'Espagne est incapable d'assurer l'avenir et le développement de l'Amérique. Il critique les Européens pour n'avoir pas aidé cette indépendance que « l'équilibre du monde exige », et dénonce l'indifférente passivité des Américains du Nord. Il annonce son objectif, une Amérique une et indépendante du nord au sud : « C'est une idée grandiose que de vouloir faire de tout le Nouveau Monde une seule nation dont toutes les parties seraient liées. [...] Il serait beau que l'isthme de Panama fût pour nous ce que l'isthme de Corinthe fut pour les Grecs. Plaise à Dieu que quelque jour nous ayons la fortune d'y tenir un auguste Congrès des représentants de nos Républiques ! »

Il espère encore en les États-Unis d'Amérique qui viennent de naître et qui pourraient, pense-t-il, prendre part à cette aventure. Il sollicite leur aide. En vain. Pas question pour eux d'indisposer l'allié espagnol. Dès lors, vers qui se tourner ?

En octobre 1815, alors que Carthagène, dernier bastion indépendant, est repris par un Espagnol, Pablo Morillo, Bolivar hésite à se rendre aux États-Unis. Mais il sait qu'il n'y a rien à en attendre. Il décide alors d'aller chercher de l'aide auprès du dernier ami parmi les chefs d'État de la région : Alexandre Pétion, président d'Haïti depuis 1806. Pétion, alors âgé de quarante-cinq ans, souhaite l'émancipation des colonies espagnoles, qui lui permettrait de s'appuyer sur des alliés pour préserver sa propre indépendance encore fragile. En échange de l'aide très modeste qu'il promet à Bolivar, il ne veut qu'une promesse : l'abolition de l'esclavage dans les républiques à venir. Ils tombent d'accord à la fin de 1815.

En 1816, tout commence à s'ébranler : le 20 mars, le roi du Portugal reconnaît l'autonomie du Brésil au sein du royaume uni du Portugal, du Brésil et des Algarves ; l'interdiction d'y créer des manufactures est levée ; une première université y est fondée. Le 9 juillet, à Tucumán, en Argentine, le général José de San Martin, que les Espagnols n'ont pu déloger, proclame l'indépendance des « Provinces-Unies de La Plata », deuxième pays indépendant d'Amérique latine après les deux tentatives avortées du Venezuela sous Bolivar.

À l'été 1816, avec l'aide de Pétion, Simon lance une petite troupe à l'assaut du Venezuela, mais il échoue avant même d'y être arrivé. Le 4 septembre, il revient à Jacmel, au sud d'Haïti, d'où il envoie un rapport à Alexandre Pétion et demande de nouvelles armes : « J'attends ici la réponse de Votre Excellence comme le dernier décret de mon existence politique. » Pétion lui répond : « Vous avez échoué ; ces choses-là arrivent dans la vie ; mais quelque chose me dit que la prochaine fois, vous réussirez. » Réponse de Bolivar : « Vous possédez un pouvoir plus fort que toutes les emprises, celui de la bonté. Votre Excellence est supérieure à son époque. »

Bolivar, doté de nouvelles armes, tente alors un nouvel assaut et débarque à l'est du Venezuela dans un village nommé Barcelona, aujourd'hui capitale de l'État d'Anzoátegui. Les chefs locaux (en particulier un certain Santiago Marino) refusant son autorité, il se retrouve à la tête d'une « fédération » de guérillas indisciplinées, disséminées sur un territoire grand comme deux fois la France. Il réussit cependant à rallier des *llaneros* et s'installe à Angustura, sur l'Orénoque (aujourd'hui Ciudad Bolivar). Comme promis à Pétion, il abolit l'esclavage et enrôle dans ses troupes un grand nombre d'affranchis.

En 1817, il reconquiert peu à peu le Venezuela et consolide son pouvoir. Cette même année, Daniel Florence O'Leary, militaire irlandais issu d'une famille de marchands et qui, contrairement à nombre de ses compatriotes, n'a jamais servi dans les troupes napoléoniennes, embarque pour participer à la lutte indépendantiste du continent américain. Il deviendra bientôt l'homme de confiance et le biographe de Bolivar.

En février 1818, grâce aux victoires de Chacabuco et de Maijo, le général O'Higgins, appuyé par San Martin venu l'aider depuis l'Argentine, proclame l'indépendance du Chili. Bolivar aspire toujours à unifier au moins tout le sous-continent, mais comprend que les libérateurs, dans chaque province, n'ont aucune envie de lui céder un pouvoir conquis de haute lutte.

Pour tenter de relancer une dynamique unificatrice, il convoque en février 1819, à Angostura, où il réside, un congrès chargé justement de doter d'une Constitution la « République de Grande-Colombie » qui comprend le Venezuela, l'Équateur, la Colombie et Panama. Il déclare en ouverture : « Il est plus difficile de maintenir l'équilibre de la liberté que d'endurer le poids de la tyrannie. Ce sont les peuples plutôt que les gouvernements qui entraînent derrière eux la tyrannie. »

Le Congrès le nomme président de la République à titre provisoire ; il refuse. Les congressistes insistent ; il finit par accepter. Un agent britannique, le colonel Hamilton, témoin de la scène, écrit à Londres au duc de Sussex, le prince Auguste-Frédéric, huitième fils du roi George : « Le général Bolivar a donné une telle preuve de modestie et de patriotisme qu'il est difficile d'en rencontrer une semblable en n'importe quel pays. » O'Leary devient son aide de camp.

Bolivar fonde alors un journal, *Le Courrier de l'Orénoque*. Un marchand, délégué au congrès d'Angostura, Don Fernando Peñalver, fournit l'imprimerie et l'aide dans la rédaction d'une Constitution. Bolivar écrira plus tard à Peñalver : « Vous êtes celui qui m'a le plus encouragé à convoquer le congrès d'Angostura, lequel m'a donné plus de réputation que mes services passés, car le moyen le plus sûr de plaire aux hommes est de les convier à participer à la gloire du commandement. »

Un de ses **premiers articles** publiés dans ce journal est un appel à la Sainte-Alliance à l'occasion du congrès d'Aix-la-Chapelle, qui doit se réunir en octobre 1818 et au cours duquel Madrid va solliciter l'aide des grandes puissances contre les indépendantistes.

Mais Bolivar ne se contente pas de l'indépendance : il entend, on l'a vu, unifier au moins le sous-continent et, pour cela, réunir l'ex-Empire espagnol au sein d'un grand ensemble allant de Panama à la Terre de Feu. Il laisse le soin de gouverner le Venezuela à son vice-président, Francisco de Paula Santander, et repart en campagne vers la Nouvelle-Grenade, aidé par le général Sucre, son principal second, le seul en qui il gardera jusqu'au bout confiance. Le 7 août 1819, Bolivar franchit les Andes au col de Paramo di Pisba, écrase l'armée royaliste du général Baneiro à Boyacá, et entre dans Bogota à la fin août 1819. Il s'y installe et y passe toute l'année 1820.

Cette année-là, le Congrès des États-Unis adopte le « compromis du Missouri » : l'esclavage est interdit dans les anciens territoires français ; le Missouri, esclavagiste, et le Maine, non esclavagiste, entrent dans l'Union. Mais on ne témoigne toujours aucun intérêt, en Amérique du Nord, pour ce qui se passe au Sud.

À Madrid, un soulèvement de militaires conduit par le général Riego oblige Ferdinand VII à rétablir l'éphémère Constitution libérale de 1812. L'Autriche, la Prusse et la Russie rompent alors leurs relations diplomatiques avec l'Espagne, redevenue révolutionnaire, où Ferdinand VII n'est plus qu'un souverain fantoche.

Alors que la puissance colonisatrice sombre dans le chaos, 1821 est l'année de toutes les indépendances : le 24 juin, Bolivar balaie les Espagnols à Carabobo, au Venezuela, scellant à nouveau l'indépendance du pays. Le 28 juillet, à Lima, San Martin proclame l'indépendance du Pérou. Le 31 août, un congrès réuni à Cúcuta fonde pour la troisième fois la « République de Grande-Colombie ». Le 12 décembre, les États-Unis reconnaissent l'indépendance de la Grande-

Colombie. Le 18 mai 1822, le général Iturbide se fait proclamer empereur du Mexique par une junte révolutionnaire sous le nom d'Agustín Ier.

Mais tous ces libérateurs n'ont aucune envie de céder leur nouveau pouvoir à un unificateur continental : aucun ne partage le rêve de Bolivar. Chacun se veut maître en son royaume.

Le 24 mai 1822, Bolivar affronte les troupes espagnoles sur les pentes du volcan Pichincha, à côté de Quito. Parmi les personnels de santé de son armée, une jeune femme va jouer un rôle des plus importants par la suite : Manuela Sáenz, fille d'un officier espagnol et d'une Équatorienne, élevée dans un couvent, chassée à dix-sept ans pour avoir eu une relation avec un militaire espagnol, mariée par son père à un riche médecin anglais ; installée à Lima en 1819, elle a aidé les révolutionnaires à entrer dans la ville, puis, quittant son mari, elle est repartie à Quito pour rejoindre l'armée de Bolivar. Elle participe à la bataille du Pichincha, où elle reçoit le titre de lieutenant.

Le 26 juillet 1822, Bolivar rencontre à Guayalquil, principal port de l'Équateur, le général et président argentin San Martín, le seul, à la tête de son armée, à pouvoir lui faire de l'ombre. Mais celui-ci, épuisé par les luttes internes, vient en outre d'apprendre que sa femme est tombée très malade ; il a décidé de se démettre de toutes ses fonctions et de rentrer d'urgence à Buenos Aires.

Bolivar entre dans Quito fin juillet. En août, il y rencontre Manuela, alors âgée de trente-deux ans. Il en a quinze de plus qu'elle. Ils ne se quittent plus.

Le 7 septembre 1822, Pedro, fils du roi du Portugal Jean VI, devient empereur du Brésil indépendant, pour éviter une révolution libérale qui chasserait du trône du Brésil la famille régnante du Portugal.

En décembre 1822, au congrès de Vérone, la France de la Restauration est chargée d'intervenir au nom de la Sainte-Alliance pour rétablir le roi Ferdinand VII dans la totalité de ses pouvoirs et abattre le général Riego. Chateaubriand, nommé ministre des Affaires étrangères de Louis XVIII après Vérone, est chargé de préparer l'intervention alliée outre-Pyrénées.

Les États-Unis, qui, jusqu'ici, ne s'intéressent absolument pas à ce qui se passe au sud du Rio Grande, commencent à s'inquiéter des ambitions russes et des menées britanniques en Amérique du Nord, ainsi que des menaces d'intervention de la Sainte-Alliance (Autriche, Prusse, France) en Amérique latine. Car l'Espagne, encore républicaine, regagne du terrain : le 19 mars 1823, au Mexique, les généraux espagnols Santa Anna et Manuel Felix Fernández obligent l'empereur Agustín Iᵉʳ à abdiquer et à quitter le pays. Le 23 mai, un corps expéditionnaire français s'empare de Madrid pour le compte du roi d'Espagne ; le général Riego est pendu. Le roi Ferdinand VII retrouve pour la deuxième fois son trône. Au Pérou, où les indépendantistes s'entredéchirent, l'indépendance, pourtant proclamée depuis 1821, n'est toujours pas effective. Appelé en catastrophe par le Congrès péruvien alors qu'il se trouve en Équateur, Bolivar arrive à El Callao en septembre 1823, mais la garnison, composée en majeure partie d'Argentins, livre la place aux Espagnols. C'est la déroute des indépendantistes.

Le 2 décembre, le président républicain américain James Monroe décide de fermer le continent à toute tentative d'intrusion extérieure : toute immixtion des puissances européennes sur le continent américain sera considérée comme une déclaration d'inimitié à l'encontre des États-Unis ; en contrepartie, les États-Unis s'interdisent toute intervention dans les affaires européennes. L'Espagne ne se sent cependant pas concernée par cette interdiction : l'Amérique latine est à jamais espagnole, pense-t-elle.

Pour Bolivar, c'en est fini de son rêve : les États-Unis, qui n'ont jamais été là pour l'aider quand il aurait eu besoin d'eux, sont maintenant assez forts pour se présenter en maîtres et protecteurs du Sud. Plus question de leur proposer une union continentale. Mais c'est aussi une formidable opportunité : les Américains du Nord interdiront au moins aux Espagnols de se maintenir au pouvoir au sud.

Le 10 février 1824, le général argentin San Martín, terrassé par la mort de sa femme, s'étant démis de tous ses pouvoirs, s'embarque à quarante-cinq ans avec sa fille pour Le Havre ; il s'installera d'abord à Paris, puis à Boulogne-sur-Mer.

Quand il n'est pas avec elle, Bolivar écrit à Manuela d'innombrables billets : « Mon amour, sais-tu que ta lettre m'a fait grand plaisir ? Celle que m'a remise Salazar est très belle. Son style mérite que je t'adore pour ton esprit admirable. Ce que tu me dis de ton mari est à la fois drôle et douloureux. Je te veux libre en même temps qu'innocente, car je ne puis supporter l'idée de dérober un cœur qui fut vertueux et qui ne l'est plus par ma faute. Je ne sais que faire pour concilier mon bonheur et le tien. Je ne sais comment trancher ce nœud qu'Alexandre avec son épée n'eût fait que resserrer plus encore ; cependant, il ne s'agit pas ici d'épée et de force, mais d'amour pur et d'amour coupable, de devoir et de péché, de mon amour, enfin, pour Manuela la belle... »

En février, au Pérou, Bolivar se fait octroyer les pleins pouvoirs avec le titre de dictateur, mais refuse la solde de 50 000 pesos que le Congrès veut lui attribuer. En allant inspecter la côte au nord de Lima, il tombe malade : fièvre typhoïde aggravée de complications pulmonaires, sans doute les premières atteintes de la tuberculose. Un ministre plénipotentiaire du gouvernement de Bogota, Don Joaquin de Mosquera, qui le rencontre, raconte dans ses mémoires : « Le Libertador était si maigre, paraissait si exténué que je dus faire effort pour dissimuler ma peine et retenir mes larmes. Il me semblait que tout annonçait la mort prochaine du héros. Le cœur serré, pensant à la ruine de nos espérances, à la perte de notre armée, je lui demandai pourtant : "Que pensez-vous faire maintenant ?" Il me regarda, surpris ; dans son visage émacié, ses yeux soudain étincelèrent. "Triompher", répondit-il. » Cet homme est, d'abord, volonté. En tout cas, aussi longtemps qu'il le voudra.

Le 8 avril, à Quito, Bolivar essaie de rallier les Indiens. À cette fin, il organise « la répartition des terres des communautés », abolissant la propriété communale pour constituer un petit paysannat indigène. Mais la mesure entraîne un accaparement frauduleux des terres des communautés indiennes par les colons, le *Gamalismo*, et une brutale aggravation du sort des Indiens, qui deviennent de quasi-esclaves – *colonos* (Brésil, Pérou*), huasipungos* (Bolivie) ou *inquilinos* (Chili) – obligés de fournir du travail en échange du droit de bâtir une hutte sur le terrain de l'hacienda. Exactement le contraire de ce qu'il recherchait.

Le 6 août, Bolivar bat les derniers Espagnols encore au combat à Junín, au Pérou, lors d'une incroyable bataille silencieuse entre cavaliers, à l'arme blanche, sans un coup de feu, à laquelle Manuela participe ; elle est promue capitaine sur le champ de bataille. Cette victoire remportée à plus de 200 lieues de sa base, au cœur des Andes, par un homme que l'on tenait pour mort six mois auparavant, fait l'effet d'un miracle.

Le 9 décembre, Sucre remporte une ultime victoire sur les Espagnols dans la ville péruvienne d'Ayacucho – qui signifie « ville du sang » en quechua. Manuela, qui y participe, est promue colonel. Bolivar apprend son exploit à Lima, au palais de la Magdalena, le 18 décembre.

Le 18 janvier 1825, la dernière garnison espagnole du Pérou se rend. La province de la *Banda oriental* devient indépendante sous le nom d'Uruguay. Toute l'Amérique espagnole est désormais libre, à l'exception de Cuba et de Porto Rico. Le Congrès offre à Sucre une superbe hacienda et le titre de Grand Maréchal d'Ayacucho ; il fait don à Bolivar d'un million de pesos, pour son armée, qu'il accepte, et d'un autre million à titre personnel, qu'il refuse : « Je n'ai jamais voulu recevoir, même de ma patrie, une récompense de cette sorte. »

L'Amérique latine est entièrement, définitivement libérée de son colonisateur. Dans tout le sous-continent, c'est une explosion d'allégresse ; fêtes et défilés se succèdent dans les capitales et les villages les plus reculés ; le gouvernement de Buenos Aires décrète un mois de réjouissances.

Bolivar, lui, n'a pas le cœur à la fête : son rêve ne s'est pas réalisé. Il ne partage pas l'euphorie de ceux qui l'adulent, l'appelant « Père » et « Sauveur » de l'Amérique.

Pour donner une idée de sa gloire mondiale à ce moment, il faut citer ici quelques témoignages. La Fayette : « L'Europe libérale a les yeux fixés sur la vie de Votre Excellence. Rien ne peut égaler le prix que j'attache à votre amitié et à votre estime, etc. » Sir Robert Wilson, compagnon de Wellington : « Londres s'est électrisé devant l'éclat de vos prouesses. [...] Le portrait de Votre Excellence est exposé chez moi. C'est le palladium de mon foyer. [...] J'ambitionne pour Bedford [son fils] la permission de conserver son grade de colonel de l'armée colombienne : aide de camp du général Bolivar, Libertador-Président, c'est le plus beau titre dont on puisse se prévaloir en Europe. » Joseph Bonaparte, alors réfugié aux États-Unis, lui écrit pour solliciter aussi le titre d'aide de camp du Libertador pour l'un de ses neveux, le fils de Murat.

Bernadotte, toujours aussi modeste, déclare : « Entre Bolivar et moi, il y a beaucoup d'analogies » ! Benjamin Constant, toujours aussi pompeux : « Si Bolivar venait à mourir sans avoir ceint une couronne, il n'en passerait pas moins à la postérité sous des traits prestigieux. » L'abbé de Pradt, aumônier de Napoléon : « C'est à peine si l'action de Napoléon a dépassé les limites de la patrie ; celle de Bolivar embrasse tout un monde. Avec Bolivar, l'univers s'enrichit d'un nom qui occupera le premier rang parmi les objets de la juste admiration du genre humain. »

Par La Fayette, la famille de Washington lui fait parvenir la médaille offerte à celui-ci par l'État de Virginie, qu'il portera souvent dans les cérémonies officielles. Autre lettre, plus anonyme : « Soldat vétéran, ancien aide de camp de Murat et du maréchal Ney, j'ai accompli plus d'une mission, certaines sous les ordres de Napoléon lui-même. Sans avoir jamais mis les pieds sur un bateau, j'ai voulu partir, animé d'un seul espoir : voir l'Homme d'Amérique, parler avec celui en qui se fondent les immenses espérances de tous les esprits évolués d'Europe. »

Rola Skobiski, neveu de Kosciuszko, héros polonais qui a servi sous les ordres de Washington, écrit : « L'honneur m'est aussi nécessaire pour vivre que l'air que je respire, aussi j'abandonne ma patrie, je vais traverser l'océan pour avoir l'honneur de vous servir. » Carlyle de même : « Bolivar, source de lumière, d'originalité intime et naturelle, de virilité, de noblesse et d'héroïsme, à son contact toutes les âmes s'enflamment... » Byron baptise son bateau *Bolivar* et se prépare à « aller habiter en Amérique du Sud, je veux dire dans la patrie de Bolivar », quand les événements de Grèce le détournent de son projet. Balzac lui témoigne son admiration. Casimir Delavigne lui dédie un poème. À Londres comme à Paris, le *bolivar* devient le couvre-chef à la mode, détrônant le *morillo*, signe d'appartenance au parti loyaliste (du nom du général espagnol Pablo Morillo).

Au printemps de 1825, Bolivar revient à Caracas et retrouve son précepteur, Rodriguez, rentré d'Europe, qui s'est glissé parmi la foule attendant son retour. L'émotion des retrouvailles est immense après vingt ans de séparation et un impossible serment enfin tenu. Simon a alors quarante ans. Il emmène Rodriguez, en juin 1825, dans des zones encore inconnues de lui, pour une tournée du continent qu'il rêve toujours d'unifier. Cette tournée dure presque une année. Le 26 octobre, Bolivar plante au sommet du Potosi, en Bolivie, les drapeaux d'Argentine, du Pérou et de Colombie.

Mais toutes les ex-colonies s'érigent en nations : à Bogota, une assemblée constituante transforme le régime provisoire de dictature en un nouvel État qui prend le nom de République de Bolivar ou Bolivie. Il n'en veut pas. Rien là de conforme à ses souhaits : son rêve d'unité prend eau de toutes parts. Chaque général veut avoir son État. Il comprend que toutes ses victoires sont à cet égard autant de défaites. Rien de ce à quoi il aspirait ne paraît possible. Peut-être le savait-il depuis le premier jour ? Peut-être a-t-il seulement voulu y croire pour aller de l'avant ?

Pourtant, il ne renonce pas encore. Il envoie Sucre, son dernier fidèle, dans le Haut-Pérou pour y mater une rébellion. Sucre entre dans l'antique capitale des Incas, Cuzco, où il reçoit des autorités de la ville l'étendard de Francesco Pizarro, conservé depuis trois siècles sous les voûtes de la cathédrale, qu'il expédie aussitôt à Bolivar, alors à Lima depuis le 1ᵉʳ janvier 1826, avec Manuela, dans le palais de la Magdalena.

En février 1826, président d'une République à cinq capitales, il réunit un congrès à Panama pour fédérer toute l'Amérique latine, comme il le rêvait dans les jours les plus noirs. Il a une idée précise de ce à quoi il rêve : « Pour qu'un peuple soit libre, il doit avoir un gouvernement fort qui possède des moyens suffisants pour le défendre de l'anarchie populaire et de l'abus des grands. » Son projet de Constitution, audacieux, prévoit de rassembler tous les Sud-Américains, y compris les Mexicains, les Chiliens, les Brésiliens, les Argentins. Le droit de vote ne sera pas fondé uniquement sur la propriété, comme aux États-Unis, mais aussi sur « l'instruction et l'honorabilité ». La magistrature suprême serait à vie (pour lui) et une vice-magistrature (que Bolivar veut confier à Sucre), héréditaire. Étrange couplage qui indique bien que Sucre est alors le seul en qui il ait gardé pleinement confiance. Bolivar prévoit un exécutif fort et un législatif divisé en trois Chambres (dont l'une composée de censeurs nommés à vie pour éviter ce que Tocqueville a appelé « la crise de l'élection », c'est-à-dire le fait que plus rien ne soit fait « dans l'intérêt de l'État, mais dans celui de la réélection du candidat »). Il prévoit l'abolition totale de l'esclavage : « L'infraction à toutes les lois est celle de l'esclavage. La loi qui le conserverait serait la plus sacrilège, ce serait la plus indigne violation de la dignité humaine. Un homme-propriété ! » Il prône la liberté de culte et la séparation des Églises et de l'État : « Dans une constitution politique, on ne doit pas prescrire une profession religieuse… La religion est la loi de la conscience… »

Bolivar souhaite obtenir le soutien de la Grande-Bretagne contre les États-Unis, dont il craint l'avidité et dont il n'a pas oublié l'indifférence dans les moments difficiles. Au surplus, Argentins et Chiliens risquent de s'abstenir à défaut d'un appui, au moins officieux, de l'Angleterre. Mais le général Santander, qui dirige en Bolivie, envoie, sans le consulter, une invitation aux États-Unis, qui acceptent avec empressement. Les assises de Panama apparaissent alors aux Britanniques comme le prélude à une mainmise nord-américaine sur le Sud, dans la logique de la déclaration Monroe. Ils n'envoient alors qu'un observateur dont la mission sera d'informer son ministre « du degré d'influence sur leurs affaires que les pays hispano-américains semblent disposés à concéder aux États-Unis d'Amérique du Nord ». Voyant cela, le Brésil, l'Argentine et le Chili s'abstiennent. *In fine*, les États-Unis s'arrangent pour torpiller le congrès de Panama, qui, le 15 juillet 1826, consigne de maigres résultats dans un pacte vide de substance. Les États-Unis d'Amérique du Sud n'existent donc pas. C'est fini.

Bolivar revient au Venezuela. Son rêve est mort et enterré, y compris dans sa version la plus modeste. Par surcroît, durant les six premiers mois de 1827, la banqueroute d'une banque anglaise dépositaire d'une partie des fonds de Grande-Colombie précipite le pays dans une terrible crise économique.

Il s'évertue encore à sauver un projet moins ambitieux : la création d'une confédération des Andes, regroupant à tout le moins le Venezuela, la Bolivie, le Pérou et la Colombie. Il parcourt à cheval, en quelques mois, près de 7 500 kilomètres, à travers le Pérou et la Bolivie, moyennant des haltes d'une à deux semaines. En juin 1828, il se fait proclamer « dictateur de Grande-Colombie » et s'installe avec Manuela à Bogota, dans le palais San Carlos, pour préparer son projet de confédération. Mais la soif de pouvoir des uns et des autres (Páez au Venezuela, Santander à Bogota) fait une fois de plus capoter sa tentative. Il sait que tout est fini.

Le 30 septembre, en pleine nuit, des assassins se glissent dans sa chambre. Manuela fait rempart de son corps. Il la surnomme « la libératrice du Libérateur ». Il s'en veut de la vie qu'il lui fait mener : ils n'ont pas fondé de famille, ils n'ont ni enfant ni maison. Il n'en peut plus. Son combat est perdu. La volonté qui l'animait le quitte brusquement. Le 8 mai 1830, il se démet de ses fonctions devant le Congrès de Grande-Colombie, laissant le pouvoir à Sucre, son allié fidèle. Il déclare, continuant d'espérer dans l'unité de sa Grande-Colombie : « Vous trouverez votre guide dans l'identité de notre pays qui va des Andes à l'Orénoque. Apprenez de la nature, infaillible maître des hommes, quelles lois sont nécessaires. »

Il part pour Carthagène, pensant y embarquer pour s'exiler en Europe. Là, un courrier lui annonce le plus terrible, le dernier coup auquel il ne s'attendait pas : l'assassinat du maréchal Sucre, le 4 juin, victime d'une embuscade mystérieuse dans le défilé de la sierra de Berruecos qu'il traversait à cheval, sans escorte. Pour Bolivar, c'est la fin : Sucre était le seul à ne l'avoir jamais trahi, celui qu'il avait toujours considéré comme son fils et en qui il voyait son successeur. Même la Grande-Colombie s'effondre.

Sa propre vie n'a servi à rien, pense-t-il. « Celui qui a servi une révolution a labouré la mer. » Sans volonté, la fatigue, la mort l'envahissent.

À Santa Marta, capitale de l'État de Magdalena, au nord de la Colombie où il a fait alors escale, il est mourant. Manuela le conduit chez un médecin français, Prosper Révérend, élève de Dupuytren, contraint d'émigrer par Charles X pour ses idées libérales, qui l'ausculte et lui propose un traitement palliatif. Tandis qu'allongé il fixe des yeux une étagère chargée de livres dans la modeste demeure de son hôte, le médecin dit regretter de ne pas pouvoir lui offrir une bibliothèque mieux garnie. Bolivar : « Vous avez là toute l'histoire de l'humanité en deux livres : *Gil Blas de Santillane*, l'homme tel qu'il est, et *Don Quichotte de la Manche*, tel qu'il devrait être ». Et Bolivar est un Don Quichotte battu par des milliers de Gil Blas.

Le 10 décembre, le docteur Révérend note dans son carnet : « Son Excellence a pris ses dispositions spirituelles et temporelles avec la plus grande sérénité. Je n'ai pas remarqué la moindre faille dans l'exercice de ses facultés intellectuelles. » Bolivar meurt une semaine plus tard, le 17 décembre 1830. Il est enterré là.

En 1842, son corps sera rapatrié à Caracas. En ouvrant le cercueil, on découvrira que sa tête manque. Elle n'a jamais été retrouvée.

Veuve, Manuela s'installe en Jamaïque, puis à Paíta, petit port de pêche péruvien reculé, rongé par la misère.

En 1851, après ses victoires et ses échecs de 1849, Garibaldi, devenu capitaine dans la marine pour le compte d'un armateur italien, Pietro Denegri, et parcourant le monde (Lima, la Chine, Manille, l'Australie), rencontre Manuela. Il racontera : « Nous nous sommes séparés les larmes aux yeux, pressentant que cet adieu était le dernier sur cette terre. Doña Manuela Sáenz était la dame la plus charmante et la plus noble que j'eusse vue. »

Cinq ans plus tard, un baleinier accoste à Paíta. À son bord, un jeune matelot, Herman Melville, cherche lui aussi à rencontrer Manuela Sáenz. Elle est paralysée, retranchée sur son passé, vivant seule du souvenir de Simon Bolivar, mais refusant d'en parler. Melville insiste en vain pour connaître son histoire. Elle meurt peu après.

Tout le reste deviendra légende.

BIBLIOGRAPHIE

CHAUNU, Pierre, *L'Amérique et les Amériques,* Paris, Armand Colin, 1964.

LYNCH, John, *Simon Bolivar. A life*, New Haven, Yale University Press, 2007.

MADARIAGA, Salvador de, *Bolivar*, Paris, Calmann-Lévy, 1959.

SAURAT, Gilette, *Simon Bolivar, le Libertador*, Paris, Grasset et Fasquelle, 1990.

VAYSSIÈRE, Pierre, *Simon Bolivar. Le Rêve américain*, Paris, Payot, 2008.

14

Charles Darwin
(1809-1882)
ou le découvreur au long cours

Très longtemps, la référence obligée à Darwin m'a irrité : fut-il vraiment partisan d'une loi de sélection naturelle dont certains allaient ensuite tirer de terribles conclusions idéologiques ? Comment un jeune pasteur dépourvu de formation sérieuse, n'ayant jamais fait qu'un seul voyage d'observation, a-t-il pu renverser la vision de l'espèce humaine sur ses propres origines et sur celles de toutes les espèces animales et végétales ? Est-ce sa formation de géologue qui lui permit de découvrir l'importance du classement des êtres et des choses ? Est-ce son goût de la collection qui fit la différence ? Comment un seul individu a-t-il pu parvenir à des conclusions si évidentes et si neuves à la fois ? Comment imposa-t-il en quelques années des idées tellement originales dans une Angleterre victorienne si conformiste ? À moins qu'il n'ait justement été, malgré lui, l'idéologue de l'impérialisme britannique alors triomphant ?

Comme toujours, il s'agit d'abord d'une histoire de famille. Son grand-père, Erasmus Darwin, naît en Angleterre en 1731. Après des études de médecine à Cambridge et à Édimbourg, il s'établit en 1759 près de Birmingham, alors principal centre industriel du pays. À partir de 1785, avec le développement de la fonte et l'invention de la machine à vapeur par James Watt et Matthew Boulton (qui ouvrent une usine de fabrication de machines à vapeur à Soho), la ville devient l'un des principaux foyers de la métallurgie mondiale et la cinquième du pays. Erasmus Darwin y anime une société scientifique, la *Lunar Society*, qui réunit les meilleurs esprits de la cité, essentiels à la révolution industrielle qui s'amorce : le céramiste Josiah Wedgwood ; le découvreur de l'oxygène, Joseph Priestley ; James Watt et son associé, Matthew Boulton.

Erasmus Darwin devient si célèbre qu'il se voit proposer le poste de médecin personnel du roi George III, qu'il refuse pour se consacrer à son rôle de fédérateur des innovations, à ses propres recherches sur les animaux, et à la rédaction d'une *Zoonomie* – passion qui déterminera la vie de son petit-fils : l'heure semble en effet venue de mieux comprendre la nature en même temps qu'on cherche à la maîtriser.

Son fils Robert Darwin, né en 1766 à Birmingham, devient lui aussi médecin et membre de la Royal Society. En 1796, il épouse à trente ans, dans cette même ville, Susannah Wedgwood, la petite-fille du très riche Josiah Wedgwood.

Deux ans plus tard, en 1798, Thomas Robert Malthus, pasteur anglican alors âgé de trente-deux ans et enseignant à Cambridge, publie un *Essai sur le principe de population* en réplique à l'optimisme d'un ami de son père, Jean-Jacques Rousseau. Selon Malthus, il naît toujours plus d'êtres vivants que le milieu ne peut en nourrir ; s'ensuit une lutte pour la vie entre les individus de même espèce et entre les espèces ; seuls les plus adaptés survivent et parviennent à se reproduire. En particulier, les êtres humains manqueront de ressources en raison de la croissance de leur nombre, ce qui devrait conduire à une lutte pour la vie, à des guerres, à des famines et à des épidémies. Il conseille donc de ne pas lutter contre la mortalité, de réduire la natalité, et il s'oppose en particulier aux *Poor laws* qui, au même moment, institutionnalisent une première forme d'assistance aux pauvres. Le livre jouera un rôle majeur, quarante ans plus tard, dans les travaux de Darwin.

Quatre ans plus tard, en 1802, alors qu'Erasmus Darwin meurt à Birmingham, un militaire, devenu médecin puis botaniste au Muséum d'histoire naturelle, le baron Lamarck, publie à Paris *Recherches sur l'organisation des corps vivants*. C'est un coup de tonnerre dans l'histoire des idées.

Avant Lamarck, on croyait que chaque espèce devait son origine à l'acte spécifique d'un dieu créateur. Professeur d'histoire naturelle aux Écoles centrales et au Collège de France, puis membre de l'Académie des sciences, Cuvier, le scientifique le plus influent du temps, parle, quant à lui, de « catastrophe créatrice » pour expliquer l'émergence, qu'il pense discontinue, de chaque espèce, en particulier de l'espèce humaine. Il en a eu l'intuition à partir d'observations géologiques de fossiles.

Botaniste hors pair, complet autodidacte en ce domaine, Lamarck forge le mot « biologie » et avance l'idée, radicalement neuve pour l'époque, que la vie est une et que les espèces animales et végétales dérivent les unes des autres. Pressentant ce qui deviendra la théorie de l'évolution, il écrit que l'homme descend du singe. En 1805, dans sa *Philosophie zoologique*, il approfondit sa théorie de l'unité des formes de vie. Par opposition à Cuvier, il explique que les espèces dérivent les unes des autres par les voies ordinaires de la génération, certaines fonctions organiques se modifiant au gré de leur usage, sous la pression des conditions de vie. Il ne déclare pas que l'évolution des espèces résulte de leur comportement, comme on le lui fera dire, mais que les caractères acquis, pour survivre, peuvent se transmettre héréditairement.

Cette idée d'une unité évolutive de toutes les formes de vie apparaît aussi au même moment chez un jeune professeur au nouveau Muséum d'histoire naturelle de Paris : Geoffroy Saint-Hilaire. Pour lui, toutes les espèces sont formées des mêmes « unités de composition organique » et évoluent lentement sous l'influence du milieu. Lui aussi s'opposera à Cuvier, en particulier lors d'une célèbre controverse à propos des caractères de crocodiles fossiles trouvés près de Caen. Balzac, qui l'admire, lui dédiera *Le Père Goriot*, roman sur l'adaptation à la jungle de la société humaine.

Cinq ans plus tard, le 12 février 1809, à Shrewsbury, dans le comté du Shropshire (voisin du pays de Galles), vient au monde celui qui portera beaucoup plus loin le travail de Malthus, de Lamarck et de Geoffroy Saint-Hilaire : Charles, cinquième enfant de Robert Darwin, né après trois filles et un autre garçon, Erasmus.

Cette année-là, à Londres, Turner présente au public un tableau majeur, *Londres vu de Greenwich*, variation révolutionnaire sur les diverses formes du regard.

Trois ans plus tard, en 1812, Cuvier publie *Recherches sur les ossements fossiles*, où il répète que les nouvelles espèces apparaissent seulement à la faveur de « catastrophes ».

En 1817, Susannah Darwin meurt alors que Charles, son fils cadet, n'a que huit ans. Ses sœurs – surtout Caroline, de neuf ans son aînée

– s'occupent de son éducation pendant que son père, jouissant d'une belle fortune venant de la famille de sa femme, continue d'exercer la médecine.

Celui-ci l'envoie à neuf ans à Shrewsbury, au pensionnat du docteur Butler, un pasteur de la Chapelle unitarienne, l'église de sa mère, à un mile de distance de chez lui, où il rentre souvent le soir. L'instruction qu'il y reçoit est on ne peut plus limitée : « un peu d'histoire et de géographie anciennes », dira-t-il, ainsi que la versification grecque et latine. Il y rencontre William Leighton, qui deviendra un botaniste réputé. Il se découvre un goût affirmé, sans doute hérité de son grand-père, pour la collection et la vie animale. Il écrira plus tard à propos de cette période : « À l'époque où j'allais à cette école, mon goût pour l'histoire naturelle, et plus spécialement pour les collections, était déjà bien marqué. Essayant de trouver le nom des plantes, je collectionnais toutes sortes de choses : coquilles, sceaux, cachets de la poste, monnaies et minéraux... Cette passion de la collection, qui peut conduire un homme à devenir un naturaliste épris de systématique, un bon connaisseur ou bien un avaricieux, était très forte chez moi, et de toute évidence innée, car aucun de mes frères et sœurs n'eut jamais un tel goût. » Étrange, cette mention de l'« inné » qui le distinguerait de ses frères et sœurs... Quoi qu'il en soit, ce goût du classement, du rangement et du sens à leur donner sera à l'origine de sa méthode et de ses découvertes.

Charles est alors considéré comme un garçon ordinaire, aimant les longues promenades solitaires, la pêche à la ligne et la chasse, et s'étonnant « que tout gentleman ne devînt pas ornithologue ».

En 1822 naît un autre petit-fils à Erasmus Darwin, Francis Galton. Celui-ci deviendra un fameux physiologiste et anthropologue, le premier à analyser le niveau de l'intelligence par des tests et à appliquer la méthode statistique à l'étude de l'hérédité et des différences.

Cette même année, le frère aîné de Charles, Erasmus, qui a dix-huit ans, part étudier la médecine à Édimbourg, comme ses père et grand-père. Quand ils se retrouvent dans la maison familiale, Erasmus laisse Charles participer à ses expériences de chimie dans un petit laboratoire improvisé au fond du jardin. Dans une autobiographie écrite à la fin de sa vie, Charles expliquera : « Cette période constitua la meilleure partie de mon éducation scolaire, en ce qu'elle m'enseigna pratiquement le sens de la science expérimentale. » Qui n'a pas, comme lui, apprécié le plaisir de l'apprentissage personnel hors des cours ?

À quinze ans, en 1824, Charles lit la *Zoonomie* de son grand-père, ainsi qu'un livre de Lamarck dans une mauvaise traduction qui en fausse le sens. Il n'attache pas d'importance à cette thèse de la transmission des caractères acquis. Il en sera pourtant l'héritier.

Il lit attentivement plusieurs traités de chimie, tel le *Catéchisme chimique* de Samuel Parkes. Découvrant ses lectures, le directeur du collège, le docteur Butler, l'accuse publiquement de perdre son temps à des choses dépourvues d'intérêt.

Une fois passés avec succès ses examens secondaires, Charles entre le 18 octobre 1825, à seize ans, à l'université d'Édimbourg pour y rejoindre son frère, qui y achève ses études de médecine. Charles ne se passionne pas pour cette discipline. Au reste, il ne se passionne pour rien, convaincu que son père, le docteur Darwin, est assez riche pour qu'il puisse vivre en rentier. Il écrira plus tard avec franchise : « Je fus rapidement convaincu, par de petits détails, que mon père me laisserait assez de bien pour subsister avec quelque confort – pourtant, je n'ai jamais imaginé pouvoir être un jour aussi riche que je le suis actuellement ; mais cette conviction suffisait à enrayer tout effort d'énergie dans l'étude de la médecine. »

En 1826, son frère, ayant terminé ses études, revient à Birmingham. Charles, se retrouvant seul à Édimbourg, délaisse ses études de médecine et se lie avec plusieurs étudiants en sciences naturelles, notamment William F. Ainsworth (qui deviendra un géologue connu pour ses expéditions sur l'Euphrate et en Chaldée), Francis Coldstream (futur zoologue) et Robert E. Grant (écrivain et zoologue, admirateur de Lamarck). C'est l'occasion, entre eux, de disputes passionnées. Il fait aussi la connaissance d'un « nègre, un homme très plaisant et intelligent » ayant voyagé en Amérique du Sud et devenu taxidermiste. Sa relation aux gens venus d'ailleurs se révélera bientôt fondamentale dans la formation de sa pensée.

En été et en automne, il retourne parmi les siens, chasse les oiseaux, visite à Maer le domaine de son oncle, le très riche Josiah Wedgwood dont il courtise la fille, sa cousine germaine : « Mes visites à Maer étaient tout à fait délicieuses, indépendamment de la chasse d'automne. La vie y était particulièrement libre ; la campagne, très plaisante pour la promenade à pied ou à cheval ; et, le soir, la conversation était très agréable, moins personnelle que ce n'est généralement le cas dans les grandes réunions de famille ; enfin, il y avait de la musique. »

Quand il est à l'université, étudiant le moins possible, Charles part observer la nature avec ses amis Grant et Coldstream, en particulier les œufs de *flustra foliacea* (comme on peut en observer aujourd'hui en baie de Somme). Ces bryozoaires sont des animaux très particuliers, vivant en colonies, communiquant entre eux pour pondre ce que les trois jeunes gens croient d'abord être des œufs ; puis ils remarquent que ces prétendus œufs se meuvent grâce à des cils, et que ce sont donc des larves.

Le 27 mars 1827, Charles présente cette découverte devant la Linnean Society, société savante fondée par un professeur d'histoire naturelle à l'université, Robert Jameson. Il y rencontre un professeur de botanique, Robert Kostner. Commencent avec lui de longues discussions sur l'art de classer les espèces.

En ce même printemps de 1827, découvrant cette communication qui n'a rien à voir avec ses études, le père de Charles prend acte des échecs de son fils et se résigne : Charles ne sera pas médecin. Mais il n'entend pas le laisser pour autant devenir un rentier s'occupant de bestioles, pas plus qu'un « sportif oisif ». Il lui propose de devenir pasteur. Charles réfléchit : pourquoi pas, pourvu qu'on le laisse collectionner plantes et animaux ? Mais il a « des scrupules à déclarer sa croyance en tous les dogmes de l'Église d'Angleterre » sans les connaître (il n'a pas ouvert un livre de latin, encore moins un traité de théologie, depuis des années). Il doit donc se remettre à niveau avec l'aide d'un précepteur. Il parcourt quelques ouvrages religieux, notamment *Sur le dogme*, d'un certain Pearson, et accepte sans enthousiasme de devenir pasteur. Pour cela, il doit passer un diplôme dans une université anglaise où l'on enseigne la théologie, et choisit Cambridge.

Il y arrive au début de 1828, pour le second trimestre. Il entame ainsi, à vingt ans, de nouvelles études, tout aussi inutiles : « Je perdis complètement mon temps pendant les trois années que je passai à Cambridge, du moins pour ce qui concerne les études universitaires, tout aussi complètement qu'à Édimbourg et à l'école. »

Pendant ce temps, Humboldt voyage dans l'Asie russe (c'est son deuxième voyage après celui vers l'Amérique latine) et visite les steppes de Kirghizie, les monts Altaï et la Dzoungarie, ce qui donnera lieu de sa part à de nouvelles publications.

Une grande nouveauté en Angleterre : la première ligne de chemin de fer est aménagée entre Manchester et Liverpool.

À Cambridge, comme il s'y attendait, les études de théologie n'intéressent pas du tout Charles. Il s'en retourne à la zoologie et entame une collection de coléoptères. Il emploie un ouvrier chargé de gratter la mousse des arbres et de ramasser les détritus au fond des barques où il espère trouver des insectes colonisant les roseaux des marais. Ainsi obtient-il des espèces très rares à partir desquelles il rédige une communication ; une revue spécialisée publie ses trouvailles : « Aucun poète n'éprouva jamais plus de plaisir à voir publier son premier poème que je n'en ressentis en voyant, dans les *Illustrations des insectes britanniques*, de Stephen, les mots magiques : "capturé par C. Darwin, esq." »

Cambridge constitue un milieu intellectuel bien plus fécond pour lui qu'Édimbourg. Par l'entremise d'un de ses cousins, William Darwin Fox, lui-même entomologiste, il obtient une invitation aux soirées du vendredi d'un professeur de botanique, John Stevens Henslow. Rencontre capitale : Henslow, dira Darwin, est un homme « qui connaissait toutes les branches de la science : entomologie, botanique, chimie, minéralogie, géologie ». Henslow remarque le jeune homme. Charles fait bientôt presque chaque jour avec lui de longues promenades, au point d'être surnommé par les membres du collège « l'homme qui se promène avec Henslow ».

Il lit aussi à cette époque deux œuvres qui exerceront sur lui une influence décisive : les récits de voyage d'Alexandre de Humboldt, plus particulièrement les passages sur Ténérife, et l'*Introduction à l'étude de la philosophie naturelle* de sir John Herschel. Ces lectures suscitent en lui « une brûlante envie d'ajouter une modeste contribution au noble édifice de la Science de la Nature ». Il aspire à voyager, comme Humboldt, et commence à se renseigner sur les navires en partance, alors même que son père croit encore qu'il se prépare à devenir pasteur. Il en parle à Henslow, qui lui promet de l'aider.

Cette année-là (1829), à Paris, meurt Lamarck, aveugle depuis dix ans. Celui qui a révolutionné la science de son temps est enterré dans une fosse commune. Il faudra attendre quarante ans pour que Charles Darwin théorise et dépasse ses intuitions.

Le 17 décembre 1830 disparaît Bolivar, qui a rendu possible l'indépendance du cône sud des Amériques, où Charles ignore encore qu'il va se rendre bientôt.

Au début du printemps 1831, ayant encore à faire un semestre à Cambridge pour décrocher son diplôme de « Bachelor of Arts », Charles, par le truchement du professeur Henslow, fait la connaissance d'un autre professeur de l'université, le géologue Adam Sedgwick, qu'il accompagne durant l'été dans un voyage d'exploration géologique au nord du pays de Galles : « Ce voyage fut d'une utilité certaine, en ce qu'il m'apprit à établir la géologie d'une région. » Cette discipline va devenir pour lui la science principale, maîtresse de toutes les autres.

En septembre, de retour à Cambridge après les vacances, Charles trouve un message de Henslow l'informant qu'un certain lord Robert Fitz-Roy cherche justement un jeune volontaire avec qui partager sa cabine à bord d'un navire, le *Beagle*, en partance pour un voyage de deux ans financé par l'Amirauté pour cartographier l'Amérique du Sud, dont tous les États viennent d'accéder à l'indépendance et dont les cartes doivent être remises à jour. Le naturaliste initialement choisi, explique Henslow, ayant décliné l'offre, le poste est disponible. Charles écrit aussitôt à lord Fitz-Roy et le rencontre.

L'officier de marine est le fils de lord Charles Fitz-Roy et le petit-fils du duc de Grafton. À vingt-six ans, il est déjà, en raison de son rang dans la noblesse, vice-amiral. Hydrographe et météorologue, il semble ouvert et cultivé. Le *Beagle*, qu'il commandera, explique-t-il, est un navire de guerre. Il le connaît : il a déjà fait avec lui, comme second, un premier voyage en Amérique du Sud de 1826 à 1830, en pleines guerres d'indépendance ; il a ramené en Angleterre trois indigènes de la Terre de Feu (des Fuégiens) pour les exhiber dans des sociétés de géographie. Il parle de ces indigènes avec fougue : il leur a appris l'anglais, ils accomplissent de grands progrès et s'intègrent fort bien, mais ils demandent à rentrer chez eux. Et c'est d'ailleurs pour lui une raison importante de ce voyage : effacer le remords de ce rapt. Le bateau, explique-t-il encore à Charles, est un *Cherokee-class* de 240 tonneaux, d'une longueur de 27,5 mètres et d'une largeur de 7,5 mètres. Son artillerie a été réduite de dix à six canons et un troisième mât a été ajouté pour augmenter sa manœuvrabilité. Il emportera soixante-seize hommes, équipage et passagers : entassement alors usuel, même pour un si long voyage.

Le capitaine Fitz-Roy songe d'abord à refuser la candidature de Charles Darwin ; non parce que celui-ci n'a aucun diplôme de naturaliste, mais « parce que la forme de son nez ne lui paraît pas témoigner d'une détermination suffisante ». Encore un nez qui aurait pu changer la face du monde...

Puis il l'accepte, sans doute parce qu'étant très religieux, le titre de pasteur sous lequel se présente Charles l'impressionne.

Ce dernier est enthousiaste : ce voyage correspond exactement à ses vœux : échapper au métier qu'on lui impose et faire ce qu'il aime, c'est-à-dire étudier les plantes et les animaux. Il écrira plus tard dans son autobiographie : « Considérant maintenant avec quelle brutalité je suis attaqué par les religieux, il semble grotesque que j'aie eu autrefois l'intention de devenir pasteur. »

Il obtient l'accord de son père, désolé de voir son fils se détourner du culte pour ce qu'il considère comme une sorte de tourisme futile.

Le 27 novembre 1831, peu avant la mort de Cuvier, dont l'ombre tutélaire plane encore sur toutes les sciences du vivant, Charles embarque, à vingt-deux ans, nanti d'un bon pécule familial, pour un voyage autour du monde. Prévu pour deux ans, il en durera cinq. Ce sera de loin l'épisode le plus important de sa vie.

À son arrivée à bord du trois-mâts, Darwin reçoit de lord Fitz-Roy en cadeau d'accueil le premier volume des *Principes de géologie* de Charles Lyell, professeur de géologie à Oxford, qui postule que la forme de la Terre a évolué sur une très longue période par l'action de forces encore à l'œuvre ; il s'oppose davantage au catastrophisme de Cuvier qu'au transformisme de Lamarck. Charles se rend compte que les indigènes fuégiens qui montent à bord pour revenir en Amérique du Sud sont devenus des Anglais presque comme les autres, réticents, par moments, à l'idée de retourner chez eux.

Le bateau quitte Plymouth le 27 décembre 1831 après être resté un mois bloqué au port par le mauvais temps.

Darwin se découvre d'emblée sujet au mal de mer, qui ne le quittera presque plus. Le 6 janvier, le navire accoste à Ténérife, où Charles rêve d'aller depuis sa lecture du récit fait par Alexandre de Humboldt de son ascension du volcan du Teide. Mais les autorités locales les empêchent de débarquer en raison du choléra qui sévit alors en Angleterre.

À bord, Charles se montre si disert que les hommes d'équipage le surnomment « le Philosophe ». Pas « le Révérend ». Ils arrivent le 16 janvier au Cap-Vert ; Darwin y remarque une longue bande horizontale de calcaire au-dessus du niveau de la mer, comme si celle-ci s'était retirée, conformément à la théorie de Lyell.

Le 28 février 1832, le *Beagle* accoste à Bahia, au Brésil. Ils y restent quinze jours. Puis c'est Rio, le 18 mars. Darwin part à cheval dans la campagne et y collecte plantes, insectes, vers, grenouilles, mouches, papillons, araignées et fourmis. Sur les terribles plantations de canne à sucre, il est témoin de la pratique de l'esclavage. Il en parle avec les trois Fuégiens rapatriés, eux-mêmes enlevés de force à leur famille. Partisan depuis toujours, comme son grand-père et son père, de l'abolition, Darwin écrit le 18 mai 1832 à Henslow : « Je ne voudrais pas être un de ces Tories [les conservateurs], ne serait-ce qu'à cause de leur sécheresse de cœur à propos de ce qui est le scandale des nations chrétiennes : l'esclavage. » Les Whigs gouvernent alors avec un cabinet conduit par Charles Earl Grey. Charles se dispute violemment avec Fitz-Roy, qui fait pour sa part l'éloge de l'esclavage. Le commandant va même à ce propos jusqu'à le chasser de sa table. Ils se réconcilient au bout de quelques jours.

Le 5 juillet 1832, le bâtiment part pour Montevideo ; ils croisent des marsouins. Sur le littoral, Charles collecte d'étranges coquillages, des cirripèdes, sans trop y prêter attention, alors qu'ils joueront un rôle majeur dans la suite de son histoire.

De Montevideo, où la situation politique est tendue, Darwin envoie à Londres un premier lot de spécimens de végétaux et d'animaux. Il rencontre des gauchos, collecte des fossiles mêlés à des coquillages, parmi lesquels des ossements fossiles de *Megatherium*, de *Megalonyx*, de *Scelidotherium* et de *Mylodon*, énormes mammifères fort différents des spécimens en vie, tandis que les coquillages fossiles qu'il trouve sont tout à fait semblables à ceux de son époque, ce qui confirme une des théories du livre de Lyell selon laquelle la longévité des espèces de mammifères est inférieure à celle des espèces de mollusques. Les marins envoient une expédition jusqu'aux premiers contreforts de la cordillère des Andes, d'où ils rapportent encore des fossiles d'origine marine. Darwin se fait aider dans ses collectes par un membre de l'équipage, Syms Covington, qui l'assistera encore pendant quelque six ans.

En novembre, le *Beagle* parvient à Buenos Aires : Darwin est stupéfait de découvrir une ville d'allure européenne ; il va au théâtre et reçoit là le second tome des *Principes de géologie* de Lyell. Il envoie son deuxième lot de spécimens en Angleterre : ossements, serpents, cirripèdes, poissons, crapauds, coléoptères, graines et plantes.

Le 27 novembre 1832, le voilier repart en direction de la Terre de Feu, à la pointe sud du continent, dernière étape supposée du voyage, pour ramener chez eux les trois Fuégiens. Fitz-Roy entend les laisser là où il les a trouvés, en bordure du détroit de Ponsonby. En janvier 1833, ils débarquent. Mais peut-on laisser de quasi-Anglais, totalement démunis, en milieu hostile ? Fitz-Roy hésite. Ils décident de les laisser avec un maximum de moyens de confort. Les marins les aident à construire des habitations, labourent et ensemencent à leur intention des jardins, leur laissent des outils et repartent dans un grand désarroi réciproque. Que vont devenir ces indigènes acculturés ? Sauront-ils survivre dans un environnement qu'ils ont oublié ?

Après un passage aux Malouines, le 6 avril, le *Beagle* remonte à Montevideo, quitté cinq mois auparavant. De là, Darwin expédie encore de nombreuses espèces d'oiseaux et de reptiles. Fitz-Roy et Darwin repensent sans cesse aux Fuégiens rapatriés.

Pendant ce temps, à Londres, le gouvernement reçoit plus de 5 000 pétitions, réunissant au total plus d'un million et demi de signatures, en faveur de l'abolition de l'esclavage. Le 14 mai, le Parlement britannique adopte une loi d'émancipation générale des Noirs. Le 2 juin, de Montevideo, Darwin, qui se tient au courant de ce qui se passe à Londres, écrit encore à l'un de ses correspondants dans la capitale britannique, J.M. Herbert : « J'espère que les honnêtes Whigs ne tarderont pas à s'attaquer à cette tache monstrueuse sur la liberté dont nous nous glorifions : l'esclavage colonial. J'ai suffisamment vu de l'esclavage et des dispositions des nègres pour être entièrement dégoûté des mensonges et des insanités que l'on entend à ce sujet en Angleterre. » Il a bien vu, avec les Fuégiens, que tout homme en vaut un autre.

Fin juillet, de Montevideo, Darwin envoie en Angleterre quatre-vingts spécimens d'oiseaux, vingt quadrupèdes, de nombreuses peaux, des plantes, des prélèvements géologiques et des poissons. Il peut encore constater le sort épouvantable réservé aux Indiens, victimes d'une guerre d'extermination.

Le navire poursuit ses relevés cartographiques. En octobre, le *Beagle* reste bloqué une quinzaine de jours à Buenos Aires par une émeute. Darwin observe et collecte de nombreux animaux qu'il ne connaît pas : tatous, serpents, échassiers, lézards, perroquets, batraciens, pumas.

À Cambridge, le professeur Henslow, qui reçoit les comptes rendus de Charles, en lit quelques pages devant la Société philosophique de l'endroit, et les fait imprimer pour une circulation privée. Les os fossiles attirent l'attention des paléontologues anglais. Charles, petit pasteur inconnu et explorateur amateur, devient l'objet de toutes les conversations.

Fitz-Roy est toujours bourrelé de remords : que sont devenus ses Fuégiens ? Il veut retourner les chercher et leur proposer de revenir en Angleterre. L'équipage refuse : il faut rentrer au plus vite !

Fin décembre, à Port-Désiré, en Argentine, Darwin tombe sur un squelette de *Macrauchenia patachonica*. Il s'interroge sur la disparition de cette espèce : pourquoi n'en voit-on plus de spécimen vivant ? Extermination par l'homme ? Concurrence inter-espèces ? Extinction naturelle ?

Malgré les protestations de l'équipage, Fitz-Roy ordonne : on retourne à la Terre de Feu. Le 5 mars 1834, le *Beagle* arrive là où il a laissé les trois Fuégiens. Il n'en retrouve qu'un seul, revenu à la vie sauvage, accompagné d'une femme, et qui ne souhaite pas revenir. Les deux autres ont disparu en emportant tout ce qui se trouvait dans leur gîte.

Cette histoire, trop négligée par ses biographes, aura, à mon sens, beaucoup d'impact sur la pensée de Darwin : à ses yeux, l'espèce humaine est unique, sauvage et civilisée à la fois.

Nouvelle décision surprenante de Fitz-Roy : au lieu de remettre sur-le-champ le cap sur l'Europe, il décide de passer par le Pacifique. L'équipage grogne. En vain. En mai 1834, le voilier parvient à l'embouchure du détroit de Magellan. Le 10 juin, il pénètre dans le Pacifique et atteint Valparaíso le 23 juillet. Ils y restent trois mois pour procéder à diverses observations côtières. Charles observe des couches de coquillages situées à quelques mètres au-dessus du niveau de la mer.

Fin septembre, Darwin, malade, envoie encore un lot de spécimens en Angleterre. Fitz-Roy fait une dépression, change à nouveau d'avis, ordonne à son second de prendre le commandement et de rentrer directement en Angleterre. Le second refuse : il faut finir ce qu'on a commencé. Le capitaine se ressaisit et, le 10 novembre, le voilier quitte Valparaíso, remonte le littoral, accoste aux îles Chiloé où il recueille des marins d'un baleinier américain, naufragés depuis quinze mois. Le 1er janvier 1835, Darwin note qu'il voit des cadavres de phoques, des vautours prêts à les dévorer, des cygnes à cou noir et des pétrels.

Le 20 février, ils accostent dans le port de Valdivía quand se déclenche un tremblement de terre, suivi d'un tsunami qui détruit la ville et met au jour des rochers recouverts de coquillages jetés sur la côte par la secousse. Darwin remarque que ces coquillages ressemblent à ceux rapportés de la cordillère des Andes, en Argentine ; il en déduit que ces montagnes sont issues d'insensibles soulèvements de couches sédimentaires, entrecoupés de séismes.

Le 11 mars, le voilier revient à Valparaíso. Charles retourne dans les montagnes et y trouve des coquillages fossiles, nouvelle preuve de présence marine parmi les sédiments plissés de la cordillère. Fitz-Roy l'interprète pour sa part comme une preuve de la véracité de l'épisode du Déluge...

Pour Charles, depuis son expédition au pays de Galles, la géologie est déjà une discipline majeure. Il écrira plus tard : « La découverte géologique de tous les endroits visités fut encore plus importante dans la mesure où elle fait intervenir le raisonnement. Quand on examine pour la première fois une région, rien n'est plus désespérant qu'un chaos de roches ; mais quand on enregistre la stratification, la nature des roches et des fossiles en de nombreux points, sans jamais cesser de raisonner ni de prévoir ce que l'on trouvera plus loin, la lumière se fait peu à peu et la structure de l'ensemble devient intelligible. »

En juillet, il remonte à Callao, le port de Lima, alors que le Pérou, à peine indépendant, se trouve en pleine révolution.

Le 7 septembre 1835, le *Beagle* part vers l'archipel des Galápagos. Il y arrive le 15 et y passe un mois. Là, d'immenses surprises attendent Darwin. C'est même, pour lui, le clou du voyage : des tortues géantes sur l'île Charles ; des lézards brun jaunâtre sur l'île Albemarle ; quelques Péruviens sur l'île James, pêchant et séchant le poisson. En un mois, il collecte 26 espèces d'oiseaux terrestres, 11 d'échassiers, 17 de coquillages, 15 de poissons, 193 de végétaux, ainsi que des reptiles, des insectes, des tortues, beaucoup totalement inconnus. Il comprend que l'isolement de ces animaux entraîne des modifications de leurs modes de vie et de leurs habitudes alimentaires qui provoquent des variations de caractères considérables à partir d'une même souche continentale.

Le 20 octobre 1835, le *Beagle* quitte les Galápagos ; il arrive le 15 novembre à Tahiti, dont il reçoit la reine à son bord. De là, il fait route vers la Nouvelle-Zélande, où il parvient le 21 décembre. Déjà quatre ans que dure le voyage, au lieu des deux prévus : l'équipage et Charles sont désormais pressés de rentrer. Fitz-Roy, lui, ne l'est pas.

Le 12 janvier 1836, le navire accoste à Sydney, qui ressemble, écrit Charles, « aux faubourgs de Londres ». Le 14 mars, ce sont les îles Cocos, au milieu de l'océan Indien ; le 29 avril, l'île Maurice ; le 9 mai, il passe le cap de Bonne-Espérance ; le 8 juillet, il atteint Sainte-Hélène, où Charles s'assied un moment près du tombeau de Napoléon. Le 19 juillet, il accoste à l'île d'Ascension ; Darwin y voit des rats importés, redevenus « sauvages », dont les caractéristiques (taille et fourrure) se sont adaptées aux conditions insulaires. Une lettre de ses sœurs l'y attend, lui disant que le professeur Sedgwick est venu rendre visite à leur père pour lui dire que Charles prendra place parmi les hommes de science importants de son temps. À présent, le docteur Darwin en est fier, même s'il ne comprend goutte à ce qu'il considère toujours comme un passe-temps.

Le 23 juillet, Fitz-Roy met à nouveau le cap sur Bahia : il entend y compléter des observations chronométriques faites au début du périple et qui ne le satisfont pas. Vives protestations de l'équipage ! Pas de Darwin. Ils reviennent au Brésil le 1er août. Le 19 commence enfin le retour vers l'Angleterre, après deux très brèves escales aux archipels du Cap-Vert et des Açores pour se ravitailler. Le 2 octobre 1836, le *Beagle* arrive en vue de Falmouth, à l'extrême sud des Cornouailles, après une absence de quatre ans, neuf mois et cinq jours.

Charles débarque, rejoint sa famille à Birmingham. Émotion des retrouvailles. Il ne se fait pas faute d'enjoliver son récit : « Pendant les cinq années que nous avons passées ensemble, j'ai toujours trouvé en Fitz-Roy un ami sincère et dévoué. Je désire aussi exprimer toute ma gratitude aux officiers de bord du *Beagle* qui ont toujours été pleins de bonté pour moi. »

Charles s'en retourne vite à Cambridge. De par ses lettres et ses envois, il est devenu une célébrité dans les cercles scientifiques de l'université. Le récit de ses voyages, la description des spécimens qu'il a expédiés ou qu'il rapporte émerveillent tout le monde. Henslow lui conseille de trouver des naturalistes capables de les décrire et d'en dresser le catalogue. Il propose à Charles de s'occuper lui-même des végétaux.

Le père de Darwin offre alors à Charles – qui a reçu par ailleurs 1 000 livres du Trésor britannique – de quoi payer des étudiants pour rédiger les descriptions des pièces de sa collection. Mais Charles les trouve lents, maladroits, et craint que certains de ses spécimens ne soient perdus. Il décide donc de les répertorier lui-même, quel que soit le temps que cette tâche lui prendra.

Lyell, qui préside cette année-là la Geological Society, demande à rencontrer Darwin. L'entrevue a lieu le 29 octobre 1836 à Londres. Charles Lyell a une dizaine d'années de plus que Charles, qui connaît par cœur ses deux livres. Le cadet explique à son aîné que la structure géologique de la cordillère des Andes est une preuve de la validité de sa théorie.

Le 4 janvier 1837, à la demande de Lyell, Charles présente à la Société de géologie à Londres une conférence sur la surrection des roches et sur la validité des thèses de Lyell. Il remporte un vif succès. En février, il est élu au conseil de la même Société. Il s'installe sur Marlborough Street, à Londres, et prépare la publication de son journal de voyage, cependant que Fitz-Roy, avec qui il est resté en bons termes, rédige le sien.

En juillet, Charles commence à noter lui-même toutes les caractéristiques des espèces qu'il a rapportées, tout en soulignant les différences entre elles, conformément à la méthode systématique de Lyell. Il constate alors que sa façon de travailler ressemble à celle de Francis Bacon, précurseur, à la fin du XVIᵉ siècle, de la méthode expérimentale : « Je travaillais selon les véritables principes baconiens, recueillant sans théorie préconçue des faits de tous côtés [...]. Tout était bon : questionnaires imprimés, conversations avec des éleveurs ou des jardiniers qualifiés, lectures en tous genres. Quand je vois la quantité et la variété des livres que j'ai lus et résumés, sans compter les séries entières de revues et de comptes rendus, je reste surpris de l'ampleur de mon travail... »

Étonnant chemin qui le relie, sans le savoir, à Aristote, qui, lui aussi, écrivit une considérable *Histoire des animaux*, passant sa vie à chasser les espèces rares comme s'il cherchait à y débusquer le secret de la vie.

En juin 1838, Victoria est couronnée reine d'Angleterre et d'Irlande. Commence pour le pays une grande période d'expansion. Le gouvernement conservateur de Palmerston et la bourgeoisie, dont Charles fait partie, croient en la « mission civilisatrice de l'Angleterre » et en la domination « naturelle » de la « race anglaise ». Darwin lit Malthus. C'est la pièce du puzzle qui lui manquait : la compétition organise la sélection naturelle. Il critique sa thèse selon laquelle la cause de la pauvreté résiderait dans le taux de natalité excessif des classes défavorisées. Pour lui, la natalité sécrète au contraire une compétition au sein d'une espèce, produisant des individus qui ont de plus grandes chances de survie. Malgré la misère ouvrière, l'insalubrité, le travail des enfants, y compris dans les usines de sa belle-famille – les faïences Wedgwood –, Charles est conscient du lien existant entre ce qu'il étudie – la lutte pour la vie au sein du règne animal – et ce que connaît la Grande-Bretagne. Il notera plus tard dans son *Autobiographie* : « J'étais bien préparé à apprécier la lutte pour l'existence qui se rencontre partout, et l'idée me frappa que, dans ces circonstances, des variations favorables tendraient à être préservées, et que d'autres, moins privilégiées, seraient détruites. Et que le résultat de ceci serait la formation de nouvelles espèces. »

En octobre 1838, il acquiert la conviction que la sélection naturelle constitue la clé de voûte de l'évolution et de l'apparition d'espèces adaptées. Il effectue alors un choix étrange : quand tout autre chercheur aurait publié sur-le-champ ses conclusions, il n'écrit rien et préfère accumuler des preuves : « J'étais enfin arrivé à formuler une "théorie" sur laquelle travailler ; mais j'étais si anxieux d'éviter les critiques que je décidai de n'en pas écrire la moindre esquisse pour quelque temps. » Ne surtout rien théoriser avant d'avoir étayé ses idées par une analyse détaillée du matériel rassemblé : il mettra vingt ans avant de publier, sans crainte d'être doublé par un autre chercheur. En fait, il le sera presque, sur le fil, ainsi qu'on le verra...

Cette année-là, Fitz-Roy publie le premier des deux tomes de son compte rendu de voyage. Il épouse une jeune femme avec laquelle il était déjà fiancé avant son second voyage et dont il n'avait jamais soufflé mot à Darwin...

Le 29 janvier 1839, soit deux semaines avant son trentième anniversaire, Charles épouse quant à lui sa cousine germaine, Emma Wedgwood, son amie d'enfance et son aînée de neuf mois : le père d'Emma, Josiah Wedgwood II, est le frère de Susannah, la mère de Charles. Leur commun grand-père est le très riche Josiah Wedgwood, qui possède toujours la première fabrique de faïence anglaise. C'est chez cet oncle que, depuis très longtemps, il allait chasser. Sa fortune n'en est que plus grande. Charles est définitivement à l'abri du besoin.

Prenant le relais de Fitz-Roy, Charles publie cette année-là son propre compte rendu de leur expédition : *Voyage d'un naturaliste autour du monde*, qui rencontre beaucoup plus de succès que l'ouvrage du vice-amiral, lequel en conçoit quelque rancœur.

Charles dresse dans sa préface la liste de tous ceux qui l'ont aidé à faire étudier ou analyser les spécimens qu'il a rapportés : « L'ouvrage traitant l'histoire naturelle de l'expédition contient un mémoire du professeur Owen sur les mammifères fossiles ; un mémoire de M. Waterhouse sur les mammifères vivants ; un mémoire de M. Gould sur les oiseaux ; un mémoire du Révérend L. Jenyns sur les poissons ; et un mémoire de M. Bell sur les reptiles. J'ai ajouté à la description de chaque espèce quelques observations sur ses habitudes et son habitat. Ces travaux, que je dois au zèle désintéressé de ces savants, n'auraient pas pu être entrepris sans la libéralité des Lords commissaires du Trésor qui, à la demande du chancelier de l'Échiquier, ont bien voulu nous allouer une somme de 1 000 livres sterling pour défrayer une partie des dépenses que nécessitait cette publication [...]. MM. Waterhouse, Walter, Newman et White ont déjà publié plusieurs mémoires intéressants sur les insectes que j'ai recueillis, et j'espère qu'il en sera publié d'autres encore. Le docteur J. Hooker doit donner dans son grand ouvrage sur la flore de l'hémisphère austral la description des plantes que j'ai rapportées des parties méridionales de l'Amérique. Il a d'ailleurs publié dans les *Linnean Transactions* un mémoire distinct sur la flore de l'archipel des Galápagos. Le professeur Henslow a publié une liste des plantes que j'ai recueillies aux îles Keeling ; et le Révérend J.M. Berkeley a décrit mes plantes cryptogames... »

Darwin est ainsi devenu, très jeune, une autorité mondiale en géologie sud-américaine, ce qui lui vaut, on l'a vu, d'être porté au secrétariat de la jeune Société de géologie londonienne. Et pourtant, ce n'est pas la géologie qui l'intéresse au premier chef, mais le règne du vivant...

En 1840, alors que les premiers colons britanniques débarquent en Nouvelle-Zélande et fondent la ville de Wellington (avec lord Fitz-Roy comme premier gouverneur), Proudhon publie en France *Qu'est-ce que la propriété ?*, cependant que Guizot écrit : « Enrichissez-vous par le travail et par l'épargne. » Charles se repenche sur les collections d'espèces animales rapportées de son voyage ; il commence par composer un formidable puzzle agençant les espèces les unes par rapport aux autres en une chaîne de sélection naturelle. Il se rend compte que, dans le classement qu'il esquisse, certaines pièces manquent.

Pour travailler, Londres ne lui convient plus. Il n'a plus besoin de recourir aux milieux de la géologie. En 1842, décidé à se consacrer à plein temps à l'élaboration de sa grande théorie de l'évolution, qu'il commence à cerner, il s'installe confortablement avec sa femme à Downe, village au sud-est de Londres, dans le Kent. Il apporte plusieurs réaménagements à la maison, y construit un laboratoire en plein air, une véranda et une serre pour étudier les plantes.

Puis il se décide timidement à publier une série de monographies : en 1842, sur les *Récifs de corail* ; en 1844, des *Observations géologiques sur les îles volcaniques* ; en 1846 (alors que se déclenche en Irlande une grande famine qui entraîne la mort d'un million de personnes), il fait paraître des *Observations géologiques sur l'Amérique du Sud*. Puis il se concentre sur des spécimens d'animaux rapportés de son voyage. Il travaille à quatre études spécialisées sur les cirripèdes, également appelés bernacles, récoltés sur la côte entre Brésil et Argentine.

Bien qu'ils n'en aient pas l'apparence, ce sont des crustacés et non des mollusques, ce que montre l'étude de leur stade larvaire. De plus, certains sont hermaphrodites, d'autres à reproduction sexuée. Pour Darwin, c'est là une grande découverte : la coexistence de ces deux types illustre à son avis comment un groupe animal a pu passer progressivement de l'hermaphrodisme à une reproduction sexuée grâce à un processus de sélection naturelle. Il va y consacrer huit ans de sa vie.

À partir des cirripèdes, il constitue en effet un système de classification cohérent des espèces et de leur évolution. Il ne formule pas encore une théorie, mais cherche à classer les espèces en étudiant la manière dont elles s'enchaînent. Passionnant puzzle dont son premier sujet d'observation lui fournit la clé : « Les cirripèdes forment un groupe d'espèces difficile à classer, et très variable ; et mon travail m'a été extrêmement utile lorsque, dans l'*Origine des espèces*, j'eus à discuter des principes d'une classification naturelle. Je me demande néanmoins s'il valait la peine que j'y consacre autant de temps. »

En septembre 1843 naît Etty, le premier de ses dix enfants, puis George en 1845, et Bessy en 1847.

Cette année-là, quelques esclaves affranchis venus des États-Unis proclament en Afrique une république du Liberia : c'est le premier État noir libre. En 1848, le docteur Darwin meurt à quatre-vingt-deux ans : il commençait à croire que son fils n'était pas seulement un « sportif oisif ». Rien n'indique que Charles en ait été très affecté.

L'héritage conforte son standing. Charles reste à Downe, dans le Kent, où naissent encore d'autres enfants : Francis en 1848, Leonard en 1850. Il se passionne pour les mouvements anti-esclavagistes aux États-Unis. En 1850, il s'intéresse aussi au travail de Clausius, qui formule la deuxième loi de la thermodynamique, énonçant également, mais tout autrement que lui, l'idée d'une évolution irréversible de la matière. Il lit le *David Copperfield* que publie cette année-là Dickens et qui montre toute la violence de la sélection sociale à l'œuvre dans la société britannique.

En 1851, alors que naît son fils Horace, il publie une première monographie sur les *Cirripèdes*, cependant que s'ouvre l'Exposition universelle de Londres. En 1854, il publie un deuxième tome de son étude sur les *Cirripèdes* : « Mon intention initiale était de décrire seulement une espèce anormale de cirripède des côtes sud-américaines, et j'ai été conduit, par la nécessité de faire des comparaisons, à examiner les parties internes de tous les genres que j'ai pu me procurer. »

Il commence cette année-là à travailler à un texte synthétisant en une théorie toutes ses monographies : cela deviendra *De l'origine des espèces*.

En février 1855, cherchant à recueillir des informations sur les variations survenues parmi les espèces d'animaux domestiqués en différents pays, il écrit à un grand spécialiste des mammifères et des oiseaux, Edward Blyth, devenu directeur du Muséum du Bengale, à Calcutta, qui lui fournit une masse considérable de données sur les croisements et les variations de caractère des animaux.

Le 8 décembre 1855, Blyth attire son attention sur le travail d'un certain Wallace. Il lui explique que ce dernier est un étonnant personnage : autodidacte, arpenteur, puis professeur de dessin et de cartographie, de quinze ans le cadet de Charles, parti dans les jungles du Brésil puis des îles Moluques, il a défini la ligne de partage entre les faunes respectives de l'Inde et de l'Amérique, qu'on nomme aujourd'hui « ligne Wallace ». Il a aussi lu Malthus, Lyell et Humboldt, et semble bien connaître les monographies de Darwin sur les cirripèdes.

En août 1856 lui naît un fils malingre prénommé Charles. En 1857, il lit Spencer, ingénieur des chemins de fer, sociologue, collaborateur de *The Economist*, auteur du *Droit d'ignorer l'État* et d'un article remarqué, « Progress : Its Law and Cause », publié dans la *Westminster Review* en 1857. Il y évoque la « survie des plus aptes », concept qu'on attribue à tort à Darwin.

En 1858, Darwin est prêt à publier le résultat de ses vingt ans de travaux quand il reçoit d'Alfred Wallace un manuscrit : *Sur la tendance des variétés à s'écarter indéfiniment du type original*. Il y découvre exactement la théorie qu'il s'apprête à publier, sauf que Wallace insiste moins que lui sur la compétition entre individus de la même espèce, et davantage, en revanche, sur la pression écologique, ce qui entraîne un désaccord entre eux sur l'importance à accorder à la sélection sexuelle – essentielle pour Darwin, secondaire pour Wallace, qui attache plus d'importance au climat.

Rien d'étonnant : comme souvent dans l'histoire des idées, le sujet est « dans l'air », et les esprits y sont préparés. Charles Darwin écrira que « d'innombrables faits bien observés étaient enregistrés dans l'esprit des naturalistes, prêts à prendre place dès qu'une théorie serait suffisamment formulée pour les accueillir ».

Sans qu'ils se rencontrent, Wallace, utopiste politique, peu soucieux d'une quelconque antériorité, fournit à Darwin des observations propres à alimenter sa propre théorie et lui permet par là d'améliorer son livre. Le manuscrit de Charles est prêt. Il le fait lire à Lyell, qui le trouve trop volumineux, confus, pas assez convaincant, et lui suggère maintes modifications. En particulier de reconnaître ce qu'il doit à Lamarck, qui avait déjà pensé à l'évolution continue des espèces sous la contrainte de l'environnement.

En juin 1858, Charles met la dernière main à la nouvelle version de son livre. Sur six cents pages, l'exposé de ses idées tient en fait en quelques-unes. Il y décrit longuement chaque espèce et, en conclusion, indique en deux lignes que ses traits peuvent s'expliquer dans le cadre de sa théorie, par une évolution tenant compte de l'isolement géographique et du climat dans lequel vit chaque espèce. Contrairement aux théologiens, il ne pense pas qu'une puissance surnaturelle sélectionne les individus. Contrairement à Cuvier, il ne croit pas non plus à la « théorie des catastrophes ». À la différence de Lamarck, il ne prétend pas énoncer une théorie globale de l'ensemble du vivant. Pour lui, l'évolution est le produit d'un mouvement non intentionnel et non dirigé, émanant d'un ensemble de conditions spontanées. Les variations défavorables sont éliminées, les favorables sont retenues par sélection naturelle, leur accumulation par transmission héréditaire entraînant la transformation progressive des espèces.

Un résumé des travaux de Darwin et de l'essai de Wallace est présenté le 1er juillet 1858 au cours d'une conférence organisée par Charles Lyell et J.S. Hooker à la Linnean Society. Malheureusement, Charles ne peut y assister en raison de la mort, à deux ans, de son dernier enfant, Charles, de la scarlatine. Wallace n'est pas là non plus, car il se trouve alors en Indonésie, satisfait que son nom soit associé à celui de Darwin qu'il n'a pas encore rencontré.

Un an plus tard, le 24 novembre 1859, *De l'origine des espèces* paraît chez John Murray, à Londres. Le premier tirage, de 1 250 exemplaires, est écoulé le jour même de la sortie, de même que le second, de 3 000 exemplaires. Le livre est rapidement traduit dans toutes les langues européennes. La célébrité de Charles est établie.

En 1860, le botaniste américain Asa Gray, professeur d'histoire naturelle à Harvard, qui a notamment écrit un manuel de botanique nord-américaine, tente de concilier les idées de Darwin avec l'hypothèse d'un plan de la Providence, introduisant par là le « créationnisme ». Il rassemblera ensuite ses articles sous le titre de *Darwiniana.*

En 1860, Karl Marx, de neuf ans le cadet de Charles, qui vit alors à Londres, lit *De l'origine des espèces* et écrit à Engels : « C'est dans ce livre que se trouve le fondement historico-naturel de notre conception. » Il ajoute : « Darwin reconnaît chez les animaux et les plantes sa propre société anglaise, avec sa division du travail, sa concurrence, ses ouvertures de nouveaux marchés, ses "inventions" et sa malthusienne "lutte pour la vie". »

Engels lit aussitôt l'ouvrage, fasciné d'y découvrir un « sens de l'évolution ». Darwin est des leurs, dit-il à Marx, parce qu'il croit, comme eux, en une sorte d'histoire laïque de l'humanité, et parce qu'il décrit une bataille pour la vie ressemblant en tous points à la compétition qu'impose le marché. Il faudrait le voir, suggère Friedrich. Le grand bourgeois du Kent et le misérable journaliste de Londres ne se rencontreront jamais.

Thomas Henry Huxley, l'un des grands maîtres de l'anatomie comparée, avance cette même année l'idée que les oiseaux ont évolué à partir de petites espèces carnivores appartenant à la famille des dinosaures, théorie aujourd'hui largement acceptée. Il se rallie à la théorie de Darwin et en devient le défenseur.

Le 30 juin, plus de sept cents personnes sont rassemblées dans la grande bibliothèque du Museum d'Oxford pour assister à l'affrontement entre l'évêque Wilberforce, surnommé *Soapy Sam* (« Sam la Savonnette »), adversaire de Charles, et Thomas Huxley, surnommé le « bouledogue de Darwin ». D'après la légende, l'évêque lui ayant demandé s'il préférait être apparenté à un singe par son grand-père ou par sa grand-mère, Thomas Huxley aurait répondu qu'il préférait être le petit-fils d'un singe plutôt que celui d'un homme faisant un tel usage de son cerveau. Il semble cependant que cet échange soit fictif : en réalité, Wilberforce tint un discours scientifique de haut niveau, développé ensuite dans un article paru dans *The Quarterly Review* et que Darwin qualifiera de « singulièrement intelligent ».

Le 16 mai 1861, Henslow meurt à soixante-six ans d'une forme de bronchite. Darwin ne peut se rendre à son chevet, lui-même étant malade.

Cette année-là, aux États-Unis, Abraham Lincoln est élu président ; commence la guerre de Sécession. Le 5 juin, Darwin écrit à Asa Gray à Boston : « Grand Dieu ! Combien j'aimerais voir aboli cet insigne fléau de la Terre : l'esclavage ! »

En 1861, Karl Marx écrit à son ami, le fantasque Ferdinand Lassalle, à Berlin : « Le travail de Darwin est essentiel et convient à mon objectif dans la mesure où il fournit une base, au sein de la science naturelle, à la lutte historique des classes... »

Au même moment, Darwin se mêle plus explicitement au combat contre l'inégalité des races, souvenir de la vieille histoire des trois Fuégiens. À Londres, alors qu'une Anthropological Society se réunit au sein d'un Cannibal Club et organise des banquets moquant les « mauvaises manières » des « sauvages », à l'inverse une Ethnological Society est fondée par une section de quakers, rassemblant des officiers, des fonctionnaires et de jeunes scientifiques, tous âgés de vingt à quarante ans : Charles y adhère avec Thomas Huxley, John Lubbock (préhistorien, naturaliste, banquier et politicien – c'est lui qui invente les mots Paléolithique et Néolithique) et George Busk (professeur d'anatomie et de physiologie comparées au Royal College of Surgeons).

Charles publie en 1862 *De la fécondation des orchidées* : il s'y intéresse tout particulièrement à une orchidée de Madagascar qui possède un éperon rempli de nectar de quelque trente centimètres de long.

L'année suivante, Victor Hugo, exilé à Guernesey, fait publier *Les Misérables*, fresque de l'impitoyable sélection sociale à l'œuvre à l'heure de l'industrialisation naissante ; l'ouvrage bat tous les records de vente de livres de littérature de l'époque.

C'est en 1862 que Darwin rencontre enfin Wallace, de retour d'Indonésie. Ils évoquent une origine unique de toutes les races humaines. Charles commence à s'inquiéter de voir ses thèses approuvées par ceux qui pensent qu'il existe une hiérarchie entre les races, et il travaille à un livre sur l'évolution future de l'espèce humaine : *La Filiation de l'homme et la sélection liée au sexe.*

En 1863, il travaille sur le dimorphisme floral, qui empêche l'auto-fécondation, puis sur le mimétisme, qui permet à une espèce d'échapper à d'éventuels prédateurs et à des fleurs différentes d'attirer le même pollinisateur.

Fitz-Roy, rentré sans gloire de Nouvelle-Zélande et ayant végété sans affectation, est promu vice-amiral à l'ancienneté au sein de l'Office météorologique national, un placard. Il connaît des problèmes financiers, a une santé de plus en plus précaire et sombre dans la dépression. Chez lui aussi, le souvenir des Fuégiens n'est pas loin...

En 1864, Charles rédige et publie une étude sur les plantes grimpantes. Il obtient la médaille Copley, la plus prestigieuse à être attribuée par la Royal Society of London, en récompense non de l'*Origine des espèces*, mais de *Récifs de corail*, *Voyage d'un naturaliste* et *Recherches sur les cirripèdes*.

Le 30 avril 1865, Fitz-Roy se suicide en se tailladant les veines avec une lame de rasoir.

Impressionné par les critiques portées sur la société anglaise par Wallace dans son livre *The Malay Archipelago*, John Stuart Mill lui demande de rejoindre le comité directeur de son Association pour la réforme de la propriété foncière.

L'époque est féconde en chefs-d'œuvre : *Alice au pays des merveilles* (1865), le *Tristan et Iseult* de Wagner (1865), *Crime et châtiment* (1866), le tome 1 du *Capital* (1867)...

En 1868, Darwin, avec son travail de fourmi, son génie au long cours, sans intuition fulgurante, fait franchir un pas décisif à sa théorie : dépassant Lamarck sans le contredire, il théorise les conditions de la transmission des caractères acquis, dans l'avant-dernier chapitre d'un livre intitulé *De la variation des animaux et des plantes domestiques*. Il y expose une « hypothèse provisoire de la pangenèse ». Pour lui, tout ce qui est acquis (ou modifié) dans l'organisation des individus pendant le cours de leur vie est transmis à leurs descendants. La clé est, pour lui, la sexualité, et il l'explique d'une façon parfaitement limpide : « Tout ce que la nature a fait acquérir ou perdre aux individus par l'influence des circonstances dans lesquelles leur race se trouve depuis longtemps exposée, et, par conséquent, par l'influence de l'emploi prédominant de tel organe, ou par celle d'un défaut constant d'usage de telle partie, elle le conserve, par la génération, aux nouveaux individus qui en proviennent, pourvu que les changements acquis soient communs aux deux sexes, ou à ceux qui ont produit ces nouveaux individus. » Voilà l'essentiel : la sexualité est le point de passage de l'inné vers l'acquis. Et il ajoute : « Cette loi de la nature qui fait transmettre aux nouveaux individus tout ce qui a été acquis dans l'organisation pendant la vie de ceux qui les ont produits est si vraie, si frappante, tellement attestée par les faits qu'il n'est aucun observateur qui n'ait pu se convaincre de sa réalité. »

Aux États-Unis, un débat philosophique s'ouvre alors entre Charles Hodge, directeur du séminaire de théologie de Princeton, et Asa Gray pour savoir si l'évolution est une « loi naturelle » ou l'expression de la volonté divine. Darwin correspond avec l'un et l'autre tout en se gardant de prendre position sur une influence divine dans la sélection naturelle. Il se refusera d'ailleurs toujours à affirmer ou nier l'existence de Dieu, se déclarant « théiste ».

Charles, en fait, s'émerveille de sa propre découverte, aussi évidente à ses yeux que *La Lettre volée* d'Edgar Poe. En 1871, il écrit à son fils Horace, alors âgé de vingt ans et étudiant à Trinity College, à Cambridge : « La nuit dernière, je réfléchissais sur ce qui fait qu'un homme découvre des choses inconnues ; c'est un problème très troublant. Beaucoup de gens très intelligents – bien plus intelligents que ceux qui font des découvertes – ne produisent rien d'original. Autant que je le connaisse, tout l'art consiste en la recherche habituelle des causes et de la signification de tout ce qui se produit. Cela implique une observation attentive et requiert une connaissance aussi approfondie que possible du sujet traité. »

Théorie de la découverte par l'effort systématique et non par l'intuition : elle s'applique exactement à sa démarche. Même s'il lui fallait, à un moment, l'intuition du rôle du hasard et de la nécessité dans l'évolution.

Cette même année, il termine et publie le livre auquel il réfléchit depuis le retour du *Beagle*, *La Filiation de l'homme et la sélection liée au sexe* : sa théorie de l'évolution des espèces par la sexualité ne s'applique pas, selon lui, à l'espèce humaine, qui est unique et ne peut donc évoluer par la transmission des caractères acquis. Se souvenant encore à l'évidence des indigènes rapatriés à bord du *Beagle* vers la Terre de Feu, il écrit : « À mesure que l'homme avance en civilisation et que les petites tribus se réunissent en communautés plus larges, la plus simple raison devrait aviser chaque individu qu'il doit étendre ses instincts sociaux et sa sympathie à tous les membres de la même nation, même s'ils lui sont personnellement inconnus. Une fois ce point atteint, seule une barrière artificielle peut empêcher ses sympathies de s'étendre aux hommes de toutes les nations et de toutes les races. »

Autrement dit, l'espèce humaine, unique et donc immuable, n'a nul besoin de la sélection naturelle pour s'adapter, et l'acte sexuel humain ne conduit pas à des évolutions de caractères de l'espèce. « Les qualités morales progressent, directement ou indirectement, beaucoup plus grâce aux effets de l'habitude, aux capacités de raisonnement, à l'instruction, à la religion, etc., que grâce à la sélection naturelle. »

Se souvenant de ce qu'il a vu au Brésil et en Terre de Feu, Darwin explique que l'infériorité politique des populations « sauvages » vaincues par des populations « civilisées », tout comme l'« infériorité » des femmes, n'est pas due à un retard de sélection naturelle, mais sociale : « Attachées à l'éducation des enfants et à une vie moins aventureuse et moins exploratrice que les hommes, les femmes eurent de ce fait moins d'occasions de développer force, inventivité et hardiesse. Mais elles sont porteuses de la forme nucléaire de l'instinct social : l'amour maternel. Elles sont premières dans la protection, la défense des faibles, l'aide et le secours, premières dans le tissage du lien social, premières dans la transmission des sentiments moraux. » La femme, comme le colonisé, est donc victime de la société et non pas de l'hérédité : exactement le contraire de ce qu'on lui fera dire bientôt…

Au printemps 1872, alors que s'ouvre aux Pays-Bas le premier congrès de la Iʳᵉ Internationale socialiste, Darwin publie *De l'expression des émotions chez l'homme et les animaux*, que lit Karl Marx. Il y écrit : « L'homme ne se distingue de l'animal que par le fait que sa conscience prend pour lui la place de l'instinct, ou que son instinct est un instinct conscient. » Il applique la théorie évolutionniste aux gestes et aux mouvements du visage par lesquels l'homme exprime ses émotions. Il s'appuie sur des centaines d'observations et de photographies, devançant toutes les sciences du comportement, du développement de l'enfant, de la psychopathologie à l'ethnographie, de l'éthologie à l'étude de la cognition et à la neurophysiologie.

En 1873, alors que meurt John Stuart Mill, le livre I du *Capital* est réédité, toujours chez le même éditeur de Hambourg ; Marx en envoie cette fois un exemplaire à Darwin, dans le Kent, avec une dédicace dans laquelle il se dit son « sincère admirateur ». Darwin accuse poliment réception du livre en s'excusant de n'avoir pas les compétences requises pour le lire. On retrouvera cet exemplaire avec les pages coupées seulement jusqu'au folio 104 (sur 802). Darwin n'a donc pas même remarqué les trois mentions faites à son œuvre aux pages 352, 385 et 386.

Le 27 février 1875 meurt à son tour Charles Lyell, à qui, dit Darwin, il doit tout ce qu'il sait d'important en géologie. Charles Darwin est heureux que son ami soit inhumé en grande pompe à l'abbaye de Westminster.

À l'automne 1876, alors que se déroule l'expédition au Congo de Savorgnan de Brazza, Darwin publie les *Effets de la fécondation croisée et de la fécondation directe dans le règne végétal*, prouvant, à partir d'expériences sur plus de soixante espèces de plantes différentes, une théorie déjà avancée dans l'*Origine des espèces* : les plantes peuvent s'autofertiliser indéfiniment, même si les végétaux qui naissent de cette autofertilisation se révèlent moins résistants que les autres.

En 1876, il rencontre Herbert Spencer, sans doute à l'occasion de réunions savantes à Londres. Il réfute ses théories sur la sélection naturelle humaine dans la mesure, dit-il, où elles ne reposent sur aucun fondement expérimental. Et lui a vécu, il y a longtemps, une expérience totalement inverse, avec les Fuégiens.

Fatigué, ayant peur de la mort, à soixante-sept ans, Darwin écrit en quatre mois, du 28 mai au 3 août 1876, une autobiographie dont il n'autorise la publication que cinq ans après sa disparition. Il y écrit à propos de Spencer : « La conversation de Herbert Spencer me paraissait très intéressante, mais je ne l'aimais pas particulièrement et ne sentais pas que je pourrais devenir aisément intime avec lui. Je pense qu'il était extrêmement égoïste [...]. Sa manière déductive de traiter chaque sujet est totalement opposée à ma disposition d'esprit. Ses conclusions ne me convainquirent jamais, et à maintes reprises je me suis dit qu'il y aurait là un excellent sujet pour un travail d'une demi-douzaine d'années. Ses généralisations fondamentales ne me semblent pas susceptibles du moindre usage scientifique. »

En 1877, alors que le Transvaal est annexé par les Britanniques, l'infatigable Darwin publie *Les Différentes Formes de fleurs chez les plantes de la même espèce*.

En 1878, dans *Monsieur E. Dühring bouleverse la science*, Engels parle de la « dialectique de la nature » ; il y cite Darwin, approuvant ce qu'il appelle son matérialisme, mais dénonçant sa « bévue malthusienne », sans voir l'importance de Malthus dans la théorie de Darwin.

En 1879, Wallace participe au large débat en cours sur la réforme agraire, expliquant que la terre devrait appartenir à l'État et être louée aux gens afin que ceux-ci en tirent le meilleur profit pour le plus grand nombre.

En 1880, Eberth identifie le bacille de la typhoïde tandis que Darwin, à bout de forces, publie encore *La Faculté motrice chez les plantes* et, en 1881, *La Formation de la terre végétale sous l'action des vers*.

Cette année-là, il réussit à obtenir du gouvernement britannique une pension annuelle pour Wallace ; elle permet à celui-ci de financer une utopique Société de nationalisation de la terre dont il devient le premier président, publiant à cet effet *Nationalisation de la terre : nécessité et objectifs*.

Le 19 avril 1882, Charles Darwin meurt de la maladie de Chaggas – une parasitose contractée au cours du voyage sur le *Beagle* – alors même que Koch découvre le bacille de la tuberculose.

Où l'enterrer ? Thomas Huxley, qui sait combien Darwin s'était réjoui que son ami Lyell fût inhumé à Westminster, veut le même traitement pour Darwin. Membre d'un cercle très fermé (le Club de l'Athénée), Huxley rencontre le chanoine de Westminster, le révérend Frederick Farrar, qui lui suggère de s'adresser au doyen de l'abbaye, le révérend George Bradley, alors en France. Huxley lui envoie un télégramme. Bradley accepte, non pas en raison des mérites particuliers de Darwin, mais parce que Huxley avait appuyé en 1873 son admission au club très sélect de l'Athénée...

Ainsi Darwin est-il enterré en grande pompe à Westminster, le 26 avril 1882 : George Campbell (neuvième duc d'Argyll), William Cavendish (septième duc de Devonshire), Edward Henry Stanley (quinzième comte de Derby), James Russell Lowell (ambassadeur des États-Unis en Angleterre), William Spottiswoode (mathématicien et physicien), Thomas Henry Huxley, Alfred Russel Wallace et sir John Lubbock portent son cercueil, inhumé non loin de la tombe d'Isaac Newton.

En 1887, comme il l'avait demandé, un de ses dix enfants, Francis, publie son autobiographie, *Vie et correspondance de Charles Darwin*, en en retirant plusieurs passages critiques sur Dieu et le christianisme. L'autobiographie sera ensuite rééditée dans sa version intégrale à Londres par John Murray, présentée comme un chapitre de *The Life and Letters of Charles Darwin, including an autobiographical chapter*.

Il faudra des décennies d'argumentations théoriques et de renvois aux textes – notamment à *La Filiation de l'homme* – pour reconnaître que, contrairement à une idée largement entretenue, Darwin n'est ni un « darwiniste social » à la manière de Spencer, ni un eugéniste comme son cousin Galton.

Aujourd'hui, cent trente ans après la mort de Darwin, on pense que les plus aptes survivent aux situations normales, mais que des crises géologiques ou climatiques peuvent aussi provoquer des sauts discontinus au sein des espèces et du monde du vivant. Ainsi, chacun à sa manière, Cuvier, Lamarck et Darwin avaient-ils tous trois raison...

BIBLIOGRAPHIE

ALLÈGRE, Claude, *Introduction à une histoire naturelle*, Paris, Fayard, 1992.

DARWIN, Charles, *L'Autobiographie. La vie d'un savant à l'époque victorienne*, Paris, Belin, coll. « Un savant, une époque », 1984.

DARWIN, Charles, *Voyage d'un naturaliste. De la Terre de Feu aux Galápagos*, Paris, La Découverte-Maspero, 1979.

DARWIN, Charles, *L'Origine des espèces*, Paris, Le Monde/Flammarion, coll. « Les Livres qui ont changé le monde », 2009.

DARWIN, Charles, *L'Expression des émotions chez l'homme et les animaux*, Paris, Rivages Poche, 2001.

DESMOND, Adrian, MOORE, James, *Darwin*, New York, W.W. Norton & Company, rééd. 1995.

TORT, Patrick, « Quelques erreurs tenaces concernant Darwin », in *Darwin et la science de l'évolution*, Paris, Gallimard, 2000.

TORT, Patrick, *L'Effet Darwin*, Paris, Seuil, 2008.

http://darwin-online.org.uk/

Institut international Charles-Darwin : http://www.darwinisme.org/

Le voyage du *Beagle* : http://www.cnrs.fr/cw/dossiers/dosdarwin/darwin.html

The Complete Works of Charles Darwin online : http://darwin-online.org.uk/

15

Abd el-Kader

(1808-1883)
ou l'entre-deux-feux

Dans l'Algérie de mon enfance, nous ne connaissions presque rien de celui que l'Histoire a désigné comme le premier grand héros de l'indépendance algérienne. Pourtant, quel beau personnage que ce précurseur des combats de la décolonisation qui fut en fait, durant l'essentiel de sa vie, un mystique soucieux de syncrétisme religieux, admirateur d'une France ingrate à son endroit. Car rien ne ressemble moins à sa légende que la réalité de sa trajectoire : personne de moins belliqueux que ce chef de guerre ; personne de plus tolérant que ce fervent croyant. Il est le parfait exemple de la trahison que peut fomenter l'Histoire dès lors qu'elle est racontée par les vainqueurs.

Au début du XIXe siècle, l'Algérie, qui ne se nomme pas encore ainsi, est contrôlée de loin par l'Empire ottoman, comme le reste du Maghreb – à l'exception du Maroc, indépendant depuis la fin du premier millénaire, où la dynastie fondatrice des Idrissides a laissé place aux Almoravides, puis aux Almohades, puis à d'autres ; à la fin du XVIIIe siècle, le sultan Moulay Sulayman est parvenu à écarter aussi bien les Ottomans que les Français.

La décadence de l'Empire ottoman commence en effet vers 1760, sous le règne de Mustafa III, qui perd le contrôle de la Crimée et de la mer Noire. Son successeur, Sélim III, perd La Mecque en 1802. En 1808, année de naissance d'Abd el-Kader, le sultan suivant, Mustafa IV, signe une « charte de l'Union » avec les seigneurs féodaux de son empire, leur abandonnant l'essentiel de son pouvoir. L'Empire est alors l'« homme malade de l'Europe », selon l'expression attribuée tantôt au Premier ministre britannique Palmerston, tantôt au tsar de Russie, Nicolas Ier.

L'Algérie d'aujourd'hui ne porte alors aucun nom spécifique : elle fait partie du « Maghreb central ». L'appellation « Algérie », utilisée pour la première fois en 1686 par Fontenelle dans ses *Entretiens sur la pluralité des mondes,* ne désigne pas encore un pays alors divisé en quatre « régences » (Alger, Constantine, Oran, le Titteri) et qui compte six villes importantes (Alger, Blida, Constantine, Médéa, Oran, Tlemcen). Comme le reste de l'Empire ottoman, ces régences sont alors gouvernées par des beys (ou deys) nommés par les Turcs, qui s'appuient sur des hauts fonctionnaires turcs (agas ou bachagas), des officiers turcs ou mercenaires (les janissaires) et divers fonctionnaires originaires de tout le Proche-Orient. L'Algérois (Dar el Sultan), ou « régence d'Alger », est la principale d'entre elles ; le dey d'Alger nomme les trois beys d'Oran, de Médéa et de Constantine. En fait, le pouvoir est à Alger entre les mains des 15 000 janissaires, qui choisissent eux-mêmes le dey, dont la désignation est ensuite entérinée par Constantinople.

Le pillage des navires européens par les « Barbaresques » (d'où, aussi, le nom de « Berbères ») et le commerce des captifs qui faisaient la prospérité de la régence depuis le XVIe siècle ont pratiquement disparu deux siècles plus tard. Le dey n'a plus pour ressource que l'impôt perçu sur les tribus de l'arrière-pays. L'oligarchie militaire turque ne contrôle plus que les six grandes villes ; le reste est sous contrôle de chefs locaux et de tribus *makhzen* qui, en échange d'une exonération fiscale, prêtent main-forte aux janissaires pour faire payer l'impôt aux paysans.

Arabe, berbère ou juive, la population gère ses affaires à travers des structures communautaires. Parmi les Arabes, on trouve des fellahs, paysans de la montagne ; des Maures, souvent descendants d'« Andalous » chassés lors de la *Reconquista* espagnole ; des bourgeois des villes, regroupés en corporations ; des Mzabites, commerçants du désert ; des Kabyles, qui échappent presque totalement au pouvoir turc ; des tribus semi-nomades qui combinent agriculture et élevage ; des Kouloughlis, issus du mariage de soldats turcs et de femmes indigènes. Les *tarîqa* (confréries) et l'aristocratie religieuse des « nobles de chapelet » arbitrent les conflits familiaux ou tribaux. Elles dispensent un enseignement dans les *zawiyas,* assurent la liaison entre les différentes communautés et servent d'intermédiaires avec les fonctionnaires chargés de lever l'impôt.

Les juifs, dont ma propre famille faisait partie, sont, pour certains, installés là depuis bien avant l'époque romaine. Ils y sont venus par vagues successives après la chute du second Temple, puis lors de leur expulsion d'Espagne en 1492. Ils ont accueilli de nombreux Berbères, Arabes et Kabyles convertis. Ils sont en relation avec les autres communautés du monde méditerranéen, surtout avec celle de Livourne, protégée par les ducs de Toscane. En fait, au début du XIXe siècle, deux communautés très différentes se côtoient en Algérie : l'une de langue arabe, l'autre de langue livournaise. Les juifs « indigènes » sont *dhimmis*, enfermés dans les *mellahs*, tenus de porter un costume particulier, et parfois maltraités. Les autres, juifs « francs », sont riches, respectés, bien traités, et s'occupent du commerce extérieur. Il arrive que tous soient persécutés : en 1805, des juifs des deux communautés sont massacrés à Alger et dans le reste du pays.

Par ailleurs, la présence étrangère est faible : l'Espagne reste maîtresse d'Oran jusqu'en 1794 ; la France dispose à La Calle et à Bône de concessions de pêche du corail.

En 1830, Alger ne compte que 30 000 habitants (dont 7 000 juifs) au lieu des 150 000 qui y vivaient au milieu du XVIIe siècle. La province d'Oran, jamais nettement ralliée à l'Empire ottoman, reste le théâtre de razzias et de révoltes contre le bey. L'époque est alors au mysticisme antiturc : le nationalisme algérien commence à se manifester par une exigence religieuse dénonçant l'islam incertain des janissaires.

C'est justement dans cet Oranais rebelle que naît, en 1808 (sans doute le 6 septembre – 15 rajab 1223), Abd el-Kader, dit Nasr-ed-Din (« le serviteur du Tout-Puissant »), à La Guetna (les Tentes), bourgade voisine de Mascara, sur l'oued al-Hammam, réputée pour ses sources chaudes. Il est le quatrième fils d'Abd el-Kader Mehi-ed-Din (« le Vivificateur » ou « l'Introducteur de la religion ») et de sa deuxième épouse, Zohra bin Sidi Omar Doukha. C'est une très noble famille : d'après la tradition de l'époque, ses ancêtres paternels, la tribu des Hachems, descendraient du Prophète (Fatima, l'une des filles que Mahomet a eues avec Khadija, la première de ses neuf épouses, aurait épousé un lointain ancêtre de Mehi-ed-Din, Ali ben Taieb). L'attachement à l'islam restera le fondement de la vie d'Abd el-Kader.

Mehi-ed-Din est cheikh (ou moqadem) de la Qadiryia, puissante confrérie qui tire son appellation d'Abd el-Kader el-Jilani, grand soufi du XIe siècle. Considéré comme d'une rare piété et d'une grande rectitude, Mehi-ed-Din se dresse à plusieurs reprises contre le pouvoir turc. La venue au monde de ce nouveau fils coïncide pour lui avec l'espoir de la restauration d'un islam enfin débarrassé des Ottomans. Car Dieu, dit-on, envoie chaque siècle un sage pour éloigner la *jahiliyya* (la barbarie anti-islamique), et les Turcs, quoique musulmans, font partie de cette « barbarie ».

Mehi-ed-Din destine vite ce troisième fils à lui succéder à la tête de la confrérie. Il lui fait donc dispenser l'*adab* (la « bonne éducation »). Sa mère, Lalla Zohra, lui apprend à écrire et à tisser, tandis que son père l'initie à la lecture du Coran et des hadîth, à la voie soufie, à la quête de l'absolu, au mépris des biens, à la méditation sur la justice et la grandeur infinies de Dieu, et lui fait entreprendre l'étude de la Sunna, la tradition prophétique, ainsi qu'un entraînement physique, en particulier à l'équitation.

La bataille contre les Turcs au nom de la foi s'annonce et Mehi-ed-Din rêve de voir son fils en prendre la tête. Le premier biographe d'Abd el-Kader (un vice-consul anglais à Damas, qui s'entretiendra longuement avec lui à la fin de sa vie) écrira : « Dès la prime enfance, Abd el-Kader devint l'objet particulier des plus chères affections de son père. On eût dit qu'une sorte d'impulsion secrète ou indéfinissable l'obligeait à consacrer une attention et un soin exceptionnels à cet enfant dont la carrière future allait être, d'une manière si glorieuse et inoubliable, associée au destin de son pays. »

À douze ans, l'enfant devient *taleb*, c'est-à-dire commentateur autorisé du Coran et des hadîth. À quatorze, on lui confie une classe dans la mosquée de la tribu. Son père l'emmène alors visiter les tribus de la région, de Tlemcen à Oran, et assister aux fêtes saisonnières. Il y apprend les noms et la généalogie des tribus, mais aussi, parce que c'est l'essentiel, le prix du blé et du fourrage, l'art de discuter les contrats. Il y rencontre des maréchaux-ferrants et des éleveurs de chevaux, dont il sera plus tard un grand expert.

En 1822, l'adolescent est envoyé à Arzew étudier auprès d'un grand lettré, Sid Ahmed ben Khodja, quelques bases de grammaire, philologie, médecine, mathématiques, astronomie, agronomie, politique, ainsi que la poésie andalouse et bagdadie. Il devient *hafiz*, c'est-à-dire « lettré ». À son retour chez lui, en 1824, à l'âge de quinze ans, il épouse, dans un mariage arrangé par sa mère, la fille de son oncle maternel, Abû Taleb, sa cousine Leila Keira bin Abû Taleb. La sœur d'Abd el-Kader épousera de son côté Thami, frère de sa femme.

En 1825, Mehi-ed-Din décide d'emmener ce fils préféré à La Mecque, où il doit se rendre pour remplir l'une des cinq obligations canoniques de l'islam. À l'époque, ce pèlerinage peut prendre plusieurs années : des caravanes partent du Maroc, rassemblant au passage les rares personnes qui ont les moyens d'effectuer le voyage. Leur départ est l'occasion d'un élan de mysticisme qui fait craindre une révolte antiturque au bey d'Oran, lequel les retient en résidence surveillée pendant deux ans, au grand scandale de toutes les tribus de la région. En 1826, ils embarquent enfin à Tunis pour Alexandrie. Sur ce bateau, le capitaine est le premier Français qu'il rencontre. Il lui parle un mélange d'arabe, de français, de maltais, de corse et de la langue des Baléares. C'est son premier contact avec la langue française. Puis ils vont à pied jusqu'au *haram* et à la Kaaba, où ils parviennent en 1828.

Pendant ce temps, les Français commencent à disputer aux Turcs le contrôle de l'Algérie. L'histoire remonte à loin : en 1797 et 1798, deux marchands livournais, Bacri et Busnach, ont livré du blé algérien à la France, destiné en particulier à l'expédition d'Égypte du général Bonaparte. Le contrat a été passé grâce à l'appui de Talleyrand, alors ministre des Relations extérieures du Directoire, lequel préleva naturellement une commission au passage. Le dey d'Alger, Hussein, avait avancé aux deux marchands les fonds nécessaires à l'achat du blé aux paysans algériens, et les marchands avaient promis de rembourser le dey avec intérêts lorsqu'ils seraient eux-mêmes réglés par la France. Le dey avait donc ainsi consenti indirectement un prêt au Directoire. Or Paris se garde de payer le fameux blé aux marchands et, pendant vingt ans, le dey demande à être remboursé. Furieux contre les deux négociants qui l'ont entraîné dans cette affaire, il fait massacrer leurs parents avec un certain nombre d'autres juifs en 1805.

En 1827, le dey accuse le consul français d'alors, Deval, personnage corrompu, de complicité personnelle dans le refus de la Restauration d'honorer la vieille dette du Directoire, et il demande avec insistance son remplacement. Le 29 avril, dans un accès de colère, il le soufflette avec son chasse-mouches. Dans un rapport, Deval dénonce un « acte d'agression contre l'État français ». Le 16 juin, le ministère Villèle, à la recherche d'un acte censé renforcer sa popularité, décrète le blocus d'Alger.

La même année, un grave litige, qui aura de grandes conséquences ultérieures, oppose la famille d'Abd el-Kader (alors en route pour La Mecque avec son père) à une autre. Le chef d'une famille amie, Si Mohammed el-Kabîr, de la *zaouïa* (communauté urbaine regroupant des confréries) Tidjania, a décidé d'attaquer la frêle garnison turque de Mascara après avoir obtenu promesse du renfort d'une tribu du Nord-Oranais, les Hachems Eghris, de la famille de Mehi-ed-Din. Si Mohammed el-Kabîr enrôle donc en grand secret quatre cents cavaliers et passe à l'attaque. Mais, arrivé devant Mascara, il ne trouve qu'une faible fraction des guerriers promis par la famille de Mehi-ed-Din (lui-même, se trouvant à La Mecque, ne peut en être tenu personnellement pour responsable), alors que les Turcs, eux, sont plus nombreux que prévu. Trahi, Si Mohammed el-Kabîr est assassiné ; sa tête est envoyée par les janissaires au dey d'Alger et y est exposée pendant plusieurs mois à la porte Bab Azoun. La « trahison de Mascara » est durement ressentie à Aïn Mahdi et l'on en tient rigueur dans la région à la famille de Mehi-ed-Din, en dépit de l'absence de ce dernier.

À Paris, à la fin de cette année 1827, le blocus n'est toujours pas mis en œuvre. Villèle a autre chose à faire que s'occuper de l'incident d'Alger et du soufflet beylical. Il entend faire nommer de nouveaux pairs et dissout la chambre des députés ; mais l'élection se solde pour lui par un échec et il doit démissionner le 3 janvier 1828. Le gouvernement suivant, dirigé par Martignac, veut régler le problème par des négociations avec le bey, mais le vaisseau *La Provence*, qui transporte les négociateurs, doit rebrousser chemin après avoir essuyé le feu de l'artillerie algéroise.

L'année suivante, Abd el-Kader et son père quittent La Mecque pour se rendre à Jérusalem, puis à Damas, où ils visitent la tombe du grand soufi Ibn Arabi (poète, philosophe et mystique du XIIe siècle, auteur de pas moins de 846 ouvrages...), et à Bagdad, où ils visitent la *qubba*, le tombeau d'Abd el-Kader el-Djilali, le « Grand Faucon gris », fondateur de la confrérie à laquelle ils sont rattachés. Selon la légende hagiographique qui s'installera autour de la figure d'Abd el-Kader, Mehi-ed-Din, alors qu'il venait de confier la garde des chevaux à son fils, aurait eu la vision d'un ange noir qui lui aurait reproché d'avoir assigné à son fils une tâche indigne du futur sultan du Maghreb. Car, aurait déclaré l'ange, les Turcs ne resteraient plus que deux ans au plus en Afrique du Nord, et c'est son fils qui les en chasserait. Mehi-ed-Din aurait rapporté cette vision à son fils et ils auraient décidé de rentrer au plus vite en repassant par La Mecque et Le Caire. De fait, la « vision », sans doute élaborée *a posteriori*, se révèle exacte : les Turcs seront bientôt partis. Mais ce que n'a pas révélé la vision, c'est qu'ils seraient alors remplacés par un autre occupant : les Français.

Au printemps de 1829, le père et le fils sont de retour en Algérie à La Guetna. Alors que les exactions des Turcs, la dispute avec les Français, la trahison du clan Mehi-ed-Din vis-à-vis du clan voisin occupent l'esprit de la plupart des jeunes de sa génération, Abd el-Kader semble ne s'intéresser qu'à l'étude, à la spiritualité et à l'équitation. Il est et restera un mystique, même si le cours des événements va le conduire pour un temps ailleurs.

En leur absence, bien des choses ont changé : France et Angleterre ont des visées sur le sud de la Méditerranée afin de contrôler le commerce à destination de l'Orient en éliminant l'Empire ottoman. À Paris, le 8 août 1829, Charles X, qui ne croit pas en la politique libérale de Martignac, le remplace par Jules de Polignac, partisan d'une pleine restauration de l'Ancien Régime, qui décide une intervention directe en Algérie pour relever le prestige de la monarchie, humiliée par le bey deux ans plus tôt, et surtout pour attirer les marchandises du Maghreb vers Marseille en sorte de compenser le déclin du commerce en provenance du Levant.

Le 31 mai 1830, appliquant un plan élaboré vingt-deux ans plus tôt par le commandant Boutin, alors envoyé par Napoléon en mission secrète en Algérie pour évaluer l'intérêt d'une invasion, une énorme flotte de 675 bâtiments, dont 103 de la marine de guerre, commandée par l'amiral Duperré, quitte Toulon avec à son bord un corps expéditionnaire de 36 450 hommes sous les ordres du général Bourmont. Ils débarquent le 14 juin dans la baie de Sidi-Ferruch, à 17 kilomètres à l'ouest d'Alger. Surprise totale chez les Turcs : le camp de Staoueli est emporté le 19 juin ; le 4 juillet, Alger est bombardée ; le 5, le dey s'enfuit. Bourmont occupe quelques villages de la côte et promet aux habitants le respect de leur religion et de leurs biens. Pour l'heure, il n'est pas question d'une colonisation. Juste un coup d'éclat destiné à raffermir Charles X sur son trône et à s'assurer le contrôle du port d'Alger.

Pour la plupart des musulmans, ce débarquement rappelle fâcheusement les croisades ; ils appellent les Turcs à l'aide. Trop occupé par les conséquences du traité d'Andrinople, signé le 14 septembre 1829 avec la Russie, qui lui fait perdre la rive orientale de la mer Noire, le sultan

Mahmud II ne réagit pas, pas plus que l'homme fort du moment, Méhémet Ali, vice-roi d'Égypte. Les juifs d'Algérie rêvent, pour leur part, de voir les Français les libérer du statut de *dhimmis*, et même de devenir français comme leurs coreligionnaires de France le sont devenus en 1790.

Le 26 juillet, quelques jours après la prise d'Alger par Bourmont, le roi tente de profiter de cette opération d'éclat pour restaurer l'absolutisme. Six ordonnances suspendent la liberté de la presse, dissolvent la Chambre, modifient le calcul du cens en vue de diminuer le nombre d'électeurs, et convoquent des élections pour le début du mois de septembre. Ces mesures déclenchent une révolution – les « Trois Glorieuses » – qui fait tomber et le gouvernement et Charles X. Le duc d'Orléans devient roi des Français sous le nom de Louis-Philippe Iᵉʳ. À Alger, le général Clauzel remplace Bourmont et se borne à occuper quelques villes côtières (Médéa, Oran, Bône). Par arrêté du 16 novembre, le Livournais Jacob Bacri est nommé chef de la « nation juive » d'Alger, alors sous contrôle français.

En Algérie, la révolte gronde. Non pas, comme initialement prévu, contre les Turcs, mais, vu les circonstances, contre les Français. Le bey du Titteri, représentant encore le pouvoir ottoman, proclame le *jihad* avec l'appui du Constantinois, tandis que le bey d'Oran, lui, fait allégeance aux Français. Les chefs de cette région (dont Mehi-ed-Din ; Ouled Sidi Cheikh, du Sahara, fournisseur de chevaux ; Beni Sokran et Beni Abbas, du Tell ; Beni Amer et ceux de la grande fédération des Hachems ; enfin les marabouts d'El-Asnam) n'acceptent pas la reddition de leur dey. Pour coordonner la riposte, ils se réunissent chez Mehi-ed-Din, à La Guetna. Abd el-Kader assiste à la réunion et y révèle une autorité et un charisme inattendus chez un jeune homme de vingt-quatre ans. Ainsi que le rêvait son père, il est choisi par ses pairs comme responsable de la lutte – *amîr el-mou'minin* (« chef des croyants »). Il leur déclare : « Je ne veux pour moi aucun des prestiges auxquels vous pensez ; nous entrerons dans Alger la Blanche et nous chasserons les infidèles de notre terre. »

Abd el-Kader propose alors au sultan du Maroc de prendre la direction de la lutte ; celui-ci refuse : il entend garder les mains libres. Abd el-Kader se résout donc à prendre la tête du « petit *jihad* » (la guerre contre les infidèles pour défendre le Dar al-Islam*), différent du « grand *jihad* » (le combat mené contre les passions) qu'il pratique depuis l'enfance. Le collège des oulémas de Fès reconnaît publiquement son autorité. Le voici à vingt-quatre ans chef d'un des tout premiers mouvements de libération nationale, bien décidé à débarrasser sa terre à la fois des Français et des Turcs. L'idée est déjà de créer un sultanat, un État algérien. Étrange mouvement anticolonial dirigé contre une présence qui n'est pas encore de nature coloniale, par une nation qui n'a pas encore tout à fait conscience d'elle-même.

En France, le règne de Louis-Philippe s'ouvre en novembre 1831 par la répression, à Lyon, de l'insurrection des Canuts. En 1832, au Caire, Méhémet Ali, vice-roi d'Égypte, prenant de plus en plus son autonomie par rapport à Constantinople, nomme son fils Ibrahim Pacha à la tête de ses armées et rêve de prendre la Palestine et la Syrie pour fonder une grande nation arabe allant de l'Égypte à la Mésopotamie.

C'est aussi l'époque où Delacroix, parti en 1832, traverse le Maghreb, séjourne notamment à Meknès, Oran, Alger, etc., où il dessine de nombreux croquis et peint des aquarelles, tout en élaborant quelques-unes de ses toiles les plus célèbres, comme les *Femmes d'Alger dans leur appartement*. Le député socialiste Louis Blanc déclare alors : « La délivrance de la Méditerranée était une nécessité glorieuse. En forçant la barbarie dans son dernier asile, la France se montrait une fois de plus fidèle à son rôle historique ; elle abritait la civilisation. »

En Algérie, les Français prennent un peu plus leurs aises dans les villes côtières. C'est d'abord le cas à Oran, qui leur est acquise, par rejet des Turcs. Le général Desmichels y prend le commandement militaire. Il décide de laisser Abd el-Kader unifier les tribus rebelles, puis de négocier un accord avec lui. Abd el-Kader a lui aussi provisoirement intérêt à la paix. Le général et l'émir signent donc en février 1834 – sans l'aval du gouvernement français – un accord qui reconnaît au second le titre de « commandeur des croyants » et une souveraineté sur la régence occidentale, à l'exception des villes d'Oran, d'Arzew et de Mostaganem, sous contrôle français. La région laissée à Abd el-Kader couvre en fait les deux tiers de l'« Algérie », nom qui commence à apparaître épisodiquement dans le vocabulaire officiel.

En fait, les interprétations française et arabe du traité, rédigées par un ancien mamelouk, Abdallah d'Asbonne, sont contradictoires : les Français n'y voient qu'un armistice provisoire en attendant d'acheminer assez de troupes pour en finir avec la rébellion ; Abd el-Kader, au contraire, le considère comme la reconnaissance de sa souveraineté définitive sur la région en attendant de prendre le reste du pays.

Il se conduit en véritable souverain : de façon stupéfiante chez un tout jeune homme dépourvu d'expérience politique, il jette les fondements d'un État moderne au sein d'une société tribale, s'entoure à cette fin de conseillers européens – déserteurs ou adhérents sincères à sa cause, ou espions à la solde des Français ou des Anglais. Il établit une capitale à Tagdempt, petite ville au bord de la Méditerranée, à 100 kilomètres à l'est d'Alger et à moins de deux kilomètres du chef-lieu communal de Dellys, sur les ruines de Tahert, capitale de la prestigieuse dynastie des Rustumides détruite par les Fatimides en 909. Il abolit les distinctions entre tribus, lève une dîme sur les récoltes, une autre sur les troupeaux. Il fait frapper une monnaie d'argent et de cuivre, le *boudiou* (côté face, on y trouve écrit : « Voici la volonté de Dieu : je l'ai nommé mon représentant » ; côté pile, « Frappée à Tagdempt par le sultan Abd el-Kader »). Il crée une armée professionnelle avec drapeau, grades et uniformes, et ôte aux chefs de tribus le contrôle des approvisionnements, qu'il confie à des fonctionnaires choisis et rémunérés par lui. Il implante une véritable administration judiciaire et des manufactures d'armes. On assiste là à la création *ex nihilo* d'un État en l'espace de quelques mois, sans aucune expérience ni aucun précédent, dans un pays alors sans administration, ni bourgeoisie, ni histoire nationale. C'est sans doute à ce moment qu'il apprend le français, qu'il parle vite remarquablement bien.

Quelques confréries ne reconnaissent pas son autorité ; certaines tribus (comme les Laarba et les Mekhaliff) se rallient aux Français ; d'autres mènent indépendamment leur combat contre ces derniers, en particulier la Tidjania de Si Mohammed es-Seghir, frère de l'émir assassiné par la confrérie d'Abd el-Kader lors de la « trahison de Mascara ».

Dès 1835, les Français ont amassé assez de troupes pour rompre la trêve et violer le cessez-le-feu. Le général Trézel, qui a succédé à Desmichels dans la province d'Oran, lance plusieurs offensives contre Abd el-Kader, lequel esquive le combat, faute de moyens.

Au même moment, à Paris, Charles Havas vient de créer la première agence de presse, et Alexis de Tocqueville a publié le premier tome de *De la démocratie en Amérique*. En 1836, alors qu'est construite en France la première ligne de chemin de fer (Paris-Saint-Germain-en-Laye), Clauzel, toujours gouverneur général de l'Algérie, lance une nouvelle expédition sur Constantine, qui échoue, ce qui entraîne son remplacement par le général Damrémont. À la tête des troupes, un nouveau général, Thomas-Robert Bugeaud, est envoyé chercher un accord avec Abd el-Kader. Personnage étonnant, ce gentilhomme de petite noblesse a participé aux guerres napoléoniennes. Simple grenadier de la garde impériale, caporal à Austerlitz, il devient capitaine au second siège de Saragosse et rentre d'Espagne avec le grade de colonel ; chassé de l'armée pendant la Restauration, il est devenu aide de camp de Louis-Philippe, puis député de la Dordogne. Le 20 mai 1837, fasciné par Abd el-Kader, il signe avec lui, à Tafna, un accord qui lui accorde des concessions territoriales jugées à nouveau exorbitantes par le gouvernement.

À Paris, on se demande quel est ce diable d'homme qui réussit pour la seconde fois à transformer en alliés ceux qu'on envoie le combattre. Furieux, Paris refuse à Bugeaud une allocation de 180 000 francs promise pour l'entretien des chemins de sa circonscription et le renvoie en France, où il explique qu'il faut se retirer de l'Algérie, « possession onéreuse dont la nation serait bien aise d'être débarrassée ».

Au printemps de 1838, sentant la trêve fragile, Abd el-Kader cherche à s'allier aux tribus qui lui sont hostiles, dont celle de Si Mohammed es-Seghir, lequel, en souvenir de la trahison de son frère, refuse ses avances. Pour forcer son consentement, Abd el-Kader s'approche de la ville d'Aïn Mahdi, où se trouve Si Mohammed, près du tombeau du fondateur de la confrérie, Si Ahmed Tidjani. Abd el-Kader est alors accompagné de 3 380 combattants et de deux canons fournis en catimini par les Français (lesquels voient là une bonne occasion de faire disparaître au moins un des deux rebelles dans un combat fratricide). Abd el-Kader envoie à Si Mohamed son secrétaire du moment, Léon Roches, personnage ambigu, espion français converti à l'islam, porteur d'un ultimatum où il se dit « disposé à lever le siège, mais ne peut décemment quitter la région sans être allé se recueillir et prier sur le tombeau vénéré de Si Ahmed Tidjani ». Si Mohammed es-Seghir, l'assiégé, répond qu'il « prend acte de ces très pieuses intentions, mais, ne pouvant accueillir lui-même un chef de guerre dans le mausolée du saint fondateur de l'Ordre, il s'absentera pendant que l'émir viendra faire ses dévotions. Il lui demande de s'engager solennellement à ce que les lieux saints, le ksar, les jardins et la palmeraie soient scrupuleusement respectés ». Abd el-Kader accepte, vient se recueillir dans la koubba de Si Ahmed, se retire, puis livre la ville au pillage de ses troupes. Massacres, viols, incendies, pillages : le jeune mystique est devenu un chef de guerre impitoyable. En fait, plus impitoyable encore avec ses rivaux qu'avec les Français. D'après le récit d'un administrateur français des services civils en poste dans la région des

Hauts-Plateaux, l'indignation et la rancœur des marabouts le poursuivront dès lors à jamais.

La France est désormais décidée à s'installer et les colons, incités à quitter le métropole par un gouvernement soucieux de se débarrasser des pauvres qui peuplent les grandes villes, arrivent petit à petit. Ceux qui ont assez de ressources pour construire leur maison reçoivent dix hectares ; les anciens militaires en reçoivent six ; aux colons dépourvus de ressources il n'en échoit que quatre. Les candidats sont de plus en plus nombreux, à tel point que les autorités militaires ne peuvent bientôt plus fournir de parcelles à tous les nouveaux arrivants. Il faut donc agrandir le territoire contrôlé et, pour cela, en finir avec Abd el-Kader.

Le 14 octobre 1839, le nom « Algérie » est officiellement adopté par Antoine Schneider, alors ministre de la Guerre. Au même moment, un nouveau gouverneur, le général Valée, envoie contre Abd el-Kader une colonne conduite par le duc Ferdinand d'Orléans, fils aîné du roi et de Marie-Amélie de Bourbon, princesse des Deux-Siciles. Homme cultivé, amateur d'art, très apprécié de ses soldats, le duc franchit le défilé des Portes de Fer, dans les montagnes qui bordent le sud de la Kabylie. Pour Abd el-Kader, c'est là une violation du traité de Tafna. Il proclame alors la guerre sainte contre les Français et, en novembre, lance ses cavaliers sur la zone de colonisation européenne de la Mitidja où des milliers de métropolitains sont à présent installés sur des terres agricoles prometteuses.

Président du Conseil depuis septembre 1836, Adolphe Thiers répond alors par la guerre totale à laquelle Bugeaud, qui jusqu'ici s'y opposait, se rallie.

Au même moment, le 3 novembre 1839, à Constantinople, le nouveau sultan, Abdülmecit Ier, inaugure son règne par la publication d'une charte, le *hatti chérif* de Gulhané, qui proclame l'égalité devant la loi de tous les sujets de l'empire, quelle que soit leur religion.

Le 29 décembre 1840, à la demande de Thiers, revenu au gouvernement, Bugeaud est nommé gouverneur général de l'Algérie. Il y débarque après quatre ans d'absence, en février 1841, toujours aussi impressionné par celui qui est redevenu son adversaire. Il écrit : « Cet homme de génie que l'histoire doit placer à côté de Jugurtha est pâle et ressemble assez au portrait qu'on a souvent donné de Jésus-Christ. » Il envoie des colonnes légères de six à sept mille hommes faire la « guerre des buissons », telle qu'il l'a vu pratiquer par les résistants à Napoléon en Espagne : des unités mobiles harcèlent les troupes d'Abd el-Kader, détruisant silos et récoltes, enfumant des populations entières dans des grottes, bravant les critiques de la presse et de l'opposition, dont celles de Louis Blanc et d'Alexis de Tocqueville qui écrit en 1840 que le pouvoir politique a laissé (« ce qui n'a jamais été ni sage, ni humain, ni raisonnable dans un siècle civilisé ») toute latitude « à une autorité militaire ». Tocqueville en est resté à l'idée de « coloniser quelques points de la côte » et de dominer l'intérieur à la manière des Turcs ; en 1841, dans ses *Notes sur l'Algérie*, il ajoutera une fois de plus : « Je me demandais quel pouvait être l'avenir d'un pays livré à de pareils hommes et où aboutirait enfin cette cascade de violences et d'injustices, sinon à la révolte des indigènes et à la ruine des Européens. » Bugeaud, pour sa part, couvre partout les agissements de ses hommes : « Il faut avant tout que la guerre marche. Nous ferons de la légalité après », écrit-il en 1841.

L'émir perd une à une toutes ses bases, lesquelles sont méthodiquement rasées. Il doit sans cesse bouger, puis reculer. Il est épuisé ; ce n'est pas le genre de combat auquel il s'attendait. Ce n'est pas là sa conception de la guerre, faite d'oppositions des braves. Il dicte à son secrétaire Kaddour ben Rouila un règlement militaire et un traité relatif au sort des prisonniers, le *Wishâh al-Katâ'ib*, et négocie en 1841 avec Mgr Dupuch, évêque d'Alger depuis 1838, un échange de détenus. Cela n'enraye en rien l'avancée des troupes françaises.

Quand Bugeaud prend sa capitale, Tagdempt, l'émir ne se rend pas, mais déploie une stratégie inédite : il met sur pied une capitale nomade, la Smala, immense campement conçu comme une série de cercles concentriques d'inspiration soufie dont l'agencement est à la fois militaire et cosmogonique. Y cohabitent parfois jusqu'à 60 000 personnes. Un ordre implacable y règne pour s'assurer tant de la vitesse de son installation que de celle de son déménagement, cependant que les cavaliers vont combattre au loin.

En vain aussi : le 16 mai 1843, après une traque de plusieurs jours, six cents cavaliers français, conduits par le duc d'Aumale en personne, surprennent la Smala près du puits de Tagine, au sud-ouest de Bougie. Nombre de parents d'Abd el-Kader sont faits prisonniers, hormis sa mère, ses femmes, ses enfants et lui-même, qui peuvent s'échapper. Bugeaud devient un héros national et il est nommé maréchal de France en juillet de la même année.

On compte alors en Algérie quelque 80 000 Français. Ailleurs, la colonisation commence à peine : en Afrique, la France ne dispose à l'époque que de quelques comptoirs au Sénégal, au Gabon et en Côte d'Ivoire ; Mayotte et les Comores deviennent des protectorats. Dans l'océan Indien, un protectorat sur l'île de Nossi-Bé, à Madagascar, est instauré en 1841. Dumont d'Urville touche l'Antarctique en 1840 et déclare la souveraineté française sur la Terre-Adélie. Les îles Marquises sont annexées en 1842 ; en 1843, la France prend possession des îles Saint-Paul et Amsterdam, puis de Tahiti en mars 1843, et les rois de Wallis et de Futuna se placent à leur tour sous la protection de Paris.

En Algérie, Abd el-Kader, à bout de souffle, recule. Il pense à se rendre, puis reprend le combat. Il entend sortir du *jihad* (la guerre) et accepte le *hijra* (l'exil) en citant ce verset du Coran : « À celui qui a accompli l'exil pour plaire à Dieu et à Son Envoyé, son émigration lui sera comptée comme accomplie en vue de Dieu et de Son Envoyé. » Malgré l'appui du sultan chérifien, qui se décide enfin à l'aider, il est battu près de la rivière l'Isly, à la frontière algéro-marocaine. Bugeaud, le vainqueur, à qui le titre de maréchal ne suffit pas, est nommé pompeusement « duc d'Isly ». Épuisé, sans plus de goût pour le combat, l'émir parvient encore à s'échapper. Un traité signé le 10 septembre 1844 à Tanger entre le Maroc et la France force le sultan à mettre le rebelle hors la loi. Abd el-Kader est tenté de se rendre, il hésite, puis reprend la lutte.

En 1846, le gouvernement français veut en finir avec lui : les troupes françaises continuent d'affluer et leurs effectifs dépassent alors les cent mille hommes. Début 1847, Louis Blanc, alors journaliste à *La Réforme*, dénonce, dans la tournée électorale qu'il entreprend sous forme d'une « campagne de banquets », la cruauté de la guerre. Alors député et président du conseil général de la Manche, Tocqueville, dans un *Rapport sur le projet de loi relatif aux crédits extraordinaires demandés pour l'Algérie*, dénonce aussi les violences perpétrées contre les populations locales.

Le 5 juin 1847, sans autorisation de Paris, Bugeaud lance une nouvelle attaque en Kabylie. Les critiques se font très vives en métropole. Cette fois, c'en est trop ; Bugeaud, désavoué, remet sa démission. Le duc d'Aumale lui succède.

Abd el-Kader, épuisé, a compris que tout est perdu ; il ne désire plus que sauver ceux qui l'accompagnent encore. Il écrira plus tard : « J'aurais désiré faire reddition plus tôt : j'ai attendu l'heure que Dieu m'avait fixée. » Il pense que le départ de Bugeaud lui permet d'espérer une paix dans l'honneur, et il écrit au général de Lamoricière, pour lui demander, en échange de sa capitulation, de le laisser se retirer en terre musulmane avec sa famille et ceux qui souhaitent le suivre. Le gouvernement de Paris accepte au nom de le France et s'engage à le faire conduire avec sa suite à Alexandrie ou à Saint-Jean-d'Acre.

Le 23 décembre, dans le port de Ghazaouet, au nord-ouest de l'Algérie, près de la frontière marocaine, le général de Lamoricière vient lui-même recevoir l'épée d'Abd el-Kader qui fait don de son cheval noir préféré au duc d'Aumale, également présent. À trente-neuf ans, le combattant (*moujahid*) devient l'émigré (*muhajir*). Il ne doute pas que la promesse qu'on lui a faite sera tenue et le dit au duc d'Aumale : « Je ne crains pas qu'elle soit rompue par le fils d'un aussi grand roi que le roi des Français. »

Abd el-Kader n'aspire plus qu'à pratiquer le « grand *jihad* », la lutte contre les passions : ne plus régner par les armes, mais par l'exemple. Il se voit comme un *barzakh*, un maître éclairant les deux civilisations, une sorte de passeur entre Orient et Occident. Il commente les deux versets suivants du Coran : « Il a fait confluer les deux mers pour qu'elles se rencontrent [...]. Les perles et le corail proviennent de ces deux mers » ; et : « Les deux mers figurent la loi révélée et la réalité : l'isthme entre les deux représente le connaisseur de Dieu. L'isthme est toujours entre deux contraires, il est en mouvement et en repos, à la fois nomade et sédentaire. Il est donc entre ces deux feux, le feu de la Loi et celui de la réalité. » L'entre-deux-feux, c'est exactement lui.

Mais une campagne de presse et un débat parlementaire houleux viennent bouleverser la donne : pourquoi laisser filer le « massacreur de colons » ? Pourquoi lui donner les moyens de recouvrer son souffle et de reprendre les combats ? Le 10 janvier 1848, la frégate transportant Abd el-Kader et quatre-vingt-huit des siens ne met pas le cap sur l'Égypte, mais elle est détournée vers Toulon. Abd el-Kader et ses compagnons se retrouvent emprisonnés au fort Lamalgue après avoir été isolés au lazaret comme des pestiférés. Leurs conditions de détention sont très pénibles.

Fin janvier, l'émir écrit à Louis-Philippe pour protester contre ce traitement. Mais, une nouvelle fois, comme en 1830, une révolution à Paris vient bouleverser le sort de l'Algérie. Un banquet de la campagne de Louis Blanc doit se tenir à Paris le 22 février 1848 ; le gouvernement l'interdit. Il a lieu quand même avec l'appui de la garde nationale. Guizot démissionne. Le soir même éclate une fusillade devant le ministère des Affaires étrangères. Des barricades hérissent toute la ville. Louis-Philippe abdique. Un gouvernement provisoire composé de Dupont de l'Eure, Ledru-Rollin, Flocon, Marie, Garnier-Pagès, Lamartine et Louis Blanc est formé. Le duc d'Aumale et les siens s'exilent en Angleterre, où l'auteur de la prise de la Smala se fera historien.

Abd el-Kader espère alors en la nouvelle République. « Votre commissaire, écrit-il en mars au nouveau ministre de la Guerre du gouvernement Lamartine, l'astronome et physicien Arago, m'a informé que les Français, d'un seul accord, avaient aboli la royauté et décrété que leur pays serait désormais une république. Je me suis réjoui de cette nouvelle, car j'ai lu dans les livres que cette forme de gouvernement a pour but de déraciner l'injustice et d'empêcher le fort de faire violence au faible [...]. Je demande justice de vos mains. » Arago lui répond en arabe et en français « que la République ne se croit tenue vis-à-vis d'Abd el-Kader à aucune obligation, et qu'elle le prend dans la situation où l'ancien gouvernement l'avait laissé, c'est-à-dire prisonnier ».

Après trois mois passés à Toulon au fort Lamalgue, Abd el-Kader est transféré au château d'Henri IV, à Pau, sommairement aménagé. Un de ses enfants meurt en cours de trajet. La petite troupe y arrive le 29 avril. Un autre enfant décède quelques jours plus tard. Une des instructions du gouvernement est de lui interdire d'apprendre le français. La ville de Pau, d'abord réticente, se passionne vite pour ce détenu illustre et sa suite. Plusieurs de ses anciens prisonniers français et l'ancien évêque d'Alger, Mgr Dupuch, témoignent dans les journaux de son attitude humaine durant les combats. Il reçoit la visite d'ecclésiastiques, de notables, dont Ferdinand de Lesseps, alors diplomate à Madrid. Il dit aux catholiques : « Si les musulmans et les chrétiens m'écoutaient, je ferais cesser leur antagonisme et ils deviendraient frères à l'intérieur et à l'extérieur. » Il noue aussi une relation d'amitié avec un interprète, le colonel de Boissonnet, qui restera à ses côtés jusqu'à sa mort. Il ne cesse de rappeler sa promesse à la France ; il écrit ainsi au général de Lamoricière qui a reçu sa reddition et est devenu ministre de la Guerre le 28 juin 1848 : «... Si tu ne le fais pas, que la honte retombe sur toi ; qu'aucun homme n'ajoute foi en ta parole ; que, grand ou petit, personne n'ait plus pour toi aucune considération. » Le ministre ne répond pas, mais fait interdire visites et correspondance... Élu à la Législative, il incite l'Assemblée, le 19 septembre, à prendre un décret ouvrant un crédit de 50 millions pour l'établissement de colonies agricoles en Algérie, en particulier dans la province d'Oran.

Le 3 novembre, après une tentative de suicide collectif de plusieurs membres de sa suite – « afin que notre sang rejaillisse sur l'honneur de la France, car nous mourrons pour avoir réclamé l'exécution de la promesse faite à notre maître » –, le gouvernement décide de transférer les prisonniers au château d'Amboise. En décembre, alors que Louis-Napoléon Bonaparte est élu président de la République, l'émir, après une chaleureuse cérémonie de départ à Pau, embarque à bord d'une corvette à vapeur qui longe la côte atlantique, puis remonte la Loire jusqu'à Amboise. Le séjour se révèle plus confortable qu'à Pau malgré de nombreux décès de femmes et d'enfants.

En 1849, alors que le maréchal Bugeaud succombe à Paris au choléra, Abd el-Kader organise la vie de sa petite communauté et reçoit de nombreux visiteurs. Il ne parle plus de l'Algérie, comme si cette part de sa vie n'avait jamais existé. Il écrit une autobiographie. Il n'est plus que théologien. Son français est devenu excellent. Le vicomte Alfred de Falloux, historien et homme politique, raconte dans un journal parisien avoir rencontré « un musulman qui parle mieux du Christ et du Verbe que les prêtres de [sa] connaissance ».

Il quitte parfois sa résidence pour des promenades à Chenonceaux et dans les autres châteaux des bords de Loire. Intéressé par l'agriculture et par le chemin de fer, il adressera des années plus tard une lettre de remerciements au chef de gare d'Amboise...

Le 20 décembre 1851, après le coup d'État qui va instaurer le Second Empire, le futur Napoléon III passe par Amboise au cours du voyage qu'il entreprend à travers la France entière pour convaincre de voter *oui* au plébiscite. Il rencontre Abd el-Kader. Fasciné lui aussi par le personnage, par sa force mêlée de douceur, il s'engage à tenir les promesses de la France et à le laisser repartir. Il pense en faire l'instrument de sa politique en Orient, qui, sous couvert de protéger les chrétiens du Liban et de Syrie, vise en réalité à la création d'un vaste royaume arabe indépendant de la Turquie, sous contrôle de Paris. Pourquoi pas avec Abd el-Kader à sa tête ?

Un an plus tard, Napoléon III vient en personne lui annoncer que la promesse de la France va être tenue avec cinq ans de retard : il est libre de s'installer dans l'Empire ottoman, où il recevra de Paris une pension annuelle de 100 000 francs : « Abd el-Kader, je viens vous annoncer votre mise en liberté. Vous serez conduit à Brousse, dans les États du Sultan, et vous y recevrez du gouvernement français un traitement digne de votre rang. » Abd el-Kader s'engage à ne plus jamais remettre les pieds en Algérie et écrit, directement en français : « Vous avez eu confiance en moi […]. Vous m'avez donné ma liberté et, sans m'avoir fait de promesses, vous avez rempli des engagements que d'autres avaient faits sans les tenir […]. Je viens donc vous jurer […] que je ne ferai rien de contraire à la confiance que vous avez mise en moi et que je tiendrai religieusement mon serment de ne jamais retourner en Algérie […]. Ma religion et mon honneur m'ordonnent, l'une comme l'autre, d'honorer mon serment et de mépriser le parjure. Je suis un descendant du Prophète et personne ne pourra jamais m'accuser de forfaiture. »

En novembre 1852, Abd el-Kader fait à Amboise ses derniers préparatifs de départ et demande au maire de la localité la permission de participer au plébiscite sur l'Empire : « Nous devons nous considérer aujourd'hui comme Français en raison de l'amitié et de l'affection qu'on nous témoigne et des bons procédés qu'on a pour nous. »

Avant de quitter l'Hexagone, Abd el-Kader se rend à Paris où Napoléon III le reçoit en grande pompe. Il visite Notre-Dame, la Madeleine, les Invalides, l'Opéra et l'Imprimerie nationale, où il découvre, traduite et imprimée, sa réponse au prince-président par laquelle il s'est engagé à ne jamais revenir en Algérie. Le 2 décembre 1852, jour de la proclamation du Second Empire, il est reçu aux Tuileries, puis, devant les Invalides, il passe en revue les troupes sur un cheval blanc offert par l'empereur, escorté par les généraux qui ont mené une guerre sans merci contre lui.

Après une ultime réception solennelle aux Tuileries, il entame un voyage triomphal, salué par des foules curieuses jusqu'à Marseille. À Lyon, il est reçu par des religieux catholiques avec qui il a un débat d'un très haut niveau, dont la trace reste longtemps dans les mémoires locales. Le 21 décembre, il embarque pour Constantinople, où il parvient le 7 janvier 1853. Abd el-Kader n'y apprécie pas le régime en place, entré dans une ère de grandes réformes avec Abdülmecit Ier, sultan depuis 1839. Tout en reconnaissant sa prééminence au sein du monde islamique, il lui reproche d'avoir oublié l'Algérie et de porter atteinte au droit musulman.

Il s'installe dix jours plus tard à Brousse (Bursa), au sud de la mer de Marmara, alors lieu de villégiature de l'aristocratie ottomane, aujourd'hui capitale de l'Anatolie. Quatrième plus grande ville de la Turquie, c'est un important centre industriel et culturel. Il y est plutôt mal accueilli par les autorités locales et par les élites religieuses (pour lesquelles il n'est qu'un « petit marabout maghrébin »). Il ne sera d'ailleurs jamais admis par l'intelligentsia turque de la région et ne s'y fera guère d'amis. Il est avant tout arabe.

Avec l'argent de sa pension, il acquiert en 1853 un vaste domaine agricole, fait venir d'Europe des ingénieurs et des Algériens expulsés par l'occupant. Sa suite devient peu à peu une communauté de plus d'un millier de personnes ; ceux de ses membres qui y sont autorisés restent en relation avec l'Algérie. Considéré comme un réfugié politique français, il ne paie pas l'impôt ottoman, profitant du régime des Capitulations qui en exonère les résidents des puissances européennes. Les autorités consulaires françaises dans l'empire, chargées de lui remettre sa pension, surveillent ses moindres faits et gestes : pas question qu'il prenne contact avec les Anglais, encore moins avec ceux de ses fils restés en Algérie. Son talent d'organisateur, déjà manifeste en Algérie, fait ici merveille.

En 1853, un peintre alors célèbre, Ange Tissier, qui compte parmi les artistes officiels du Second Empire, achève un portrait d'Abd el-Kader dont de nombreuses copies circuleront à travers la France, où il demeure très populaire. Ce tableau s'inscrit dans la mode de l'orientalisme que suivent alors des artistes aussi célèbres que Fromentin, Vernet, Chassériau, Guillaumet et Delacroix.

En 1855, Abd el-Kader revient à Paris pour l'Exposition universelle qui se tient sur les Champs-Élysées du 15 mai au 31 octobre, après celle de Londres en 1851. Cinquante-trois États y participent. Elle accueille près de cinq millions de visiteurs. Il assiste au *Te Deum* célébrant la prise de Sébastopol après un an de siège, et revoit Napoléon III qui signe alors à Paris un traité avec le tsar, qui perd le droit pour sa flotte de patrouiller en Méditerranée.

En août 1855, alors qu'il est en France, la ville de Brousse est partiellement détruite par un tremblement de terre, et la propriété d'Abd el-Kader est sévèrement touchée. Il obtient alors de Napoléon III l'autorisation de s'installer à Damas, toujours sous contrôle ottoman. Il aspire à se rapprocher de la tombe d'Ibn Arabi, le maître soufi du XIIe siècle, sur laquelle il est venu se recueillir vingt ans plus tôt. Tout au long du voyage, il est chaleureusement reçu par les notables et par les quelque quinze mille émigrés algériens venus s'installer dans la région, le Bilad al-Cham, qu'on nomme alors en France la « Grande Syrie ».

En novembre 1855, après seulement deux ans passés à Brousse, il s'installe donc à Damas. La cité est prospère. Des communautés juives, chrétiennes et musulmanes y cohabitent à peu près en bonne intelligence sous contrôle turc. Y vivent, autour du sanctuaire de cheikh Muhi al-Din Ibn Arabi, des soldats kurdes et des réfugiés musulmans venus des régions de l'Empire ottoman reconquises par les chrétiens. De nouveaux quartiers voient le jour qui ont pour nom al-Akrad (les Kurdes) et al-Muhajirin (les Migrants). Abd el-Kader s'y sent bien. Il partage son temps entre l'enseignement ésotérique au sein d'une confrérie et l'enseignement « public » à la mosquée des Omeyyades. Il participe au Conseil de la ville et se lie d'amitié avec les grandes familles damascènes. Un jeune homme de vingt-sept ans, vice-consul britannique, Charles-Henry Churchill, s'arrange pour le rencontrer et l'invite dans sa résidence sur le mont Liban, à Howara. Ils se revoient souvent, au grand dam des Français et des Turcs qui le surveillent, en particulier durant un voyage qu'il effectue à Jérusalem en 1856. En 1857, alors que commence seulement l'impression des premiers textes philosophiques musulmans, dont ceux d'Ibn Rushd, Abd el-Kader finance la première édition des *Illuminations de La Mecque* d'Ibn Arabi, texte fondamental du soufisme écrit en 1203, dont il a fait recopier le manuscrit original retrouvé à Konya (en Anatolie centrale).

Il professe alors un étonnant syncrétisme. Pour lui, tout individu prie un Dieu unique : « Dieu est l'essence de tout adoré, et tout adorateur n'adore que Lui », écrit-il dans un livre qu'il publie alors, le *Kitâb al-mawâqif*, sur l'unicité de l'essence divine (le *wahdat al-wujud.*). Il compose aussi des poèmes en arabe :

« Tantôt tu me vois musulman. Quel musulman : parfaitement sobre et pieux, humble et toujours suppliant !

« Tantôt tu me vois courir vers les églises, serrer fort une ceinture sur mes reins. Je dis "au nom du Fils" après "au nom du Père" et par l'Esprit. L'Esprit saint : c'est là l'effet d'une quête et non d'une duperie !

« Tantôt, dans les écoles juives, tu me vois enseigner. Je professe la Torah et leur montre le bon chemin… »

Pourtant, l'heure n'est pas à la tolérance religieuse : le 9 juillet 1860, les Druzes de Syrie, considérant les chrétiens maronites, qui détiennent l'essentiel des postes importants dans la ville, comme l'avant-garde des

Européens, massacrent six mille d'entre eux (vingt mille, hasardent certaines autres sources) avec la complicité tacite du gouverneur turc, Ahmed Pacha. Abd el-Kader prend leur défense et s'interpose, aidé de deux de ses fils et d'autres compagnons. Il obtient même du gouverneur l'autorisation d'armer ses compagnons pour défendre les chrétiens et leur offre l'asile dans son palais en attendant leur départ vers le Liban sous protection d'une troupe française commandée par le général de Beaufort, qui fut chef d'état-major du duc d'Aumale lors de la fameuse prise de la Smala. Imagine-t-on la rencontre entre ces deux hommes autrefois impitoyables adversaires, désormais alliés contre des musulmans pour protéger des chrétiens... ? Cette première manifestation d'un droit d'ingérence de type humanitaire aboutit l'année suivante à la quasi-indépendance du Liban (sans Beyrouth), qui devient le refuge des chrétiens sous tutelle française.

La presse occidentale relate avec enthousiasme ce sauvetage de chrétiens. La légende d'Abd el-Kader s'en trouve renforcée. La France le fait grand-croix de la Légion d'honneur. On voit partout des portraits de l'émir arborant ses décorations. Des princes, des politiciens, des hommes d'affaires, des saint-simoniens, des banquiers suisses, des militaires de toutes nationalités affluent chez lui à Damas. Les francs-maçons s'intéressent alors à lui, le considérant comme capable de combattre l'ignorance et le fanatisme, de diffuser leurs valeurs et de créer des loges parmi les musulmans d'Orient. Il s'y intéresse aussi : la franc-maçonnerie lui apparaît comme une sorte de confrérie capable d'insuffler de la spiritualité à un Occident matérialiste.

En France, on commence à se demander quoi faire des populations de l'Algérie. Certains songent à leur naturalisation collective et à faire de l'Algérie une partie intégrante du territoire français. Napoléon III en parle dans son premier voyage en Algérie en compagnie de l'impératrice Eugénie et du petit prince, du 17 au 20 septembre 1860. Au Salon de 1861, Tissier expose *Le Prince-président visitant Abd el-Kader au château d'Amboise*.

Ferdinand de Lesseps, qui rêve de percer un canal pour ouvrir l'isthme de Suez à la navigation marchande, vient lui demander de l'aider à en convaincre les Égyptiens, sur lesquels l'émir exerce une forte influence. Il explique que les Anglais y sont opposés, parce que cela romprait leur monopole sur la route de l'Inde. Quant aux Arabes, ils peuvent craindre que cela ne provoque une mainmise des chrétiens sur l'Égypte musulmane. Abd el-Kader est convaincu de l'intérêt de ce projet et écrit à Lesseps : « Aucune personne intelligente ne peut mettre en doute que votre œuvre soit un véritable bienfait pour l'humanité, et qu'elle soit en même temps d'une utilité générale [...]. Nous prions le Très-Haut de vous en faciliter l'achèvement et de réaliser la jonction des eaux. » Abd el-Kader parle du canal à tous ses visiteurs. Il écrit encore à Lesseps, le 5 mai 1863 : « Beaucoup de gens sensés du Hedjaz et du Yémen viennent chez moi pour s'informer sur le canal de Suez. Je leur démontre l'utilité et le but de cette œuvre. Alors ils partent, priant Dieu d'en hâter l'achèvement. » Il aide aussi Lesseps à recruter en Syrie de la main-d'œuvre pour mettre en valeur les terrains jouxtant la voie d'eau.

Lui, de son côté, commence à rêver d'un grand royaume arabe dont il serait le chef. En 1864, il part pour La Mecque et Médine, trente-sept ans après le premier voyage qu'il y a effectué avec son père. Lors de son passage en Égypte, il est admis comme franc-maçon par la loge « les Pyramides » d'Alexandrie pour le compte de la loge « Henri IV » de Paris. Les frères lui demandent avant son admission : « Quels sont les devoirs de l'homme envers ses semblables ? » Il répond : « Il est bon pour l'homme d'aimer sa personne dans un autre que lui. Tout être est mon être. »

Cette même année, l'empereur, accompagné d'Eugénie, fait un second et long séjour en Algérie, et déclare : « J'espère que bientôt les israélites algériens seront citoyens français. » L'année suivante, un sénatus-consulte du 14 juillet 1865 permet aux Algériens, juifs et musulmans, de demander « les droits des citoyens français ». Rédigé par le saint-simonien Ismaël Urbain, son article 5 accorde la citoyenneté française pour l'« indigène musulman », l'« indigène israélite » et l'« étranger qui justifie de trois années de résidence en Algérie » (appelé plus tard l'« Européen d'Algérie »).

Toujours en 1865, Abd el-Kader revient à Paris où il rend visite à la loge « Henri IV ». Il publie aussi des *Pensées arabes* : « J'ai préparé pour les combats un noble coursier aux formes parfaites, qu'aucun autre n'égale en vitesse./ J'ai aussi un sabre étincelant qui tranche d'un seul coup le corps de mes ennemis... »

En 1867, il effectue un quatrième voyage à Paris pour l'Exposition universelle alors que paraît à Londres sa première biographie, écrite par Charles-Henry Churchill qu'il a connu vice-consul à Damas.

Le 17 novembre 1869, il figure, depuis le pont d'une frégate de la marine française, parmi les mille invités officiels de la France lors de l'inauguration du canal de Suez. Pour Lesseps, le canal eût été impossible sans lui. En présence de l'impératrice Eugénie, de l'empereur d'Autriche François-Joseph, du prince royal de Prusse, du prince et de la princesse des Pays-Bas et d'ambassadeurs de tous pays, il assiste là à l'« union de l'Occident et de l'Orient ». Des touristes allemands, italiens, russes, français, anglais, espagnols ont pris d'assaut les paquebots depuis un bon mois. Dans la ville de Port-Saïd pavoisée, douze cents tentes ont été dressées pour loger les invités. Le soir, un bal de cinq mille invités, ouvert par l'impératrice et par François-Joseph, entrecoupe deux soupers et un feu d'artifice. La Compagnie du canal remercie Abd el-Kader en lui offrant une propriété à Bir Abou Ballah, dans la région d'Ismaïlia.

Quelques mois plus tard, la défaite de Sedan, le 2 septembre 1870, chasse Napoléon III du pouvoir et sonne aussi le glas du projet de grand royaume arabe moyen-oriental auquel Abd el-Kader avait fini par rêver. C'est la troisième fois qu'un changement de régime en France vient infléchir le sort de l'Algérie. Car tout change encore : le sénatus-consulte qui octroyait le droit à la nationalité française pour les Algériens est suspendu ; les « bureaux arabes » sont démantelés ; un régime civil très favorable aux colons est institué ; en revanche, le décret Crémieux, élaboré sous l'Empire dès mars 1870, censé accorder collectivement, en octobre 1870, la nationalité française à tous les juifs d'Algérie, est repris et validé par un décret signé par Gambetta au nom du gouvernement provisoire.

À aucun moment l'émir ne prend parti contre la naturalisation des juifs d'Algérie, et les autorités locales musulmanes l'approuvent, y voyant un premier pas vers la leur.

En 1871, l'effondrement de l'Empire laisse supposer qu'une révolte est possible, et l'un des fils d'Abd el-Kader – il porte le nom de son grand père, Mehi-ed-Din – figure parmi les insurgés. L'émeute gagne le Constantinois et l'Oranais. L'émir ne semble pas approuver cette insurrection, laquelle est férocement réprimée. Il se replie sur ses travaux et projets personnels, comme la rénovation de l'aqueduc de La Mecque construit jadis par Zobeida, épouse d'Haroun al-Rachid.

À l'université cairote d'Al-Azhar, Abd el-Kader se lie d'amitié avec Abder-Rahman Elîsh el-Kebîr, fils du cheikh Muhammad Elîsh, grand mufti malékite d'Égypte. Ensemble, ils discutent d'un nouveau concept (la *Nahda*), fondé sur l'unité de tous les Arabes, et non plus de tous les musulmans comme précédemment. Ce concept pose les jalons d'un nationalisme arabe qui va marquer la « Renaissance arabe », rassemblant intellectuels égyptiens, syriens et libanais, musulmans et chrétiens. Le salon d'Abd el-Kader devient un lieu de réunion recherché des partisans de ces mouvements, et plusieurs de ses fidèles en deviendront des figures marquantes : parmi eux, Mohamed Abduh, Jamal al-Dîn al-Afghni, fondateurs du modernisme islamique ; Mohammed Rachid Rida, intellectuel syrien réformiste ; Abd al-Rahman al-Kawakibi, théologien syrien et réformiste salafiste ; Jurjî Zaydân, écrivain libanais panarabe.

Abd el-Kader meurt à Damas le 26 mai 1883 à l'âge de soixante-quinze ans. Le grand intellectuel égyptien Abder-Rahman Elîsh el-Kebîr vient du Caire pratiquer le rituel funéraire sur le corps de l'émir. Celui-ci est inhumé dans une mosquée damascène voisine du mausolée de Cheikh Ibn Arabi.

Sa famille se disperse ; ses deux fils aînés, qui ont reçu une éducation turque, se sont éloignés de lui ; certains de ses enfants font allégeance à la France, qui continue à leur verser une pension après sa mort. Un autre de ses fils mène le combat en Algérie. Un de ses petits-fils, Khaled, ancien officier de l'armée française, candidat aux élections locales à Alger en 1919, réclame l'égalité entre Français et Algériens dans le cadre d'une Algérie française. Devant un tel « extrémisme » – que partagent alors le docteur Benjelloul et Ferhat Abbas, qui ont créé la Fédération des Élus –, les autorités coloniales l'accusent d'être un agitateur islamiste et le poussent à s'exiler en Turquie, comme son grand-père.

Une biographie publiée en 1925 par l'historien militaire Paul Azan dit bien, dans son titre, ce qu'il est alors devenu dans l'imaginaire français : « *L'émir Abd el-Kader, du fanatisme musulman au patriotisme français* ». Puis cette grande figure disparaît de la mémoire collective, jusqu'à ce que, pendant la guerre d'indépendance, le FLN de Ferhat Abbas en vienne à se chercher pour emblème et référence un héros national. Le bureau politique commence par éliminer ceux d'autrefois : Jugurtha (160-104 av. J.-C.), petit-fils du roi numide Massinissa, qui s'opposa héroïquement pendant sept ans à la puissance romaine, est jugé trop berbère ; la Kahena qui, au VIIᵉ siècle, a combattu les Omeyades lors de l'expansion islamique en Afrique du Nord, est à la fois berbère et juive ; Kayred-Dine Barberousse, fondateur de l'État d'Alger, grand marin ottoman, est lui aussi écarté comme d'origine albanaise. « Il n'y a qu'un seul héros : le Peuple », affirme le congrès du FLN réuni à Alger en avril 1965. Mais le régime du colonel Boumediene est en quête d'une figure qui vienne conforter sa propre légitimité. Abd el-Kader présente l'avantage d'être un arabe, un combattant et un savant musulman. Il devient dès lors l'emblème de la République algérienne démocratique et populaire. En 1966, Alger négocie le rapatriement de sa dépouille avec Damas.

Une immense statue de lui est dressée au centre de la capitale, tout près de la Grande Poste ; elle le représente en combattant au sabre brandi, aux antipodes de l'image qu'il aimait à donner de lui-même.

BIBLIOGRAPHIE

ABD EL-KADER, *Autobiographie écrite en prison en 1849*, Paris, éditions Dialogues, 1999.

ABD EL-KADER, *Écrits spirituels* (extraits du *Kitâb al-Mawâqif*), trad. Michel Chodkiewicz, Paris, Seuil, 1982.

ABD EL-KADER, *Kitâb al-Mawâqif* (le Livre des haltes, du mysticisme, de la prédication et de la direction), Damas, 1966 ; trad. Michel Lagarde, Brill, 2 vol., 2000 et 2002.

ABD EL-KADER, *Lettre aux Français*, René Khawwam pour la trad. et les notes, Paris, Phébus, 1977.

ABD EL-KADER, *Poèmes métaphysiques* (extraits du *Kitâb el-Mawâqif*), trad. Charles-André Gilis, Beyrouth, éditions al-Bouraq, 1996.

AMMI, Kebir M., *Abd el-Kader*, Paris, Presses de la Renaissance, 2004.

AOULI, Smaïl, *Abd el-Kader*, Paris, Fayard, 1998.

CHURCHILL, Charles-Henry, *The Life of Abdel Kader, ex-sultan of the Arabs of Algeria, written from his own dictation and comp. from other authentic sources*, 1867.

DINESEN, Adolf Wilhelm, *Abd el-Kader et les relations entre les Français et les Arabes en Afrique du Nord*, Alger, Fondation Émir Abd el-Kader et ANEP, 2001.

L'Émir Abd el-Kader, témoin et visionnaire, collectif, Paris, Ibis Press, 2004, 112 pages.

ÉTIENNE, Bruno et POUILLON, François, *Abd el-Kader le magnanime*, Paris, Gallimard, 2003.

HIRTZ, Georges, *L'Algérie nomade et ksourienne, 1830-1954*, Marseille, éditions P. Tacussel, 1989.

16

Walt Whitman

(1819-1892)
ou le meilleur de l'Amérique

Nul ne peut comprendre l'hyperpuissance américaine sans bien connaître la façon dont s'est élaboré le rêve américain. Et nul n'incarne mieux ce rêve que le poète Walt Whitman, à la trajectoire si émouvante et dont l'œuvre, si difficile à embrasser et à apprécier autrement qu'en anglais, parle de l'Amérique que j'aime, celle de la créativité, de la liberté et de l'universalité, de l'audace et de l'utopie, de la démocratie et des droits de l'homme.

Qui aurait pu jamais penser qu'un poète marginal, sans relations ni fortune, sans famille ni éclat, qui n'a écrit et sans cesse réécrit qu'un seul recueil, incarnerait de son vivant et de nos jours encore l'identité américaine ; et que, mieux que personne, il dirait l'image idéalisée qu'elle a d'elle-même, ce mélange d'orgueil devant les capacités créatrices de l'homme et d'humilité face à l'omnipotence de la nature ?

Walt Whitman naît le 31 mai 1819 dans une ferme près de Huntington, dans le comté de Nassau, à Long Island, cette plage des environs de New York alors déserte mais aujourd'hui si courue. Ce lieu de naissance est essentiel : l'enfant va y baigner dans une nature alors sauvage, tout près de Manhattan où, adolescent, il rencontrera la culture. C'est de la fusion de l'une et de l'autre que va jaillir son inspiration.

Il est le deuxième d'une famille miséreuse de neuf enfants ; ses ancêtres anglo-hollandais, les Van Velsor, ont débarqué en Amérique dans la première moitié du XVIIᵉ siècle. Son père est charpentier. Walt a quatre ans, en 1823, quand sa famille emménage dans une modeste bicoque à la pointe extrême sud de la même île, ballotté entre des parents écrasés de travail et des frères et sœurs plus ou moins sains d'esprit, dont l'un, George, restera toujours proche de lui.

Walt va à l'école sur l'île jusqu'à onze ans. Faute de moyens, il doit alors devenir garçon de courses à Brooklyn pour un cabinet d'avocats, puis apprenti typographe chez différents imprimeurs de Manhattan, chez qui il travaille jusqu'à l'âge de seize ans. Il fait tous les jours le long chemin de l'île vers la ville, en profite pour lire ce que lui recommandent les typographes, souvent très cultivés, et fréquente la poésie : Homère, Shakespeare, Dante, trois révélations qui nourrissent sa mémoire.

En dépit de la perte en 1790 de son statut de capitale fédérale, New York est alors la première ville du pays ; sa population atteint 123 000 habitants, dynamisée par l'arrivée d'immigrés et par l'ouverture du canal Érié à partir de 1819.

En décembre 1835, un grand incendie ravage le quartier des imprimeries de Manhattan. Walt perd son emploi et s'improvise alors instituteur sur son île, à Huntington, dans une école où il exerce de seize à vingt et un ans. Autodidacte rêveur, nul en calcul, fragile et assez peu intéressé par l'enseignement, il est vite débordé par les enfants. Plus intéressé par le journalisme, il édite un petit périodique, le *Long Islander*, où il tient la chronique des événements de l'île dont il connaît tout, des marais salants aux parcs à huîtres, des oiseaux de mer aux rites des pêcheurs. Dès qu'il a un peu d'argent, il revient en ville, impatient d'y retrouver un emploi.

En 1841, à vingt et un ans, il redevient typographe à Broadway. Après ses journées à l'imprimerie et des soirées en ville, il rentre à Long Island, tenant volontiers les rênes des attelages que conduisent de jeunes conducteurs d'omnibus, puis prenant le bac de Brooklyn. Il commence à griffonner des poèmes sans grande originalité et publie des nouvelles dans certains magazines populaires. Il rédige des discours et des articles pour les membres de Tammany Hall, club proche du Parti démocrate. Poète plus que journaliste, il n'en rêve pas moins déjà de vivre de sa plume.

Aux États-Unis, la poésie est alors, comme en Europe, un art prisé ; elle est dominée par Ralph Waldo Emerson, par ailleurs essayiste et philosophe, qui vient de publier *The American Scholar, Threnody* et un essai, *Experience*, à la suite de la mort de son fils. Après la rupture politique avec la Grande-Bretagne trois générations plus tôt, il prône une rupture littéraire avec les normes esthétiques européennes : « Nous écoutons depuis trop longtemps les muses courtoises de l'Europe. » Dissociation culturelle, recherche d'autonomie : « En toi-même réside la loi de toute nature [...], il t'incombe de tout connaître et de tout oser. » En opposition avec les poètes anglais du moment, Emerson prône la priorité de l'idée sur la musicalité de la langue : « Un argument propre à susciter des rythmes qui font un poème, une idée si passionnée et si vive que, tel l'esprit d'une plante ou d'un animal, elle possède une architecture particulière qui orne la nature d'un nouvel objet. »

Lisant cela, Walt décide qu'il sera celui qui comblera ces attentes : « Je mijotais, Emerson m'amena à ébullition. » Suivant ses conseils, il dévore Coleridge, Wordsworth, Goethe, Carlyle, Homère dans la traduction de Buckley, ainsi que les livres sacrés de l'Inde, qui commencent à peine à être traduits. Il les lit non pour les imiter, mais pour y puiser de quoi nourrir une inspiration propre.

En février 1848, alors que la révolution gronde en Europe, il obtient un emploi de journaliste dans un quotidien de la Nouvelle-Orléans. Après un voyage à travers l'Amérique, il découvre avec horreur le grand marché aux esclaves de la ville, alors même que la traite est officiellement abolie aux États-Unis.

Il ne se plaît pas dans le Sud. New York lui manque. En septembre 1848, à peine huit mois après en être parti, il revient à Brooklyn, travaille comme charpentier, puis à nouveau comme typographe, journaliste, et dépense ses faibles revenus dans les théâtres de Broadway, aux concerts de la New York Philarmonic Society, et de l'Opéra, où il entend la soprano Giulia Grisi et la contralto Marietta Alboni. Il retourne souvent sur les lieux de son enfance voir sa mère, de qui il reste très proche, déclamer ses esquisses de poèmes sur le rivage de Coney Island, se baigner dans l'Atlantique. Il rejoint un groupe d'intellectuels de gauche, « Jeune Amérique », qui lance la *Democratic Review* autour des idéaux politiques de Jefferson et d'Emerson. Il participe même, cette année-là, à la campagne présidentielle d'un candidat marginal, l'antiesclavagiste Martin Van Buren, qui a été en 1836 le huitième président américain, battu en 1840, mais qui se représente en 1848 en dissident du camp démocrate. La campagne se scelle par un échec : Van Buren n'obtient aucune voix de grands électeurs.

Terminé, la politique : ce fiasco marque pour lui un tournant. Désormais, place à la poésie, rien qu'à la poésie. Pari de toute une vie. Chez d'autres, ce pari si risqué se prend parfois au hasard d'une rencontre. Chez lui, il a mûri depuis l'enfance. Il promet à ses amis, qui se moquent de lui, de devenir le « grand poète du Peuple américain », « un barde qui sera connu du monde entier ». Il travaille à ses poèmes à ses heures perdues, prend des notes, déclame. Rien d'autre ne l'intéresse. Il a déjà décidé qu'il ne publierait dans sa vie qu'un seul recueil, le modifiant d'édition en édition, en retranchant et y ajoutant d'autres textes. Il ne doute pas de son succès.

La littérature américaine commence à produire des œuvres importantes : en 1850, Emerson publie *Hommes représentatifs* et Hawthorne, *La Lettre écarlate*. En 1851, Melville donne *Moby Dick*. En 1852, Harriet Beecher Stowe, *La Case de l'oncle Tom*. En 1854, Henry David Thoreau, autre instituteur, après avoir vécu un an au bord d'un lac de la propriété d'Emerson, publie *Walden ou la vie dans les bois*, hymne à la nature qui marquera profondément l'Amérique. Ces années-là, Whitman publie des nouvelles et quelques essais poétiques dans la *Democratic Review* à côté de textes de Hawthorne ou de Melville.

En juillet 1855, après sept ans de nuits blanches, de ratures, de doutes, de déclamations par les bois et les grèves, sans prendre l'avis de personne, il se décide à regrouper quelques-uns de ses poèmes en un recueil qu'il intitule *Leaves of Grass*, ce que Gide traduira platement par « Brins d'herbe », ce qui fait disparaître le jeu de mots qui permet d'entendre « Vies d'herbe » (*Lives of grass*). Car la vie, dit-il, circule dans les feuillets de son livre comme dans les brins d'herbe. Ce titre indique d'emblée ce qu'est sa poésie : une symphonie de mots, de métaphores, d'idées, de musiques, en contrepoint, les uns au service des autres.

Il ne trouve pas d'éditeur et publie le recueil à compte d'auteur, à grands frais, avec toutes ses économies, chez un des imprimeurs de Brooklyn chez qui il a travaillé comme typographe, les frères Rome. Il fait préparer huit cents exemplaires, certains luxueusement reliés de cuir vert doré à la feuille par lui-même. Sur la couverture, aucun nom d'auteur. À l'intérieur, un frontispice représentant Walt Whitman en pied, les poings sur les hanches, en bras de chemise, le chapeau incliné sur le coin de l'œil.

Il réussit à en faire prendre quelques-uns en dépôt par des librairies de Manhattan. Il prétendra plus tard que ce recueil a été mis en vente le 4 juillet 1855, ce qui est impossible, les librairies étant fermées en ce jour de fête nationale. La parution date en fait de la semaine suivante.

Le livre commence par une longue préface proclamant l'avènement d'une nouvelle littérature américaine « à la mesure de son peuple ». Il reprend les formulations de la revue *Jeune Amérique* pour annoncer l'émergence de lettres américaines débarrassées des codes européens, ou plutôt les mêlant tous. Walt se veut le poète d'une nation américaine faite de toutes les autres nations : « Le barde sera à la mesure du peuple. Les autres continents lui apportent leurs contributions […], il les accueille pour leur bien et pour son propre bien. Son esprit fait chorus avec l'esprit de son pays […], il incarne sa géographie, et sa nature, et ses fleuves et ses lacs. » Il entend parler d'un monde nouveau en plein essor, sans s'interdire aucun sujet : « Les Américains de toutes nations, quelle que soit l'époque, ont probablement la nature poétique la plus complète. » Et encore : « Les poètes américains vont embrasser l'ancien et le nouveau, car l'Amérique est la race des races. » Le poète doit parler de son temps, s'immerger « dans l'époque immédiate comme dans les grandes marées de l'Océan » ; il doit chanter « l'esprit de paix, grand, riche, prospère, bâtissant des cités vastes et peuplées, encourageant l'agriculture et les arts et le commerce – éclairant l'étude de l'homme, l'âme, l'immortalité –, le gouvernement fédéral, celui des États ou des villes, le mariage, la santé, le libre-échange, les voyages intérieurs par terre ou par mer… Rien de trop près, rien de trop loin ».

Ce recueil, dit-il, n'est qu'une première étape d'un projet plus vaste, où d'autres poèmes viendront s'ajouter à ceux qui s'y trouvent déjà. Par cette métaphore, il perçoit son œuvre comme une représentation achevée de l'Univers : ces « poèmes, une fois complets, devraient former une unité à l'instar de la Terre ou du corps humain […], ou d'une composition musicale parfaite ». Plus tard, dans des éditions ultérieures, cette préface sera présentée comme un poème, qu'il intitulera *Sur les rives de l'Ontario bleu*.

Puis viennent, dans cette première édition, douze poèmes sans titre, composés chacun de vers blancs. Des vers stupéfiants de force et d'intensité.

Le premier, qui deviendra plus tard le *Chant de moi-même*, compte 1 344 vers et commence ainsi :

« C'est moi que je chante
Mais la somme que j'embrasse, tu l'embrasseras aussi
Tant le moindre de mes atomes t'appartient intimement. »

Ce premier vers renvoie par antiphrase au célébrissime premier vers de l'*Enéide* de Virgile : « *Arma virumque cano* » (« Je chante les armes et le héros »). Il est clair que son sujet n'est pas l'Histoire, mais lui. La suite décrit une vision enthousiaste de l'Amérique et de ceux qui y travaillent : « La contralto chante sur scène, le charpentier rabote sa planche. » Puis un poème qui deviendra *The Sleepers* symbolise la vie, la mort et la renaissance.

Sous sa plume, les mots roulent et déferlent, toujours précis, inattendus. Chacun fait à la fois sens, image et musique. Libres de toute contrainte, ses vers n'obéissent en apparence à aucune prosodie. Et pourtant il la maîtrise parfaitement, elle est le soubassement de son écriture, même s'il s'en libère. Avec une exceptionnelle virtuosité, il utilise à sa guise le pentamètre iambique (aussi courant dans la poésie anglo-saxonne que notre alexandrin), la rime externe ou interne, l'anadiplose (reprenant le dernier mot d'une proposition au début de la suivante (« *I see from the scaffolds the descending ghosts,/Ghosts of dead lords, uncrown'd ladies, impeach'd ministers* »), le parallélisme (à l'effet incantatoire), l'anaphore (commençant plusieurs phrases par un même mot ou les mêmes syntagmes), l'un et l'autre empruntés à la Bible comme dans *The Prairie-Grass Dividing* : (« *I demand of it the spiritual corresponding,/Demand the most copious and close companionship of men,/Demand the blades to rise of words, acts, being...* »). Il emprunte à Homère la double épithète qui, en anglais, forge de magnifiques mots composés (« *sweet-footed Achille* », « *cloud-gathering Zeus...* »). Il crée aussi des mots à partir d'un radical connu, ce qui lui permet une répétition de cellules rythmiques et mélodiques.

Mêlant toutes ces audaces, il déclare son amour du monde, qu'il chante mieux que personne. Ainsi, dans *Sur la plage, seul, la nuit* : « Sur la plage, seul, la nuit/tandis que la vieille mère se balance, en avant puis en arrière, et chante sa chanson rauque,/ alors que je regarde l'éclat des étoiles brillantes, me vient une pensée sur la clé des univers et du futur./ Une vaste similitude entrelace toute chose,/ toutes les distances d'espace, si grandes soient-elles, [...] cette vaste similitude les embrasse, les a toujours embrassés/et à tout jamais les embrassera et les tiendra étroitement enserrés et ceints... »

Bouleversant message fait d'amour et d'optimisme où percent parfois des notations qui peuvent sembler d'inspiration homosexuelle. Il sait qu'il tient là un chef-d'œuvre. À trente-six ans, il ne doute pas de lui un seul instant.

Il en dépose un exemplaire à son inspirateur, Ralph Emerson, qui lui répond dès la semaine suivante, le 21 juillet 1855, le félicitant, disant retrouver là certains de ses propres thèmes, applaudissant cette « âme libre et brave », mais suggérant certaines coupes. Emerson vient même le voir et l'exhorte à publier une nouvelle édition de *Feuilles d'herbe* revue et corrigée, conforme à ses indications. Mais pas question, pour Whitman, de couper quoi que ce soit.

Une semaine plus tard meurt le père du poète, qui a pu tenir le livre de son fils entre ses mains. Dans son chagrin, Walt attend les réactions suscitées par son œuvre.

Paraissent d'abord de nombreux articles, dithyrambiques et anonymes, écrits en fait par Walt Whitman lui-même et publiés dans les journaux où il a travaillé. La plupart des articles signés sont en revanche très critiques : « vision adamique de l'indécence », « obscénité qui passe les limites ». Le moins négatif, le directeur de l'influent magazine *Putnam's Monthly*, Charles Eliot Norton, qualifie l'ouvrage de « livre grossier et pourtant élevé, superficiel mais profond, ridicule mais néanmoins fascinant ».

Cette parution se solde en fait par un échec : moins de 30 exemplaires vendus. Walt ne renonce pas pour autant. L'année suivante, il publie – sous son nom, cette fois – une nouvelle édition de *Leaves of Grass* avec, en annexe, sans lui avoir demandé son accord, la lettre de félicitations que lui avait envoyée Emerson et sa propre réponse, dans laquelle il dit se sentir investi, vis-à-vis des pères fondateurs, de la mission d'être un des « architectes des États-Unis » : « Les architectes des États-Unis ont jeté les fondations [...], il faut à présent d'autres architectes dont la tâche n'est pas moins difficile... »

Il ajoute de nouveaux poèmes sous le titre *Crossing Brooklyn Ferry* (*Sur le bac de Brooklyn*), mais ne censure pas les passages qui avaient pu choquer les critiques.

À Londres, des exemplaires de son livre circulent et attirent l'attention de Ferdinand Freiligrath, poète et collaborateur, comme Marx, de la *Nouvelle Gazette rhénane,* devenu banquier à Londres, « clairon de la Révolution », dira Engels.

En 1860, Whitman fait paraître une troisième édition de son recueil, dans laquelle il introduit des poèmes encore plus allégoriques. Il y ajoute *Out of the Cradle Endlessly Rocking (Venant du berceau perpétuellement bercé),* un poème de 200 vers que j'aime tout particulièrement et que je préfère citer ici en anglais :

Out of the cradle endlessly rocking
Out of the mocking-bird's throat, the musical shuttle,
Out of the Ninth-month midnight,
Over the sterile sands and the fields beyond, where the child,
　　　[leaving his bed, wander'd alone, bare-headed, barefoot,
Down from the shower'd halo,
Up from the mystic play of shadows, twining and twisting as if they
　　　　　　　　　　　　　　　[were alive,
Out from the patches of briers and blackberries..

Dans ce poème, un oiseau, symbole de la nature, révèle la signification de la mort à un garçonnet. C'est en fait sa propre histoire, enfant prêtant l'oreille au récital des oiseaux à Long Island. On y retrouve aussi l'influence de l'opéra italien qui a bercé sa jeunesse à Manhattan.

Il ajoute dans cette édition deux nouvelles séries de poèmes, *Enfants d'Adam* et *Calamus,* qui font scandale et horrifient en particulier Emerson, car ils traitent explicitement, en équivalence, de l'hétérosexualité et de l'homosexualité, maintenant l'ambiguïté sur le type d'amour dont il parle. Ainsi écrit-il dans *Children of Adam,* que je cite encore en anglais pour préserver la musique des vers : « *The love of the body of man or woman balks account, the body itself balks account,/That of the male is perfect, and that of the female is perfect./The expression of the face balks account,/But the expression of a well-made man appears not only in his face,/It is in his limbs and joints also, it is curiously in the joints of his hips and wrists...* »

Puis la foudre s'abat sur l'Amérique : le 13 avril 1861, après l'élection en novembre 1860 d'Abraham Lincoln, le Sud se soulève et ses troupes attaquent celles de l'Union, barricadées dans un fort de Caroline du Sud. La guerre civile commence ; elle tourne d'abord à l'avantage du Sud, les plus brillants officiers issus de West Point s'étant ralliés à sa cause. Un des frères de Walt, George, s'engage dans celles du Nord. En juillet 1861, la bataille de Manassas, en Virginie, est un échec cuisant pour les troupes de Lincoln, qui se replient sur Washington. Le 13 décembre 1862, à Fredericksburg, l'armée nordiste du Potomac, commandée par le général Ambrose Burnside, est terrassée par celle de Virginie du Nord, commandée par le général sudiste Robert Lee ; on pense que Lincoln va démissionner.

Walt part alors à la recherche de George, blessé lors de cette bataille. Quand il le retrouve, à la fin de 1862, il décide de rester dans l'armée nordiste comme ambulancier volontaire. Toujours à l'affût d'une belle métaphore, il se veut « panseur de plaies ». En fait, c'est sa vie qui devient métaphore de sa poésie, consolatrice et guérisseuse des blessures de l'âme. La poésie peut panser, espère-t-il, les plaies de la nation, réparer le grand corps social fracturé, veiller au rétablissement physique et moral du pays blessé, comme lui-même le fait sur les champs de bataille. Il constate que succombent par milliers les prolétaires, cependant que, des deux côtés, des fortunes colossales se constituent par la fourniture d'armes et de munitions. Il écrit ainsi *Le Panseur de plaies*, poème autobiographique où la sensualité court toujours à fleur de texte :

« C'est ainsi que dans la silencieuse chambre aux rêves,
Je reprends à nouveau mes tortueuses visites à l'hôpital,
Pacifiant de ma main apaisante la douleur des blessés,
Veillant dans l'obscurité des nuits les corps agités, ils sont si jeunes
                                                    [parfois,
Ils souffrent tellement parfois, ah ! la tristement douce épreuve ! »

À partir de 1863, sur les champs de bataille, la tendance s'inverse. Très rudes, les combats forgent de nouveaux généraux pour l'Union, dont le général Grant, stratège à la hauteur de son adversaire, Lee. De surcroît, les États du Nord, qui regroupent 92 % du potentiel industriel et une population blanche quatre fois plus nombreuse, disposent de beaucoup de moyens et de réserves. Enfin, les esclaves évadés du Sud rejoignent massivement l'armée du Nord.

À la fin de 1863, Whitman quitte le front après un an passé comme infirmier. Il se rend à Washington, où il est engagé au ministère de l'Intérieur, puis à celui de la Justice, toujours à un poste très modeste. Entre le 1er et le 3 juillet 1863, une terrible bataille livrée à Gettysburg fait 51 000 victimes parmi les soldats de l'Union et ceux de la Confédération. Le 19 novembre, Lincoln vient y prononcer un discours de deux minutes qui en appelle à la réconciliation.

En 1865, après la mort de près de 620 000 soldats dans les deux camps, la guerre se termine par la victoire du Nord. Le 14 avril, Walt se trouve à Washington quand Abraham Lincoln y est assassiné par un sympathisant sudiste. Bouleversé, il compose en deux jours quatre poèmes à la mémoire du président martyr, dont *Ô capitaine ! Mon capitaine* et *Lorsqu'au jardin naguère*. Il y emploie mille et une figures de style : métaphores, métonymies, synecdoques (« *When lilacs last in the dooryard bloom'd* »). Puis il rassemble divers poèmes consacrés à la guerre dans un ensemble intitulé *Roulements de tambour (Drum Taps)*, qu'il prépare pour l'inclure dans une prochaine édition de son recueil.

En 1866, il s'en revient à New York, où il rencontre un jeune conducteur de bus dont il est le dernier passager, Peter Doyle : entre eux, c'est le coup de foudre.

En 1867, il publie une quatrième édition de *Feuilles d'herbe*, dans laquelle il intègre *Roulements de tambour*, *Lorsqu'au jardin naguère* et le sublime *Crépuscule* où il parle de la mort et évoque la sienne ; c'est un de ses premiers textes nostalgiques : « *The soft voluptuous opiate shades,/ The sun just gone, the eager light dispell'd – (I too will soon be gone, dispell'd.) A haze – nirwana – rest and night – oblivion.* »

En 1868 paraît à Londres la première édition européenne de *Feuilles d'herbe* à l'initiative de William Michael Rossetti, frère du peintre et poète préraphaélite britannique Dante Gabriel Rossetti. Sa gloire commence à s'étendre. On vient à présent le voir de toute l'Amérique.

Entre 1867 et 1868, il rédige deux textes sur l'état du pays : peu nombreux, écrit-il, sont ceux qui comprennent ce que Lincoln a exactement voulu dire dans son adresse de Gettysburg en reprenant la formule révolutionnaire du « gouvernement du peuple par le peuple pour le peuple ». Il prône une « intense camaraderie aimante » entre prolétariat et classes favorisées Pour lui, la puissance de l'Amérique dépend de la préservation de ses acquis démocratiques si chèrement gagnés. Or ceux-ci sont menacés par la disparition des valeurs spirituelles de la nation, trop concentrée sur l'acquisition de richesses matérielles et sur la spéculation, négligeant par trop la vie intérieure. Il dit son admiration pour le prolétariat, principale victime de la guerre civile, et pour les femmes, en faveur de qui il réclame le droit de vote.

Il compose par ailleurs nombre de poèmes d'amour à l'adresse de Peter Doyle, à qui il donne un nom de code (« 16.4 »). Pour plus de discrétion, il remplace souvent le pronom masculin par un pronom féminin et rend ainsi ses vers moins explicites. Ainsi : « Je suis attendu par une femme/Une femme m'attend/Une femme m'attend, elle contient tout, rien n'y manque ;/Mais tout manquerait si le sexe n'y était pas, et si pas la sève de l'homme qu'il faut./[...] C'est dans le sexe, comme autant de facultés du sexe, et toutes ses raisons d'être./Sans doute l'homme, tel que je l'aime, sait et avoue les délices de son sexe,/Sans doute la femme, telle que je l'aime, sait et avoue les délices du sien./ [...] Et je ne puis me retirer avant d'avoir déposé ce qui s'est accumulé si longuement en moi,/À travers toi, je lâche les fleuves endigués de mon être,/En toi je dépose un millier d'ans en avant,/Sur toi je greffe le plus cher de moi et de l'Amérique... »

En 1871, dans une cinquième réédition de *Leaves of Grass*, il ajoute vingt-quatre poèmes sous le titre *Passage to India*, traduisant sa vision de l'union de l'Occident avec l'Orient, de l'âme avec Dieu.

En mai 1873, il perd sa mère, si chère et si proche, qui incarnait pour lui toutes les femmes américaines. Le traumatisme est extrême : attaque d'hémiplégie. Il s'installe chez son frère George, le blessé de Fredericksburg, à Camden, dans la lointaine banlieue de Philadelphie. Un jeune homme de quinze ans, Horace Traubel, devient son compagnon.

En 1876, année du centenaire de la déclaration d'Indépendance, il se remet peu à peu. Malgré sa paralysie partielle, il se rend à New York et à Boston pour superviser la sixième édition des *Feuilles d'herbe*.

En septembre 1879, son état s'est sensiblement amélioré ; il donne des conférences sur la démocratie américaine dans le Colorado et au Canada. En 1881, il publie à Boston une septième édition des *Feuilles d'herbe*, y ajoutant deux poèmes inédits composés vingt-deux ans plus tôt (« *Out of the cradle endlessly rocking* » et « Comme l'océan de la vie m'emportait »), en ouverture d'une section intitulée *Bois flottant sur la mer*. Il publie également une nouvelle version de *L'Embarquement pour l'Inde*, ainsi qu'une variante du vers introductif du *Chant de moi-même* pour en faire un parfait pentamètre iambique, tout en se désignant lui-même à trois reprises dans ce seul vers : *I celebrate myself, and sing myself* (« C'est moi que je célèbre, moi que je chante »), marquant ainsi clairement qu'il n'a pas modifié son projet : parler de lui pour mieux parler de l'humanité.

En janvier 1882, il reçoit à Camden le jeune Oscar Wilde, qui, à vingt-sept ans, vient de finir ses études à Oxford et a déjà remporté le Newdigate Prize pour son poème *Ravenna*. Fêté dans toute l'Angleterre, rédacteur en chef de *The Woman's World*, théoricien de l'esthétisme, Wilde vient faire des conférences aux États-Unis. Il a lu Whitman et souhaite le rencontrer. Il est si impressionné par lui qu'il revient le voir en avril, juste avant son retour en Europe.

La même année, Walt fait paraître un texte autobiographique, *Specimen Days* (« Échantillon de jours »), établi à partir de deux carnets tenus l'un pendant la guerre de Sécession, l'autre après 1876, alors qu'il se remettait lentement de sa paralysie. Pour la première fois, cette parution n'est pas une réédition de *Leaves of Grass*. On y trouve des pages sur sa famille, son enfance à Long Island, sa jeunesse de typographe et de bohème new-yorkais, des portraits d'hommes politiques et d'écrivains. Une fois de plus, il ne peut s'empêcher de s'y identifier à l'Amérique : il imagine son corps, d'abord robuste (comme la jeune Amérique), puis foudroyé (comme l'Union au cours de la guerre civile), enfin cherchant la guérison dans la Nature, comme le pays, pense-t-il, doit le faire.

En mars 1884, il s'installe à Camden dans une nouvelle maison jouxtant celle de son frère ; il a alors soixante-cinq ans et reçoit bourgeois ou artistes en rupture avec le puritanisme et le capitalisme. Il n'est pas riche, ne l'a jamais été, mais les amis l'aident financièrement. Parmi eux, un de mes écrivains préférés, Mark Twain, devenu célèbre pour avoir publié *Les Aventures de Tom Sawyer* en 1876 et qui s'apprête à livrer au public *Les Aventures de Huckleberry Finn*.

En 1886, il trouve enfin un mécène : Andrew Carnegie, débarqué aux États-Unis à l'âge de treize ans, qui a débuté comme simple ouvrier du textile, puis a fait fortune comme sidérurgiste à Pittsburgh pendant la guerre de Sécession. Il déclare : « Whitman est pour l'heure le poète de l'Amérique. »

Cette année-là, Jules Laforgue, sur le point de mourir de la tuberculose, le traduit en France ; l'année suivante, José Martí, le grand poète cubain, le traduit à son tour en espagnol.

En 1888, une nouvelle attaque de paralysie l'atteint alors que sont publiés *Rameaux de novembre, poèmes et prose*. Horace Traubel, son compagnon, commence à prendre en note leurs conversations. Whitman se rétablit et se remet à écrire. Il publie à la fin 1891 une ultime édition des *Feuilles d'herbe*, dite « du lit de mort ».

Le 26 mars 1892, il meurt à soixante-treize ans des suites d'une tuberculose non diagnostiquée. Il est inhumé au cimetière de Camden en présence de milliers d'admirateurs.

D'après une légende, ses obsèques auraient été l'occasion d'un scandale : « Les pédérastes y étaient venus en foule », écrivit Apollinaire, et auraient jeté des pastèques sur le cercueil de Whitman, transporté par six hommes ivres s'acharnant à le faire entrer dans le mausolée à l'accès trop étroit. En fait, ce récit, publié le 1er avril 1913 dans un article intitulé « Funérailles de Walt Whitman racontées par un témoin », est pure affabulation. Walt Whitman avait raconté dans un poème avoir mangé une fois des pastèques, assis au bord du trottoir, en compagnie de son jeune ami irlandais, Peter Connelly : d'où l'idée des fruits apportés pour la cérémonie. Le reste n'est qu'invention de l'auteur de *Calligrammes.*

Horace Traubel fonde, dirige et publie *The Conservator,* journal dont le but est de garder vivante et actuelle l'œuvre de Whitman. Il a lui-même édité trois volumes de proses et poèmes inspirés de Whitman. Enfin, il entretient une correspondance régulière avec tous les admirateurs du poète à travers le monde, animant ainsi une sorte de communauté internationale œuvrant à l'immortalité de l'œuvre et de son auteur.

En 1893, en Angleterre, John Addington Symonds, l'un des premiers défenseurs de ce qu'il nomme l'« amour de l'impossible », se réclame de Whitman.

En 1895, alors qu'éclate le scandale qui va conduire Oscar Wilde en prison pour homosexualité, Horace Traubel publie une biographie en neuf volumes sur les quatre dernières années de la vie de Whitman, intitulée *Walt Whitman à Camden.* Se disant le fils spirituel du poète, il fait éditer, traduire et publier recueils de poèmes et autres textes comme, en 1897, d'ultimes vers intitulés *Old Age Echoes.*

En 1902 paraît chez Putnam's une édition complète, avec des « Notes brèves » dans lesquelles Whitman improvisait une déclinaison lexicale qui montre son usage magique des mots : « *Sea windrows – Ocean windrows – Beach – Beach windrows – Windrows with sand and sea-hay – Windrows sand and scales and Beach hay – Underfoot – Walking the Beach – Drift underfoot – Underfoot Drift – Wash – Drift at your feet.* »

Le 20 janvier 1904, André Gide écrit à Jacques Copeau : « Je me bouscule le sang d'un de ses poèmes, parfois. »

En 1908 paraît en France la traduction de Léon Bazalgette, qui gomme toute dimension homosexuelle.

Les musiciens Charles Ives, Aaron Copland, Leonard Bernstein, Ralph Vaughan Williams, Paul Hindemith, Karl Hartmann, Kurt Weill, s'emparent de ses vers. Des poètes (Hart Stephen Crane, Wallace Stevens, William Carlos Williams, Allen Ginsberg) lui rendent hommage.

Fernando Pessoa écrit entre 1914 et 1916 un « Salut à Walt Whitman » :

« Je te salue, Walt, je te salue, mon frère en Univers,
Ô toi toujours moderne et éternel, chantre des concrets absolus,
Concubine enflammée de l'univers épars,
Grand pédéraste qui te frottes à la diversité des choses,
Sexualisé par les pierres, par les arbres, par les gens, par les
                                  [professions,
Rut des passages, des rencontres fortuites, des pures observations,
Mon enthousiaste du contenu de tout,
Mon grand héros entrant loin dans la Mort à coups de cabrioles,
Et à coups de rugissements, de feulements, de vociférations saluant
                                  [Dieu !
Chantre de la fraternité féroce et tendre avec tout,
Grand démocrate épidermique, contigu à tout en son corps et
                                  [âme... »

En 1922, Thomas Mann lui rend à son tour hommage. Romain Rolland, Jules Romains, Stefan Zweig, Hermann Hesse, Franz Werfel tentent de créer une communauté whitmanienne sur le modèle de celle fondée par Horace Traubel.

En 1924, son traducteur français, Léon Bazalgette, tente à nouveau de réfuter son homosexualité : « L'eût-il été, soyez sûr qu'il n'aurait pas pratiqué la pédérastie en pingre, en pisse-froid et en littérateur, mais comme le grand animal qu'il était, avec franchise et robustesse, avec son sang riche et ses sens gourmands, avec la folie de son corps vermeil ("N'ayez pas peur de mon corps lorsque je passe"). [...] Il n'est pas permis à tout le monde d'être un pédéraste comme Walt Whitman aurait pu l'être. »

En 1930, Federico Garcia Lorca écrit à son sujet :

« Pas un seul instant, vieil et beau Walt Whitman, je n'ai cessé de voir ta barbe pleine de papillons, tes épaules de velours élimées par la lune, ni tes cuisses d'Apollon virginal, ni ta voix comme une colonne de cendre ; vieillard beau comme la brume qui gémissait pareil à un oiseau le sexe traversé d'une aiguille, ennemi du satyre, ennemi de la vigne et amoureux des corps sous la toile grossière... »

Par-dessus tout, sans doute est-ce dans ses lignes que l'Amérique, jusqu'à aujourd'hui, a puisé son amour farouche de la Nature. Et, du moins pour ce qui est de certains de ses fils, son égale passion de la tolérance, de la justice et de la beauté.

BIBLIOGRAPHIE

ATHENOT, Éric, *Walt Whitman, poète-cosmos*, Paris, Belin, 2002.

BALZAGETTE, Léon, *Walt Whitman, l'homme et l'œuvre*, Paris, Mercure de France, 1908.

LEYRIS, Pierre, *Esquisse d'une anthologie de la poésie américaine du XXe siècle*, édition bilingue, Paris, Gallimard, 1995.

WILLIAM, James, *The Varieties of Religious Experience*, 1902, trad. partielle en français : *Les Formes multiples de l'expérience religieuse*, éditions Exergue, 2001.

Œuvres de Walt Whitman traduites en français :

Comme des baies de genévrier, feuilles de carnets, trad. Julien Deleuze, Paris, Mercure de France, 1993.

Feuilles d'herbe, poèmes choisis et traduits par Jacques Darras, Paris, Grasset, 1989.

Le Poète américain, préface à l'édition de 1855, trad. Catherine Pierre, Paris, Fayard, 2001.

17

Shrîmad Râjchandra

(1867-1901)
ou l'évadé du monde

C'est en travaillant à la biographie du Mahâtmâ Gândhî que j'ai rencontré ce personnage stupéfiant, à la trajectoire météorique, qui se qualifie lui-même d'« érudit habité par l'espoir de voir Dieu face à face », dont les rares paroles, dans une vie si brève, presque entièrement consacrée à apprendre à mourir, ne cessent de me bouleverser. Personne ne m'a mieux fait comprendre la vision hindouiste de la condition humaine. Rien ne m'a plus fasciné que cette évasion des illusions du monde, cette libération de l'esprit, par un renoncement entêté à tous ses dons, par un détachement progressif de sa propre matérialité, une recherche de la « parfaite concentration », de la vigilance absolue – en sanskrit l'*Avadhâna*.

Doté de facultés intellectuelles phénoménales, observateur lucide de ses propres expériences, écrivain d'exception lorsqu'il retranscrit l'évolution de son esprit, sous forme de lettres, d'essais ou de poèmes – comme le fit, huit siècles avant lui en Allemagne, Hildegarde de Bingen –, Râjchandra découvre, puis refuse et accepte enfin son destin pour en tirer une leçon universelle. Intense, sa vie passe comme un éclair en trois périodes jalonnées de terribles conflits intérieurs : la découverte de dons mnémoniques et intellectuels spectaculaires qui le flattent et l'amusent ; puis leur usage maîtrisé pour tout apprendre du religieux, l'écrire et l'enseigner ; enfin, le retrait en lui-même, pour se libérer et enseigner à suivre sa voie, qu'il décrit, en quelques textes simples et clairs résumant sa religion, forme particulière d'hindouisme, le jaïnisme (de *jaina*, « vainqueur »), à l'instar de ce que Maïmonide fit pour le judaïsme.

Sa vie, ses expériences et ses écrits ont fortement influencé l'Inde contemporaine, à commencer par Mohandâs Gândhî, dont il fut le *guru* (littéralement : « celui qui aide à passer de l'ignorance au savoir ») ; à un moment très important de la vie du Mahâtmâ où celui-ci hésitait entre l'intégration et la révolte, l'Occident et l'indianité.

De son nom complet Shrî Râyachandbhâi Râjibhâi Mehtâ, il naît le dimanche 11 novembre 1867 à Vavania, petite localité de l'État de Morvi, sur la péninsule de Saurâshtra, dans le Gujarât, c'est-à-dire sur le littoral nord-ouest de l'Inde que j'aime tant, où se mêlent une multitude de cultures, de religions, d'arts, de paysages et de cuisines raffinées. Selon le calendrier hindou, Shrîmad naît pendant la pleine lune du mois de Kârtik (entre mi-octobre et mi-novembre), au moment exact, dit-on, de la mort en 1172 d'un certain Hemachandra Âchârya, écrivain et philosophe jaïn réputé pour son infinie sagesse, qui serait parvenu, cette année-là, après une vie ultime, au stade suprême de la libération de son âme : comme si, à sept siècles de distance, l'un avait passé son âme à l'autre.

Shrîmad est le fils de Devbâi, fille du shah de Malia, grande famille jaïne, et de Râjibhâi, de la caste des Vaniks, des marchands. Son grand-père paternel, hindouiste, très proche des Vaishnavas – qui considèrent Vishnu comme dieu suprême –, a fait fortune dans le commerce, la pêche et la banque, et son fils a repris l'affaire familiale. Shrîmad naît donc dans une famille noble par sa mère et riche par son père.

L'Inde connaît alors une période de grandes transformations : après huit siècles de soumission à des conquérants turco-mongols et musulmans, le sous-continent se présente comme une mosaïque de civilisations, de religions et de cultures – tout à la fois hindoue orthodoxe, jaïne, bouddhiste, zoroastrienne, chrétienne, juive, musulmane, perse, etc. Y vivent plus de 230 millions d'habitants parlant 179 langues et 544 dialectes. La Grande-Bretagne s'y est imposée au début du XIXᵉ siècle. Deux ans après la naissance de Shrîmad, le 17 novembre 1869, a été inauguré le canal de Suez, ouvrant une voie directe de l'Europe vers l'Inde, au grand dam des Anglais qui ne la contrôlent pas encore. L'année suivante, à Calcutta, les Anglais instaurent un système national de diplômes, cependant qu'une terrible famine ravage l'État du Gujarât, le Bihâr, le Rajâsthan, l'Inde centrale, le Bengale et le Deccan, déclenchant des révoltes massives, en particulier dans la région natale du jeune enfant. L'administration coloniale riposte en réprimant les « tribus criminelles », les déclassés, les dissidents, les nomades, les mendiants et les musiciens.

Depuis 1858, le Parlement britannique a transféré le pouvoir politique de la Compagnie des Indes à la Couronne avec un secrétaire d'État à Londres et un vice-roi à Delhi. L'Empire britannique administre désormais directement la majeure partie de l'Inde tout en contrôlant le reste des territoires par des traités bilatéraux signés avec les dirigeants locaux.

À sept ans, en 1874, Shrîmad, connu sous le surnom de Laxmînandan, est, comme beaucoup d'enfants de son âge, solitaire et rêveur, et s'imagine un destin hors pair. Il écrira à vingt-deux ans, dans une bien précoce autobiographie : « Durant mes sept premières années, je jouais seul. J'aspirais à une seule chose : obtenir une situation comparable à celle d'un empereur. » Cette année-là, l'enfant découvre la mort quand un homme de son village, jeune et beau, sage et en bonne santé, succombe à une morsure de serpent. Shrîmad demande à son grand-père ce que signifie au juste « mourir ». « L'âme quitte le corps », explique le grand-père. Râjchandra insiste : « Et le corps ? – Le corps est brûlé, incinéré, réduit en cendres. » L'enfant ne répond pas. Deux jours plus tard, passant près de l'endroit où ont lieu les incinérations, il a une première vision : il assiste en accéléré à ses 900 naissances et morts précédentes ! Autant de cris, autant de flammes ! Le choc le laisse hagard et terrifié. Plus encore : il lui est aussi donné de voir que cette nouvelle vie commençante sera la dernière : il ne connaîtra plus d'autres naissances. Il expliquera plus tard : « Dès mon très jeune âge, je savais que, dorénavant, je n'aurais plus d'autre naissance et que je n'aurais plus à retomber à un stade spirituel inférieur à celui que j'avais atteint. C'est pourquoi j'ai ensuite aisément accédé à un état de l'âme qui réclamerait, pour tout autre, de très longues études et pratiques spirituelles. » Cet état rarissime, où l'esprit est particulièrement aiguisé, parce que l'âme est « vieille » et proche de sa libération, est connu, dans la terminologie indienne traditionnelle – jaïne et autre –, sous le nom de *jâti-smarana-jñâna* (littéralement, « connaissance issue de la mémoire des vies antérieures »).

Et, de fait, il présente d'emblée des facultés intellectuelles hors du commun, comme s'il en avait hérité de vies antérieures : à l'école, où il entre cette année-là, il maîtrise au bout d'un mois les quatre opérations ; l'écriture suit presque aussi vite. L'année suivante, à huit ans, il compose en six jours un poème de cinq mille vers, détaillant les concepts hindouistes qu'il a tout juste appris de ses parents : les cinq vœux (non-violence, sincérité, honnêteté, chasteté, non-attachement aux choses du monde) ; les quatre phases de la vie (*âshrama*) : études, activité, abandon de l'activité, renoncement total ; les quatre objectifs de la vie : la prospérité et la position sociale (*artha*), l'amour et le plaisir (*kâma*), le devoir religieux (*dharma*), le salut (*moksha*) ; les trois états qui permettent d'y parvenir : l'*Âchârya*, l'*Upâdhyâya* et le *Sâdhu*. À neuf ans, en 1876, il se révèle capable de composer d'étonnants poèmes sur le *Râmâyana* (« le Parcours de Râma », épopée mythologique commençant, après la naissance de Rāma, par la plainte de la Terre dévastée adressée à Vishnu) et le *Mahâbhârata* (« Grande Humanité », immense récit en sanskrit du conflit entre les cinq frères Pândava et leurs cousins Kaurava pour la conquête du pays des Ârya, au nord du Gange).

Tandis que, le 1ᵉʳ janvier 1877, la reine Victoria reçoit le titre d'impératrice des Indes et que les 565 États princiers deviennent des « vassaux de la Couronne », l'enfant commence à manifester des dons de télépathie : ses parents l'envoient passer quelque temps à Râjkot, ville voisine, chez des frères de sa mère. Un juge de Morvi, Shri Dharshibhâi, nommé à Râjkot, l'y conduit ; très impressionné, en chemin, par les dons de l'enfant, il lui propose de le loger à Râjkot, mais l'enfant préfère être hébergé, comme prévu, par ses oncles maternels. Là, une nuit, il a l'intuition que deux habitants de Kutch, autre ville voisine, sont en route vers Râjkot pour rencontrer le juge ; il l'en prévient avant qu'ils n'arrivent. Quand le juge, stupéfait, lui demande comment il a anticipé leur arrivée, l'enfant parle des « infinis pouvoirs de l'âme ». Le lendemain, il entend en songe ses oncles planifier d'assassiner le juge. Il court l'en prévenir et rentre chez lui, à Vavania, payant son voyage en vendant des sucreries reçues en cadeau, fidèle à sa règle : ne jamais mendier.

En 1878, il a quatre ans d'avance sur les autres élèves de l'école. Il écrit : « À cette époque, je mémorisais tout ce que je lisais ou voyais une seule fois. Mais j'étais paresseux dans mes études, bavard, joueur et espiègle. En lisant simplement les leçons du professeur, je pouvais expliquer leur contenu. » Il rédige ses premiers articles pour des journaux locaux. À treize ans, en 1880, il entame l'apprentissage de la langue anglaise ; une lettre de lui écrite à l'âge de vingt-deux ans attestera qu'il la pratique fort mal : elle ne faisait pas partie, dira-t-il, du bagage hérité de ses vies antérieures.

Shrîmad vit toujours à Vavania ; il y rencontre Zabakbâi, la fille d'un dévôt jaïn, Popatlalbhai, frère aîné du docteur Jagjîvandâs Mehtâ. Son père lui ordonne de l'épouser. Il refuse : trop jeune. Ses parents insistent, il leur revient, à eux, de décider. Il persiste dans son refus. Ils cèdent. Pendant les vacances, il travaille dans une des boutiques familiales, mais déteste le commerce. Il dira plus tard que son seul bon souvenir de cette période est de ne s'être jamais trompé en pesant des marchandises. Cette même année, les Britanniques interdisent aux veuves de se sacrifier sur le bûcher funéraire de leur époux.

Dès qu'il a quatorze ans, on l'envoie au collège de Morvi, capitale de l'État, à 50 kilomètres au sud-ouest de sa ville natale. Il y manifeste une mémoire exceptionnelle, mais, comme il déteste les études occidentales, il ne trouve pas à l'employer. Puis il se découvre, par jeu, une capacité à exécuter de nombreuses activités en même temps, telles qu'écrire, calculer, réciter de mémoire, jouer aux échecs. Voilà qui l'amuse bien plus que le travail scolaire. Il devient vite célèbre dans son collège comme un de ces prodiges que les Indiens nomment alors *shatâvadhâni* (« celui qui a la faculté de faire cent choses à la fois »). (Aujourd'hui, un certain Dr R. Ganesh est fameux, en Inde, pour ce genre de dons dont il fait commerce.) Il n'y a à cette époque, semble-t-il, que deux personnes en Inde du Nord à avoir des talents équivalents : Shâstri Shankarlâl, dans le Gujarât, et Gatulaji Mahârâj, à Bombay ; ils savent exécuter simultanément jusqu'à douze activités différentes. À quatorze ans, Shrîmad peut déjà presque les égaler. Il prend cette faculté comme un défi, et s'entraîne.

En 1882, le vice-roi, lord Ripon, met en place des conseils municipaux élus par quelques notables. Un chef musulman de l'Inde du Nord, grand intellectuel, Sayed Ahmed Khan, objecte qu'un tel système fera vivre les musulmans sous la domination des hindous, six fois plus nombreux, et réclame donc une représentation séparée : la partition du pays est déjà en germe dans cette revendication.

Au collège de Morvi, à seize ans, Shrîmad travaille peu, s'ennuie ferme en classe, ne fait pas grand-chose, si ce n'est faire admirer ses dons par ses camarades de classe et ses professeurs. À présent, il sait simultanément jouer aux cartes et aux échecs, effectuer des multiplications, des additions, des divisions, répondre à un questionnaire linguistique, composer des poèmes, entre bien d'autres choses. On le surnomme le *Sâkshât Saraswati* (« disciple de la déesse du Savoir »). En vue d'améliorer ses performances, il comprend l'importance de la concentration absolue, donc de la méditation. Comme il fait toujours chaque fois qu'il apprend quelque chose, il le note en résumé dans un texte conçu pour le meilleur usage d'autrui. Il commence ainsi à rédiger des essais sur l'art de la méditation. Il réfléchit à un grand ouvrage sur la religion jaïne, qu'il entend intituler le *Mokshamâlâ* (la « Guirlande du salut »).

En 1884, à dix-sept ans, on lui fait rencontrer à Morvi un des deux autres phénomènes, Shâstri Shankarlâl M. Bhatt, capable de mener huit activités en même temps. On les confronte devant plus de deux mille personnes. Lui-même se révèle capable d'en accomplir douze en même temps ! Et, un peu plus tard, à Wadhwan, dans le district de Surendranagar, toujours dans le Gujarât, il en effectue seize devant un public beaucoup plus restreint de hauts fonctionnaires.

Cette année-là, Shrîmad se voit proposer à nouveau par ses parents d'épouser la jeune fille rencontrée trois ans plus tôt. Il s'obstine à refuser : c'est trop tôt. Il rédige alors une cinquantaine de pages sur le sujet : *Strî-nîti bodhaka* (« Discours sur des principes concernant les femmes »). Il y dénonce le mariage forcé des enfants et explique que les femmes sont l'élément vital de la « libération nationale », ce dont lui-même semble vouloir faire le but de sa vie.

En 1885, alors que se réunit à Bombay, à l'initiative du vice-roi britannique, le Congrès national indien, qui se veut un organe représentatif de l'ensemble des Indiens, Shrîmad, regrettant que personne n'ait l'envergure pour libérer l'Inde de la domination étrangère, rédige un texte sur les grands maîtres jaïns, *Shûravîr Smarana* (« En mémoire des héros »). Il enrage contre les jaïns qu'il connaît, qu'il juge indignes des maîtres du passé. Il s'intéresse alors aux *Sâdhus jaînas* et découvre ce qui va devenir pour lui l'essentiel : l'art de la libération du Soi dans des circonstances adverses, par une élévation volontaire de l'esprit. Par exemple, il estime qu'il ne faut pas renoncer à l'adoration des idoles parce que c'est une façon de se concentrer et donc de méditer et d'accéder à la libération de soi. Il écrit : « L'adoration des idoles, dont l'influence sur nous est éternelle, est un grand agent de purification et un moyen efficace de libérer le Soi. »

En 1886, Shrîmad pourrait songer, comme d'autres autour de lui, à faire des études pour devenir médecin ou avocat. Ou même, comme

Gândhî, qui vient du même milieu, à partir en Angleterre. Il s'y refuse. Il a alors dix-neuf ans, est adulé, couvert de cadeaux par les riches qui l'invitent à faire démonstration de ses dons. Le jaïnisme n'est qu'une façon de les améliorer en l'aidant à se concentrer. Il est aussi repéré pour sa calligraphie, si belle que le mahârâja de Kutch l'invite régulièrement à venir copier des documents importants. À Botad, chez un ami fortuné, Sheth Hariâl Shaivalâl, il réalise cinquante-deux activités en même temps, dont jouer au *chopât* (jeu indien de stratégie sur un échiquier en croix) avec trois autres joueurs ; jouer aux cartes avec trois autres joueurs et énoncer à la fin les treize cartes composant la donne de chacun ; jouer aux échecs et nommer à la fin, dans l'ordre, toutes les pièces retirées de l'échiquier ; effectuer des additions, soustractions, multiplications, divisions, et se souvenir de tous les résultats pour les répéter à l'issue de la représentation ; dire combien de perles sont enfilées sur un chapelet par un homme assis en face de lui ; se souvenir de seize phrases entendues dans seize idiomes différents ; compléter des vers dont on ne lui fournit que la première syllabe ou un hémistiche ; composer seize poèmes épousant seize formes différentes, et composer un nouveau poème avec un vers de chacun des seize précédents ; réaliser des puzzles ; nommer en les palpant, les yeux bandés, douze livres dont il n'a fait qu'entrapercevoir la couverture.

On lui suggère de gagner sa vie grâce à ses dons. Il ne dit pas non, mais il faudrait, pour cela, partir en tournée à l'étranger. Il s'y refuse : là-bas, il ne pourrait pas respecter les règles d'une religion qu'il entend vivre pleinement. Le jaïnisme l'occupe de plus en plus. Il sait depuis sa prime enfance que cette vie est la dernière de son âme. Il ne tient pas pour autant à devenir un *sâdhu* (« homme de bien », « saint homme »). Il aspire à mener une vie comme celle des autres pour apprendre, enseigner, transmettre. Pour cela, il lui faut gagner sa vie, si possible dans une grande ville. Son père pose le mariage comme condition à son départ. Il hésite, proteste, déclare vouloir choisir le chemin de l'abstinence, puis cède et se résigne à épouser la jeune fille qu'on lui destinait depuis quatre ans : Zabakbâi.

En 1887, ses études terminées, il quitte Morvi pour Bombay avec son épouse. Un ami de son père, originaire comme lui de Morvi, y est diamantaire. Il passe ainsi de l'obscure capitale d'un modeste État côtier à la plus importante ville du pays. Il y vit frugalement et se vêt à l'anglaise, mais sobrement. Il accomplit là encore des démonstrations publiques de ses dons en menant, à plusieurs reprises et à vive allure, cinquante-deux activités intellectuelles simultanées.

La sexualité, qu'il découvre, le laisse insatisfait et le fait basculer dans la recherche d'un autre accomplissement. Il fait part à un ami de l'ampleur de sa déception érotique : « Il n'y a aucun bonheur dans le contact physique ; si tu penses encore en trouver un, analyse sa nature réelle et tu verras que c'est une illusion. L'imperfection de ce bonheur ne réside pas dans la femme, mais dans ton âme ; et quand la recherche de cette imperfection disparaît, ce que l'âme perçoit est vraiment merveilleux et plein de joie. » Il décide de s'astreindre à une abstinence de douze jours par mois et songe à créer un journal qu'il voudrait appeler *Vaïrâgya Vilâs* (ou « la Jouissance dans le nonattachement »).

De plus en plus soucieux d'expliquer avec simplicité les textes de sa religion à un public urbain qui tend vite à s'en éloigner, il écrit : « Le don de toutes les Saintes Écritures peut se résumer en deux mots : dévotion à Dieu et adoption d'une vie de bienveillance. » Dans une synthèse de la religion jaïne en 108 conseils rédigée en trois jours, le *Mokshamâlâ* (« guirlande du salut »), pour « aider les hommes dans leur quête de la connaissance véritable, de la vérité et de la réalisation de leur âme », il revient sur l'importance de sa déception vis-à-vis de la sexualité : « Bien que je sois heureux à la tête de mon foyer, comparé aux autres, je subis le bonheur terrestre sans l'apprécier ; ce n'est pas le vrai bonheur. » Et il expose le nouveau mode de vie qu'il vient de choisir : « J'ai décidé d'utiliser ma vie dans la pratique du *dharma* [devoir, religion]. Quotidiennement, je lis et réfléchis aux écritures révélées, je garde le contact avec des âmes éclairées, je me plie aux interdits et aux injonctions, j'observe un célibat pendant douze jours du mois, je fais la charité sans déclarer mon nom. J'ai renoncé à beaucoup de fardeaux de l'existence terrestre. »

Il reste pourtant dans le monde : « Pour l'instant, je choisis délibérément de rester vivre en société pour pouvoir guider les autres chefs de famille sur la voie de la pratique religieuse. Un chef de famille peut facilement conseiller un autre chef de famille et le guider dans son attitude par l'exemple de ses propres pratiques. Il fixe une échéance à sa vie en société : « Quand mes fils auront atteint l'âge convenable, j'irai vivre dans la solitude en forêt. » La maîtrise de soi lui est essentielle : « À chaque naissance, il faut penser et travailler à son salut. Si une naissance est mal utilisée, une opportunité est perdue. Si un homme contrôle son esprit, il peut atteindre à l'état de divinité. » Il faut renoncer au désir : « Le désir est la cause profonde de misères infinies. L'arbre du monde croît sur les graines du désir. Le désir n'est jamais jeune. Le vrai bonheur jaillit de l'abandon de tous les désirs… La poursuite de plaisirs terrestres revient à vivre dans un paradis illusoire. » Il énumère dix-huit obstacles à la réalisation du soi, et quatorze stades mentaux permettant d'y parvenir. Il faut en particulier, recommande-t-il, dire la vérité, éprouver de la sympathie et de la bienveillance envers tous les êtres vivants, ne fréquenter que des gens quêtant eux aussi cette libération. Il décrit l'emploi du temps idéal du sage : consacrer 3 heures par jour à Dieu en tête-à-tête ; 3 heures aux pratiques religieuses ; 3 heures à se nourrir ; 6 heures à dormir ; 3 heures à son éducation ; 6 heures à sa famille et à sa vie sociale. Il conseille à ses lecteurs de ne pas le croire sur parole, mais d'utiliser ses écrits pour réfléchir et se faire leur propre opinion.

Son texte paraît obscur à beaucoup, et sa publication tarde. Aussi le résume-t-il, la même année, en un recueil beaucoup plus court, *Bhâvanâ Bodha*, où il énumère douze principes jaïns pour se détacher du monde. Ses douze commandements, qui rappellent les treize articles de foi de Maïmonide, méritent d'être cités : 1 – Dieu (*Îshvar*) n'est pas le créateur de l'Univers, car Il ne peut créer que des choses impérissables ; 2 – Le jaïnisme est la seule religion qui donne une bonne explication de l'homme, de Dieu et du monde, la seule qui puisse conduire à la libération et à la réalisation de soi ; les autres religions sont imparfaites et incomplètes ; 3 – Tout est transitoire, à l'exception de l'âme ; nul ne peut protéger autrui de la mort ; 4 – Seule la dévotion peut sauver l'homme de la peur ; 5 – Le but de l'homme est de libérer son âme du cycle des naissances et des morts ; 6 – L'âme et le corps sont deux entités distinctes ; le corps n'est qu'une enveloppe et n'est pas sacré, car il absorbe de nombreuses substances non sacrées. « L'âme est pure et libre, illuminée et immortelle. Un homme devrait garder à l'esprit que la mort existe et employer chaque moment de sa vie à se libérer » ; 7 – Les âmes sont indépendantes les unes des autres ; 8 – L'attachement aux choses du monde, l'avarice et l'ignorance enchaînent et entravent l'âme. « Le bonheur véritable jaillit de l'abandon de tous les désirs… Pourquoi le désir existe-t-il quand toute chose est éphémère ? Le désir est la racine du malheur, de l'insatisfaction » ; 9 – La méditation permet de connaître son « soi » intérieur, sa vraie nature ; 10 – La meilleure façon d'y parvenir est de suivre les préceptes d'un *guru* éclairé ; 11 – « La compassion, la tranquillité, la sérénité, le pardon, la vérité, le renoncement et le détachement sont toujours présents dans le cœur de celui qui cherche à se libérer » ; 12 – « Celui qui maîtrise la connaissance de soi atteindra le stade de la libération. Les dieux omniscients affirment que d'innombrables âmes ont atteint ce stade par ce chemin. »

Texte magnifique écrit par un jeune homme de vingt ans qui vient tout juste de quitter sa province...

En 1888 survient une crise avec sa femme. Il songe à tout quitter. Il pense que se détacher d'elle ne devrait pas lui causer beaucoup de chagrin ; il écrit dans une lettre à un ami : « Après tout, j'ai vécu très longtemps dans mes vies passées sans mes proches actuels ; cela prouve que mes affections et mes attachements actuels ne sont liés qu'à l'ignorance de mes attachements antérieurs. » Il rédige une note (« Mes pensées sur la femme ») sur son rapport à la sexualité, qui semble l'obséder, dans laquelle il répète que le bonheur réside dans la connaissance de soi, non dans les éphémères jouissances du corps, sources de souffrance : « Penser qu'une femme puisse être source de félicité est une erreur [...]. Si la raison du plaisir physique d'une union est regardée à travers le prisme de l'esprit, c'est à vomir [...]. Le plaisir est momentané et cause d'une douleur, tout comme l'eczéma [...]. Le bonheur physique n'est qu'une ombre de la vraie joie. Plutôt que d'être affecté par l'idée de ne pas avoir atteint de religion ou de se demander comment on doit l'atteindre, celui qui cherche à se libérer devrait plutôt abandonner le plaisir du corps et admettre que l'âme est la conscience pure dénuée de tout attachement. » Et il commence, pour lui-même, à penser à se détacher de tout : « Si un plaisir est ressenti au contact d'une femme, le mieux est d'y résister par la douleur pour se libérer de ses naissances antérieures. Si ce contact engendre une progéniture, le mieux est de ne pas s'attacher à elle... Mon désir est tourné vers la libération ; mais, forcé par les fruits de mes actions passées, je mène une vie familiale dans laquelle je maintiens ma sérénité : ni attachement, ni non-attachement. » Puis il émet cette remarque sur ses propres contradictions, sur la difficulté qu'il ressent, malgré ses décisions, à se libérer de ses propres attachements : « J'ai eu de la peine, quelques fois, à constater que j'avais un comportement opposé à mon intense désir de libération. » Que de luttes intérieures, d'abandons, de renoncements derrière ces quelques mots...

De fait, il n'en a pas tout à fait fini avec le monde. En 1889, à vingt-deux ans, Shrîmad a un fils. Il n'est pas plus heureux. Il consigne ses pensées dans un journal intime qu'il intitule *La Guirlande de fleurs* : « Même si vous éprouvez toutes sortes de bonheurs avec femme, fils, famille, santé [...], le malheur réside dans chacun d'entre ces bonheurs. Commencez votre journée en gardant bien cela à l'esprit. »

Devenu un véritable expert en perles et en diamants, obsédé par l'honnêteté, face à un commerçant qui l'accuse de l'avoir trompé au cours d'une transaction il se récrie : « Râjchandra boit du lait, pas le sang de quelqu'un d'autre ! » À Bombay, à l'Institut Faramji Kawasji, il exécute, un soir, une centaine d'activités différentes en même temps, dont certaines déjà familières, mais d'autres nouvelles : il reconnaît à vue d'œil, entre plusieurs plats, lequel est le moins salé. On l'applaudit. Pourtant, ce genre d'exhibition ne l'amuse plus : il comprend que sa réputation de singe savant est un obstacle à son évolution spirituelle. Et qu'elle seule compte désormais. Quand un de ses voisins lui demande d'utiliser ses dons de voyance pour prévoir l'évolution des prix de toutes les marchandises sur les marchés et en tirer profit, il répond, furieux, qu'il n'est pas assez bête pour utiliser ses pouvoirs spirituels à tirer des bénéfices aussi égoïstes et insignifiants, et il part en claquant la porte.

Plusieurs de ses lecteurs deviennent alors ses disciples, dont un certain Juthabhâi qui le suivra jusqu'au bout. Accompagné par des fidèles de plus en plus nombreux, il se dit maintenant appelé à réaliser quelque chose d'extraordinaire ; il se pense unique, divin, et s'attribue la connaissance absolue. Dans une lettre intitulée « Rétrospective sur ma jeunesse », il décrit la façon dont il progresse vers une maîtrise totale des sentiments : « La seule amie de la joie inconditionnelle est l'indifférence solitaire, qui, à son tour, est mère de la spiritualité. » À un ami, il confie : « Je mesure l'infranchissable fossé entre l'état de mon savoir d'aujourd'hui et ce que j'étais quand j'aimais les choses de la vie [...]. J'ai découvert le désintérêt, l'indifférence sereine. J'ai beaucoup médité sur la façon d'atteindre à l'immortalité [...]. J'ai réfléchi aux divers aspects de l'univers et de la vie humaine, aux causes profondes du malheur [...]. En vérité, je vous le dis, je suis l'homme omniscient [*sarvajña*] qui est le même dans tous les états [*sthiti*]. » Puis vient l'annonce prémonitoire de son retrait : « Quand je regarde sérieusement cela, je réalise qu'il y a une grande différence entre ma pensée, ma spiritualité et le monde présent qui m'entoure. Il semble qu'il n'y ait pas [entre eux] de point de rencontre. »

L'année suivante (1890), il prend davantage de distance encore avec la vie sociale, tout en étant conscient que ce retrait peut choquer ceux qui sont attachés à lui : « Je m'excuse encore et encore pour mon manque de courtoisie, de respect ou mon absence de calme envers vous jusqu'au jour de *Samvatsari* [jour du grand pardon annuel], en raison de l'exercice irrégulier de mes facultés mentales, vocales et physiques. La réminiscence de mes vies antérieures me vient à l'esprit de manière incessante, ce qui me conduit sur le chemin intense du détachement. » Il n'entend pourtant pas se départir encore de ses responsabilités familiales (il a un deuxième fils, puis une fille), et énonce alors certaines des règles de discipline qu'il essaie de s'imposer dans la vie sociale : « Ne vois les fautes de personne. Persuade-toi que, quelle que soit la difficulté qui se dresse sur ton chemin, elle est due à tes seuls défauts. Ne te laisse jamais aller à l'autocongratulation… Comporte-toi de telle façon que tu puisses gagner l'affection des autres. Dis qui tu es en toute transparence à qui que ce soit avec qui tu veux agir. Gagne sa confiance par tes mots et tes actes, et assure-lui que tu ne penseras ou ne feras jamais rien qui puisse aller contre ses intérêts […]. Dis à ton partenaire qu'en aucun cas tu n'es prêt à sacrifier la discipline qui t'est nécessaire à la réalisation du Soi […]. Au cas où un partenaire mettrait en doute ta bonne foi, demande-lui de tout mettre sur la table et parlez-en. S'il refuse ton explication, mets respectueusement fin au partenariat. »

L'année suivante marque le grand tournant de sa vie. Shrîmad semble apaisé ; ses contradictions sont apparemment résolues. Il sait désormais où il va. Il considère son mariage comme une inévitable souffrance, partie intégrante de son *karma*, qu'il doit endurer encore un moment afin de pouvoir acheter sa libération et préparer son âme à la vie pure de l'au-delà. Dans une lettre intitulée « Considérations sur le bonheur », il écrit : « Bien que je sois heureux en tant qu'époux, comparé aux autres hommes que je connais, le bonheur terrestre doit être enduré et non apprécié. J'ai délibérément choisi la vie d'homme marié afin de pouvoir guider les autres hommes mariés dans le droit chemin des pratiques religieuses. » Il lit les textes sacrés en sanskrit et en mâgadhî. Il lit le Coran et le *Zend Avesta* – ensemble des textes sacrés de la religion mazdéenne – en traduction. Se promenant dans un marché de Bombay, il passe près d'un cimetière et demande à l'ami qui l'accompagne ce qu'est cet endroit. Son ami le renseigne : « Un cimetière » ; ce à quoi Shrîmad répond : « Toute la ville de Bombay est un cimetière. »

Il écrira peu après, à propos de cette année-là : « En 1891, j'ai pu réaliser la pleine stature de mon être spirituel, et, depuis lors, je jouis d'une paix et d'une félicité croissantes [...]. La connaissance qui m'a conduit sur la vie terrestre a changé son cours, me laissant à mon propre but, à savoir la réalisation du Soi. » Cette année-là encore, il précise dans une lettre : « Que mon âme ait atteint une complète connaissance de sa nature est un fait indubitable ; que les nœuds de mon cœur et de ma tête aient été défaits est une vérité de tout temps, et toutes les âmes au soi réalisé reconnaîtront facilement et soutiendront mon expérience. »

Il fait alors une rencontre déterminante : le docteur Mehtâ, frère de son beau-père, lui présente un jeune avocat gujarâti, comme lui, qui vient d'arriver de Londres où il a fait des études de droit : c'est Mohandâs Gândhî. Gândhî vient de revenir de Râjkot, la ville de son enfance, où il est allé chercher sa femme et son fils pour s'installer comme avocat à Bombay. Là, le 7 juillet 1891, le jour même où il apprend la mort de sa mère, Gândhî est invité chez le docteur Mehtâ et rencontre Shrîmad. Les deux hommes appartiennent à la même caste et sont originaires de la même région. Râjchandra est présenté à Gândhî comme un poète. Gândhî s'étonne de le voir vêtu d'un *dhotî*, sorte de pyjama fait d'une seule pièce d'étoffe, sans couture, et d'un turban fait d'une autre pièce, elle aussi sans couture. *Sans couture* : comme le monde dont il rêve. Râjchandra explique ainsi sa rigueur : « Si vous gagnez assez d'argent pour vous nourrir sans trop de préoccupations, ne rendez pas ce jour impur en désirant le bonheur d'un roi. »

La rencontre est immédiatement d'une force inouïe. Chacun pense qu'il aurait pu être l'autre. Et Gândhî comprend que Râjchandra lui apporte tout ce qui lui manque : la spiritualité.

Râjchandra parle d'une voix douce, sourit en permanence, comme habité par une « joie intérieure », dira Gândhî : « Il y avait une étincelle dans ses yeux. Sa voix était si douce que chacun voulait l'entendre encore et encore. Le langage était à son service. » Dans ce registre aussi, Gândhî va l'imiter.

Mehtâ explique à Gândhî les talents mnémoniques d'exception de Râjchandra. Gândhî les met en doute et énonce à toute allure une centaine de mots en différentes langues, puis demande au jeune homme de les répéter dans l'ordre. Piqué au vif, alors qu'il ne se livre plus à ce genre de prouesse depuis des années, Râjchandra relève le défi et s'exécute sans commettre la moindre faute, puis il demande à Mohandâs de ne plus jamais rien lui demander de tel : « Je ne veux pas être un animal de foire ! Seul Dieu m'intéresse. Je peux vivre sans eau ni air, mais pas sans Dieu. » Ils parlent longuement de religion, que Gândhî connaît mal. Le Mahâtmâ dira de Râjchandra que « le but même de sa vie était la passion de voir Dieu face à face ».

Les jours suivants, les deux jeunes gens ont de longues conversations dans la boutique du diamantaire. Mohandâs a grand besoin de trouver ses racines indiennes sans renoncer pour l'heure à l'apport de l'Occident. Ayant commencé à en découvrir des éléments à Londres, il est désormais en état de les approfondir. Il admire chez Râjchandra « sa grande connaissance des écritures sacrées, son caractère irréprochable et sa profonde passion pour la réalisation de soi ». Il dira encore de lui : « Celui qui, sitôt qu'il en a terminé avec la tâche de mener à bien de pesantes transactions d'affaires, se met à écrire sur les choses cachées de l'Esprit, celui-là n'est pas un homme d'affaires, mais un authentique chercheur de Vérité. »

En septembre 1891, Gândhî s'inscrit au barreau près la cour d'appel de Bombay, mais se montre peu doué pour plaider, car il n'aime guère parler en public et connaît assez mal le droit indien. Simultanément, il noue insensiblement avec Râjchandra une relation de disciple à maître. Ce dernier lui fait lire les textes fondamentaux dont Gândhî ignorait tout : la *Bhâgavata Gita*, le *Pañchikaran*, le *Mani-ratna-mâlâ*, le chapitre sur le non-attachement du *Yoga Vashistha*, la première partie du *Kâvya Dohana* et son *Mokshamâlâ*. Râjchandra apparaît à Gândhî comme une réincarnation de sa propre mère, qui vient juste de mourir. Il le dépeint d'ailleurs ainsi dans son autobiographie : « Son intelligence aussi élevée que son ardeur morale me servit constamment de refuge dans les moments de crise spirituelle [...]. Et il est certain que cette vie doit être la dernière pour lui, car il est incroyablement proche de la libération [...]. Il considérait le monde entier comme son parent, et sa sympathie s'étendait à tous les êtres vivants de tous âges. Shrîmad était une incarnation du non-attachement et de la renonciation [...]. Je ne me souviens d'aucune occasion où Shrî Râi-chandbhâi [Râjchandra] se soit entiché d'un quelconque sujet matériel [...]. Dans ses conversations avec moi, il n'a jamais dit que je devrais suivre une religion particulière pour mon salut. Il me conseillait toujours de purifier mes pensées et mon attitude [...]. Il m'a dit de façon répétée que les diverses religions sont des geôles dans lesquelles les hommes sont prisonniers. Quiconque souhaite sa libération devrait s'extraire de ces religions et ne devrait supporter l'empreinte d'aucune sur son corps. Son simple conseil est : "Vis simplement et de telle manière que tu puisses atteindre Dieu." Shrî Râichandbhâi ne s'est jamais embarrassé des différences religieuses. Elles avaient plutôt tendance à l'étouffer... »

Râjchandra inculque ainsi à Gândhî les principes de non-violence, de recherche de la vérité pure, de maîtrise de soi, et les techniques du jeûne, de la méditation, de la perception du réel. Gândhî, émerveillé par son contrôle de soi, le qualifie même de « meilleur Indien de l'époque », et écrit : « Alors que nous fuyions notre libération, notre fin, Râjchandra courait à grands pas vers cette libération. Il ne changeait jamais un mot lorsqu'il écrivait une lettre. Il exprimait ses pensées et méditations dans un langage fin et approprié [...]. Le véritable contrôle de soi n'est pas une imposition, mais une inspiration, une illumination intérieure. Un complet non-attachement et une totale renonciation sont un don de l'âme. Cela devrait être spontané, venir de l'intérieur, n'être pas sporadique ni imposé de l'extérieur. De très rares âmes, par la vertu de leurs hauts accomplissements spirituels au cours de leurs précédentes naissances, possèdent en elles ces qualités. Elles seulement, qui essaient activement d'éloigner d'elles toute forme d'attachement, savent combien cela est difficile à atteindre... »

Gândhî dira encore que Râjchandra est une des trois personnalités qui ont le plus impressionné son esprit, les deux autres étant Tolstoï, par ses œuvres, et Ruskin, par son essai *Unto this Last*. « Quiconque lira ses enseignements et les suivra pourra accélérer sa marche vers la libération de soi. Râichandbhâi a écrit pour les individus déjà avancés et initiés en religion, non pour tout un chacun. » C'est de cet enseignement que viendra ce qu'on nommera plus tard le gandhisme.

L'humilité n'est pas toujours son fort. Conscient de ses dons mnémoniques extraordinaires, de ses capacités en télépathie, Râjchandra écrit : « Je pense à part moi que j'ai toutes les qualifications requises pour rétablir et propager la religion védique, mais, pour ce qui est d'instaurer et propager la religion jaïne, j'ai besoin de qualifications supplémentaires, même si, de tous les individus disponibles, je suis le plus qualifié pour le faire. » Il commence à rédiger un commentaire sur *Vingt-quatre prières pour vingt-quatre Tîrthankara*, de Shrî Ânandghanji. Il écrit sur l'*Anitya* et l'*Asharan Bhâvanâ*, sur les *Samsâra Bhâ-vanâ*, extrait des douze *Bhâvanâs* (« réflexions ») d'un grand sage hindouiste, Shrî Ratna-karand Shravaka-âchârya. Il prépare une traduction complète du *Pañchastikaya*, un traité de Shri Kundkunda-âchârya. Il réfléchit à l'état de libération de son esprit. Shrîmad expose dans un de ses poèmes (« Apûrva Avasara ») : « Mahâvîra [le "grand héros", 24ᵉ Tîrthankara], qui voit tout dans sa connaissance spirituelle, n'a pu lui-même pleinement décrire son état d'expérience. J'ai médité sur ce même état d'expérience spirituelle, mais je me suis trouvé aussi incompétent pour le décrire. J'ai le désir de le décrire en son entier, mais, pour le moment, cela n'est resté pour moi qu'un cher désir. » Il développe inlassablement de nouveaux exercices de méditation et aboutit à un extraordinaire chemin vers la connaissance de soi. Il écrit à Shri Dharshibhâi : « Il est rare et subtil d'obtenir un contact avec le Soi spirituel. L'étude développe une méditation pure qui mène à la connaissance absolue de l'absolue réalité, le Soi, l'*Atmâ*. Le contact avec le Soi est le résultat de la réduction et de la destruction des illusions, de l'indifférence au plaisir des sens, d'une dévotion résolue à un *guru*, au Soi réalisé. Par ces moyens, le contrôle sur Soi prend l'ascendant et commence à manifester sa nature et son entièreté. Une juste perception se développe et, par conséquent, une connaissance du Soi. »

Il rédige alors un texte passionnant sur ce qu'il nomme « religion », qu'il faudrait plutôt traduire par « spiritualité » : « La spiritualité est la qualité ultime de l'âme. Elle est implantée dans la nature humaine, sous une forme visible ou invisible. Par la spiritualité, nous pouvons connaître le devoir d'un homme, par elle nous sommes capables de connaître notre parenté avec les autres êtres vivants. Tout ceci requiert l'aptitude à se connaître soi-même. Si l'on ne se connaît pas soi-même, on est incapable de connaître les autres avec justesse. Par la spiritualité, chacun peut se connaître soi-même. Une telle religion peut être choisie là où elle se trouve. » Toutes les religions se résument, à ses yeux, à l'identité du monde avec Dieu : dans les écritures saintes indiennes, « *rahman* est la seule réalité, tout le reste, que l'on nomme le monde et ses différences, est irréel, ou un mélange de vérité et de fausseté ». Dans les Évangiles, Christ dit : « Moi et mon père sommes un. Tout le reste n'est que manifestations du Dieu unique. » Dans le Coran, « Dieu est seulement un, et Il est le seul vrai, et il n'y a rien d'autre ». « Sur l'expression d'une même vérité (la réalité est une), beaucoup de religions et d'esprits philosophiques ont offert des perspectives, mais, malheureusement, leurs différences verbales ont été cause de beaucoup de doutes, d'incrédulité et de désespoir pour le profane. Ceux qui prennent leur salut au sérieux devraient ignorer ces différences. » Puis vient la méthode qu'il recommande : « Tandis que nous entrons dans le monde de la conscience, êtres imparfaits, nous essayons de recourir à l'aide des imparfaites Saintes Écritures, pensant qu'elles sont moins imparfaites que nous. Nous sommes conduits par elles jusqu'à une certaine limite, mais, au-delà, elles nous laissent en plan, et là, nous ne pouvons plus nous fier qu'à notre seule expérience spirituelle, et à rien d'autre. Celle-ci devient alors notre guide, c'est elle qui illumine notre chemin, assure notre marche et nous propulse vers le but. »

En 1892, les clients ne se bousculant pas, Gândhî songe à renoncer au métier d'avocat pour se faire professeur d'anglais, mais c'est un métier qu'il ne peut exercer, ne possédant pas les diplômes nécessaires. Entre-temps, Râjchandra est parti dans un voyage intérieur dont il ne reviendra plus. Il déclare : « La connaissance du salut de l'âme est une expérience de renonciation complète à toutes les considérations de ce monde. » Il écrit à Gândhî : « Je n'oublie pas le Soi, serait-ce pour une seule seconde », et il explique à Shri Devkaranji Muni, associé de Shri Lalluji Mahârâj, qu'il se sent dans son corps comme la pulpe de la noix de coco détachée de la coque tout en étant encore enfermée en elle.

Cette année-là, il visite à Kheda, au nord de l'État du Gujarât, un grand yogi « absorbé dans une profonde méditation ; à présent, je suis le même Yogîndra jouissant de félicité et de paix ». Il pense encore à quitter femme et enfants. À un ami, il écrit encore à la même époque : « En deux ans, j'en suis venu à connaître l'esprit de ma femme, et je peux dire qu'aucun de nous n'est insatisfait de l'autre. Je ne peux pas dire non plus que tout soit absolument satisfaisant. Nos relations sont communes et normales. Et c'est plutôt dû à mon indifférence. Lorsque je me plonge dans des pensées hautement métaphysiques, ces pensées me suggèrent de renoncer à ma vie de chef de famille. J'ai eu des pensées similaires avant même mon mariage, mais j'ai dû les écarter, car les suivre aurait rendu mon existence impossible. »

En 1893, Râjchandra n'est plus qu'une pure conscience. Il écrit : « Renaître est une réalité : c'est indubitablement un fait. Je puis loyalement en témoigner sur la base de mon expérience personnelle. » À la mort de son principal disciple, Juthabhâi, Mansukharâm devient son interlocuteur privilégié.

La situation en Inde est devenue difficile pour le peuple, affamé : le vice-roi, Henry Petty-Fitzmaurice, reconnaît comme seule et unique cause de la famine la « fatalité climatique », alors qu'en réalité les cultures d'exportation (riz, thé, opium, jute, coton, blé), qui représentent 60 % du commerce extérieur de l'Inde, privent l'agriculture vivrière des meilleures terres.

Gândhî part alors pour l'Afrique du Sud où on lui offre pour quelques mois un emploi de conseiller juridique. Il laisse Râjchandra, persuadé de le revoir à son retour. Shrîmad, lui, devine qu'ils ne se reverront plus.

Le 20 mai 1893, Gândhî débarque à Durban. Il rencontre Albert Baker, du cabinet d'avocats Baker & Lindsay, un anglican qui lui propose de participer à sa prière quotidienne en compagnie de ses amis chrétiens. Gândhî accepte, mais refuse d'ôter de son cou un collier à la gloire de Vishnu offert par sa mère. Un dimanche d'octobre 1893, il assiste, au collège de Wellington, au prêche d'un célèbre prédicateur, Andrew Murray ; inspiré par la foi de l'assistance, ce prône le touche, mais le laisse sceptique : l'idée que Jésus soit le seul et unique fils incarné de Dieu reste à ses yeux difficilement acceptable. Il observe avec émotion l'ascétisme et le silence des moines de la Trappe de Mariann Hill, au Natal, mais il hésite encore : « Tandis que beaucoup d'amis missionnaires chrétiens considéraient comme de leur devoir religieux de me convertir au christianisme sur la base de ses merveilleux vœux de charité, de chasteté, de foi et d'espérance, je me résolus à chercher d'abord si la religion de ma naissance, c'est-à-dire l'hindouisme, me dispensait le message dont j'avais besoin. »

Et à qui d'autre s'adresser, si ce n'est à son *guru* ? Il pose alors à Shrîmad, dans une lettre passionnante datée de la fin de 1893, vingt-sept questions portant sur la fonction de l'âme, le rôle de l'esprit, la nature de Dieu, le Salut, la transmigration des âmes, la nature de la religion, les Védas, la *Baghavad-Gîta*, les sacrifices, la rationalité, le christianisme, la Bible, la prophétie, les miracles, le destin de l'univers, la dévotion, Krishna, Râma, Brahmâ, Vishnu et la non-violence. Autant de sujets dont ils avaient déjà beaucoup débattu.

Râjchandra ne lui répond pas tout de suite. En tout cas, pas directement. Il rédige d'abord un manuel d'accès à la connaissance de soi, fait de « cent huit règles d'or pour ceux qui voudraient se mettre en quête d'une réalisation de Soi » : il recommande le contrôle de soi par la maîtrise de la nourriture, la parole, l'exigence de pureté vis-à-vis de son entourage, l'honnêteté ; la limitation des activités matérielles ; de mener une vie méditative et de ne fréquenter que des individus bons et sages. La libération du Soi devient à tel point son obsession que, demandant son prénom à sa fille de trois ans, et celle-ci lui ayant répondu : « *Kashi* », il l'aurait affectueusement corrigée : « Non, tu es le Soi. »

Le futur Mahâtmâ, cependant, poursuit son action en Afrique australe. Il obtient le droit de vote pour les Indiens et se prépare à rentrer en Inde, son contrat terminé, mais, à la veille de son départ, le 22 mars 1894, apprenant que le droit de vote risque d'être retiré aux Indiens du Natal, Gândhî décide de prolonger son séjour. Le 20 septembre 1894, ayant déjà conscience de sa fin proche et devinant le destin de Gândhî, certain qu'il ne le reverra jamais, Shrîmad lui répond longuement, point par point, dans un texte capital ; voici l'essentiel de ses réponses, œuvre d'un jeune homme de vingt-sept ans.

Sur l'âme : « Il existe une entité appelée *âtman*, dont l'essence est le savoir [...]. L'*âtman* est une entité impérissable qui conserve éternellement sa forme. [...] Quand l'*âtman* a accédé à un état de connaissance, l'état résultant de la véritable compréhension de son essence, c'est le *kartâ* [auteur, acteur] de cet état, l'état d'éveil (détermination de ce qu'est la vérité) et l'état de pure conscience en résultant, qui est sa nature véritable. Dans un état d'ignorance, le *kartâ* des émotions de colère, d'orgueil, d'attachement, d'avarice, etc., se métamorphose parfois en *kartâ* des objets matériels (comme un pot, une étoffe, etc.). Il n'est pas le créateur de la substance originelle de ces objets, mais de l'action qui leur impose une apparence. Ce dernier état est décrit dans le jaïnisme comme le *karma*, et, dans le *Vedânta*, comme "illusion" [...]. L'*âtman* ne peut pas être le *kartâ* d'objets matériels ni d'émotions comme la haine, mais uniquement le *kartâ* de l'état d'auto-accomplissement. Les *karmas* accomplis dans un état d'ignorance sont, au début, comme des graines qui deviennent arbres ; en d'autres termes, l'*âtman* doit subir les conséquences de ces *karmas*. Tout comme le contact avec le feu suscite une sensation de chaleur et, *in fine*, de douleur, il en va de même pour l'*âtman* : s'il est le *kartâ* des émotions de colère, etc., il doit subir en conséquence la douleur de la naissance, de la vieillesse et de la mort [...] ; une compréhension de l'état d'où l'esprit doit se retirer et de l'effort pour se retirer amènera la délivrance. »

Sur Dieu : « L'existence de l'âme dans sa forme naturelle, libérée du *karma* et pure comme l'*âtman*, est l'état d'*Îshvar* [Dieu]. Celui qui possède l'*aishvarya* [pouvoir] du savoir peut être décrit comme *Îshvar*. C'est l'état naturel de l'*âtman*, qui n'est pas révélé lorsque l'*âtman* est engagé dans les *karmas*. […] Îshvar n'est pas le créateur de l'univers composé par les atomes, mais une entité impérissable, non issue d'une autre substance. »

Sur la réincarnation : « Quand l'âme quitte le corps, elle atteint un état dépendant du mérite de ses actions passées ; elle peut donc redevenir une créature inférieure ou peut-être même un ver de terre, doué de l'unique sens du toucher. […] Le corps est comme un vêtement de l'âme ; ce n'est pas son essence. »

Sur le christianisme : « Il est impossible que Dieu, qui est Lui-même libéré de toute naissance et de toute mort, s'incarne en un être humain ; ce sont les évolutions de l'attachement ou de l'aversion qui sont les causes de la naissance, et il ne semble pas raisonnable de dire que Dieu, qui n'a ni attachement ni aversion, puisse naître sous la forme d'un être humain. »

Une destruction totale de l'Univers (*pralaya*) est-elle possible ? « La destruction complète de tout ce qui existe est impossible. La fusion de toute chose en Dieu ne me semble pas non plus possible. Car comment toutes âmes et tous objets peuvent-ils parvenir à un même état, étant donné leur diversité ? »

Enfin, dernière question : si un serpent s'apprête à me mordre, dois-je le laisser faire ou le tuer, à supposer que ce soit la seule manière dont je puisse me sauver ? « Si vous avez pris conscience de la précarité de votre corps, comment pourrait-il être juste de tuer une créature qui se cramponne avec passion à un corps qui, pour vous, n'a plus de valeur réelle? En de telles circonstances, pour tous ceux qui désirent le bien-être spirituel, le meilleur choix est de laisser son corps périr. » Trente ans plus tard, Gândhî répétera au mot près cette phrase à un élève sur le pied duquel se promène un serpent…

Après avoir lu cette lettre, Gândhî écrit : « Ses réponses étaient si logiques, si attirantes et convaincantes que je retrouvai ma foi dans l'hindouisme, et que je fus sauvé de la conversion au christianisme. » Le Mahâtmâ considérera jusqu'à la fin de sa vie Râjchandra comme son *guru*, et dira : « Aucun ne m'a fait une impression aussi forte que Râjchandrabhâi. Ses paroles ont pénétré profondément en moi. »

En 1895, Shrîmad Râjchandra, sachant qu'il ne reverra plus Gândhî, quitte Bombay pour se consacrer pleinement à la méditation. Il s'installe avec sa famille près de son lieu de naissance, à Surat, dans l'État du Gujarât, là où s'était jadis créé le premier comptoir britannique en Asie. Il passe l'essentiel de son temps avec des disciples souvent issus de riches familles. Il est entré dans le chemin qui doit le conduire à la libération de son âme. « Le renoncement à la complaisance envers soi-même, à ses points de vue et à ses opinions, si on agit directement au travers d'un vrai *guru*, est une action nommée perfection […]. Les saints ne parlent pas, ne font rien, leur sainteté réside dans leur détachement. »

Cette même année, un de ses disciples, Lalluji Mahârâj, victime de la grippe, lui fait part de sa peur de mourir. Shrîmad lui répond par une lettre dans laquelle il énumère six actes de foi essentiels, dans une synthèse comme épurée de ses textes antérieurs : « 1 – L'âme existe ; 2 – L'âme est éternelle et n'a pas de fin, contrairement au corps ; ils coopèrent néanmoins dans un organisme vivant. Le corps n'est rien sans l'âme ; 3 – L'âme décide de son *karma*, elle est l'auteur de toutes ses activités ; 4 – L'âme est victime de son *karma* ; 5 – L'état de libération [*moksha*] existe ; l'âme peut se libérer de son *karma* ou de son état d'ignorance caractérisé par les émotions ; 6 – Les moyens pour se libérer existent, notamment à travers la méditation. »

Lalluji Mahârâj dira : « Cette lettre m'a aidé à me défaire de toutes mes divagations ; elle m'a débarrassé de mes doutes, a conforté ma foi dans les fondamentaux jaïns, et dans ceux de toutes les religions en général, portant sur la nature et le développement de l'âme. Elle a redonné cours à nos recherches de la nature du Soi et de sa connaissance. Ainsi, cette lettre est merveilleuse à bien des égards. Si le disciple le mérite, la constante méditation sur cette lettre et les vérités qu'elle contient le placera sur la voie de la réalisation du Soi. »

En 1897, à l'âge de trente ans, diaphane, vivant pour l'essentiel allongé, Shrîmad écrit sur la « Doctrine de la libération », ou *Moksha Siddhânta*. Il affirme d'expérience que l'on peut vivre le *moksha* (libération) de son vivant. Il entame la traduction en gujarâti de *Svarodaya*, de Shri Chidânandji. À la demande de Shri Sobhâgyabhâi, il rédige *Atmashiddhi*, version en 142 vers de sa « Lettre des Six Vérités », difficile à mémoriser : « L'âme existe, elle est éternelle, […] elle aspire à sa libération. L'âme et le corps sont deux entités totalement séparées, tels l'épée et son fourreau [...]. L'âme est consciente, savante et bienheureuse par nature. Le conscient et l'inconscient diffèrent en genre, pas en degré. L'inconscient ne peut sonder le conscient. Le conscient est une puissante lumière pour comprendre l'inconscient ; de là la supériorité du conscient sur l'inconscient [...]. Toute création ou dissolution peut être comprise par l'âme consciente, mais l'âme consciente ne peut être connue que par elle-même et par aucun autre moyen physique ou visible [...]. Par l'attachement, l'avarice et l'ignorance, l'âme se contraint et s'attache. Par la colère, nous contraignons nos actions, et par le pardon, nous détendons les nœuds qui contraignent nos actions et devenons libres. La libération est le fruit du retrait de l'action. Dans l'état de *siddha*, l'âme est séparée de tous les *karmas*, et de là provient l'état de totale libération, vraie nature de l'âme. Le pardon ouvre la voie à la libération. Il consiste à étouffer la colère, l'honneur ou l'amour-propre, la désillusion ou l'avidité, en arborant un désir de libération, un refus des activités matérielles, de la compassion pour tous les êtres vivants et de la sympathie pour tous ceux qui aspirent à la libération, et en priant et travaillant soi-même à cette libération. En suivant cette voie, on affine sa perception spirituelle, on purifie son être, on distend l'attachement au corps, on brûle ses actions dans le feu de la conscience spirituelle, on gagne du pouvoir et de la lumière, et, au final, on se libère et on devient un guide pour les autres. »

Shrîmad demande à Shri Ambalabhai de faire quatre copies de ce manuscrit et d'en donner une à chacun de ses disciples proches : Shri Sobhâgyabhâi, Shri Lalluji Mahârâj, Shri Zaveri Maneklâl Ghelabhâi et Shri Ambalabhai. Il recommande par ailleurs à Shri Lalluji d'étudier ce texte dans la solitude et de ne pas en faire lecture à haute voix.

En 1898, l'Inde va mal : la famine sévit ; le vice-roi, lord Elgin, dans un discours au club de Simla, sa somptueuse résidence d'été, déclare que « l'Inde a été conquise au fil de l'épée et doit être gardée de même ». La politique britannique dans le sous-continent prend alors un tour plus brutal.

Un habitant de Kutch, Padamshibhâi, lui ayant demandé s'il peut le délivrer de l'angoisse de la mort, Shrîmad répond : « Vis comme s'il n'y avait pas de mort. La peur de la mort enchaîne à la mort. Sois sans peur, mène une vie chaste, et embrasse la mort quand elle vient. » Il rend visite à un ami atteint d'une pneumonie mortelle. Il lui prend la main ; l'ami se calme. Au bout de quelques instants, Shrîmad s'éloigne et confie aux proches du malade que la mort arrive. Quand on lui demande comment il le sait, et comment il est parvenu à apaiser le moribond, il répond qu'il sait voir venir la mort et qu'il a essayé de chasser les derniers désirs du malade pour améliorer les conditions spirituelles de sa naissance future.

Au début de 1899, sitôt débarqué, le nouveau vice-roi, lord George Nathaniel Curzon, déclare que « son ambition la plus haute, lors de son service en Inde, sera d'aider le Congrès, déjà titubant, à se dissoudre pacifiquement ».

Quoique extrêmement fatigué, Shrîmad se rend alors à Idar, principale ville de l'État de Rajput, à l'invitation du *râjâ* de l'endroit qui lui demande ce qu'il pense de la royauté. En présence de journalistes qui photographient et reproduiront l'entretien, le lendemain, dans la presse, Râjchandra répond par un proverbe gujarâti : « Être roi, c'est être en enfer. » Il ajoute : « Si un homme acquiert le pouvoir de régner à sa naissance, cela est dû aux bonnes actions de ses vies antérieures. Que le roi soit bon, remplissant avec rigueur ses devoirs, ou qu'il préfère mener une vie luxueuse et de complaisance, dépend de ses antécédents. Il est probable que la plupart des rois sont du second type, disposant des qualités d'un bon roi, mais abritant au plus profond d'eux-mêmes les germes de la corruption. » Il explique : « La religion, qualité spirituelle de l'âme, peut entraver celle-ci dans sa libération. Les religions sont (aussi) des prisons. Quiconque veut se libérer doit s'émanciper de leurs enseignements et ne porter aucune marque religieuse sur son corps. »

Il aspire maintenant à être seul. Il demande à ses disciples de le conduire loin d'Idar, de Râjkot, de Bombay. Il s'installe dans un hameau, à Surendranagar, dans le Gujarât, et s'y laisse photographier, hâve et décharné, dans la position du lotus. D'innombrables pèlerins en quête de libération de soi viennent le voir. Il crée une association pour promouvoir le jaïnisme, et collecte des fonds afin de publier les écrits d'auteurs jaïns. Ses disciples rapportent qu'ils ont le sentiment d'assister au stade ultime de la contemplation, à l'état de *samâdhi* (*sam* = maintien, stabilité (en concentration), et *âdhi* = souffrance, angoisse) ; ils le décrivent comme ayant atteint la huitième et dernière étape de l'*ashtânga-yoga* exposée dans les *Yoga-Sūtra* de Patañjali, durant laquelle l'esprit du yogi accède à la « réalité ultime ».

En janvier 1901, Shrîmad Râjchandra est reçu à Ahmedabad, avec sa mère et sa femme, dans la maison de l'Aga Khan qui y réside alors. Son corps est si faible que les médecins limitent la durée de ses conversations. Il s'exprime pour l'essentiel par écrit. Shri Devkaranji Muni lui demande la raison de sa maigreur physique : « Je suis en guerre contre mon corps, car il a pris une nourriture nuisible durant mon séjour à Dharampur », répond-il. Il appelle Shri Lalluji et Shri Devkaranji, et leur conseille de ne faire aucune différence entre lui et Shri Mahâvîrswâmi, qu'il désigne ainsi comme son successeur.

Il rentre à Râjkot. Son esprit, au mieux de sa force, s'éloigne de son corps. Il dit : « Je n'appartiens à aucun ordre, j'appartiens à l'*âtman*. » Le 21 mars 1901, il ajoute : « Victorieux soit l'éternel chemin des personnes éclairées ! [...] Si chacun pouvait évaluer correctement la signification de ses pensées, alors la libération de chacun serait un stade facile à atteindre. » Il souffre de migraines. Les médecins ne diagnostiquent aucune affection particulière, si ce n'est un état d'anémie extrême.

Le 8 avril dans la soirée, étendu sur son lit, à bout de fatigue, refusant tout soin, il déclare à son frère Shri Mansukhbhâi, à Shri Revashankarbhâi, à Shri Narbherâmbhâi et à d'autres qui se tiennent autour de lui : « Soyez certains que cette âme est éternelle ; elle va atteindre des niveaux de plus en plus hauts, et elle aura un magnifique avenir. Restez tranquilles, calmes et sereins. Il se peut que je ne sois jamais plus à même de vous le dire avec ma langue, mais je vous conseille de poursuivre vos efforts pour vous découvrir et vous réaliser. »

Le 9 avril à 2 h 30 du matin, Shrîmad redit à son frère et à ses disciples de ne pas s'inquiéter. Vers 7 h 45 du matin, ils lui donnent à boire du lait. À 8 h 45 le jour du 5ᵉ Chaitra Vad Vikram Samvat de l'année 1957 (1901), il dit à son frère : « Mansukh, ne sois pas affligé ; prends soin de mère. Je me retire vers la vraie nature de mon âme. » Il demande à son frère de le changer de position sur son lit. Son frère dira : « La lumière sur son visage continue de croître à mesure que la vitalité de son corps diminue. » Un peu plus tard, il répète : « Je retourne à la vraie nature de mon âme », et entre en méditation. Il reste étendu sur son lit et expire à 14 heures, à l'âge de trente-deux ans, à Râjkot, province du Saurâshtra.

BIBLIOGRAPHIE

BRAHMACHARIJI, Govardhandasji, *Jivankalä, The Life and Mission of Shrîmad Râjchandra*, 2ᵉ édition, Shrîmad Räjchandra Äshram, Agäs, 1944.

GÂNDHÎ, Mahâtmâ, *The Story of My Experiments with Truth*, Beacon Press (MA), réédition, 1993.

MEHTÂ, Digish, *Shrîmad Râjchandra, A Life*, Manilal R. Patel, 1978.

MEHTÂ, Raichandbhai, BRAHMACHARI, Govardhanadasaji, et DINUBHAI, Muljibhai Patel, *The self-realization : being the translation of Atma-Siddhi of Srimad Rajachandra*, Agas, India, Srimad Rajachandra Ashram, 1994.

SOFRI, Gianni, *Gândhî et l'Inde*, Casterman/Giunti, coll. « XXᵉ siècle », 1996.

http://www.cs.colostate.edu/~malaiya/jainhlinks.html

18

L'empereur Meiji
(1852-1912)
ou l'empereur des signes

Comment prendre le meilleur des autres sans se renier ? Comment plier devant la force sans disparaître ? Comment accepter le neuf sans qu'il entame ni ruine son identité ?

C'est au Japon, confronté à la nécessité de s'ouvrir, qu'au XIXᵉ siècle un empereur énigmatique apporte une étonnante réponse à ces questions qu'ont affrontées tant d'autres peuples avant lui, et qu'affronteront de plus en plus de nations, au moment où la mondialisation, porteuse par ailleurs de tant de promesses, menace d'étouffer la diversité des cultures, laminées par le règne de l'argent.

Cette réponse consiste en un exercice particulier du pouvoir, dans la sérénité et la distance, par petites touches, à l'aide de symboles, de poèmes, de présences ou d'absences, au-dessus d'une société d'une extrême violence qui menace parfois de l'atteindre.

Lorsque, le 3 novembre 1852, naît à Tōkyō cet empereur qui deviendra Meiji (*mei* pour « lumière », *ji* pour « gouvernement ») et dont le premier nom est Mutsuhito (qui signifie « cordialité-humanité »), le Japon traverse des heures difficiles. Pour conserver ses ressources minières, le pays est entièrement fermé en 1639 par le shogun (dictateur militaire, qui détient la réalité du pouvoir). Ses décisions vont jusqu'à interdire à tout Japonais de sortir du territoire sous peine de mort, à expulser tous les étrangers et à détruire tout bâtiment capable de naviguer en haute mer. Aucun commerce, aucun échange d'idées ; en découlent une énorme tension intérieure, une incessante guerre de clans, cependant que les puissances occidentales rêvent d'avoir accès à ce grand marché.

En une soixantaine d'années de règne, Mutsuhito va changer radicalement le visage de son pays. Absent de la scène de l'Histoire, le Japon va devenir une très grande puissance industrielle et militaire, s'ouvrant aux technologies et aux savoirs modernes sans rien perdre de sa langue, de sa culture, de son identité, de sa religion. Le shôgunat disparaîtra, les samouraïs s'effaceront, un Parlement fera son apparition, même si l'exercice de la démocratie restera limité et si les guerres entre clans resteront terriblement meurtrières, et ce, jusqu'au sommet de l'État.

Au lieu d'un dieu immobile et invisible, retranché dans son palais comme l'étaient ses prédécesseurs, l'empereur Meiji va devenir, malgré d'énigmatiques éclipses, un acteur influent de l'histoire du pays. En empathie mystique avec son peuple, menant de grandes réformes, qu'il freine parfois lorsqu'elles lui paraissent aller trop vite ou trop loin, sans cesse en alerte face à une guerre civile jamais entièrement maîtrisée et dont il est parfois la cible, discret commandant en chef d'armées au combat, il est aussi et peut-être surtout un écrivain épris de son peuple, à qui il dédie près de cent mille poèmes, *tankas* et *haïkus*.

Comme c'est souvent le cas pour le prince héritier, sa mère n'est pas l'impératrice, mais une dame de cour, Nakayama Yōshikō. Sous le nom de Komei, son père, le *Tennō* (empereur céleste, descendant de la déesse du Soleil, Amaterasu) ne contrôle rien : le nord et l'ouest de l'archipel sont depuis des siècles sous la coupe de chefs *samouraïs*, des *daimyos* (« grands noms » ou « grands seigneurs »), en particulier ceux des clans Satsuma, Chōshū et Tosa, ouverts aux changements grâce à leurs contacts épisodiques avec les Hollandais. Le reste du pays vit sous l'autorité du shogun, issu de la famille Tokugawa et qui dirige depuis Edo – ancien nom de Tōkyō. Dans ce pays féodal, les inégalités sont considérables : plus de deux cent cinquante *daimyos* ont un revenu dix mille fois supérieur à celui des paysans, et le shogun dispose pour sa part d'un revenu cent fois supérieur à celui des *daimyos*, donc un million de fois supérieur à celui des paysans.

L'empereur, dont le revenu est très inférieur à celui du shogun, vit retranché du monde dans son palais de Kyoto, le *gosho*, en compagnie des nobles de cour, les *kugés*, classe aristocratique qui dominait le pays jusqu'à l'avènement du shogunat au XIIᵉ siècle. Coupé du pouvoir comme de tout contact avec son pays, sans armée ni ressources propres, l'empereur ne sort du *gosho* qu'à l'occasion de quelques rares processions religieuses.

Autour de ce pays figé, où commencent à s'agiter des forces favorables au changement, les mouvements se font de plus en plus intenses : la révolution industrielle attire dans la région des forces nouvelles et des techniques puissantes. Les arsenaux, la construction maritime sont bouleversés par les progrès de la métallurgie et l'apparition de la machine à vapeur. La colonisation de l'Asie commence : les Espagnols sont aux Philippines ; les Britanniques en Inde, à Ceylan, en Birmanie, en Australie, à Hong-Kong et en Chine après une guerre pour l'exportation de l'opium ; les Français ont des comptoirs en Inde, en Chine et en Nouvelle-Calédonie ; les Portugais sont installés en Inde, à Macao et au Timor oriental ; les Hollandais sont implantés en Indonésie ; les Allemands débarquent en Papouasie, en Nouvelle-Guinée et en Chine, dans la région du Qingdao ; les Russes s'intéressent aux îles Sakhaline, au large de la Sibérie. Tous ces pays sont intéressés par l'archipel des Ryūkyū dont fait partie Okinawa, entre les îles Kyūshū au nord et Taïwan au sud.

Nagasaki est alors le seul port japonais ouvert aux bateaux étrangers. Et encore : seulement aux bâtiments allemands et hollandais, et seulement à titre d'escale sur la route de la Chine. Le Japon ne dispose d'ailleurs pas de marine de guerre ni de flotte commerciale, mais seulement de bateaux de pêche et de garde-côtes. Aucun étranger n'a le droit de pénétrer dans le pays.

Les États-Unis ne peuvent tolérer un pareil protectionnisme : le marché japonais – plus de 40 millions d'habitants – est potentiellement trop important pour ne pas être forcé. En 1846, prenant prétexte de récupérer dix-huit marins américains faits prisonniers par les Japonais pour avoir pénétré par erreur dans leurs eaux territoriales, Washington envoie le commandant Biddle et deux vaisseaux de guerre, armés de 72 canons, pour forcer l'entrée du port de Nagasaki. Il obtient la libération des prisonniers et, à son retour, recommande au président américain d'exiger l'ouverture du Japon en menaçant de recourir à la force.

En avril 1852 – année de naissance du futur Meiji –, le commodore américain Perry, qui a remarquablement préparé son expédition, quitte le port de Norfolk, en Virginie, avec quatre navires à vapeur surarmés et deux lettres du président Milyard Fillmore : l'une, aimable, demande poliment au Japon l'ouverture de ses ports et la signature d'un traité d'amitié avec les États-Unis ; l'autre menace en cas de refus. Le 8 juillet 1853, après avoir contourné l'Amérique du Sud et traversé le Pacifique, les navires de Perry accostent sans autorisation dans le port d'Uraga, dans la baie d'Edo. Les représentants du shogun les somment de repartir tout en leur demandant d'aller mouiller en rade de Nagasaki. Le shogun accepte en effet – grande concession – d'ouvrir exceptionnellement aux Américains ce port jusque là réservé aux Hollandais et aux Allemands. Perry refuse d'obtempérer et demande à remettre en mains propres au shogun la lettre du président américain. Les Japonais ne donnant pas suite, Perry ordonne à ses canons de détruire plusieurs bâtiments amarrés dans le port. Dans le même temps, il envoie aux Japonais deux drapeaux blancs à agiter lorsqu'ils souhaiteront que la canonnade cesse. Le shogun cède et laisse Perry débarquer le 14 juillet 1853 à Kurihama (aujourd'hui Yokosuka), puis lui remettre la lettre menaçante du président américain réclamant la signature d'un traité de commerce. Dans l'attente d'une réponse, Perry gagne les côtes chinoises, se réapprovisionne et revient, en mars 1854, escorté cette fois de navires français, britanniques et hollandais. Les Japonais se rendent. Les Américains signent alors la convention de Kanagawa avec des émissaires du 13ᵉ Shogun, mais non pas avec des représentants de l'empereur, comme ils le croient.

Un marchand de New York, Townsend Harris, s'installe alors à Edo comme premier consul général américain ; une célèbre geisha de Shimoda (ville située à l'extrémité sud de la péninsule d'Izu, à environ cent kilomètres au sud-ouest d'Edo), Okichi, accepte de se mettre à son service tout en sachant qu'elle sera, de ce fait, déshonorée et méprisée par ses compatriotes. Ainsi naît une mythologie dont, cinquante ans plus tard, *Madame Butterfly* sera l'héritière.

Pendant ce temps, comme les précédents princes héritiers, le jeune prince Mutsuhito passe les premières années de son enfance à Kyōto, à l'écart de ces péripéties, dans le palais impérial en bois peint en blanc et en rouge, aux couleurs du pays, entouré de somptueux jardins.

En octobre 1856, la deuxième guerre de l'opium ligue les puissances occidentales contre la Chine des empereurs Qing, d'origine mandchoue. Les étrangers obtiennent l'ouverture de nouveaux ports de commerce et le droit, pour les missionnaires chrétiens, de prêcher sur le sol chinois. Le Japon résiste encore, mais doit se résigner à son tour à s'ouvrir : le 14 août 1858, le shogun signe un traité de commerce et d'amitié avec les États-Unis, la Grande-Bretagne, la France et l'Allemagne. Comme son équivalent en Chine, ce traité est très favorable aux étrangers.

La classe dirigeante japonaise est alors partagée : certains seigneurs et les nobles du Nord aspirent à accéder à la richesse marchande et à s'ouvrir aux technologies du reste du monde. Le 13ᵉ shogun, Iesada Tokugawa, a intérêt, pour ce qui le concerne, au maintien du système féodal, et s'oppose à toute ouverture. Pour le renverser, les *daimyos* du Nord choisissent de miser sur l'empereur et veulent s'en faire un allié.

En 1859, mesurant le risque, le shogun se rend à Kyōto avec des *daimyos* qui lui sont favorables et prônant le *Sonnō jōi* (« révérer l'empereur, expulser les barbares »). Ils exigent le mariage de son héritier, Iemochi, avec Chikako Kazunomiya, fille de l'empereur Ninkō et jeune sœur de l'empereur Kōmei. Face à ces pressions, l'empereur menace d'abdiquer. Le shogun, malade, recule et se fait provisoirement suppléer par un *daimyō* de ses fidèles, Naosuke, qu'il nomme *Tairō* (littéralement « Grand Ancien »). Naosuke fait assassiner en quelques semaines une centaine de membres de la cour impériale, des *daimyos* hostiles au shogun et divers prétendants à la succession de ce dernier. Il n'a pas le temps de parachever son programme : il est lui-même assassiné en 1860 par des samouraïs loyaux à l'empereur.

L'année suivante, des samouraïs partisans du shogun, regroupés dans le mouvement Kōbu Gattai (« Union de la Cour et du Bakufu »), reprennent la lutte et imposent à l'empereur le mariage de l'héritier du shogun avec sa sœur, ce qui pourrait le désigner comme héritier du trône en lieu et place du jeune Meiji.

Celui-ci, âgé de huit ans, est alors le seul survivant des six enfants de l'empereur Kōmei. Très lié à sa mère Nakayama, il passe ses journées à apprendre à lire en déchiffrant des textes de la philosophie confucéenne, s'exerce à la calligraphie et compose ses premiers *haïkus* et *tankas*. Kōmei s'inquiète de voir son fils recevoir, en ces temps de crise, une éducation par trop classique dispensée par « les femmes du palais ». Meiji, lui, n'a encore rien perçu des luttes de pouvoir dont il est l'enjeu.

En juin 1861 paraît le premier journal du pays, un bihebdomadaire en anglais réservé aux équipages des bateaux de passage, le *Nagasaki Shipping List and Advertiser*. L'année suivante voit le jour le premier journal en langue japonaise, au titre éloquent : le *Kampan Batavia Shimbun* (« Nouvelles des Pays-Bas »). Dans l'année qui suit, seize journaux font leur apparition. Le mouvement est lancé, qui ne s'arrêtera plus. Des bateaux commencent à se construire, des marchands sortent timidement du pays.

Les *daimyos* du Nord, en particulier ceux de Satsuma et de Chosu, soutiennent alors l'empereur et l'aident à conforter la situation de son fils Meiji comme prince héritier, contre le shogun. En 1863, sentant que l'alliance des *daimyos* qui lui sont hostiles se renforce et qu'il risque de perdre son pouvoir en cherchant à l'élargir, ce dernier renonce à la succession de l'empereur et vient se prosterner devant Kōmei et son fils. Il répand monnaies, armes et bijoux à leurs pieds au cours d'une cérémonie publique d'une grande ferveur. Sans un mot, l'empereur part alors à la tête d'une imposante procession vers le temple Kamo, sanctuaire shintoïste dédié à Kamo Wake-ikazuchi, le *kami* du tonnerre, censé protéger la ville contre les démons. Le shogun hésite, puis emboîte le pas à l'empereur en veillant à rester en retrait : tout est dit.

L'empereur lui-même et les *daimyos* qui le soutiennent tentent alors de tenir à distance les « barbares » étrangers. Depuis la côte, le clan de Chōshū bombarde les bâtiments étrangers qui empruntent le détroit de Kammon, entre les îles de Honshū et de Kyūshū, soit la voie maritime la plus rapide entre Nagasaki, Ōsaka et Edo. La riposte anglaise ne se fait pas attendre : du 15 au 17 août 1863, ils bombardent Kagoshima et assurent le libre passage des navires étrangers. L'empereur et les *daimyos* comprennent que, sans marine, ils ne seront jamais maîtres de leur espace maritime.

L'année suivante meurt le 13ᵉ shogun. À dix-huit ans, le jeune Iemochi le remplace, avec à ses côtés son épouse, la sœur de l'empereur. Le 5 septembre 1864, des navires britanniques, hollandais et français mouillent dans le port de Shimonoseki, à la pointe sud d'Honshū, d'où partit la canonnade de l'année précédente. Ils font sauter les dépôts de munitions et les fortifications de la ville. Le shogun se voit offrir le choix entre le paiement d'énormes indemnités et de nouvelles autorisations de commerce. Faute de ressources suffisantes, il est contraint d'ouvrir davantage encore le pays. Au même moment se déclenche une épidémie de choléra que la population ressent comme une punition céleste pour avoir laissé pénétrer des étrangers sur le sol nippon. Le shogun en sort encore affaibli.

En 1866, Iemochi, le 14ᵉ shogun, meurt à seulement vingt ans ; il est alors remplacé par Yoshinobu, issu de la même famille, qui devient le 15ᵉ shogun à vingt-neuf ans.

Le 30 janvier 1867, l'empereur Kōmei est soudain emporté par la variole. Ainsi disparaissent tous les acteurs des épisodes antérieurs.

Trois jours plus tard, conformément au rituel, le prince héritier Mutsuhito accède au trône à l'âge de quinze ans. La jeunesse du nouveau monarque n'est pas un fait exceptionnel : son arrière-grand-père, l'empereur Kōkaku, était monté sur le trône à huit ans, son grand-père Ninkō à dix-sept ans et son père Kōmei à quinze. Encore une fois, on instaure une régence.

Le nouveau shogun entend profiter de cet intérim pour restaurer sa puissance. Mais trois *daimyos* (Ōkubo Toshimichi, du clan Satsuma ; Kido Koïn, du clan Chōshū ; Iwakura, du clan Tomomi), ralliés à l'empereur, réagissent. La guerre civile menace. Le 9 novembre, les armées des trois *daimyos* font plier celles du shogun, qui reculent sans livrer combat. Deux mois plus tard, le 3 janvier 1868, ces trois *daimyos* réunissent leurs partisans à Kyoto pour témoigner leur soutien à l'empereur. Initiative intolérable pour les partisans du shogun, qui déclenchent alors une guerre intestine, la guerre de Boshin (« guerre de l'année du Dragon »). Cent vingt mille hommes sont mobilisés, trois mille cinq cents morts.

Le 6 avril, la guerre civile s'achève sur une victoire des *daimyos* fidèles à l'empereur. Le shogun est dépouillé de ses titres et de ses terres, et exilé à Sunpu, retraite du fondateur de la dynastie. Craignant longtemps d'être assassiné, il partagera désormais son temps entre la photographie et le vélo, la peinture, le tir à l'arc ou encore la chasse.

Les *daimyos* proclament la restauration impériale. Par un serment dit « des cinq articles », ils prennent en fait le pouvoir sous le nom de « gouvernement impérial » et annoncent l'ouverture du pays : « Notre pays est sur le point d'entreprendre des réformes sans précédent. Nous-mêmes, avant tout le monde, prêtons serment devant les dieux du ciel et de la terre ; nous ouvrons la voie au salut du peuple tout entier en établissant fermement les principes nationaux. Que les multitudes prennent ces directives pour bases, qu'elles s'accordent et unissent leurs forces. » Le serment est très ambitieux : « On établira largement des assemblées délibératives et toutes les affaires de l'État seront décidées par voie de discussion publique. D'un seul cœur, inférieurs et supérieurs participeront activement au gouvernement. Il importe que les fonctionnaires civils et militaires et jusqu'au peuple, par l'achèvement de leurs desseins, ne conçoivent aucune amertume. Les mauvaises coutumes du passé seront abolies et l'on prendra pour règles les justes lois du ciel et de la terre. La prospérité du gouvernement impérial s'appuiera sur la recherche des connaissances dans le monde. »

L'ère Meiji commence donc bien avant que Meiji n'en prenne les rênes. Il n'est que le pivot, le garant et le soutien autour desquels s'organise une révolution de palais.

Le 12 septembre 1868, l'empereur est couronné à l'âge de seize ans. La cérémonie, préparée par Iwakura Tomomi (qui devient le principal conseiller du monarque), renoue avec les traditions du shintoïsme, la plus ancienne religion du Japon, forme d'animisme conférant un caractère divin à la toute-puissance de la nature. Ōkubo Toshimichi, Kido Koïn et Iwakura Tomomi co-dirigent alors le pays. Shigenobu Ōkuma devient ministre des Affaires étrangères.

Dans la sérénité de son palais, le jeune empereur poursuit sa formation. Il monte à cheval, s'initie à l'histoire de l'Europe et à la langue allemande. S'il fait preuve d'une bonne mémoire, il semble davantage porté sur la boisson que sur l'étude, hormis celle de la poésie. Le 11 janvier 1869, il épouse à dix-sept ans Dame Haruko, fille d'Ichijō Tadaka, du clan Fujiwara, un « kuge » (noble de cour). Elle est de deux ans son aînée. Ils n'auront aucun enfant ; mais il en aura quinze avec des concubines, dont cinq seulement lui survivront.

Cette année-là, l'anniversaire de l'empereur est déclaré fête nationale et le *Meiji nengō* (l'ère Meiji) est annoncé. Ses conseillers et ministres souhaitent qu'il déménage à Edo, cœur des forces économiques et militaires du pays, d'où gouvernait le shogun. Meiji s'y refuse. Pressé de le faire, il accepte néanmoins d'aller visiter cette ville, découvre au passage la mer pour la première fois et se résigne à avoir là au moins une seconde résidence, le château d'Edo, sans pourtant jamais y séjourner. Cette même année, Edo est renommée Tōkyō, (« capitale de l'Est »). L'impératrice Haruko y emménage, sans l'empereur, dont le premier fils et la première fille meurent en même temps que leurs mères, les concubines Hamuro Mitsuko et Hashimoto Natsuko.

Le pays s'éveille grâce à des ingénieurs et à des banquiers étrangers qui affluent maintenant en masse. Cette même année, la deuxième de son règne, est ouverte, trente ans après l'Europe, la première ligne télégraphique du pays entre Tōkyō et Yokohama. En 1870, troisième année de son règne, les privilèges de castes sont abolis ; le shintoïsme redevient religion d'État ; le culte de l'empereur est relancé, canalisant le sentiment religieux du peuple vers le patriotisme.

En 1871 est publié le premier quotidien spécifiquement destiné à des lecteurs japonais, le *Yokohama Mainichi Shimbun*, et le gouvernement fait l'acquisition d'un journal, le *Nichi Nichi Shinbun*. Cette année-là aussi est nommé un nouveau tuteur impérial, Motoda Nagazane, qui met l'accent sur le *jitsugaku*, l'apprentissage des sciences pratiques, alors que le jeune empereur préférait jusque-là les classiques. La maison impériale est réorganisée et masculinisée.

Dans le pays, d'immenses réformes commencent à marche forcée. Ōkubo Toshimichi, devenu ministre des Finances, modifie la taxe foncière ; de grands domaines sont confisqués et redistribués en 75 préfectures administrées par le gouvernement ; le yen remplace le ryo, le shu et le bu d'or, dont l'usage s'était imposé depuis le XVIe siècle. Le gouvernement travaille à faire réviser les traités commerciaux imposés au Japon. Un premier ambassadeur nippon est nommé aux États-Unis.

Étonnante décision : les *daimyos* décident d'aller voir le monde qu'ils ne connaissent pas – aucun d'eux n'a jusque-là quitté le pays. Le 23 décembre 1871, deux des trois principaux d'entre eux, Iwakura Tomomi, ministre des Affaires politiques, et Ōkubo Toshimichi, ministre des Finances, ainsi que Shigenobu Ōkuma, ministre des Affaires étrangères, partent en mission diplomatique à la tête d'une nombreuse délégation, avec pour objectif de renégocier les traités de commerce. Au programme de leur périple : San Francisco, Washington, Londres, Paris, Bruxelles, Amsterdam, Berlin, Francfort, Copenhague, Stockholm, Vienne, Milan, Genève, Saint-Pétersbourg, Le Caire, Aden, Ceylan, Singapour, Saigon, Hong-Kong et Shanghai ! Ils visiteront des entreprises, des mines, des arsenaux, des chantiers navals, des banques, des chambres de commerce, des universités, des bibliothèques, des musées, des galeries d'art, des jardins botaniques. Leur voyage durera plus de dix-huit mois.

En 1872 est inaugurée la première liaison ferroviaire reliant Tōkyō à Yokohama, construite grâce à des ingénieurs anglais. Les trains roulent donc à gauche. Une politique d'éducation nationale est amorcée. Le calendrier solaire est introduit. L'armée impériale devient une armée de métier ; une marine de guerre est créée ; les samouraïs trouvent place dans les industries nouvelles et la fonction publique.

De plus en plus souvent, le jeune empereur se rend à Tōkyō, assiste aux réunions importantes de ses ministres et analyse l'ensemble des réformes qu'il signe ; il commence même à tenir tête à ses ministres, à chercher des compromis, à arbitrer. Il voyage aussi à travers un pays qu'il découvre et qui le découvre. Il effectue en particulier une tournée triomphale de six semaines dans le sud de l'archipel.

Cette année-là, un bateau battant pavillon péruvien, le *Maria Luz*, faisant la traite de Chinois, arrive dans le port de Yokohama ; deux Chinois parviennent à s'échapper et à se réfugier sur un navire britannique amarré dans le port. Ils racontent qu'ils subissent des sévices. Les Anglais inspectent le bateau et constatent que les Péruviens traitent les Chinois en esclaves. Sous une forte pression internationale, les Japonais les libèrent et, pour être cohérents avec eux-mêmes, en viennent à décider aussi l'émancipation de leurs propres esclaves, les *burakumin* (« personnes de la communauté » ou « du hameau » : descendants de la caste des parias de l'époque féodale), esclaves par destination. Le système féodal japonais se trouve ainsi aboli.

Dans la nuit du 5 mai 1873, à Tōkyō, le château d'Edo est détruit par un incendie. L'empereur fait immédiatement construire un autre palais, simple et même austère, dans le strict respect des traditions shintoïstes, en un lieu considéré comme sacré, marqué par des piliers profondément enfoncés dans le sol. Le bâtiment est modeste et de couleur vermillon pour les appartements privés ; il est fastueux et imposant pour les pièces destinées aux réceptions.

Le 13 septembre 1873, la mission de Tomomi, Toshimichi et Okama revient au Japon au bout d'un an et demi. Ils ramènent beaucoup d'idées, mais la renégociation des traités a échoué. Ōkubo Toshimichi est alors nommé ministre de l'Intérieur ; Tomomi et Ōkuma deviennent conseillers privés de l'empereur, qui découvre le monde par leurs récits.

Incident en 1874 : cinquante-quatre membres d'équipage d'un bateau de commerce japonais sont massacrés par des habitants de l'archipel des Ryūkyū, au sud-ouest de Taïwan, considéré par le Japon comme une colonie, mais que les Chinois revendiquent. Un diplomate, Soejima

Taneomi, est envoyé à Pékin négocier une indemnité ; il parvient à y rencontrer Tongzhi, huitième empereur de la dynastie Qing, et à établir pour la première fois des relations formelles d'égal à égal avec la Chine. En vain : aucun accord n'est trouvé. Un deuxième envoyé, le ministre de l'Intérieur Ōkubo Toshimichi, menace les Chinois de faire débarquer des troupes japonaises à Taïwan. Il semble assez convaincant pour obtenir de la Chine la reconnaissance de la souveraineté du Japon sur les Ryūkyū.

En 1875, des *daimyos* de Tosa, un des clans dominants, et de Saga signent une pétition revendiquant l'instauration d'une représentation élue du peuple. Ils fondent un Mouvement pour la liberté et les droits. L'empereur laisse faire. Le gouvernement, lui, prend des mesures restreignant la liberté de la presse.

Le monde commence à s'intéresser de plus en plus au Japon. Pas seulement pour lui vendre des machines ni lui acheter des matières premières. Émile Guimet, industriel français et collectionneur d'objets d'art, qui fait le tour du monde en compagnie du peintre Félix Régamey, débarque dans l'archipel. Ce pays le marque tout particulièrement.

Le Japon a de plus en plus besoin du reste du monde, en particulier de la Corée, grand producteur de riz dont l'économie nipponne manque tragiquement. Le clan Satsuma, un des trois principaux *daimyos*, avec à sa tête le général Takamori Saïgo qui commande l'armée impériale, pense alors que l'heure est venue d'envahir la Corée. L'empereur et le ministre de l'Intérieur Ōkubo Toshimichi, qui appartiennent au même clan que le général, s'y opposent. Pour rendre la guerre inévitable, Saïgo envoie des troupes sur l'île coréenne de Ganghwa, sachant que les Coréens ouvriront le feu. L'armée japonaise veut riposter ; l'empereur l'interdit en jouant sur les divisions au sein du clan Satsuma. Le 27 février 1876, la Corée cède et signe un traité d'ouverture commerciale avec le Japon.

Mais la guerre civile menace toujours : le 24 octobre, la garnison d'une ville de Kyūshū, Kumamoto, presque sans défense, est attaquée par un des nombreux mouvements d'ex-samouraïs qui se rebellent contre les réformes, les Shinpūren, des clans Akizuki et Hagi. Ce soulèvement est rapidement réprimé par l'armée. En janvier 1877, Kido Koïn, un des membres du triumvirat qui gouverne, accuse le général Saïgo de pousser encore à l'invasion de la Corée ; une nouvelle guerre intestine survient entre l'armée impériale, commandée par Saïgo, en dissidence, et les forces fidèles à l'empereur. Elle dure neuf mois et fait 14 000 morts et plus de 20 000 blessés. Battu, Saïgo se suicide le 24 septembre 1877. Soucieux de maintenir l'unité du peuple, l'empereur lui accorde des funérailles nationales et le reconnaît comme la figure emblématique du « dernier samouraï ».

Cela n'arrête en rien le cycle de la violence : le 14 mai 1878, un membre du clan Satsuma, le fidèle Ōkubo Toshimichi, soutien de l'empereur depuis son accession au pouvoir, alors ministre de l'Intérieur, est assassiné par sept samouraïs de son propre clan déguisés en paysans, sur la route de Tōkyō. Ses obsèques sont les premières funérailles officielles célébrées au Japon selon l'austère rituel du shintoïsme.

Meiji pense alors que les réformes se succèdent à un rythme trop rapide. Les trois clans qui gouvernent le pays depuis dix ans (Satsuma, Chōshū et Tosa) ont fait leur temps ; il comprend qu'il a la voie libre pour associer d'autres familles au pouvoir et qu'il doit freiner l'allure du changement. Il déclare : « La tendance de notre peuple est d'avancer trop rapidement sans la pensée et la considération qui rendent seules les progrès durables. [...] Ceux qui troubleront la paix de notre royaume en réclamant des transformations soudaines et violentes encourront notre déplaisir. »

Pourtant, l'ouverture du Japon au reste du monde commence à porter ses fruits. À l'étranger, le « japonisme » devient même un véritable courant artistique. En 1878, l'Exposition universelle de Paris est l'occasion, pour Émile Guimet, d'annoncer l'ouverture, pour l'année suivante, de son musée, d'abord à Lyon, puis à Paris, et d'y présenter de nombreuses œuvres japonaises, dont les estampes d'Hokusai, d'Hiroshige et d'Utamaro. L'*ukiyo-e* (« image du monde flottant ») , art d'impression xylographique célébrant la vie des gens du peuple, devient une source d'inspiration pour Van Gogh, Klimt, Gauguin, Manet, Degas, Pissarro et Monet, lequel représentera sa femme vêtue à la japonaise. Émile Gallé et Eugène Rousseau utilisent eux aussi des motifs japonais. Pierre Loti fait un triomphe avec *Madame Chrysanthème*, qui deviendra un opéra composé par André Messager, puis, sur un autre livret, par Giacomo Puccini.

L'ancien président américain Ulysses S. Grant, vainqueur de la guerre de Sécession, arrive avec sa famille à Nagasaki le 7 juin 1879, deux ans après avoir quitté la Maison-Blanche et entamé un voyage autour du monde. Il doit servir d'arbitre dans le litige entre le Japon et la Chine sur les îles Ryūkyū. Meiji se montre avec lui particulièrement amical. Fait tout à fait nouveau, il serre la main de son visiteur. Tous deux ont des conversations privées. Grant assiste avec lui à un *kabuki* racontant sa carrière, auquel participent soixante-douze geishas habillées d'un kimono inspiré du drapeau américain. Grant contribue à reconnaître la souveraineté du Japon sur l'archipel contesté, alors même que les habitants d'Okinawa, la principale des îles, ne veulent absolument pas devenir sujets japonais.

En 1880, dégagé des trois clans qui l'ont porté au pouvoir, Meiji commence à exercer ses responsabilités. Il s'intéresse de plus en plus aux affaires de l'État et délaisse ses distractions. Âgé de vingt-huit ans, il fait le tour du Japon central. Son portrait figure dans toutes les maisons, tous les lieux publics. À partir de juin 1881, le Mouvement pour la liberté et les droits revendique, outre l'instauration d'une représentation élue du peuple, la réduction des impôts fonciers et l'établissement des droits nationaux. Itagaki et Ōkuma, ministres et conseillers (*angi*) de l'empereur, fondent respectivement, avec son accord, le Parti de la liberté et le Parti de la réforme et du progrès (*Rikken Kaishintō*).

Un débat s'ouvre sur la meilleure forme de gouvernement : un gouvernement parlementaire de style britannique, comme le veulent Ōkuma et la presse ? ou un gouvernement à la prussienne, comme le réclament les ex-dirigeants ?

Alors que l'empereur séjourne à Hokkaido, un scandale précipite l'évolution institutionnelle : Kiyotaka Kuroda, principal responsable de l'île d'Hokkaido, s'arrange pour brader des actifs d'État à une entreprise privée, la *Kansai Bōeki Kaisha* (Kansai Trading Company). Ōkuma s'en rend compte et tente en vain de s'y opposer. La presse critique vivement la cession, mais les autres ministres s'entendent pour chasser Ōkuma du gouvernement, le 11 octobre 1881, malgré les réticences de l'empereur. Le lendemain, comprenant qu'il ne pourra échapper à l'emprise des politiciens sans une ample réforme, Meiji lance la préparation d'une Constitution.

Une semaine plus tard, le 18 octobre, le Mouvement pour la liberté et les droits du peuple crée le *Jlyuto*, premier parti libéral japonais.

L'élaboration de la Constitution va durer neuf ans. En douceur, discrètement, par allusions, Meiji impose sa propre vision : un système à la prussienne. Il veut une Chambre des pairs où siégeront des membres héréditaires ou désignés par lui, et une Chambre des députés élue à un suffrage censitaire très restreint. La monarchie demeure une autorité militaire, politique, morale et religieuse, et le shintoïsme devient un culte civique voué à l'empereur.

L'ouverture internationale du Japon franchit de nouvelles étapes. En 1881, Meiji reçoit la première visite d'un chef d'État étranger en exercice au Japon : Kalakaua, roi de Hawaï (archipel qui sera annexé par les États-Unis dix-sept ans plus tard), venu promouvoir l'immigration japonaise et proposer la création d'une ligue Asie-Pacifique. Des princes anglais, allemands et russes viennent eux aussi en visite. Meiji, de son côté, invite nombre de techniciens, savants, ingénieurs, scientifiques spécialisés. En 1882, le tramway à cheval achève d'imposer la conduite à gauche conforme au modèle anglo-saxon.

En 1883, Meiji est victime du béribéri, maladie très courante au Japon, qui provoque une extrême fatigue et est due à un manque de vitamine B1, ainsi qu'à la consommation de poisson cru. Le 20 juillet disparaît Iwakura Tomomi qui seconde l'empereur depuis quinze ans.

Le 28 novembre s'achève à Tōkyō la reconstruction du nouveau palais, édifié dans le style occidental. Il devient vite célèbre pour ses bals et ses banquets, en particulier à l'occasion de visites d'hôtes étrangers que les dirigeants japonais espèrent ainsi impressionner. Les femmes de diplomates étrangers sont maintenant autorisées à assister aux audiences impériales, que Meiji apprécie peu. Ses contacts avec les envoyés étrangers sont toujours froids ; il revêt alors une tenue de général, qu'il déteste. À 16 heures, son rôle de représentation terminé, il enfile une tenue traditionnelle, et à 17 heures, il se promène dans le parc du nouveau palais, où sont plantés des arbres et des fleurs rares, puis il prend un bain à la japonaise. Sa soirée est consacrée à l'écriture de poèmes.

Car, pendant tout ce temps, Meiji ne cesse de rédiger des *haïkus* (ces très courts poèmes qui cherchent à dire en quelques mots l'évanescence de toute chose) et surtout des *tankas* (poèmes non rimés de 31 syllabes en cinq vers), dans lesquels il fait allusion plus ou moins explicitement à son peuple. Il crée même une administration dédiée à la poésie, dont il confie la direction à un célèbre poète japonais, spécialiste du *tanka,* le baron Takasaki Masakaze. Chaque année, un sujet d'actualité est mis au concours, et les meilleurs textes sont publiés dans un recueil aux côtés de ceux de l'empereur, de l'impératrice, des princes et des princesses.

La modernisation continue : des mots nouveaux, tirés de concepts occidentaux, apparaissent, comme *denwa*, qui signifie « téléphone » (« électricité-parole »).

Le riz et le fer manquent toujours cruellement. Et la tentation de la guerre avec la Corée – plus riche en matières premières –, qui a été évitée en 1876, menace à nouveau en 1884. L'empereur estime qu'elle n'est pas nécessaire et qu'elle ne saurait encore être gagnée.

Le 4 décembre 1884, à Séoul, un groupe de réformateurs pro-japonais renverse le gouvernement conservateur pro-chinois par un coup d'État sanglant. Quelques jours plus tard, les vaincus, soutenus par des troupes chinoises, reprennent le pouvoir et incendient l'ambassade japonaise, faisant plusieurs morts. L'empereur impose la négociation à son gouvernement.

L'année suivante, par le traité de Tianjin, le Japon et la Chine s'entendent pour conserver leur influence sur la Corée : si des conflits internes à la Corée obligeaient l'un des deux pays à y envoyer des troupes, le pays attaquant devrait en aviser l'autre et retirer ses troupes sitôt le conflit réglé.

En 1885, le système métrique remplace – en tout cas officiellement – un système ancestral fondé sur les proportions du corps humain, comme le pied (*shaku*) et la main (*tsuka*).

La fatigue empêche Meiji de travailler ; le climat de Tōkyō ne lui réussit pas, mais il se refuse à quitter la ville. En 1886, sa langueur l'incite à mettre en avant l'impératrice, première épouse d'un souverain japonais à recevoir le titre officiel de Kōgō (« épouse de l'empereur »). Au même moment, une *gon no tenji* (dame d'honneur de rang très élevé), Sono Sachiko, devient sa favorite ; elle sera la mère de huit enfants. La succession est encore incertaine, car son fils aîné, Yoshi-hito, le déçoit, et l'empereur finit par adopter un de ses neveux.

En 1888, refusant d'être pris en photo (il n'existe que deux clichés de lui), il fait faire son portrait par un graveur italien installé au Japon depuis treize ans, Edoardo Chiossone. Le tableau, photographié, devient le portrait officiel de l'empereur, installé dans tous les foyers.

Cette année-là, il noue une vive amitié avec Louis-Émile Bertin, ingénieur naval français, qui devient son conseiller particulier. Se souvenant des humiliations infligées au Japon dans son jeune âge, il pousse au développement d'une marine militaire et d'arsenaux à Kure et Sasebo. Le Conseil privé achève la préparation de la Constitution ; il est animé par Inoué Kowashi, qui a étudié en Allemagne et en France, et a publié des commentaires sur les Constitutions prussienne et belge.

Dans le projet final, le Premier ministre est nommé (et peut être révoqué) par l'empereur, de même que les autres membres du Cabinet. Ils ne sont pas responsables devant la Diète, mais devant l'empereur, commandant suprême de l'Armée, de la Marine et de l'Administration. La Diète vote le budget. Le corps électoral est très réduit : seuls votent les hommes de plus de vingt-cinq ans payant au moins 15 yens d'impôt (c'est-à-dire les chefs d'entreprise, les hauts fonctionnaires et les grands propriétaires terriens), soit environ 450 000 individus représentant moins de 1 % de la population)

Le 5 février 1889, la Constitution est promulguée. Obsédé par la préservation de l'identité nationale, l'empereur en expose, dans un langage particulier, la cohérence avec la tradition : « Ces lois ne sont en réalité que le développement des préceptes légués par nos ancêtres, et c'est par une faveur spéciale de leurs glorieux esprits que nous avons été assez heureux pour réaliser notre œuvre. » Il nomme Yamagata Aritomo Premier ministre et assiste aux premières « grandes manœuvres » des forces armées japonaises.

La société reste empreinte d'une extrême violence : cette même année, Mori Arinori – qui avait été le premier ambassadeur japonais aux États-Unis, puis ministre de l'Éducation nationale, et qui avait proposé l'abandon de la langue japonaise à l'école au profit de l'anglais – est assassiné après que des rumeurs eurent prétendu que, en visite dans le sanctuaire shintoïste d'Ise, sur l'île de Honshū, il n'aurait pas ôté ses chaussures et aurait soulevé un voile sacré du bout d'une canne.

Le 1er juillet 1890, dix-huit mois après la promulgation de la Constitution, ont lieu les premières élections à la Diète. Elle est partagée en trois factions égales : trois partis hostiles au gouvernement. L'empereur nomme alors Premier ministre Sanjō Sanetomi et continue d'exercer l'essentiel du pouvoir, sans rendre compte à la Diète. Durant l'été, il fait rédiger, par l'auteur de la Constitution, Inoué Kowashi, un texte définissant les principes directeurs de l'éducation. Ce texte est ensuite révisé par Motoda Eifu, son précepteur en philosophie confucéenne. Le 30 octobre, Meiji en fait publier les 315 caractères, qu'il a lui-même soigneusement relus : le *Kyokutei* (le corps de la Nation), explique-t-il, est fondé sur le lien historique entre des dirigeants bienveillants et des sujets loyaux ; le but principal de l'éducation est de cultiver la fidélité et la piété filiales. Chacun doit ainsi « promouvoir le bien public, promouvoir les intérêts communs, toujours respecter la Constitution et observer les lois, s'offrir courageusement à l'État en cas d'urgence, et ainsi garder et maintenir la prospérité du trône impérial au ciel et sur la terre ».

Ce texte est distribué dans toutes les écoles, accompagné du portrait de l'empereur. Il est lu lors de tous les événements de la vie scolaire, et les élèves doivent l'étudier et le mémoriser. Il constitue la matrice du Japon moderne.

Le 18 février 1891, le nouveau Premier ministre, Sanjō Sanetomi, meurt. Un nouveau gouvernement est formé. En décembre, la Diète se révèle incapable de trouver une majorité pour voter le budget de l'année suivante. L'empereur la dissout. La campagne électorale, particulièrement violente, fait vingt-cinq morts. Le 15 février 1892, les élections confirment la victoire de l'opposition. Le 8 août, l'empereur nomme Itō Hirobumi, ancien *samouraï* de Chōshū et ex-ministre de l'Intérieur, Premier ministre à la tête d'un gouvernement composé d'anciens *daimyos*, les *genrō* (les « pères fondateurs »). En février 1893, furieuse d'un tel choix, la Diète envoie une « adresse à l'empereur » dénonçant ce gouvernement si éloigné de ses attentes. En décembre 1893, l'empereur dissout à nouveau la Diète. S'ensuivent trois ans de paralysie. Rien ne va plus. Par surcroît survient un grave incident diplomatique : en visite à Ōtsu, au centre de l'île de Honshū, le grand-duc héritier de Russie, Nicolas, est victime d'une tentative d'assassinat. Chaos complet au sein du gouvernement.

Une diversion internationale est la bienvenue : elle advient en mai 1894 quand l'empereur coréen, menacé par des émeutes dénonçant la corruption du gouvernement, demande l'aide de la Chine.

L'empereur, cette fois, n'hésite pas : la guerre peut ressouder l'unité du pays. Même si son aide n'est pas sollicitée, le Japon envoie des troupes, qui entrent dans Séoul le 23 juillet, y renversant le souverain coréen. Elles mettent en place un gouvernement pro-japonais qui annule tous les traités sino-coréens et accorde à l'armée nipponne le droit d'expulser les Chinois du pays. Le 26 août, Corée et Japon scellent une alliance contre la Chine. Le 25 décembre, les troupes japonaises occupent Port-Arthur, en Mandchourie, et s'avancent en territoire chinois. Elles envahissent Formose et les Pescadores. La guerre est meurtrière ; en particulier, la résistance est forte à Taïwan, où la confrontation fait des dizaines de milliers de morts, dont quelque dix mille des suites de maladies tropicales.

Meiji, traumatisé par ces victimes, compose alors des poèmes particulièrement explicites : « Ô pensée qui m'assiège au cours de ces nuits d'été sans sommeil : quel est le sort de mon peuple ? » ; ou encore : « Où passez-vous cette nuit, au bourdonnement strident des moustiques, ô mes soldats ? » ; « Tel un grand ciel d'un pur vert clair/Je souhaite que mon cœur puisse être aussi vaste. »

Face aux protestations des pacifistes, Meiji dissout le Mouvement pour la liberté et les droits du peuple et restreint les libertés de la presse et de réunion. Il autorise le chef de la police de Tōkyō à bannir de la ville pour trois ans quiconque inciterait à un trouble quelconque dans un rayon de 12 kilomètres du palais impérial. Dans les trois jours qui suivent la promulgation de ce décret, 570 membres du Mouvement pour la liberté et les droits du peuple sont arrêtés et expulsés.

En janvier 1895, alors que la guerre fait encore rage à Taïwan, l'empereur s'installe dans un appartement dépouillé, au mobilier modeste, à Hiroshima, d'où embarquent ses troupes partant pour la guerre.

Le 12 février, le port de Weihaiwei, au nord-est de la province du Shandong, en Chine, est pris par les troupes japonaises, qui progressent vers le nord du pays, où elles rencontrent la Grande Muraille et commettent des atrocités que dénonce la presse internationale. Les États-Unis et la Grande-Bretagne exhortent alors le Japon à restituer la Mandchourie à la Chine. Le général Yamagata, qui commande l'armée, souhaiterait prolonger l'offensive, mais l'empereur, pour qui la guerre n'est qu'un moyen de réunir le peuple, décide de s'en tenir là et ordonne à son gouvernement de signer, le 17 avril, un traité avec l'empereur chinois à Shimonoseki, au Japon. La Corée est placée sous protectorat nippon et s'engage à verser des dommages de guerre. La Chine abandonne au Japon l'île de Taïwan. Le Japon ne quittera plus la Chine jusqu'en 1945.

En 1896, la paix revenue, l'empereur retrouve une situation intérieure qui ne s'est pas calmée pour autant. Il doit temporiser pour faire cohabiter les partis politiques, car il devient impossible, pour le gouvernement, de diriger le pays sans le soutien de la Diète. Malgré leurs serments de fidélité à l'empereur, les ministres, inquiets pour leur sécurité, n'hésitent pas à se faire porter malades quand les décisions prises par l'empereur ne leur conviennent pas. L'empereur Meiji se plaint : « La plupart des officiels actuels issus de la classe des samouraïs sont complaisants et indisciplinés. Ils tentent d'utiliser la démission comme moyen de s'évader de crises temporaires et d'assurer leur sécurité personnelle. Je trouve cela toujours répréhensible. » Le Premier ministre Ito Hirobumi lui suggère de constituer son propre parti. Il refuse et met en place un programme dit *Post Bellum*, avec un nouveau Premier ministre, visant à utiliser les indemnités versées par la Chine. Une nouvelle législation sur les syndicats est adoptée.

Meiji travaille beaucoup, boit trop, prend du poids. Son fils se montre peu brillant, capricieux, trop attiré par l'Occident. Meiji s'occupe de lui trouver une épouse et hésite à en faire son héritier.

En 1897, l'empereur fait ériger dans le parc d'Ueno, au centre de Tōkyō, une statue au général Saïgo, mort vingt ans plus tôt au terme d'une sanglante guerre civile. Le temps de la réconciliation est advenu. De grandes entreprises, les *zaibatsu*, comme Mitsubishi, Mitsui, Sumitomo, Yasoda, se développent.

Les puissances occidentales commencent à voir d'un mauvais œil l'essor japonais : elles n'ont pas forcé ses frontières pour faire naître un rival. La Russie sollicite l'aide de la France en vertu du traité d'amitié qui les lie. L'Allemagne appuie la Russie dans ses visées extrême-orientales. La Russie obtient de la Chine le droit de faire passer une voie ferrée à travers la Mandchourie pour relier Vladivostok au Transsibérien, ainsi que la concession des territoires de Port-Arthur (aujourd'hui Lüshun) et de Dairen (aujourd'hui Dalian).

En 1899, en Chine, une révolte est initiée par la société secrète des « Poings de la justice et de la concorde ». Unis par leur pratique du kung-fu (d'où leur surnom anglais de *Boxers*), les membres de cette organisation s'opposent à la fois aux réformes, aux étrangers et à la dynastie mandchoue des Qing. La révolte est canalisée par l'impératrice Cixi et dirigée contre les seuls étrangers. À partir du 20 juin 1900, les Boxers font le siège des légations étrangères (Autriche-Hongrie, France, Allemagne, Italie, Japon, Russie, Royaume-Uni et États-Unis) à Pékin. Les huit nations alliées envoient des troupes, qui l'emportent. La Chine est au plus bas, la Russie au plus haut.

Face à cette nouvelle menace russe à ses frontières, l'armée japonaise double ses effectifs ; le budget militaire quintuple ; la marine de guerre devient extrêmement puissante, même si Meiji manifeste une nette préférence pour l'armée de terre. En 1900, la production d'acier, nulle à l'accession au trône de Meiji, atteint les 200 000 tonnes. Cette année-là, l'empereur marie son fils, le prince héritier Taisho Tennō, à une fille du prince Kujo Mitchitaka.

En 1901, Meiji nomme Premier ministre le général Katsura Taro, jusqu'alors ministre de la Guerre. Le 29 avril, le prince héritier a son premier enfant, qui deviendra l'empereur Hirohito. Scandale : au cours d'un banquet, un journaliste demande respectueusement à l'empereur d'obéir au gouvernement et de concentrer la hausse des dépenses militaires sur la marine.

Début 1903, financé par les banques américaines et anglaises – pas mécontentes de porter un coup au régime tsariste, férocement antisémite –, le Japon durcit ses positions à l'égard de la Russie. Encore réticent, l'empereur demande au tsar de quitter la Mandchourie où ses troupes stationnent depuis 1860. La Russie refuse et, en juillet 1903, pénètre en Corée, y installe des colons ainsi qu'un port de commerce. Le 13 janvier 1904, le Japon adresse un ultimatum à Petrograd ; le 8 février, n'ayant pas obtenu de réponse, il attaque l'escadre russe de Port-Arthur, envoie des troupes à Séoul et force le gouvernement coréen à signer un accord reconnaissant au Japon le droit de faire stationner des détachements armés dans tout le pays. En août, les troupes nipponnes mettent le siège devant Port-Arthur. En octobre, après un repli sur Moukden (l'actuelle Shenyang), les Russes reçoivent des renforts par le Transsibérien, qui leur permettent de reprendre l'initiative. Mais l'offensive russe se solde par un échec, faute d'un commandement compétent.

Durant cette guerre, Meiji se montre moins présent que lors des hostilités contre la Corée. Il s'enferme des journées entières dans son bureau, refuse que l'on chauffe le palais, et son nom, contrairement à celui du tsar, apparaît peu dans la conduite des opérations.

En janvier 1905, Port-Arthur capitule ; au mois de mars, Moukden tombe. La guerre a fait 71 000 morts du côté russe et 85 000 du côté japonais. Du 27 au 29 mai 1905, à Tsushima, la flotte russe de la Baltique, composée de 45 navires venus secourir Port-Arthur, est coulée. La Russie demande la paix.

C'est la première fois qu'une puissance asiatique met en déroute une grande puissance occidentale et, de surcroît, grâce à sa force maritime. On commence à craindre le Japon et à redouter l'Asie : l'expression « péril jaune » est alors inventée par les Allemands.

En août 1905, les négociations commencent et aboutissent, le 5 septembre, au traité de Portsmouth, signé aux États-Unis, en présence du président Theodore Roosevelt. Le Japon s'approprie la Corée, Port-Arthur et une partie de l'île de Sakhaline ; les Russes restituent la

Mandchourie méridionale à la Chine. Mais l'absence d'indemnités et la non-récupération de la moitié de l'île de Sakhaline déclenchent des manifestations à Tōkyō, dont l'une à proximité du palais, ce qui bouleverse Meiji.

L'empereur apprécie de moins en moins les visites d'étrangers. Il est souvent de mauvaise humeur avant les audiences, réprimande les hauts fonctionnaires qui les préparent, même s'il accueille toujours ses hôtes sans laisser paraître la moindre contrariété.

En 1906, comme chaque année, un thème est proposé au concours national de poésie : « Le pin sous la neige ». En apparence anodin, il s'agit d'une métaphore comme les aiment les Japonais : un arbre majestueux ploie sous le poids des lourds flocons, sans rompre, survivant jusqu'au printemps – métaphore de la résistance du Japon face au monde extérieur.

Début 1907, le Japon veut en finir avec l'indépendance de la Corée. Le 1er août, le gouverneur Itō Hirobumi force l'empereur coréen Kojong à signer un accord de protectorat ; il devient gouverneur général et dissout l'armée coréenne.

Cette même année, l'empereur change de ministres et lance un nouveau plan *Post Bellum*, avec un nouveau gouvernement conduit par le général Katsura. Il rééquilibre le budget. En octobre 1908, dans un message adressé à son peuple, il recommande à ses sujets « de se montrer frugaux et simples, de ne pas craindre les travaux pénibles et d'accomplir fidèlement tous les devoirs de leur état ». Cette austérité de l'après-victoire est mal reçue. Conservateurs et progressistes recommencent à s'entredéchirer.

En 1908, Meiji montre à nouveau des signes de fatigue. Le béribéri n'est plus en cause, mais un cancer, probablement de l'estomac. Le secret sur son état est gardé par quelques intimes. Sa mère aussi est malade, mais le statut de l'empereur lui interdit de lui rendre visite. En Chine, la mort de l'impératrice Tseu Hi entraîne la chute de la dynastie Qing.

Le 20 mai 1910, des anarchistes projettent de jeter des bombes sur le passage du cortège impérial. C'est « la Grande Trahison ». Vingt-sept militants sont arrêtés et accusés de vouloir attenter à la vie de l'empereur et de sa famille. Le 22 août, le général Terauchi, gouverneur général en Corée, signe avec l'empereur Kojong un traité d'annexion, juste avant d'être assassiné par un nationaliste, ce qui précipite la fusion totale de l'Empire coréen avec le Japon.

La santé de Meiji se dégrade à partir de mai 1911. Fin juillet, la Cour publie un rapport signalant un diabète chronique et une hépatite. En novembre, Meiji voit son premier film et assiste à ses dernières grandes manœuvres.

Le 14 février 1912, Puyi, dernier empereur de Chine, abdique à l'âge de six ans. Une assemblée réunie à Nankin élit Yuan Shikai premier président de la République de Chine.

Le 14 juillet, Meiji se sent mal. Il continue à respecter ses obligations protocolaires, recevant chaque jour son fils, ses quatre filles, leurs mères et son épouse. Le 19 juillet, le peuple japonais est mis au courant de sa maladie par les journaux. Des milliers de Japonais en prière se rassemblent autour du palais, agenouillés à même le sol. Des hommes, des femmes, des enfants se donnent la mort afin de demander aux dieux de la religion shintoïste à échanger leur vie contre celle de Meiji. Partout dans l'archipel s'allument des lanternes.

Un témoin français, G. de Banzemont, note : « Sur plusieurs jours, une foule en pleurs a marché, sans se soucier de la chaleur torride, sous les fenêtres du palais impérial. Sur leurs genoux, leurs fronts couverts de poussière, d'une voix commune, ils supplient les dieux. Et, dès qu'une triste lampe, illuminant la chambre du défunt, annonça que le monarque avait basculé dans l'agonie, alors éclata la plus grande explosion de peine que l'on puisse imaginer. » Meiji meurt dans la nuit du 28 au 29 juillet 1912 après soixante années de règne. Commentaire d'un éditorialiste français de l'époque : « Les grands rois ne sont pas ceux qui, comme Philippe II, veulent contrôler les affaires de l'État en tant que telles, mais ceux qui, ayant placé leur confiance dans de bons ministres, les soutiennent avec tout le prestige de la monarchie. »

Un an plus tard, le 21 novembre 1913, le dernier shogun, Tokugawa Yoshinobu, écarté du pouvoir soixante ans plus tôt, meurt dans le plus complet anonymat.

En août 1945, Douglas MacArthur, descendant du commodore Perry, fera exhiber, lors de la cérémonie de capitulation du Japon, le pavillon à trente et une étoiles arboré par le navire de Perry.

BIBLIOGRAPHIE

KEENE, Donald, *Emperor of Japan : Meiji and his world, 1852-1912*, New York, Columbia University Press, 2002.

LA MAZELIÈRE, M., « L'Empereur Mutsuhito », *La Revue des Deux Mondes*, 15 septembre 1912, p. 393-426, http://www.persee.fr.

MUTEL, Jacques, *L'histoire du Japon – 1, La fin du shôgunat et le Japon de Meiji, 1853-1912*, Paris, Hatier, 1970.

SEIICHI, Iwao (dir.), *Dictionnaire historique du Japon*, vol. I, Maisonneuve & Larose, coll. « Monde asiatique », 2002.

YAMATO, R., « L'Empereur Mutsu Hito intime et son successeur », in *Questions diplomatiques et coloniales*, XXXIV, 16 octobre 1912, p. 458-467.

19

Walther Rathenau
(1867-1922)
ou le rêveur d'Europe

Écrasé par l'énigme de la Shoah, j'ai cherché, comme beaucoup, à comprendre comment les Juifs allemands se sont laissé prendre au piège tendu par Hitler, et pourquoi les Allemands eux-mêmes ont pu être séduits par ce monstre. Mieux que toute théorie, une fois de plus, une vie d'homme éclaire l'Histoire : celle de Walther Rathenau nous en dit long sur le destin des Juifs allemands, certains assimilés au point de renier leurs origines, jusqu'à ce que la tragédie les y ramène. Et, dans le cas de Rathenau, économiste, écrivain, homme d'influence, grand industriel, ministre des Affaires étrangères d'exception, visionnaire de l'Europe, principal acteur d'un rapprochement germano-soviétique aux immenses conséquences, Allemand par toutes les fibres de son être, jusqu'à périr assassiné par des antisémites. Et pourtant si loin des caricatures ! Ni religieux, ni homme de l'ombre, ni financier.

Né en 1838, son père, Emil Rathenau, appartient à la bourgeoisie juive berlinoise. À cette époque, la Confédération, qui a succédé au Saint Empire romain germanique, est dirigée depuis Francfort par le Bundestag, assemblée de délégués des trente-neuf États qui composent la Confédération, vaguement présidée par le représentant de l'Autriche, où règne François Ier, mais dominée dans la pratique par la Prusse de Frédéric-Guillaume III.

Au sein de la Confédération, les Juifs sont en apparence presque considérés comme des citoyens parmi d'autres ; ils sont admis en

1843 à la conscription militaire ; en 1847, ils ont le droit d'accéder aux emplois publics et ils s'impliquent de plus en plus dans la vie politique, même si leurs possibilités de carrière sont limitées : l'anti-sémitisme reste profondément ancré dans toutes les couches de la société allemande.

En mars 1848, des insurrections éclatent à Vienne, à Berlin et à Francfort, obligeant Frédéric-Guillaume IV à accorder une Constitution libérale. Plusieurs États de la Confédération tentent de se doter de gouvernements libéraux ; la Bavière devient une monarchie constitutionnelle. Réunie à partir du 18 mai à Francfort, une assemblée entreprend même d'unifier l'Allemagne en la dotant d'un pouvoir démocratique, mais échoue. Vienne est reprise en octobre par les troupes impériales : en décembre, un nouvel empereur, François-Joseph, mate l'opposition. En avril 1849, le roi de Prusse refuse la couronne impériale que lui offre la diète de Francfort, et se débarrasse même, en décembre, de l'Assemblée nationale prussienne. En Saxe, au Palatinat, en Rhénanie et en Bade, les derniers soutiens à la Constitution démocratique sont écrasés par les troupes prussiennes.

À Berlin où il vit alors, Emil Rathenau, encore enfant, rencontre chez ses parents la comédienne Rachel, le théoricien socialiste Ferdinand Lassalle, qui succombera à un duel, l'écrivain Bettina von Arnim (amie de Goethe et de Beethoven, puis de Marx et du roi de Prusse), ainsi que Franz Liszt (alors maître de chapelle à Weimar).

En 1854, la Prusse reconstitue à son profit le *Zollverein*, zone de libre échange entre de nombreux États allemands. L'unité allemande est en marche.

En 1861, à Berlin, Guillaume de Hohenzollern, fils de Frédéric-Guillaume, devient roi sous le nom de Guillaume Ier et choisit le comte de Bismarck comme chancelier. On assiste alors à un fabuleux essor de l'économie allemande, qui produit bientôt plus d'acier que la France (mais moins que l'Angleterre). C'est par la sidérurgie que la famille Rathenau va entamer son ascension.

En 1862, Moses Hess publie *Rome et Jérusalem* : constatant que l'antisémitisme reste enraciné en Allemagne, il suggère la création d'un État juif et socialiste en Palestine pour les Juifs allemands.

En 1864, Emil Rathenau, après avoir appris pendant quatre années le métier d'ingénieur en Silésie, puis en Angleterre, installe, grâce à 7 500 thalers fournis par son père, une aciérie dans un quartier ouvrier du nord de Berlin, Chausseestrasse. Il y rassemble une cinquantaine d'ouvriers et y aménage son propre appartement. Les jardins sont occupés par une fonderie et une chaudronnerie.

L'année suivante, Emil épouse Mathilde Nachmann, fille d'un banquier juif de Francfort, ville libre qui, ayant pris parti en 1866 pour l'Autriche dans sa guerre contre la Prusse, est intégrée à la province de Hesse-Nassau. Habituée au luxe, à la musique, à la peinture, à la littérature, Mathilde s'installe à Berlin dans cette maison bruyante, envahie d'ouvriers, au train de vie modeste. Elle a du mal à s'y faire. Le 29 septembre 1867 – année de la publication à Londres du livre 1 du *Capital* de Karl Marx – naît leur premier fils, Walther, héros de cette histoire.

Durant son enfance, le paysage politique allemand évolue vite, et d'abord pour les Juifs : une loi promulguée le 3 juillet 1869 n'admet plus de différences de traitement entre Juifs et chrétiens, mais le droit devance de très loin les mentalités et les Juifs n'ont pas accès aux plus hauts postes dans l'administration d'État, les Affaires étrangères ou l'armée, où l'antisémitisme est absolu, où l'on considère les Juifs comme à peine dignes d'être banquiers, avocats ou médecins.

La guerre franco-prussienne de 1870 débouche sur la fondation de l'Empire allemand à Versailles en 1871. La même année vient au monde chez les Rathenau un autre fils, Erich. Le traité de Francfort contraint la France à payer de lourdes indemnités – 5 milliards de francs-or – à l'Allemagne qui rivalise alors de plus en plus avec la France et les États-Unis face à la superpuissance britannique.

À partir de 1873, un long ralentissement affecte l'économie. En 1879, l'Allemagne doit adopter un tarif douanier prohibitif. Emil est contraint de vendre son aciérie. La situation de la famille est difficile. Walther reçoit moins d'argent de poche au long de son adolescence, ce qui lui fera dire plus tard qu'il a vécu dans le besoin, terme très excessif. En décembre 1880, sur une lettre de félicitations que lui a adressée son père pour ses notes, l'enfant de treize ans dessine un sac d'argent sur lequel il écrit : « Meurs, monstre !/Toi, source de tous les soucis,/Toi, source de tous les chagrins,/Fardeau accablant ! » D'argent, il ne manquera jamais, même s'il ne fera jamais rien pour en gagner.

Car la faillite est vite évitée : l'année suivante (1881), Emil Rathenau, presque ruiné, visite à Paris l'Exposition internationale à la recherche d'un nouveau départ. Il remarque la nouvelle lampe à incandescence que l'inventeur américain Thomas Edison est venu présenter. Même si les spécialistes de l'éclairage la considèrent alors avec scepticisme, Rathenau est très impressionné par l'éclairage, cette année-là, par Edison, d'un quartier de New York. Il mise ce qui lui reste sur cette invention que néglige Siemens : il en achète les brevets pour l'Allemagne. Pourtant, il n'y connaît rien. Ce n'est qu'une intuition. Elle va faire sa fortune. Il obtient l'aval de ses banquiers et fabrique sa propre ampoule. Il rebaptise sa firme Allgemeine Elektrizitäts-Gesellschaft (A.E.G. – « Entreprise générale d'électricité »).

Emil travaille sans relâche. À table, devant les enfants, les conversations entre le père et ses cadres roulent exclusivement sur les améliorations à apporter à l'entreprise : comment passer de la sidérurgie à l'électricité ? Au contraire, quand l'adolescent est reçu chez ses grands-parents paternels ou maternels, on discute littérature, théâtre, opéra ; on parle de Wagner, qui vient de créer *Parsifal*, de Liszt, qui se partage entre Budapest, Rome et Weimar ; on lit *Le Gai Savoir* de Nietzsche qui vient de paraître : « Partout où les Juifs ont acquis de l'influence, ils ont enseigné à distinguer avec plus de subtilité, à conclure avec plus de rigueur, à écrire avec plus de clarté et de netteté : leur tâche fut toujours d'amener un peuple à la raison. »

En 1884, trois ans après l'éclairage d'un quartier de New York, Rathenau propose à la municipalité de Berlin d'installer un réseau électrique sur la base des techniques qui viennent de faire si bien leurs preuves à Wall Street. Il décroche cet énorme marché. A.E.G. décolle. Toute l'Allemagne veut être éclairée à l'électricité. L'abondance revient au sein de la famille, qui, sans être particulièrement religieuse, s'installe dans le quartier juif de Charlottenburg.

Délivré des soucis d'argent de son enfance, le jeune Walther est envoyé à l'excellent Wilhelm-Gymnasium de Berlin, puis, à partir de 1887, à l'âge de dix-neuf ans, à la faculté des sciences ; il y écrit une pièce de théâtre intitulée *Blanche Trocard*, qu'il publie à compte d'auteur. Mais la pièce est refusée par tous les théâtres et il brûle de rage les exemplaires existants.

En 1888, il part pour l'université de Strasbourg, ville allemande depuis 1871. Il y étudiera le métier d'ingénieur, comme son père. Mais il n'a pas l'intention d'en faire sa profession. Il se rêve écrivain.

Le 9 mars, Frédéric III succède à son père comme roi de Prusse et empereur d'Allemagne. Règne très bref : le nouveau monarque, atteint d'un cancer du larynx, meurt 99 jours après avoir accédé au trône et cède la place à son fils Guillaume II.

La question religieuse ne se pose pas pour Walther. Il se sent allemand, pas spécialement juif. Il ne songe pas non plus à la conversion au christianisme, que Heinrich Heine, mort en 1856, appelait « le ticket d'entrée dans la société européenne ». Beaucoup de jeunes Juifs allemands se convertissent en effet à cette époque, tels le journaliste Felix Ernst Witkowski (qui devient Maximilien Harden) et le romancier Berthold Auerbach, lu dans toute l'Europe, qui vient de mourir, que l'on compare alors à Dickens et aujourd'hui très injustement oublié (il faut lire son *Spinoza*). Même s'il se sent plutôt éloigné du judaïsme, Walther refuse de se plier à cette convention ; il écrira plus tard sur sa jeunesse, dans un de ses rares moments de lucidité à propos de l'Allemagne : « Dans les années de jeunesse de tout jeune Juif allemand se trouve un moment douloureux dont il se souviendra toute sa vie durant : quand, pour la première fois, il prendra pleinement conscience qu'il est entré dans le monde en qualité de citoyen de deuxième classe, et qu'aucune aptitude ni aucun mérite ne pourront le libérer de cette situation. » Ce qui l'attire pourrait justifier une telle démarche : il rêve d'une carrière de diplomate, hors d'atteinte pour un Juif, « citoyen de deuxième classe », comme il le reconnaît lui-même. Pourtant, trente-cinq plus tard, on le retrouvera à la tête de la diplomatie allemande.

Se résignant à obéir à son père, il accepte alors de devenir ingénieur ; mais il ne veut à aucun prix travailler dans l'entreprise familiale et se spécialise dans l'électrochimie, seule branche de l'industrie électrique dans laquelle la nouvelle firme de son père ne s'est pas encore engagée.

Le 23 octobre 1889, à vingt-deux ans, Walther Rathenau soutient à Munich une thèse sur « l'absorption de la lumière dans les métaux » ; au jury vient siéger, honneur considérable, le grand physicien Hermann von Helmholtz, qui enseigne alors la physique à l'université de Berlin. Walther n'a prévenu personne de cette soutenance, pas même sa mère, préférant attendre que le succès soit certain.

En 1890, le jeune empereur Guillaume II renvoie le vieux Bismarck, au pouvoir depuis près de trente ans. Il entend gouverner lui-même. L'Allemagne est devenue puissante. Berlin accueille la première Conférence internationale sur le travail, qui décide le principe d'un droit international du travail. Un long débat s'engage alors entre intellectuels sur le point de savoir si l'amélioration des conditions des travailleurs exige un coup d'État ou si elle peut être réalisée par la réforme de l'État. Engels, depuis l'Angleterre, publie les critiques sévères de Marx sur le programme de Gotha du Parti social-démocrate allemand, à nouveau légalisé ; Kautsky les diffuse aussi dans son journal.

En 1892, Maximilien Harden, ami de Walther, jeune journaliste juif converti, fonde *Die Zukunft*, journal très critique envers le nouvel empereur. Robert Koch réussit à obtenir des autorités de Hambourg que l'eau de la ville soit filtrée, enrayant ainsi l'épidémie de choléra qui la paralyse. Rudolf Diesel met au point le moteur du même nom. Cette année-là, A.E.G., la firme d'Emil Rathenau, prend pour l'Allemagne le brevet du courant alternatif de Tesla, qu'Edison combat aux États-Unis. Grâce à ce brevet, des ingénieurs de la firme réussissent à transmettre de l'énergie électrique sur une distance de 175 kilomètres, marquant les débuts de l'électrification en Allemagne : A.E.G. grandit. La fortune des Rathenau augmente.

Mais Walther s'ennuie. Dans une lettre à sa mère, sa seule confidente, datée de janvier 1893, il se dit ni doué pour l'industrie ni intéressé par le métier d'ingénieur ; il n'y goûte que le plaisir de négocier. Pourtant, il ne renonce pas : cette année-là, il est nommé à vingt-six ans à la tête d'une firme d'électrochimie, Aluminium-Industrie S.A., basée à Neuhausen (Suisse), qu'il choisit parce qu'elle n'a aucun lien avec A.E.G.

Cette année-là aussi est mis au point à Erfurt le nouveau programme réformiste du Parti social-démocrate allemand.

Deux ans plus tard, en 1895, Walther prend à Berlin la direction d'usines électrochimiques à propos desquelles il rédige son premier article, publié dans le journal de Harden, où il se promet d'écrire souvent, fait rare pour un industriel : à cette époque, en Allemagne, on est dans les affaires ou dans la vie intellectuelle, pas dans les deux. Et lui n'a pas renoncé à sa première vocation. Il quitte le quartier juif de Charlottenburg et s'installe dans la banlieue résidentielle de Berlin.

Un jeune ingénieur juif polonais, Felix Deutsch, vient alors superviser les filiales d'A.E.G. Il en deviendra bientôt le principal dirigeant.

Au même moment se manifestent de nouveaux prodromes de l'antisémitisme millénaire qui alimentera bientôt le nazisme : le Dr Ernst Hasse fonde une Ligue allemande générale, qu'il transforme bientôt en Ligue pangermaniste antisémite. Face à cela, la communauté juive allemande réagit peu : elle se sent plus allemande que juive, et craint même que toute réaction de sa part n'encourage un surcroît d'antisémitisme.

En 1897, la communauté juive de Munich proteste même quand Théodore Herzl, qui vient d'appeler à la création d'un État juif, y organise un congrès sioniste. Elle lui écrit : « Nous ne voulons pas manquer de vous prévenir qu'il n'y a pas, de la part des Juifs de notre ville, la moindre sympathie pour le mouvement que vous dirigez, et que nous pensons que la tenue d'un tel congrès à Munich ou en Bavière représente un danger pour nos coreligionnaires. » En juin de la même année, lorsqu'est créé le premier journal sioniste de langue allemande, *Die Welt*, deux rabbins allemands réagissent pareillement : « Aussi longtemps que les sionistes écrivaient en hébreu, ils n'étaient pas dangereux ; maintenant qu'ils écrivent en allemand, il faut les combattre. [...] Car comment combattre des gens qui, d'un côté, rêvent d'un judaïsme national, et, de l'autre, se plaignent du gouvernement autrichien qui exige un certificat de baptême d'un candidat à un emploi de secrétaire en Bukovine ? »

Son désir d'assimilation est tel qu'en 1898 Walther Rathenau publie sous pseudonyme, dans la revue de son ami Harden *Die Zukunft*, un article d'une teneur incroyable, « Écoute Israël », dénonçant les Juifs venus d'Europe de l'Est, représentants, dit-il, d'une « barbarie orientale », responsables de l'antisémitisme, car ne faisant aucun effort pour s'intégrer. Ce texte demeurera plusieurs années anonyme...

La même année s'affirme la puissance industrielle, militaire et diplomatique de l'Allemagne. « Notre avenir est sur l'eau », déclare Guillaume II, cependant que l'amiral von Tirpitz, l'artisan de sa *Weltpolitik*, fait passer la marine de guerre allemande du sixième au deuxième rang mondial.

En 1899, Emil Rathenau propose à son fils Walther d'occuper des fonctions dirigeantes au sein d'A.E.G., devenue une énorme entreprise croissant au même rythme que le Reich. Le fils refuse : pas question de travailler pour son père, qu'il aime, mais dont il ne veut pas dépendre.

En 1900, la politique d'expansion militaire du gouvernement allemand favorise A.E.G. et d'autres industries, tel l'armement naval. La Hambourg American Line, dirigée par Albert Ballin, fait construire, face aux quais du grand port du Nord, des dortoirs, deux hôtels, une église, une synagogue, un réfectoire casher, un pavillon de musique, un hôpital et un terrain de sport. Elle devient l'une des premières compagnies maritimes mondiales, et Hambourg recouvre son rang de grand port international. Ballin devient même un des intimes du Kaiser, et le jeune Walther, lui, un des meilleurs amis du nouveau chancelier, von Bülow, qui fut d'abord ministre des Affaires étrangères avant d'être la cible de cabales dénonçant son homosexualité.

Cette même année, à Pékin, éclate la révolte des boxers. Deux missionnaires allemands et l'ambassadeur d'Allemagne sont assassinés par cette société secrète soutenue par l'impératrice Tsun Hi ; les puissances européennes envoient un corps expéditionnaire international de 150 000 hommes placés sous les ordres du maréchal allemand von Waldersee. Le 14 juillet, les Européens envahissent Tianjin, mettent fin à l'insurrection, prennent Pékin et libèrent, le 14 août, les délégations assiégées. En 1901, un accord signé à Pékin marque la défaite chinoise.

Cette année-là, Thomas, jeune frère inconnu d'un écrivain déjà très connu, Heinrich Mann, publie à vingt-cinq ans *Les Buddenbrook*, roman d'une dynastie familiale qui le rend immédiatement célèbre.

En 1902, Walther Rathenau devient l'un des administrateurs de la Berliner Handelsgesellschaft ; il publie chez Hirsel, à Leipzig, un recueil d'articles, *Impressions*, dans lequel il reproduit « Écoute Israël », cette fois sous son nom. Amis et ennemis qualifient ce texte de « cri de haine contre soi-même », et devant l'ampleur du scandale, que Walther met lui-même du temps à comprendre, son père, furieux, fait racheter, par son réseau de représentants, tous les exemplaires du volume qu'il peut trouver dans le pays.

En 1903, à la mort de son frère Erich, Walther devient l'unique héritier d'A.E.G. qui s'est beaucoup diversifiée : à côté du matériel électrique, elle produit des locomotives, des rails, des moteurs, etc. ; il ne peut plus faire autrement que de rejoindre la firme.

Il n'aime pas la direction d'entreprise, et encore moins sous l'autorité de son père. Il se montre de plus en plus taciturne, et sa seule confidente (à part sa mère, qu'il voit tous les jours) est Lili, l'épouse de son collaborateur Felix Deutsch, qui entretient avec lui une étrange relation, à la fois platonique et passionnée. Elle dira de lui cinq ans après sa mort : « Chez Rathenau, tout était faux, hormis sa volonté de pouvoir et sa vie intérieure. [...] C'était un homme très sensuel, mais je ne sais encore aujourd'hui comment agissait chez lui la fonction érotique. Il savait que de telles choses pouvaient se développer au point de devenir embarrassantes, aussi les bridait-il... » « Pour accéder à ce temple [son intimité], la porte est aussi étroite que celle de sa maison », dira en 1925 son premier biographe, faisant allusion à la porte de sa demeure, dans les hauts quartiers de Berlin, à Grünewald, qui ne laissait entrer qu'une seule personne à la fois. Écrivant juste après, un autre biographe, le comte Kessler, dira qu'il « érigeait un mur de verre » entre lui et son environnement.

Comme tous les grands timides, il est hautain, glaçant, méfiant. S'il a peu d'amis, tous sont d'un très haut niveau intellectuel, comme le dramaturge Gerhart Hauptmann, qui recevra le prix Nobel de littérature en 1912, le prince Bernhard von Bülow, chancelier allemand de 1900 à 1909, et Friedrich Ebert, syndicaliste, qui deviendra en 1912 député du S.P.D., dont il prendra la tête en 1913, puis président de la République de Weimar.

En 1904, la sœur de Walther, Edith, épouse un protestant de vieille souche, sans que cela fasse scandale dans la famille. La firme devient si prospère que le grand architecte allemand Peter Behrens est appelé à en reconstruire le siège, à Berlin, avant de se voir proposer en 1907 de devenir le designer industriel d'appareils électroménagers : cuisinières électriques, puis « machines réfrigérantes » et aspirateurs.

En 1909, après quelques années au sein de la firme familiale, Rathenau commence à vouloir se mêler de politique. Il comprend que la croissance de l'Europe est limitée, face à celle des États-Unis, par le cloisonnement des marchés. Il pense à l'union, au moins économique, des Européens. Première esquisse de ce qui deviendra, après cinquante ans et deux guerres mondiales, le Marché commun et l'Union européenne. Rathenau demande audience au nouveau chancelier, Theobald von Bethmann-Hollweg, qui vient de succéder à son ami von Bülow. Il lui présente un mémorandum proposant une union douanière entre l'Empire allemand, la France et l'Autriche-Hongrie. Puis il publie un certain nombre d'articles et de nouvelles, toujours dans *Die Zukunft* et sous pseudonyme.

Il rencontre l'écrivain Stefan Zweig, qui vit alors à Vienne et se prépare à partir en Inde ; dans *Le Monde d'hier*, l'écrivain rapportera cruellement cette rencontre : « Toute son existence n'était qu'un seul tissu de contradictions toujours nouvelles. Il avait hérité de son père toute la puissance imaginable, et cependant il ne voulait pas être son héritier ; il était commerçant et voulait sentir en artiste ; il possédait des millions et jouait avec des idées socialistes ; il était très juif d'esprit et coquetait avec le Christ ; il pensait en internationaliste et divinisait le prussianisme ; il rêvait d'une démocratie populaire et il se sentait toujours très honoré d'être invité et interrogé par l'empereur Guillaume dont il pénétrait avec beaucoup de clairvoyance les faiblesses et la vanité sans parvenir à se rendre maître de sa propre vanité... » Tel était Walther Rathenau : refusant toute règle, même celle qu'il pourrait se choisir.

En 1912, l'Allemagne, avec 68 millions d'habitants, est devenue le premier État industriel d'Europe. Elle produit désormais plus d'acier que l'Angleterre ; elle occupe la première place dans le monde pour l'industrie chimique et électrochimique. Les trois quarts de sa population sont reliés à un réseau de distribution de courant électrique. A.E.G., qui a mené à bien cette électrification, est à présent la troisième entreprise mondiale en son domaine. C'est le triomphe personnel d'Emil Rathenau.

Le judaïsme allemand est alors socialement assimilé, même si aucun Juif n'occupe de poste ministériel ni aucun poste significatif dans l'armée, dans la politique, dans l'administration ou dans la justice. Si le Parti social-démocrate est le plus fort parti du Reichstag, les chanceliers successifs du Reich sont nobles, tout comme la plupart des secrétaires d'État de l'Empire et des ministres de Prusse et de Saxe. Neuf Juifs allemands ont rapporté (ou le feront bientôt) un prix Nobel à leur pays, dont Albert Einstein, Paul Ehrlich, Léon Aron, Max Born, Richard Willstätter, Fritz Haber et Otto Warburg. D'autres jouent un rôle considérable, mais informel et discret, auprès de l'empereur, tels le banquier Max Warburg et l'armateur Ballin. Mais un mur de verre les sépare des autres Allemands. Cette année-là, en 1912, Moritz Goldstein décrit bien la situation des Juifs allemands d'alors dans *Deutsch-Jüdischer Parnass* : « En vain nous nous considérons comme des Allemands, les autres nous considèrent entièrement *undeutsch*... Or, ne sommes-nous pas élevés avec des légendes allemandes ? La forêt germanique ne vit-elle pas en nous, ne pouvons-nous voir, nous aussi, ses elfes et ses gnomes ? »

Cette année-là encore, Walther Rathenau publie chez l'éditeur Samuel Fischer, à Berlin, *Pour une critique de notre époque*, qui ne rencontre qu'un écho limité. Attiré par ses contraires, lui qui commence à réfléchir à la nécessité d'un marché commun européen, il correspond cette année-là avec l'ultranationaliste Wilhelm Schwinger, instituteur, membre d'un ordre nationaliste religieux, « Ordre allemand », rédacteur en chef des *Dernières Nouvelles de Kiel*, d'un journal antisémite, le *Volkserzieher*, que Walther va jusqu'à financer pour tenter de le ramener à de meilleurs sentiments. Il croit absolument à la force de la Raison. Il pense qu'entre Allemands ils s'entendront.

En 1913, il publie un livre incroyablement prémonitoire, *De la mécanique de l'esprit*, proposant la constitution d'une union européenne pour faire pièce à la puissance américaine en devenir.

Pour lui, l'Allemagne est arrivée trop tard dans le partage colonial du monde : « Le temps des grandes acquisitions était "terminé". La possession de ressources et de sources de matières premières provenant d'outre-mer était absolument indispensable à tous les États industriels avancés. L'Empire allemand n'avait aucune possibilité de changer cette situation par la force, ni d'améliorer les performances de l'économie d'exportation en renonçant à l'actuelle politique douanière ultra-protectionniste pratiquée dans l'intérêt de l'agriculture. À long terme, l'Amérique l'emportera face à l'actuelle politique douanière ultra-protectionniste des puissances européennes. » D'où sa proposition d'unir l'Europe, au moins, pour commencer, autour de l'Allemagne, cette Europe centrale et orientale que les Allemands appellent *Mitteleuropa*.

Il y a là encore des pages incroyablement en avance sur son temps : « Il reste une dernière possibilité : aspirer à une union douanière centre-européenne à laquelle les États occidentaux adhéreront tôt ou tard, qu'ils le veuillent ou non. [...] La tâche consistant à instaurer le libre-échange dans les pays de notre zone européenne est difficile, mais n'est pas impossible. Les législations commerciales doivent être alignées, les syndicats être dédommagés, il faut créer une clé de répartition pour les recettes douanières fiscales et un produit de remplacement en cas de pertes ; mais l'objectif resterait de fonder une unité économique de proportions égales à celles de l'Amérique, voire peut-être même supérieures, et il n'y aurait plus, au sein de ce regroupement, de régions arriérées, rétrogrades et improductives. [...] En même temps, les nations seraient débarrassées de l'aiguillon le plus aigu de la haine nationaliste. » On voit déjà l'amorce de la tentation de l'alliance germano-soviétique, en substitut d'une alliance avec l'Europe occidentale. Formidablement prémonitoire.

Ce qui suit dans ce livre se révélera encore plus prémonitoire : une union douanière évitera seule la guerre ; « Ce qui empêche les nations de se faire mutuellement confiance, de s'entraider, de s'informer réciproquement sur leurs biens et énergies, et d'en profiter, ce ne sont qu'indirectement des questions relatives au pouvoir, à l'impérialisme, à l'expansion : il s'agit, au fond, d'une question d'ordre économique. Si l'économie de l'Europe se dilue dans la communauté, ce qui arrivera plus tôt que nous ne le pensons, la politique s'y diluera également. »

Comme les précédents, cet essai ne connaît aucun impact : personne n'attache d'importance à ce que peut penser un industriel juif.

En janvier 1914, Walther Rathenau rencontre Robert Musil, alors âgé de trente-quatre ans. Cet ingénieur en mécanique autrichien qui a publié huit ans auparavant une œuvre majeure, *Les Désarrois de l'élève Törless,* vient de s'installer à Berlin avec sa femme, peintre, pour diriger une célèbre revue littéraire. Il prend des notes pour un prochain roman. Rathenau lui inspire un personnage, celui du comte Paul Arnheim, l'une des principales figures de ce qui deviendra *L'Homme sans qualités* ; il en fait un industriel du pétrole, mondain, propriétaire de maisons d'édition, qui aime à signer des romans qu'il n'écrit pas lui-même – ce qui n'est nullement le cas de Rathenau. Selon Jacques Bouveresse, le peintre expressionniste allemand Max Liebermann, cousin de Rathenau, reconnaît néanmoins que « la description de son cousin par Musil est d'une pertinence et d'une exactitude surprenantes ».

Le 28 juin 1914, l'assassinat à Sarajevo de l'archiduc François-Ferdinand, héritier du trône d'Autriche-Hongrie, signe la fin d'un monde et l'échec du projet que Rathenau vient de présenter dans son livre.

L'Autriche accuse la Serbie d'en être responsable. La Russie soutient la Serbie. La Triple Alliance (Empire allemand, Empire austro-hongrois, Italie) s'oppose à la Triple Entente (Royaume-Uni, France, Russie) et déclare la guerre à la Serbie. Puis, le 1er août, l'Allemagne déclare la guerre à la Russie, alliée de la Serbie, et à la France, le 3 août ; le 4, l'Angleterre, alliée de la France, déclare la guerre à l'Allemagne et à l'Autriche.

Le 9 août, Walther, qui a pris du pouvoir au sein de la firme après le retrait de son père malade, prévient le ministre de la Guerre que les approvisionnements en matières premières nécessaires à la conduite d'une guerre, en particulier dans le domaine électrique, seront épuisés en l'espace de quelques mois. Il propose la mise en place d'une planification pour éviter la pénurie, qu'il sait inévitable. Ce ne sont pas des conjectures. Pourtant, on ne l'écoute pas : chacun pense en effet que le conflit sera de courte durée, et qu'un Juif, si grand industriel soit-il, ne comprend rien aux choses de la guerre. De fait, au début, l'Allemagne mène une guerre éclair. Elle envahit la Belgique et le Luxembourg et progresse jusqu'à la Marne. Hindenburg brise l'offensive de l'armée russe par la victoire de Tannenberg, les 26 et 27 août 1914. À Berlin, on pense que la guerre sera bientôt gagnée. Walther, lui, continue à s'inquiéter de voir les réserves diminuer.

En octobre, les fronts se stabilisent ; la France a résisté ; s'installe une guerre d'usure dans les tranchées. L'état-major comprend alors qu'il faut mettre en place une économie de guerre. Au début de 1915, Rathenau est appelé à diriger l'Office des matières premières qu'il proposait en vain de créer depuis six mois. Il estime qu'il est trop tard : l'Allemagne n'aura pas les moyens de tenir. Il fait part de son pessimisme au principal conseiller du président américain Wilson, le colonel House, qui rapporte à la Maison-Blanche que Rathenau « semble voir lucidement l'avenir ».

En avril, l'Italie quitte la neutralité qu'elle avait prudemment choisie et, aux côtés de la Triple Entente, entre en guerre contre l'Allemagne. Le 24 avril, les Jeunes-Turcs déportent six cents intellectuels arméniens de Constantinople ; c'est le début d'un génocide où mourront 1,2 million d'Arméniens.

En mai, l'état d'Emil Rathenau empirant, Walther se démet de ses fonctions pour accompagner son père jusqu'à sa mort, le 20 juin. Lors de l'enterrement, il refuse de laisser parler un rabbin et se charge lui-même de l'oraison funèbre, invoquant Dieu mais non le judaïsme. Il prend la présidence de la société, où travaillent alors plus de 66 000 personnes, laisse Félix Deutsch assumer la direction effective, continue d'écrire et de tenter d'exercer son influence.

Bientôt, son pessimisme semble avoir été infondé, car l'Allemagne reprend l'offensive. En juillet, les Austro-Allemands prennent la Pologne et la Lituanie. En septembre, la Bulgarie entre en guerre aux côtés des Empires centraux, qui occupent en octobre la Serbie et débarquent aux Dardanelles. À ce moment, sur le front de l'Est, les Russes ont perdu près de deux millions d'hommes. Hindenburg et Ludendorff, qui dirigent les opérations, exerçant de fait une véritable dictature militaire, lancent une offensive qu'ils pensent finale, au moins à l'Est. Comme bien des Allemands, Rathenau se reprend à espérer dans une victoire prochaine. Le 18 novembre, il rencontre le général Erich Ludendorff sur le front de l'Est, à Kovno (désormais Kaunas), en Lituanie, et devient un va-t-en-guerre : il lui parle d'une « campagne d'Égypte sur le modèle de celle d'Alexandre »...

Mais, à l'Ouest, en février 1916, l'armée française, certes exsangue, ne plie pas. De juillet à novembre, Français et Anglais lancent même leurs dernières forces pour percer la ligne allemande sur la Somme en tirant plus de 1,6 million d'obus ; le bilan est terrible : 650 000 Franco-Britanniques et 580 000 Allemands meurent. Le front se stabilise une nouvelle fois : la deuxième offensive allemande a échoué.

Bouleversé par cette boucherie, Walther change encore d'avis et se prononce à nouveau contre la guerre, sur un mode prudent, pour ne pas passer pour défaitiste, dans un nouvel ouvrage intitulé *Chemins de la paix*. L'Europe à laquelle il aspire doit cesser de se déchirer. Il critique la guerre sous-marine totale décrétée par Ludendorff. Il prône une « paix négociée », rappelant aux Européens qu'ils ont tout intérêt à former entre eux une union douanière qu'il espère, explique-t-il, sous prééminence allemande.

Le gouvernement et les partis de droite sont scandalisés par ce qu'ils considèrent comme du pacifisme. Hindenburg et Ludendorff le traitent de traître. On lui reproche de penser de la sorte en tant que Juif. Il écrit cette année-là : « Je n'ai et je ne me connais aucun autre sang que l'allemand, aucune autre ethnie, aucun autre peuple que l'allemand. Si l'on m'expulse de ma terre allemande, je continuerai à être allemand, et rien n'y changera... Mes ancêtres et moi-même, nous nous sommes nourris de la terre allemande et de l'esprit allemand [...] et nous n'avons eu aucune pensée qui ne fût pour l'Allemagne, et allemande... »

À la fin de 1916, sur le front ouest, les lignes sont pratiquement les mêmes qu'au début de l'année. Les armées des deux camps sont épuisées. La tuerie n'en continue pas moins. En décembre, après Verdun, l'ampleur des pertes amène les Empires centraux à faire des ouvertures aux Alliés, qui les interprètent comme un signe de faiblesse, et refusent. Rathenau persiste à penser que le conflit ne peut que déboucher sur le néant et doit cesser.

En janvier 1917, il publie *Probleme der Friedenswirtschaft*, et *Des choses à venir*. Toujours hostile à la guerre, il explique de façon lucide : « Cette guerre n'est pas un début, mais une fin : ce qu'elle laisse derrière elle, ce sont des ruines », et va jusqu'à mettre en cause la légitimité de l'empereur. Il ose dire qu'à l'issue des hostilités le peuple devra être souverain, gouverné par une élite compétente et efficace, recourant à une planification nationale et contribuant à édifier une communauté économique européenne. Il ose même attribuer aux Juifs allemands un rôle particulier, historique, dans l'avenir socialiste de l'Allemagne. Texte incroyable : « Jésus traiterait [aujourd'hui] de politique et de socialisme, d'industrie et d'économie, de science et de technique. Les Juifs ont contribué par leurs talents d'entrepreneurs à l'essor industriel de l'Allemagne ; leur religiosité et leur âme chaleureuse leur suggèrent maintenant de réformer le capitalisme, d'inculquer l'amour aux hommes et de les préparer au socialisme. » Signe des temps : ce livre est un succès, le premier qu'il connaisse : 65 000 exemplaires sont vendus en un an. L'armée considère de plus en plus son auteur comme un félon, un Juif félon.

Au même moment, le président américain Wilson propose aux belligérants de conclure entre eux une « paix sans victoire ». En vain. Chacun, à Paris et à Berlin, croit encore pouvoir l'emporter.

De fait, en mars 1917, malgré ses succès, l'armée allemande est épuisée. Le manque de réserves humaines et matérielles que craignait Walther depuis le début de la guerre se fait sentir. L'état-major décide alors d'économiser ses ultimes forces et de reculer plus au nord, sur la « ligne Hindenburg », évacuant les positions occupées depuis 1914 sur l'Aisne et dynamitant systématiquement les édifices emblématiques des villes et villages occupés.

Ce mois-là, une bonne surprise pour Berlin : une révolution à Saint-Pétersbourg dégage le front de l'Est. Le 6 avril, une mauvaise surprise : les États-Unis déclarent la guerre à l'Allemagne, alourdissant le front ouest, où l'Autriche-Hongrie montre des signes de faiblesse ; à Vienne, le nouvel empereur, Charles Ier, esquisse une tentative de négociation que repoussent à nouveau les Alliés.

La France pense alors que la guerre peut être rapidement terminée, et Nivelle lance en avril, sans préparation, une offensive très meurtrière sur le chemin des Dames, provoquant des mutineries. Au même moment, l'effondrement de l'Empire ottoman, qui laisse penser que le sionisme peut devenir une réalité, fait douter plus encore les dirigeants allemands, dont l'état-major, du loyalisme des Juifs allemands. D'autant plus que Rathenau parle de socialisme et que la plupart des dirigeants de la gauche allemande sont juifs.

Devant cette remise en cause de la loyauté des Juifs à l'égard de l'Empereur, le 11 juillet, Rathenau va plaider auprès du diplomate

Gottlieb von Jagow, qui vient de quitter son poste de ministre des Affaires étrangères, en faveur de l'assimilation totale des 500 000 Juifs d'Allemagne, alors au front comme tous leurs compatriotes, juste avant que la déclaration Balfour du 2 novembre ne reconnaisse la légitimité d'un « foyer national juif » en Palestine.

Le 16 janvier 1918, Rathenau s'inquiète encore du statut des Juifs au sein de l'Allemagne à venir. Il insiste auprès de l'avocat juif berlinois Apfel : « Comme nos pères, nous voulons vivre et mourir en Allemagne et pour l'Allemagne. Que certains aillent créer un empire en Palestine, c'est leur droit. Rien, pour ce qui nous concerne, ne nous attire en Asie. » Il le répète à Schwaner, l'antisémite dont il s'obstine à cultiver l'amitié, dans un texte d'une désarmante naïveté : « Parfois, tu distingues occasionnellement "mon peuple" et "ton peuple"… Mon peuple, ce ne sont que les Allemands. […] Les Juifs sont pour moi une race allemande, comme les Saxons, les Bavarois ou les Wendes. […] À mon avis, ce qui est décisif pour déterminer l'appartenance à un peuple et à une nation, ce n'est rien d'autre que le cœur, l'esprit, la manière de penser, et l'âme… »

En mars, la Russie, devenue communiste, signe le traité de Brest-Litovsk, qui accorde à l'Allemagne la Pologne, la Finlande, l'Ukraine, les pays Baltes et une partie de la Biélorussie. La Russie, tout occupée à sa guerre civile, libère les troupes allemandes. Toutes les forces allemandes se ruent alors sur la France. Paris est bombardé par la Grosse Bertha. Rathenau change encore d'avis et, comme tous les Allemands, croit plus que jamais en la victoire. Il lance un appel à la guerre totale dans une lettre ouverte (« Un Jour plus sombre ») qui paraît dans la *Vossische Zeitung*, le quotidien libéral de référence, publié à Berlin depuis 1721.

En avril 1918, les troupes américaines, en particulier les chars, parviennent enfin sur le front champenois ; les Alliés se dotent d'un commandement unifié sous la direction du maréchal Foch. Le 15 juillet, les troupes allemandes lancent une offensive en Champagne et réussissent à franchir la Marne. Le front cède. Paris s'ouvre à l'envahisseur. Mais l'avantage allemand intervient trop tard : la présence américaine a modifié le rapport des forces.

C'est le tournant de la guerre : le 18 juillet, alors qu'ils sont apparemment en pleine débâcle, les Alliés (français, britanniques, américains, canadiens et australiens) contre-attaquent à Villers-Cotterêts. L'armée allemande ne tient pas le choc et reflue. Le 8 août, une grande offensive alliée perce les lignes en Picardie.

À Berlin, personne n'a encore compris que la guerre est perdue. Rathenau lui-même demeure optimiste. Alors que l'armée allemande recule et que la révolte gronde à l'arrière, Rathenau écrit encore, le 2 octobre : « Avec ou sans alliés, nous sommes assez forts pour tenir aussi longtemps que nous le voudrons. » Mais, justement, les alliés viennent à manquer : les Austro-Hongrois plient alors face aux Italiens et battent en retraite après la bataille de Vittorio Veneto.

Le 30 octobre 1918, alors que l'armée cède sur tous les fronts, Rathenau, encore, réclame la levée en masse du peuple allemand. Aux premiers jours de novembre, des mutineries éclatent à Kiel : des conseils ouvriers et soldats se forment parmi la flotte et dans la plupart des grandes villes (Lübeck, Hambourg, Brême, Hanovre, Munich, Stuttgart, etc.). C'est ce que l'État hitlérien appellera le « coup de poignard dans le dos ». En réalité, la guerre est perdue militairement depuis la fin du mois de juillet.

Le 4 novembre, l'Autriche capitule et Charles Ier renonce au pouvoir, d'abord sur l'Autriche, puis sur la Hongrie. À Prague, une République tchécoslovaque est proclamée. À Berlin, Guillaume II songe à abdiquer suite aux manifestations en faveur de la paix. À Hambourg, Ballin se suicide le 9 novembre. Max von Bade, nommé chancelier, demande l'armistice, signé le 11 novembre. L'empereur abdique. Le 12 novembre, les députés du Reichsrat proposent le rattachement de l'Autriche à l'Allemagne et la création d'une République austro-allemande, ce que refusent les vainqueurs. Une Assemblée constituante se réunit à Weimar à cause de l'insécurité qui règne à Berlin. Les nouveaux maîtres du pays entendent instaurer le régime le plus démocratique possible, avec recours au référendum et élection du Reichstag à la proportionnelle intégrale.

Le 25 novembre, la quasi-totalité des gouvernements régionaux soutient Ebert, l'ami de Walther, comme candidat à la présidence de la nouvelle République. Le socialiste Noske devient chef du gouvernement provisoire. Il s'entend avec les syndicats pour mettre en œuvre une convention collective.

Membre de quelque 86 conseils d'administration (il aura dirigé en tout 85 firmes allemandes et 21 entreprises étrangères), Rathenau théorise l'« autogestion économique » pour soumettre la production à l'intérêt général. Pour lui, les grandes entreprises publiques doivent rester en situation de concurrence, avec pour double objectif de dégager du profit et d'assurer un service public.

Rathenau est alors nommé au sein de la commission chargée de réfléchir à la manière de socialiser les moyens de production du pays. Parmi ses autres membres, le secrétaire d'Engels, Kautsky, et un des leaders de l'USPD Rudolf Hilferding dominent si bien les débats qu'ils l'empêchent de s'exprimer. Lénine, à Moscou, suit ces débats avec passion et s'inspirera bientôt des idées de Rathenau.

En Allemagne, l'agitation ne fait que croître. La ligue Spartakus, dirigée par Karl Liebknecht et Rosa Luxemburg, pacifistes et révolutionnaires attachés à la démocratie ouvrière, rassemble plus de 150 000 manifestants. Rathenau, qui compte des amis partout, est qualifié par Karl Radek, militant spartakiste, d'« homme de lettres éminent parmi les industriels, d'industriel éminent parmi les hommes de lettres ».

Le 28 novembre et pendant tout le mois de décembre, des affiches antisémites appellent à l'assassinat des dirigeants spartakistes. Le 12 décembre entrent en scène les corps francs, groupes paramilitaires d'extrême droite qui combattent la gauche révolutionnaire. Le ministre socialiste de la Défense, Noske, obtient les pleins pouvoirs pour balayer la révolution. Le 23 décembre, l'armée, que commande encore, après la déroute, Walther von Lüttwitz, tire sur des marins venus de Kiel pour protester contre la suppression de leur solde par le gouvernement.

Le 1er janvier 1919 est créé le Parti communiste allemand. À partir du 5 janvier, des affrontements urbains opposent spartakistes et anarchistes. Les réformistes qui tiennent les usines organisent la défense de l'État, ce qui permet aux armées régulières de reprendre, le 12 janvier, le contrôle de la rue et de réprimer les grèves. Le 14, la lutte armée cesse à Berlin. Le lendemain, Rosa Luxemburg et Karl Liebknecht sont assassinés par des soldats sur ordre de Noske. La révolution est terminée.

Le 6 février, l'Assemblée constituante se réunit à Weimar. Le 11, Ebert, ami de Walther Rathenau, est élu président de la République. La Constitution de Weimar instaure une République fédérale et parlementaire accordant de larges pouvoirs au président Ebert, qui peut autoriser son chancelier à gouverner par décrets-lois. Le premier gouvernement de la République de Weimar est dirigé par Scheidemann, avec Erzberger comme vice-chancelier et ministre des Finances. Le gouvernement est composé de socialistes, de démocrates et de centristes. Les sociaux-démocrates, majoritaires, font accepter la journée de huit heures, réforme qui tient particulièrement à cœur à Rathenau. Éloigné des responsabilités, celui-ci compense ce retrait par une extraordinaire activité intellectuelle : brochures, articles, discours et interviews accordées à des journaux allemands et étrangers. Il publie *Die neue Wirtschaft* : 30 000 exemplaires écoulés en un mois. Entre novembre 1918 et décembre 1919, il adresse plus de 230 lettres à des hommes politiques, et correspond avec le colonel House, influent conseiller du président Woodrow Wilson, qui vient d'être désigné pour diriger, avec Paul Warburg, la délégation américaine à la conférence de Versailles, laquelle s'ouvre le 7 mars 1919.

Cette conférence vise à définir, entre les vainqueurs et les vaincus, les conditions de la paix, en particulier les indemnités dues aux vainqueurs par l'Allemagne.

Les Français, dirigés par Clemenceau et qui se considèrent comme vainqueurs, veulent casser une fois pour toutes l'expansionisme allemand. Ils veulent empêcher toute remise en cause des frontières, interdire à l'Allemagne tout armement et toute alliance avec qui que ce soit, en particulier avec la Russie, ce nouveau paria communiste. Ils réclament des réparations énormes : l'Allemagne devra livrer toute sa flotte de guerre, la majeure partie de ses chars et de ses avions ; son armée sera limitée à 100 000 hommes ; elle devra céder la quasi-totalité de sa marine marchande ; neuf cents membres de la Reichswehr accusés par les Alliés de crimes de guerre seront extradés. L'Allemagne devra aussi confier aux Alliés la gestion de ses fleuves, renoncer à ses possessions d'outre-mer ; la Haute-Silésie devra être restituée à la Pologne. Berlin devra aussi dédommager la France pour tout le manque à gagner de ses bassins miniers, et abandonner aux Alliés 25 millions de tonnes de charbon chaque année pendant dix ans. Ce n'est pas tout : les Alliés se réservent le droit de s'approprier toute nouvelle créance acquise à l'extérieur par des résidents allemands. L'Allemagne devra en outre payer un milliard de livres sterling avant le 1ᵉʳ mai 1921 (soit, selon Keynes qui fait partie de la délégation britannique, le double de ce que la France a versé en 1872 à l'Allemagne de Bismarck) ; à ce premier milliard s'en ajouteront au moins quatre, lesquels pourront être complétés par toute somme jugée nécessaire pour dédommager les populations civiles des pertes qu'elles auront subies pendant la guerre. Ces requêtes françaises ne définissent donc ni le montant exact des réparations, ni leur durée, ni leur répartition entre les Alliés. Les négociateurs allemands, au premier rang desquels

Max Warburg, sont accablés. Parmi les autres négociateurs, Keynes chez les Anglais et Paul Warburg (frère de Max) chez les Américains trouvent que tout cela est insensé.

Rathenau explique alors à qui veut l'entendre qu'il est impossible d'accepter un tel diktat. Que mieux vaut se résigner à l'occupation militaire. Il publie de nombreux textes dans lesquels il explique qu'il ne faut pas payer les indemnités, mais changer radicalement de modèle de croissance. Il préconise une « voie allemande », avec « l'organisation rationnelle de l'économie et des comportements politiques et économiques humanistes ». Il précise : « Renoncement à la puissance, à l'expansion, à l'impérialisme ; résignation sereine à une vie difficile orientée uniquement vers l'essentiel. »

Le 10 mai 1919, l'Assemblée allemande, réunie en session extraordinaire, commence par refuser de ratifier le projet de traité de Versailles. Mais celui-ci est finalement signé par le gouvernement de Scheidemann pour éviter au pays d'être occupé. Et, le 28 juin, le Reichstag l'entérine alors même que le Sénat américain, de son côté, refuse de l'avaliser.

Le 18 novembre, une commission d'enquête du Reichstag est convoquée pour déterminer les responsabilités dans la défaite. L'ancien commandant en chef, le maréchal Hindenburg, l'impute aux dissensions entre partis et à la propagande révolutionnaire. Puis, devant la même commission d'enquête, se souvenant du changement d'avis de Rathenau à la fin de 1916, Hindenburg l'accuse nommément d'être à l'origine de la déroute par son attitude défaitiste et son opposition à l'état-major.

Rathenau ne se laisse pas impressionner. Il fonde alors un parti « libéral de gauche », le Deutsche Demokratische Partei, avec des amis d'exception : Max Weber, Albert Einstein (qui réside à Berlin depuis 1914 et commence à voyager à travers le monde pour exposer sa théorie de la relativité), Hugo Preuss, Friedrich Naumann, Theodor Wolff et Thomas Mann. Ce parti brillantissime rassemble des professeurs, des avocats, et devient le principal pourvoyeur de hauts fonctionnaires de la jeune République. Il est pourtant très vite accusé par la gauche de servir le « grand capital », en même temps qu'il est dénoncé par l'extrême droite comme le « parti des Juifs ».

En janvier 1920, le traité de paix de Versailles entre en vigueur. La nouvelle République est on ne peut plus fragile politiquement et financièrement aux abois. La droite s'allie aux corps francs et aux milices.

L'extrême gauche accuse les sociaux-démocrates de trahir le mouvement ouvrier en s'alliant aux privilégiés de l'ancien régime. Dans la nuit du 12 au 13 mars 1920, un détachement de la marine, sous les ordres de l'ancien chef d'état-major, von Lüttwitz, occupe les quartiers du gouvernement à Berlin. Le ministre des Finances, Erzberger, démissionne. Mais le coup d'État est sans lendemain : von Lüttwitz s'enfuit dès le 17 mars. Son gendre, Kurt von Hammerstein, devient chef d'état-major de ce qui reste de l'armée allemande sous le nom de « directeur général ». Là encore, on est entre comtes prussiens, raffinés et antisémites.

Le président Ebert nomme alors son ami Rathenau au sein de la délégation allemande à la conférence de Spa qui, du 5 au 16 juillet, doit déterminer les parts de réparations attribuées aux différents pays bénéficiaires : 52 % seront versés à la France ; 22 % au Royaume-Uni ; 10 % à l'Italie ; 8 % à la Belgique. De plus, à l'instigation de la S.D.N., le 20 octobre, la région industrielle de Haute-Silésie revient à la Pologne avec un million d'habitants.

En novembre, les Alliés créent une commission spéciale pour fixer le montant définitif des réparations ; après avoir avancé le chiffre de 30, puis de 40 milliards de dollars, elle décide d'organiser une conférence à Londres en février 1921 pour en décider. En janvier, Walther Rathenau est nommé conseiller du gouvernement en charge de la préparation de cette conférence. Il devient une cible de choix pour la droite extrémiste. Il écrit maladroitement dans *Notre relève* que quelque trois cents hommes commandent le monde à l'insu du plus grand nombre. La droite lui reproche d'être l'un d'eux et d'en avoir fait profiter, *via* l'Office des matières premières, sa firme, A.E.G., dont la valeur, disent-ils, a quadruplé entre 1914 et 1918.

Au mois de février 1921, à la conférence de Londres, Adolf Köster, ministre allemand des Affaires étrangères, explique que ce qui est mis à la charge de l'Allemagne est très supérieur à ce qu'elle pourra jamais payer. Il demande le maintien de la Haute-Silésie au sein de l'Allemagne, l'allègement des réparations, la faculté d'emprunter pour les payer. Le 7 mars, le Premier ministre britannique, Lloyd George, refuse cette violation d'un traité à peine signé et menace de faire occuper la Ruhr par les troupes alliées si l'Allemagne ne paie pas. La conférence se sépare en ayant fixé le montant des indemnités à 56 milliards de dollars (soit 132 millions de marks-or), payables sur une quarantaine d'années. Absurde et impossible. Le mark s'effondre, la faim sévit dans le prolétariat urbain et agricole. Des révolutions communistes éclatent en mars 1921 en Saxe et à Hambourg. Le 5 mai 1921, Rathenau conseille de rejeter la décision de Londres, arguant que les sommes exigées représentent dix ans d'exportations allemandes.

Le 10 mai, Joseph Wirth, ouvrier devenu professeur de lycée, devient chancelier du Reich ; il tente de respecter la signature apposée par l'Allemagne et accepte l'ultimatum de Londres. Il propose le ministère de la Reconstruction à Walther, qui hésite. Il a toujours été tenté par l'action politique, mais pourquoi entrer dans un gouvernement qui vient d'accepter de souscrire un engagement qu'il estime impossible à tenir ? Pourquoi se compromettre ?

Le 29 mai 1921, malgré l'opposition de sa mère, Walther accepte néanmoins, espérant trouver là l'occasion de mettre en œuvre le vaste plan de réorganisation économique du pays auquel il réfléchit depuis dix ans. Mais, dans le chaos de l'heure, ce plan reste lettre morte et seuls quelques décrets visant à contrôler modestement la production du charbon et de la potasse voient le jour. Et il obtient que le gouvernement allemand refuse de mettre en œuvre les décisions prises à Londres : l'Allemagne ne paiera pas. En conséquence, les troupes françaises, anglaises et belges mettent à exécution leurs menaces et occupent Düsseldorf, Duisbourg et Ruhrort. Le 26 août 1921, le député du centre et ministre des Finances Matthias Erzberger est assassiné. Rathenau, son ami et collègue au gouvernement, pense qu'il est le suivant sur la liste. Sa mère le supplie de démissionner. Impossible : il se doit de trouver une solution de compromis sur les dettes. Il a alors une idée de génie : il propose que l'Allemagne s'engage, en paiement des réparations, à livrer du bétail et du matériel roulant et à reconstruire elle-même le nord de la France détruit par la guerre ; et qu'un organisme allemand à caractère privé, sous la supervision des deux gouvernements, soit chargé de livrer directement l'aide allemande aux victimes françaises de la guerre. Autrement dit, il propose un système de contrats directs passés entre personnes à indemniser et producteurs. La dette devient un troc. Et il peut ainsi contribuer à la reconstruction de l'Allemagne. Ce dispositif soulève un tollé parmi les industriels allemands et français, qui n'entendent pas collaborer entre eux. C'est pourtant bien là l'objectif de Rathenau : amorcer une intégration franco-allemande.

Paris accepte sa proposition et, à Wiesbaden, le 6 octobre 1921, Walther Rathenau, en tant que ministre allemand de la Reconstruction, signe un accord avec Aristide Briand, président du Conseil français. Les sanctions économiques contre Berlin sont alors levées. Français et Belges évacuent la Ruhr.

Le 22 octobre, Rathenau, qui estime avoir rempli sa mission et limité les dégâts en réduisant des dettes dont il ne voulait pas voir l'Allemagne accablée, démissionne du gouvernement. Il y sera resté à peine cinq mois.

Mais le pays s'enfonce progressivement dans l'inflation, qui libère un peu l'industrie de ses dettes ; la misère grandit dans le milieu ouvrier ; la concentration industrielle s'accélère. Des fortunes colossales se constituent, comme celle de Hugo Stinnes, surnommé le « roi de l'inflation ». Le 29 novembre 1921, le chancelier Wirth reconnaît que Rathenau avait eu raison en prédisant que l'Allemagne ne pourrait pas payer. Il l'envoie de nouveau à Londres pour tenter de convaincre les Anglais d'accorder un moratoire sur les paiements venant à échéance en février suivant. Rathenau propose alors à Lloyd George de réunir une conférence sur la reconstruction économique du continent avec tous les Européens, y compris l'Allemagne et la Russie soviétique : il ressort ainsi son vieux projet d'union européenne, en particulier d'union de l'Europe centrale. Il retrouve aussi ce qui se joue déjà en coulisses depuis janvier 1919 : Allemagne et Russie travaillent secrètement ensemble. Lloyd George accepte et parvient à en faire entériner le principe par la France, très méfiante, en échange d'une garantie britannique sur la frontière franco-allemande. Une conférence est donc prévue pour février suivant à Cannes entre les Alliés vainqueurs, à laquelle Lloyd George réussit à faire inviter les Allemands. Se prépare également pour avril, à Gênes, une conférence censée acter aussi le retour à l'étalon livre sterling.

En décembre 1921, Wirth démissionne pour protester contre la cession de la Haute-Silésie à la Pologne, mais reforme aussitôt un cabinet et propose à Rathenau le portefeuille des Affaires étrangères. Walther hésite : il vient de sortir du gouvernement, six semaines plus tôt, ce n'est pas pour y rentrer. De plus, depuis l'assassinat de Matthias Erzberger, il est devenu, pour les nationalistes, le traître juif qui a « vendu l'Allemagne » en « inventant la politique d'exécution » des clauses du traité de Versailles. Il accepte néanmoins, sans en parler à sa mère, au grand soulagement de Wirth. L'ambassadeur britannique écrit dans ses mémoires : « Je n'oublierai jamais l'enthousiasme avec lequel le chancelier Wirth me confia qu'il était parvenu à convaincre Rathenau de prendre le portefeuille des Affaires étrangères. [...] Rathenau jouit d'un très grand prestige à l'étranger. [...] Il parle couramment trois langues et est très adroit – sans aucune trace de dureté ou d'opiniâtreté teutoniques... »

Sa nomination est rendue publique le 31 janvier 1922. C'est un choc parmi le corps diplomatique allemand : avoir un Juif comme ministre ? Cela ne se peut pas ! Jamais !

Au dîner quotidien avec sa mère, celle-ci lui reproche : « Pourquoi m'as-tu fait cela ? » Ce à quoi il répond : « Maman, il le fallait : ils n'ont trouvé personne d'autre ! »

Dans son *Histoire d'un Allemand*, un jeune auteur qui tient un passionnant journal sur cette période, Sebastian Haffner, note : « La politique redevint soudain intéressante, et ce, grâce à l'entrée en scène d'un seul homme : Walther Rathenau. Jamais, ni avant ni depuis, la République allemande n'a produit un homme politique aussi fascinant pour l'imagination des masses et de la jeunesse. [...] Rathenau fut d'abord ministre de la Reconstruction, puis des Affaires étrangères – et, d'un seul coup, on sentit que la politique existait à nouveau. Quand il se rendait à une conférence internationale, on retrouvait le sentiment que l'Allemagne était représentée. [...] Du temps de Rathenau, la politique-spectacle n'existait pas encore, et lui-même ne faisait rien pour se mettre en valeur. Il est l'exemple le plus frappant que j'aie jamais connu de cette mystérieuse alchimie qui se produit quand un "grand homme" apparaît sur la scène publique : contact avec la foule, même à distance ; on tend l'oreille, on prend le vent, tous les sens en alerte ; les choses sans intérêt deviennent intéressantes, on ne peut faire abstraction de lui ni s'empêcher de prendre passionnément parti ; une légende surgit et grandit ; surgit et grandit le culte de la personnalité ; l'amour-haine. Tout cela involontaire, inévitable, presque inconscient... »

Au même moment, en janvier 1922, à Munich, un certain Adolf Hitler est condamné à trois mois de prison pour « troubles à l'ordre public ».

Écartés de la conférence de Cannes, les Soviétiques envoient à Berlin Karl Sobelsohn, dit Radek, dirigeant du Parti communiste allemand, puis le ministre des Affaires étrangères Gueorgui Tchitchérine, avec un projet préliminaire de traité bilatéral. En réalité, les relations entre la Russie et l'Allemagne n'ont pas cessé depuis la paix de Brest-Litovsk. Les deux partis communistes travaillent étroitement ensemble.

L'Armée rouge et la non-armée allemande travaillent ensemble, en secret, à se doter de chars, d'aviation, d'armes chimiques. Rathenau n'a pourtant nulle envie de lier le sort de l'Allemagne à celui de l'URSS, même s'il connaît les liens des deux armées et le tropisme russe d'une partie de l'élite allemande. Mais le poids colossal des réparations exigées par les Français et les Britanniques est tel qu'il n'a pas d'autre issue. L'Allemagne a besoin de matières premières sans avoir les moyens de les payer en devises occidentales. En échange des matières premières russes, l'Allemagne fournirait à l'URSS des biens de haute technologie. Rathenau se dit prêt à y réfléchir. Et il retrouve là son projet de 1914 : une union de l'Europe centrale et orientale, en préfiguration de l'union de toute l'Europe.

Malgré l'opposition française, Lloyd George a imposé la présence d'un représentant allemand à Cannes. Au début de février 1922, Wirth y envoie Rathenau. La conférence réunit Briand, Churchill, Lloyd George et Mussolini. Il s'agit de dessiner les nouvelles relations internationales en Europe : quelles relations nouer avec l'Union soviétique ? faut-il une alliance franco-britannique ? que faire de la dette allemande ? Le Royaume-Uni, pivot de la stabilité monétaire internationale, directement affecté par les transferts d'or entre les différents pays, entend retrouver un étalon de change qui lui soit favorable et le faire accepter. Devant les puissances victorieuses, Walther Rathenau, nouveau chef de la diplomatie allemande, expose la réalité de son pays : l'Allemagne est prête à faire tout ce qu'elle peut pour tenir sa parole et participer à la reconstruction de l'Europe centrale et orientale. Il impressionne et obtient une concession de poids : la réduction de moitié des paiements. La dette n'est plus que de 31 millions de marks contre 132 un an plus tôt. Par le seul mérite de Rathenau.

Rathenau est invité au sommet suivant, à Gênes, qui doit réunir du 10 avril au 19 mai 1922 les représentants de trente-quatre pays pour restaurer l'ordre monétaire tel qu'il existait avant la Première Guerre mondiale. Les Français veulent y poser la question des emprunts russes que les Soviétiques refusent d'honorer, arguant qu'ils ne les ont pas eux-mêmes contractés. Tchitchérine fait savoir qu'il viendra. Les États-Unis ne veulent pas participer. Le 10 avril, à la séance plénière d'ouverture de la conférence de Gênes, Rathenau lance un vibrant appel à la paix, en allemand, en anglais et en français, accueilli par des applaudissements nourris. Pour éviter une entente entre les deux vaincus, menace qui obsède depuis 1917, les Alliés excluent l'Allemagne de la sous-commission sur la question financière russe. Rathenau déjeune alors avec Tchitchérine en compagnie de Felix Deutsch qu'il a pris comme conseiller. Il est tenté de passer un accord séparé avec les Russes. Mais qu'en penseront les Alliés ?

En Allemagne, la presse nationaliste se déchaîne contre cette idée. Les murs se couvrent de slogans antisémites dirigés contre lui.

Le 15 avril, pressé d'engager une négociation par les Soviétiques, qui se font très insistants, Walther tente de joindre Lloyd George, qui fait répondre qu'il est « absent ». Rathenau accepte alors de se rendre à l'invitation de Tchitchérine à Rapallo, station balnéaire voisine de Gênes, pour une réunion secrète. Ago von Maltzan (directeur du bureau de l'Est au ministère des Affaires étrangères) et lui négocient avec Christian Rakovsky et Adolf Joffe (qui a négocié tous les grands traités depuis 1917), assistés du juriste Evgueni Pachoukanis. Un accord est signé le lendemain, 16 avril : Berlin et Moscou renoncent simultanément aux dettes de guerre et aux réparations qu'ils se doivent mutuellement ; ils rompent ainsi l'isolement dont ils sont victimes et rétablissent entre eux des relations diplomatiques et commerciales, ainsi qu'une collaboration militaire (avec des camps d'entraînement allemands secrets en URSS qui dureront jusqu'après l'arrivée d'Hitler au pouvoir, accélérant massivement le réarmement allemand). Ce traité annule celui de Brest-Litovsk par lequel le gouvernement bolchevique devait verser au Reich une indemnité de 94 tonnes d'or.

Le 17 avril, à Gênes, l'accord est annoncé aux autres délégations ; les diplomates soviétiques parlent de la possibilité d'une « coexistence pacifique » avec leur voisin. L'Allemagne de Weimar devient, du coup, un acteur important de la politique européenne. C'est la stupeur, exactement ce que les Alliés veulent empêcher depuis les journées d'Octobre 1917. La Grande-Bretagne parle de « déloyauté » allemande. La France est folle de colère, car elle ne redoute rien plus qu'une alliance germano-russe. En Allemagne, les discussions sont enragées. S'allier au diable rouge est très mal reçu, d'autant plus que les Armées blanches mènent encore le combat contre le communisme. Sebastian Haffner note dans ses souvenirs : « Bien que personne ou presque n'ait eu auparavant l'idée de ce qu'était une réparation en nature, bien que le texte du traité russe fût bourré de formules diplomatiques hermétiques à la plupart, les deux étaient l'objet de conversations animées chez l'épicier et le marchand de journaux, et nous nous battions entre potaches parce que les uns trouvaient les traités "géniaux", tandis que, pour les autres, ils émanaient d'un "juif traître au peuple". Mais il n'y avait pas que la politique. On voyait son visage dans les magazines, comme celui des autres politiciens, et tandis qu'on oubliait les autres, le sien vous poursuivait, fixant sur vous des yeux sombres pleins d'intelligence et de tristesse. On lisait ses discours et, au-delà de leur contenu, il était impossible d'ignorer ces accents qui accusaient, adjuraient, promettaient : les accents d'un prophète. Beaucoup prenaient connaissance de ses livres, et je le fis moi aussi. On y retrouvait cet appel obscur et pathétique, quelque chose d'à la fois contraignant et persuasif. »

L'hystérie contre Rathenau est à son comble. Faire alliance avec les communistes, avec qui on a été en guerre il y a si peu ! Karl Helfferich – ambassadeur d'Allemagne en Russie après la signature du traité de Brest-Litovsk et l'assassinat du précédent chef de poste, devenu chef du Parti national allemand au Reichstag – demande que Rathenau soit traduit devant une Haute Cour de justice. Les groupes nationalistes révolutionnaires et les mouvements quasi terroristes, issus des corps francs (comme l'organisation Consul, société secrète créée après l'échec du putsch de Kapp), exhortent à l'assassiner. Sebastian Haffner témoigne : « Rathenau suscitait dans la masse un véritable amour et une haine véritable. Cette haine était une haine viscérale, farouche, irrationnelle, fermée à toute discussion, et telle qu'un seul politicien allemand l'a suscitée depuis lors : Hitler. […] Rathenau et Hitler sont les deux phénomènes qui ont le plus excité l'imagination des masses allemandes, le premier par son immense culture, le second par son immense vulgarité. Le premier était issu de ce creuset de quintessence spirituelle où fusionnent les civilisations de trois millénaires et de deux continents, l'autre, d'une jungle située bien en dessous du niveau de la littérature la plus obscène, d'un enfer d'où montent les démons engendrés par les remugles mêlés des arrière-boutiques, des asiles de nuit, des latrines et des cours de prison. Tous deux étaient, grâce à l'au-delà dont ils émanaient, et indépendamment de leur politique, de véritables thaumaturges. » De fait, Rathenau, comme Hitler, prône à fond l'alliance russe, au moins provisoire.

Le 19 mai 1922, la conférence de Gênes se conclut par le retour à un système d'étalon de changes-or faisant du dollar et de la livre des monnaies de réserve.

Au début de juin, alors qu'Hitler commence à purger sa courte peine de prison à Munich, l'organisation Consul décide d'en finir avec Rathenau, qui « livre l'Allemagne aux communistes ». Deux jeunes gens de vingt et vingt-quatre ans, Erwin Kern et Hermann Fischer, préparent l'attentat. Le 24 juin, les deux hommes, vêtus de manteaux de cuir et de capuches, s'approchent en voiture de celle, découverte, du ministre qui vient de quitter son domicile, sur les hauteurs de Berlin. Ils tirent plusieurs coups de pistolet automatique. Haffner raconte : « Tous les matins à heure fixe, Rathenau quittait en automobile découverte sa villa de Grünewald pour se rendre à la Wilhelmstrasse [où se trouvaient le ministère des Affaires étrangères et la chancellerie]. Un matin, une autre voiture qui stationnait dans cette paisible rue résidentielle démarra derrière celle du ministre, la dépassa et, au cours de la manœuvre, ses occupants, deux jeunes gens, déchargèrent au même moment et presque à bout portant leur revolver sur la tête et la poitrine de la victime, avant de s'enfuir à toute allure. »

Les assassins s'éclipsent après avoir lancé une grenade. Ils seront encerclés et abattus par la police dans les ruines du château de Saaleck.

L'émotion est immense. Le soir même, l'Allemagne porte le deuil du ministre, abaissant les drapeaux à mi-mât. Un témoin britannique, Morgan Philips Price, écrit : « Au Reichstag, pendant la cérémonie à sa mémoire, j'ai remarqué une extraordinaire ferveur parmi les ouvriers de Berlin, exprimée à travers les dirigeants des syndicats et des partis, pour la République et pour le Président Ebert. Mais les rangs de la majorité social-démocrate étaient sévèrement atteints. D'abord des communistes, puis des socialistes, et désormais de grands industriels étaient assassinés pour avoir exprimé des vues libérales, et, dans ce cas précis, pour être juif. La situation en Allemagne était en train de devenir de plus en plus sinistre. » Dans ses *Souvenirs d'un Européen*, Stefan Zweig évoque la mort de Walther Rathenau comme « l'épisode tragique qui marqua le début du malheur de l'Allemagne, du malheur de l'Europe ».

De son côté, Haffner a consigné des phrases qui me rappellent la situation que j'ai connue, bien plus tard, en Algérie, quand je fus confronté à la violence des jeunes de ma génération : « Les coupables, on l'apprit bientôt, étaient des garçons comme nous ; celui-ci a alors quinze ans, l'autre était un élève de seconde. Ç'aurait pu tout aussi bien être tel ou tel de nos condisciples qui avaient parlé peu auparavant de "saigner le cochon". » Puis il ajoute : « La magie exercée par la personnalité [de Rathenau] lui survécut quelques jours, et pendant ces quelques jours régna ce que je n'avais encore jamais connu : une ambiance vraiment révolutionnaire. Plusieurs centaines de milliers de personnes assistèrent aux obsèques sans qu'on les eût forcées ni menacées. Après quoi, au lieu de se disperser, elles parcoururent les rues pendant des heures, en cortèges interminables, muettes, sombres, revendicatives. On sentait que si, ce jour-là, on avait incité ces masses à en finir avec ceux qu'on appelait encore des "réactionnaires", et qui, en réalité, étaient déjà des nazis, elles l'auraient fait sans hésiter, de façon décisive et totale. Personne ne les y incita. On les incita au contraire à préserver l'ordre et la discipline... »

Haffner conclut : « On sentait que s'il n'avait pas été ministre allemand des Affaires étrangères en 1922, il aurait pu être un philosophe allemand en 1800, un roi de la finance internationale en 1850, un grand rabbin ou un anachorète... »

Tel est en effet le sort des authentiques « grands hommes » : pouvoir être grand autrement, quoi qu'il arrive, si les circonstances en décident ainsi.

BIBLIOGRAPHIE

ARON, Raymond, *Plaidoyer pour une Europe décadente*, Paris, Robert Laffont, 1977.

BEAUMONT, M., « Walther Rathenau et son système », in *Annales d'histoire économique et sociale*, 1932, 4, n° 13.

DÉCULTOT, Élisabeth, ESPAGNE, Michel, et LE RIDER, Jacques (dir.), *Dictionnaire du monde germanique*, articles « Rathenau Emil », « Rathenau Walther », « Sens et non-sens de l'histoire », « Rapallo », « Weimar ».

ENZENSBERGER, Hans Magnus, *Hammerstein ou l'intransigeance*, Paris, Gallimard, 2010.

HAFFNER, Sebastian, *Histoire d'un Allemand. Souvenirs 1914-1933*, trad. Brigitte Hébert, Arles, Actes Sud, 2002.

KESSLER, Harry, Graf, *Walther Rathenau. Sein Leben und sein Werk*, Berlin, 1928, rééd. Frankfurt-am-Main, 1988.

LETOURNEAU, P., *Walther Rathenau : 1867-1922*, Strasbourg, 1995.

LETOURNEAU, P., *Walther Rathenau ou le rêve prométhéen : pensée politique et économique*, Strasbourg, 1987.

LÖWY, Michaël, *Rédemption et utopie. Le judaïsme libertaire en Europe centrale*, Paris, Éditions du Sandre, 2009.

RATHENAU, Walther, *La Mécanisation du monde*, trad., introd. et notes de J. Vaillant, Paris, Aubier, 1972.

ZWEIG, Stefan, *Le Monde d'hier*, Paris, Albin Michel, 1948

20

Thomas Edison
(1847-1931)
ou l'inventeur des Temps modernes

Personne ne me fascine davantage que les autodidactes. Peut-être parce que, ayant passé un nombre excessif de concours, j'en sais assez long sur la vanité de ces titres. Alors qu'il n'est sans doute pas un individu au monde qui ait eu plus d'influence sur l'existence quotidienne des gens que l'autodidacte Thomas Edison – *self-made man*, dit-on en anglais, dans un mot qui dit tout. J'ai souvent pensé que, si je ne devais plus écrire qu'une seule biographie, ce serait celle de ce marchand ambulant, devenu l'inventeur le plus prolifique de tous les temps, que j'ai rencontré en bien des domaines sur lesquels j'ai été conduit à réfléchir : la musique, le temps, la santé, l'énergie, la communication. Comme une sorte d'Aristote moderne, il est partout, mêlant expérience et théorie. Il est la meilleure illustration de ce qui fait la force d'une nation dans sa capacité à laisser chacun innover, créer, sans exiger titre de noblesse, héritage, relations ou diplômes. À lui seul, Edison rend compte de la vertu profonde d'un mode de production fondé sur la recherche permanente d'innovations capables de déboucher sur des produits commercialisables, et dégageant des profits sans cesse réinvestis dans la recherche.

Fils d'un marchand de bois, quittant l'école à onze ans, vendeur de journaux à quatorze, à trente chef d'entreprise et millionnaire au train de vie austère, réinvestissant tout dans ses affaires, il aura déposé en tout 1093 brevets, le plus grand nombre jamais attribué à un seul homme.

Révéré, glorifié de son vivant comme un héros national au même rang que Washington, Jefferson ou Lincoln, il incarne le meilleur de la société capitaliste, quand le profit est un moyen de créer et non de dominer, d'innover et non de spéculer.

On sait tout de lui grâce à ses interviews, aux trois millions de pages de ses archives et aux dizaines d'ouvrages qui lui ont été consacrés. Pourtant, son mystère reste intact : comment un même individu a-t-il pu inventer, seul ou avec le concours de quelques assistants, le télégraphe, le téléphone, le phonographe, l'ampoule, le réseau et la traction électriques, le fax, le cinéma, les batteries, le ciment, l'électroménager ? Comment a-t-il pu au même moment fonder la plus ancienne entreprise américaine aujourd'hui encore cotée en Bourse et membre du Dow Jones Index, General Electric, et faire inventer, pour nuire à un concurrent, la ... chaise électrique ?

À sa naissance en 1847, les États-Unis, présidés par James Knox Polk, sont encore absorbés par la conquête de leur propre territoire : leur frontière nord vient d'être fixée un an plus tôt, en accord avec la Grande-Bretagne (première puissance mondiale, qui contrôle le Canada) ; leur frontière sud va être reconnue par le Mexique au terme d'une guerre meurtrière ; reste à réunir l'Est et l'Ouest. Pour cela, il faut le chemin de fer. La première locomotive américaine, l'*America*, a été fabriquée par Stephenson en 1828 ; en 1830 a été mise en service la première ligne de chemin de fer américaine, la Baltimore & Ohio Railroad. Pour que le chemin de fer se développe, le télégraphe va jouer un rôle essentiel. Thomas Edison va en être le principal artisan.

S'inspirant des travaux d'Ampère et travaillant sur l'électro-aimant, un professeur de peinture et de sculpture de l'université de New York, Samuel Morse, conçoit vers 1825 l'idée d'un télégraphe, élabore en 1835 le code qui porte son nom, et dépose en 1840 le brevet de sa machine, qui remplace celle de Chappe, conçue près d'un demi-siècle auparavant. Composé d'un manipulateur pour taper le message, d'un fil électrique pour le transmettre, d'un transcripteur pour le faire resurgir sur une bande de papier, le télégraphe de Morse est le plus simple, le plus pratique, le plus efficace et le moins cher.

Dès son enfance, Thomas va être confronté à son avènement. Son père, Samuel Edison, est alors un modeste négociant en bois de Milan, petite ville au sud du lac Érié, à la frontière canadienne, par laquelle transite le bois des forêts canadiennes à destination des grandes villes de l'est des États-Unis. Samuel et son épouse, Nancy Eliott, Canadienne de souche écossaise, ancienne institutrice, ont déjà six enfants, dont trois sont morts en bas âge, quand naît Thomas, le 11 février 1847, quatorze ans après l'enfant précédent.

Cette même année, à Paris, le capitaine Claude Félix Abel Niepce de Saint-Victor, cousin de Nicéphore Niepce, obtient une image très nette grâce à une plaque de verre enduite d'albumine, moyennant un temps de pose d'un quart d'heure ; la photographie est née. L'année suivante, pendant le « printemps des peuples » européens, John Stuart Mill publie à Londres les *Principes d'économie politique*, cependant qu'à Francfort Marx et Engels rédigent en une semaine le *Manifeste du parti communiste*. Dans le même temps, les innovations technologiques se multiplient : en 1851, à New York, Isaac Merritt Singer perfectionne la machine à coudre inventée en France par Barthélemy Thimonnier. Le vapeur anglais *Blazzer* pose le premier câble télégraphique sous-marin entre Douvres et Calais. En 1853, Elisha Otis perfectionne l'ascenseur à vapeur qu'il installe dans un grand magasin new-yorkais : le gratte-ciel – surnom donné jusque-là au grand-mât d'un bateau – devient possible. En Californie, en pleine ruée vers l'or, Levi Strauss a, la même année, l'idée de confectionner un pantalon dans la toile servant aux tentes et aux capotes des diligences. En France, Pierre Carpentier conçoit une machine à nervurer les feuilles métalliques, permettant la fabrication industrielle de la tôle ondulée. En 1854, Joseph Loubaut invente le rail à ornières ; le chimiste Henri Sainte-Claire Deville met au point l'aluminium industriel. En 1855, un physicien allemand, Robert Wilhelm Bunsen, invente le brûleur à gaz, ce qui rend possible l'éclairage au gaz, au règne duquel Thomas Edison mettra fin un demi-siècle plus tard.

Durant ces années, l'existence des Edison se trouve bouleversée : l'installation d'une ligne de chemin de fer le long de la rive sud du lac Érié entraîne la chute du trafic sur le canal de Milan et ruine ceux qui, comme eux, vivent du trafic fluvial. Ils déménagent en 1854 à Port Huron, où Samuel reprend ses activités de négociant en bois et en grains.

Le train a failli ruiner le père. Il fera la fortune du fils.

À l'âge de sept ans, en 1855, Thomas Edison entre à l'école de Port Huron. Au bout de trois mois, du fait de son hyperactivité, il fait perdre patience à son professeur, le révérend Engle, qui le traite d'imbécile. La mère du jeune garçon, ancienne institutrice, décide de le retirer de l'école pour lui faire elle-même la classe.

En 1856, à Sheffield, le métallurgiste anglais Henry Bessemer construit un convertisseur qui permet d'obtenir un acier de bonne qualité à un prix compétitif. La même année, en France, le pantélégraphe de Caselli, ancêtre du fax, qui permet la télégraphie des images et des documents, amorce les futures recherches sur le cinéma, suivi en 1857 par le phonautographe, enregistreur de sons inventé par Édouard-Léon Scott de Martinville. Là encore, une invention d'Edison les remplacera moins de vingt ans plus tard.

En 1858, le jeune garçon (il a dix ans) se familiarise avec le bricolage. Il lit la *Philosophie naturelle et expérimentale* de Richard Green Parker, manuel destiné aux enfants, sans doute trouvé dans la bibliothèque maternelle. Il y découvre toutes les notions de physique et des descriptions d'expériences de l'époque en mécanique, hydrostatique, hydraulique, pneumatique, acoustique, optique, électricité, astronomie, ainsi qu'une description simple du fonctionnement des locomotives et du télégraphe électromagnétique.

S'appuyant sur le livre de Parker, il se lance dans diverses expériences dans le sous-sol de la maison, où il accumule jusqu'à deux cents fioles de produits chimiques. Il essaie ensuite de lire les *Principia* de Newton, mais les mathématiques le rebutent. Il écrira : « Je conclus aussitôt que si Newton avait été moins porté sur les abstractions, il aurait pu communiquer ses connaissances à un auditoire plus vaste. Cela me dégoûta définitivement des mathématiques. » Plus tard, son ignorance en cette matière lui fera négliger une invention majeure.

L'année suivante, cependant qu'échoue le soulèvement des esclaves de Harper's Ferry, conduits par John Brown, à Titusville, Pennsylvanie, Edwin Drake, embauché comme prospecteur par la Pennsylvania Rock Oil Cie, utilise une pompe de bateau à vapeur pour percer la terre, et, à la surprise de tous, y compris la sienne, en fait jaillir du pétrole. En France, Germain Sommeillier invente le marteau-piqueur pneumatique, qui permet de terminer le creusement du tunnel du mont Cenis.

Edison lit *Le Siècle de la raison* de Thomas Paine (révolutionnaire américain, né anglais, emprisonné par Robespierre sous la Terreur), découvert dans la bibliothèque familiale. Paine y défend la raison et promeut une religion naturelle hostile à toutes les Églises. Ces vues théologiques et politiques sont, pour Thomas, « une révélation ».

Toujours en 1859, à douze ans, à l'issue d'une scarlatine, il commence à devenir sourd. Cette infirmité déterminera nombre de ses comportements et ne sera pas sans conséquences sur nombre de ses innovations, centrées sur la communication des sons.

Cette année-là, nouvelle catastrophe dans la vie familiale : une ligne ferroviaire est mise en service entre Port Huron et Detroit, ce qui fait chuter encore une fois le commerce fluvial dont vit son père. Plus question de déménager : le train est désormais partout. Pour aider la famille, Thomas obtient de ses parents l'autorisation de cesser d'étudier à la maison et d'aller vendre des journaux sur cette ligne : le train ruine à nouveau le père, il va cette fois enrichir le fils.

Thomas prend un emploi de vendeur de journaux, boissons et tabac à bord du convoi de la « Grand Trunk Railway » qui fait l'aller-retour quotidien entre Port Huron et Detroit. Il s'y installe à 7 heures du matin à Port Huron. Pendant l'arrêt de six heures à Detroit, il fréquente la salle de lecture de la bibliothèque municipale des Young Men's Society. Au retour, découvrant que les Américains ont une fringale d'informations, il vend les journaux du soir. Or, cette année-là, les nouvelles à sensation ne manquent pas : le 6 novembre 1860, un petit avocat de province dénué d'expérience, Abraham Lincoln, remporte l'élection présidentielle grâce aux divisions au sein du Parti démocrate et malgré la menace des États du Sud de faire sécession si cet antiesclavagiste était élu ; de fait, le 20 décembre, alors que Lincoln n'a pas encore reçu l'investiture, la Caroline du Sud rompt.

Tout s'accélère en janvier 1861 avec la sécession du Mississippi, de la Floride, de l'Alabama, de la Géorgie, de la Louisiane, de la Caroline du Sud et du Texas, qui se confédèrent, en février, sous la présidence du colonel et sénateur Jefferson Davis. Lincoln mobilise alors 75 000 hommes et décrète le blocus des États du Sud, ce qui entraîne cette fois la sécession de la Virginie, le 17 avril. Richmond (Virginie) devient la capitale du Sud. Le 12 avril, Davis prend le fort nordiste de Sumter, à l'entrée de la baie de Charleston, en Caroline du Sud. En mai, l'Arkansas, le Tennessee et la Caroline du Nord font à leur tour sécession.

Les journaux se vendent bien. Thomas a tôt fait de gagner dans les 20 dollars la semaine. Mais son revenu est irrégulier : comme il achète ferme la même quantité d'exemplaires quelles que soient les nouvelles du jour, il se retrouve avec des invendus, et donc des pertes, ou des clients déçus de ne pas trouver leur journal. Il a alors l'idée de demander à un sténotypiste d'un journal du soir de lui montrer, avant publication, l'épreuve de première page pour juger du nombre d'exemplaires à acheter.

En janvier 1862, le Nord s'empare de la Nouvelle-Orléans. Début avril, Thomas tombe sur l'épreuve d'un article du *Detroit Free Press* annonçant que les généraux nordistes Grant et Sherman ont engagé une grande bataille dans le Tennessee, où l'on dénombre déjà 25 000 morts et blessés, dont le général confédéré Johnston. C'est une très grande nouvelle, et l'occasion pour lui de faire une énorme vente, et il pense même qu'il en fera davantage encore si, le long de la ligne, les voyageurs sont informés à l'avance, dans les gares, de la teneur des nouvelles.

Il a alors l'idée de demander à un télégraphiste de la gare de Detroit d'annoncer à tous les chefs de gare de la ligne, jusqu'à Port Huron, les titres des journaux qu'il vend, et de les prier de les inscrire à la craie sur le tableau des horaires ; en échange, propose-t-il, il fournira gratuitement au télégraphiste le quotidien, l'hebdomadaire et le mensuel *Harper's Magazine*, créé en 1850 par Harper & Brothers, qui tire alors à 50 000 exemplaires. Le télégraphiste accepte. Thomas demande alors au service commercial du journal local d'acquérir 1500 exemplaires à crédit. On les lui refuse : il a toujours payé comptant. Il force la porte du rédacteur en chef, qui l'écoute, hésite, puis accepte sa requête : « Je pris mes exemplaires, trouvai trois garçons pour m'aider à les plier, et partis avec le train. Le télégraphiste avait-il tenu parole ? D'ordinaire, je vendais deux journaux à la première gare. Au moment où le train s'arrêta, je crus qu'il y avait une émeute. Chacun voulait mon journal. Le temps que le train reparte, j'en avais vendu cent deux à 5 cents pièce. La gare suivante était pleine et je vendis trois cents exemplaires à 10 cents. À Port Huron, je transportai ce qui me restait dans un wagon que j'avais annexé, j'assis un gosse sur les journaux pour éviter le chapardage, et je vendis mes journaux jusqu'au dernier à 25 cents et plus… Cette histoire me montra que rien ne valait le télégraphe, et je décidai aussitôt de me lancer dans ce métier. »

Il a compris que ce que l'on vend dans un journal, ce ne sont pas tant des informations que le fait de les mettre à disposition au plus vite.

Avec l'argent ainsi gagné, il s'achète une presse d'occasion qu'il installe dans un wagon à bagages pour rédiger et imprimer son propre petit journal hebdomadaire, le *Weekly Herald*, tiré à 500 exemplaires, qu'il vend fort bien.

C'est que les nouvelles ne manquent pas. Le sort de la guerre hésite : le 30 août 1862, l'Union est battue à Manassas, en Virginie, à 60 kilomètres de Washington. Le Sud progresse. Le 17 septembre, une première bataille a lieu sur le sol même de l'Union, à Sharpsburg, dans le Maryland. Rencontre incertaine, extrêmement meurtrière, qui fait en une seule journée autant de morts que sur le reste de l'année. La bataille de Fredericksburg (Texas) est ensuite tout aussi incertaine. Les armées utilisent un nombre croissant d'opérateurs du télégraphe.

À la fin de cette année-là, Thomas sauve le bébé du chef de gare de Port Huron, qui a failli se faire écraser par un convoi. Pour le remercier, l'employé l'initie à l'alphabet et à l'utilisation de son télégraphe. Sa surdité sert Thomas dans son apprentissage : « J'entendais très bien le bruit de mon appareil et n'étais pas distrait par celui de mes voisins. »

Cette nouvelle compétence lui permet de trouver, à quinze ans, un emploi chez Western Union, qui a le monopole de l'exploitation du brevet de Morse, à Memphis, dans le Tennessee. Mais les revenus sont faibles. L'année suivante, à seize ans, Thomas revient à bord de son train, le « Grand Trunk Railway », comme télégraphiste ambulant pour la Western Union Telegraph Company. Il trouve fréquemment juxtaposés à bord des trains des éléments de systèmes télégraphiques appartenant à des générations différentes, et il mesure la lenteur de l'envoi des messages.

Toujours en 1863, alors que Maxwell élabore la théorie électromagnétique de la lumière, le général sudiste Lee est vaincu à Gettysburg, le 3 juillet, dans une bataille qui fait 7000 morts et 45 000 blessés. Le siège d'Atlanta, les batailles de Chickamauga et de Chattanooga (à la frontière du Tennessee et de la Georgie) donnent alors le sentiment que les Sudistes ont perdu.

Fin 1863, Edison est toujours télégraphiste à bord du « Grand Trunk Railway ». Hyperactif, il se propose systématiquement pour les trains de nuit, travaillant chez lui le jour à des expérimentations diverses. Il invente un dispositif – une roue à encoches fixée sur un réveil – lui permettant de dormir à bord du train et d'envoyer automatiquement le signal réclamé à intervalles réguliers par le centre pour prouver qu'il est éveillé. Il lit des manuels de télégraphie, où il découvre les travaux techniques d'Edward Sabine, astrophysicien britannique qui étudie le champ magnétique terrestre, et ceux de Michael Faraday, physicien et chimiste britannique connu pour ses avancées fondamentales dans les domaines de l'électromagnétisme et de l'électrochimie.

En 1864, le vent de la guerre semble tourner en faveur du Sud : le sous-marin sudiste *USS Hunley* coule la frégate nordiste *USS Housatonic* au large de Charleston, et le général sudiste Polignac l'emporte à Mansfield. Puis, début 1865, le cours des combats s'inverse encore : les fédéraux coulent l'*Alabama* au large de Cherbourg ; Atlanta et Savannah sont pris. Fin mars 1865, le général Lee, chef des armées confédérées, est vaincu à Petersburg et se rend à Appomattox Court House les 8-9 avril 1865.

Réélu le 4 mars, le président Lincoln fait voter un treizième amendement à la Constitution abolissant l'esclavage. Le 9 avril, la guerre est finie. Le 14, John Wilkes Booth tire sur Abraham Lincoln, qui meurt le 15. Le vice-président Johnson lui succède. Le 26, Booth, repéré dans la ferme de Virginie où il se cache, est lui-même abattu par des soldats de l'Union. Le 10 mai, Jefferson Davis, président de la Confédération, est fait prisonnier en Georgie.

Thomas quitte son train et s'installe comme opérateur télégraphiste fixe à Port Huron, dans le bureau de la Western Union contigu à un atelier d'horloger où il trouve l'outillage idéal pour bricoler les pièces du télégraphe qu'il cherche déjà à améliorer : ce sera son métier, pense-t-il.

Toujours la même année, les progrès techniques se multiplient : la dynamite, la première presse rotative, le premier câble télégraphique transatlantique entre la Grande-Bretagne et les États-Unis, les premiers ascenseurs à piston hydraulique, la première machine à écrire opérationnelle. Capable de télégraphier aussi vite et aussi longtemps que nécessaire, Edison est promu télégraphiste de première classe à la Western Union et passe à Louisville, puis à Cincinnati. Il gagne alors 125 dollars par mois. Il est muté en 1866, à l'âge de dix-neuf ans, au bureau de la Western Union à Toronto (Canada), ce qui lui rapporte quelques dollars de plus. En 1868, il revient à Boston comme opérateur-télégraphiste de nuit. Il lit les *Recherches expérimentales en électricité* de Faraday, qui lui révèlent les bases théoriques du télégraphe. Il travaille en parallèle sur plusieurs inventions inspirées du télégraphe, dont une machine de comptage automatique des votes.

Il se penche à nouveau sur le télégraphe, encore trop lent, trop manuel à son goût, et se lance dans la mise au point de l'invention qui va lui assurer renommée et fortune : le télégraphe multiplex, capable de transmettre simultanément sur un même câble électrique plusieurs messages, dans le même sens et en sens inverse. Il met au point d'abord un « transmetteur-récepteur duplex automatique de code Morse », et dépose là son premier brevet, qu'il cède à la Western Union. Cette mutation ouvre la voie à une accélération majeure de la capacité de transmission des messages.

C'est pour lui un grand tournant : il sera inventeur.

En décembre 1868, il démissionne de la Western Union sans quitter Boston. Un journal local, *The Telegraph*, annonce alors que « T.A. Edison a démissionné de la Western Union », qu'il « va désormais se consacrer aux inventions » et élit domicile « aux bons soins de Charles Williams Jr, fabricant de matériel télégraphique, 109, Court Street, Boston », où travaillent aussi Moses G. Farmer et Alexander Graham Bell. Il construit un prototype de sa machine à voter, utilisant le télégraphe pour transmettre les résultats à un bureau centralisateur. Il la présente à des responsables de l'État du Massachusetts ; elle est jugée par trop rapide. Il la présente à une commission du Congrès à Washington ; elle est refusée. Il retient la leçon : pour lui, une innovation n'a de sens que s'il existe un marché.

Après les essais infructueux d'un télégraphe multiplex sur la ligne New York-Rochester, il se retrouve à New York. Franck L. Pope, ingénieur en chef de la Laws Gold Reporting Company (qui a le monopole de la transmission des informations pour la Bourse de l'or) à Wall Street, lui propose de le loger au sous-sol des bureaux de sa firme. Un soir, le transmetteur de la compagnie tombe en panne, semant le chaos. Edison détecte la panne (un ressort de contact cassé) et la répare ; il est engagé le lendemain comme assistant de Pope. Il a pour mission d'améliorer le téléscripteur de la Bourse de New York. Quand, un mois plus tard, au début de 1869, Pope s'installe à son compte comme ingénieur-conseil, Edison le remplace dans l'entreprise, moyennant un salaire de 300 dollars par mois.

Mais le statut de salarié ne lui convient décidément pas. Il revient à sa condition d'entrepreneur. La même année, il fonde l'« Edison Universal Stock Printer », sa première entreprise, en s'associant à Frank Pope et James Ashley, les deux éditeurs successifs du *Telegraph*, un magazine illustré très populaire à l'époque parmi les employés du télégraphe. Il développe un télégraphe pouvant transmettre simultanément plusieurs cours de valeurs boursières.

La ligne de chemin de fer transcontinentale est achevée cette année 1869 : la traversée du pays, du Pacifique à l'Atlantique, s'effectue en huit jours. La vitesse des trains s'accélère quand le frein automatique à air comprimé de George Westinghouse réduit de 90 % la distance de freinage des locomotives.

Edison cherche alors à résoudre les problèmes techniques posés par la transmission de longs messages et à augmenter la fréquence des messages acheminés sur une ligne unique.

En 1870, le général Lefferts, président de la Gold & Stock Telegraph Company, concurrente de la Western Union, qui vient de racheter la Laws Gold Reporting Company où travaillait Edison l'année précédente, lui offre 40 000 dollars pour acquérir le droit d'user de tous les perfectionnements qu'il apportera au télégraphe. C'est une somme considérable. Edison accepte. Tel sera son modèle économique à venir : travailler à des innovations pour le compte de clients. Comme les peintres, autrefois, travaillaient pour l'Église, les inventeurs travaillent désormais pour les entreprises.

Avec ces 40 000 dollars, Edison installe en 1870 à Newark, dans le New Jersey, une petite usine de fabrication de matériel télégraphique. Son premier biographe, quelques années plus tard, décrira ainsi les lieux : « À l'écart dans les collines, il a construit un laboratoire en bois sur deux niveaux, de 28 × 100 yards. Dans la pièce du rez-de-chaussée se trouve une machine de 10 CV et un outillage coûteux qui lui permet de fabriquer lui-même n'importe quel appareil, si complexe soit-il. Dans une autre pièce sont rangés sur des étagères et dans des casiers les maquettes d'un grand nombre d'inventions, ainsi que de nombreux instruments de précision qu'il s'est procurés au prix fort pour l'aider dans ses recherches. Puis sa bibliothèque, exclusivement scientifique, réduite mais de valeur. À l'étage, il a rangé sur des étagères des milliers de flacons de produits chimiques ; c'est là qu'il mène ses expériences avec, en permanence, trois à quatre assistants ou des ouvriers choisis en fonction de leur habileté et de leur résistance physique (élément important pour lui). Quelquefois, il y a jusqu'à quinze personnes employées pour le développement d'une invention. »

Il constitue une première équipe, composée d'un ingénieur anglais, Charles Batchelor, d'un horloger suisse, John Kruesi, d'un mécanicien allemand, Sigmund Bergmann, et d'un Américain, John Ott. Il améliore cette année-là les systèmes existants de Bain & Little et réussit à envoyer jusqu'à cinq cents mots à la minute. Edison dépose le brevet, mais s'ensuivra un long procès (« Ce jeune homme a un trou à la place de la conscience », dira de lui William Orton, PDG de la Western, convaincu que l'invention résulte de son travail antérieur à la Western Union). De fait, la forme cylindrique de son télégraphe de 1868, développé naguère chez Western, se retrouve dans le télégraphe automatique mis au point deux ans plus tard pour la Gold and Stock Telegraph. Enthousiaste, Lefferts lui passe une première commande de 1200 appareils.

En 1871, Thomas épouse une des employées de son laboratoire, Mary Stilwell, âgée de quinze ans. La même année, Zenobe Gramme fait fonctionner le premier générateur industriel de courant continu qui donnera, vingt ans plus tard, un seconde souffle à la fortune d'Edison.

L'équipe de Menlo Park peut se vanter d'avoir perfectionné la machine à écrire brevetée par Christopher Scholes. C'est l'occasion d'un exploit personnel d'Edison : « Un de ses assistants, Johnson, raconte qu'à Newark, à l'occasion de l'apparent échec de la machine à écrire pour laquelle Edison avait signé un contrat, il monta à l'atelier avec quatre ou cinq de ses assistants et déclara qu'il ne redescendrait pas avant d'en avoir terminé : 60 heures de travail en continu – mais la machine a fini par fonctionner. Après, il dormit 13 heures d'affilée », écrira son biographe James McClure peu après.

En 1872 et 1873, l'inventeur cherche encore à perfectionner son télégraphe multiplex automatique. Il expérimente une centaine de mécanismes d'échappement différents. Il esquisse le plus grand nombre de systèmes, cherche à appréhender toutes les approches envisageables du problème et à déposer le plus grand nombre de brevets afin de couvrir tout le champ possible. Il dessine, s'informe, pense en trois dimensions. Il s'essaie à l'introduction de condensateurs dans la télégraphie. Obsédé par son travail, quand naît cette année-là sa première fille, il la prénomme Dot (« point »), mot utilisé dans le langage Morse ; son fils sera appelé Dash (« tiret »).

Les clients affluent. Daniel Craig, patron d'Associated Press (la plus importante agence américaine, créée en mai 1848 par plusieurs journaux, *The Journal of Commerce*, *The Courier*, *Enquirer*, *The New York Herald* et *The Express*), lui passe contrat en vue de perfectionner le perforateur de réception télégraphique, en sorte de réduire les coûts de transmission que Western Union, en position de monopole, fixe à son gré. Il réinvente pour ce faire tous les composants de la transmission et de la réception automatiques et en 1874 met au point le quadruplex, qu'il nomme « électromotographe », lequel améliore considérablement la vitesse de transmission en utilisant l'électrochimie et non plus la mécanique.

Son génie réside non dans l'innovation, mais dans la mise au point d'ensembles viables techniquement et économiquement. Par exemple, il n'invente pas le reproducteur électrochimique des signaux du télégraphe, mais un système formant télégraphe automatique, de très haute efficacité, utilisant ce reproducteur et dont chaque autre partie émane d'un autre inventeur : le reproducteur électrochimique vient de Bain ; le transmetteur à bandes perforées, de Wheatstone.

Il décide de se diversifier et d'explorer d'autres domaines. En novembre 1875, alors qu'il étudie le noircissement du verre des lampes à incandescence, il note la présence d'un phénomène inconnu qu'il nomme « force éthérique » ; cette force, constate-t-il, est indépendante de la polarité et ne nécessite ni circuit conducteur, ni isolant pour s'en protéger. Étrange énergie qui se propage à travers l'espace d'un pôle à l'autre... En fait, il s'agit de l'émission d'électrons par un filament porté à incandescence, qui deviendra l'« effet Edison », base du fonctionnement de tous les tubes électroniques à vide.

Cette année-là encore, il invente un duplicateur à stencils, qu'il fait fabriquer et distribuer sous le nom d'« Edison-Mimeograph » par l'A.B. Dick Co de Chicago.

Il a désormais gagné suffisamment d'argent pour pouvoir vivre avec aisance du métier d'inventeur. Pour lui, pour ses collaborateurs et accessoirement sa famille, il aspire à trouver un lieu plus calme et accueillant que les rues sinistres de Newark. Son père, venu de l'Illinois, l'aide dans sa quête immobilière. Il emménage bientôt avec ses deux associés, Charles Batchelor et Francis Upton, ainsi qu'une équipe de soixante chercheurs salariés, à Menlo Park, dans le New Jersey, sur la ligne de chemin de fer de Pennsylvanie, à 24 miles de New York.

Le « Vieux » (il n'a pas encore trente ans !), comme le surnomment déjà ses collaborateurs, investit tout ce qu'il gagne dans ses recherches, vit dans son laboratoire, ne dort que quatre heures par nuit. Il supervise jusqu'à quarante projets en même temps.

En cette année 1876, le général Custer est défait par Sitting Bull à Little Big Horn. Nikolaus Otto invente le moteur à explosion à quatre temps. Le Canadien Alexander Graham Bell, né de parents sourds, qui travaillait aux côtés d'Edison à Boston, invente le téléphone et dépose un brevet couvrant « la méthode et l'appareil pour transmettre la voix ou autres sons par télégraphe [...] en causant des ondulations électriques, similaires aux vibrations de l'air, accompagnant le son vocal ou autres sons », et crée la compagnie téléphonique Bell. Nul ne sait encore à quoi pourra être employé cet appareil. Bell imagine pour sa part qu'il servira à transmettre les ordres des patrons dans les usines...

Comprenant d'emblée l'importance du téléphone, le président de la Western Union, William Orton, crée immédiatement la « Compagnie américaine du télégraphe parlant », mais refuse d'acquérir le brevet d'Alexander Graham Bell, dont l'appareil ne fonctionne pas, faute de micro. Il passe alors contrat avec Edison (sans plus se préoccuper de leur litige sur le multiplex) pour améliorer l'invention de Bell. En avril 1877, Edison met au point un microphone à capsule de charbon (dont le brevet ne lui sera accordé qu'en mai 1892, tant la controverse sera vive avec Bell et Berliner – un ingénieur allemand qui vient de s'associer à Bell). Pour produire sans attendre l'octroi du brevet, il crée en Grande-Bretagne une Edison Telephone Company of London Ltd que dirigent pour son compte Edward Hibberd Johnson et le colonel George Edward Gouraud. La bataille devient frontale avec Bell. Un temps employé à la Compagnie Edison de Londres, George Bernard Shaw racontera la guerre entre les deux compagnies, installant à qui mieux mieux des lignes sur les toits de la capitale.

Le 19 décembre 1877 (huit mois après que le Français Charles Cros, dont Edison n'a jamais entendu parler, a déposé un brevet pour un appareil similaire), il en vient à une autre invention majeure, le phonographe, qu'il appelle avec tendresse son « baby ». Il utilise le fait que les vibrations sonores peuvent êtres gravées dans du métal à l'aide d'un stylet rattaché à une membrane vibrante. Pour la première fois, il enregistre et restitue la voix humaine grâce à un cylindre d'acier couvert d'une feuille en étain, sur lequel une aiguille grave deux minutes de son que peut lire la même aiguille et que peut diffuser un cornet acoustique. Edison brevète son phonographe en 1878, vingt ans après l'invention de l'enregistrement des sons sur papier par le Français Edouard-Léon Scott de Martinville.

Il passe très vite de l'idée au prototype, puis à la commercialisation : en avril 1878, il fait la démonstration du phonographe à Washington, d'abord au Smithsonian Institute, puis devant des membres du Congrès, enfin, à 11 heures du soir, à la Maison-Blanche devant le président Hayes, si subjugué qu'il fait tirer du lit son épouse pour écouter la

« machine parlante ». À l'annonce de l'invention d'Edison, Charles Cros applaudit : « Monsieur Edison a pu construire son appareil, il est le premier qui ait reproduit la voix humaine. Il a fait une œuvre admirable. »

Le gramophone est né. Mais, comme pour le téléphone, on se trompe sur son usage : le seul qu'on lui imagine alors consiste à remplacer, dans les coulisses, les musiciens d'opéra en cas de grève : l'innovation est perçue comme un moyen de conforter les pouvoirs en place, alors qu'elle va aider à les renverser...

Edison se lance alors dans un tout autre domaine : l'éclairage, et plus généralement l'énergie. Il pense en effet qu'il est possible de remplacer de manière rentable, dans tous les usages domestiques, le gaz par le courant électrique. Il résume ainsi son objectif dans son carnet de notes : « L'Electricité contre le Gaz comme moyen d'éclairage courant. But : faire exactement tout ce que fait le gaz. »

Il n'est pas le seul ni le premier à y songer. On rêve aux États-Unis d'en finir avec l'éclairage au gaz ou au pétrole, qui ont remplacé depuis un siècle les chandelles de suif et les cierges de cire apparus au Moyen Âge en substituts des lampes à huile de l'Antiquité. En 1813, un arc électrique a pu être créé entre deux pointes de charbon de bois par l'Anglais Humphry Davy, mais le procédé n'a pas pu être utilisé, les deux électrodes en charbon s'usant très rapidement.

Comme souvent, c'est fortuitement que surgit l'idée. Comme souvent, c'est parce qu'il cherche qu'il remarque un événement qui serait autrement passé inaperçu : en novembre 1878, lors d'une partie de pêche sur le lac Battle, dans la Sierra Madre (Wyoming), Edison fait brûler et scintiller un morceau de bambou de sa canne à pêche pendant trente secondes, soit beaucoup plus longtemps que le charbon de bois. Avec un de ses ingénieurs, Lewis Latimer, le premier Noir de l'Edison Company, il teste pas moins de six mille substances végétales rapportées du monde entier, sous différentes conditions de vide et de voltage. Il dépense à cette fin quelque 40 000 dollars. Le 21 octobre 1879, il expérimente sous faible voltage une lampe à filament de bambou du Japon, scellée sous un vide d'un millionième d'atmosphère : le filament brûle pendant quarante heures. C'est commercialisable : Edison, âgé de trente-deux ans, dépose alors le brevet. L'éclairage électrique est né. Nul ne se pose encore la question du bien moindre danger qu'il représente, comparé au gaz.

En cette année 1879 paraît sa première biographie, dans laquelle James Baird McClure le décrit ainsi : « Il a le teint clair, des cheveux foncés légèrement argentés et de merveilleux yeux gris perçants, presque comme de vraies lumières électriques, et quand il est absorbé dans ses pensées, son regard est intense, indiquant une pénétration résolue et une capacité d'analyse aiguë... Peu de sommeil, une grande concentration et persévérance jusqu'à la découverte finale, qu'elle prenne trois mois ou 60 heures. » Il dresse ainsi le bilan de ses inventions : « Personne, sans aucun doute, n'a réalisé à l'âge de trente-deux ans autant d'inventions utiles que T.A. Edison. Déjà quelque deux cents brevets ont été déposés, et davantage encore vont suivre, alors que, dix ans auparavant, le jeune Thomas arpentait les rues de New York, affamé et mal vêtu. Depuis cette époque, il a dépensé plus de 450 000 dollars pour ses inventions et s'est assuré un revenu permanent à peu près équivalent au salaire du président des États-Unis. Parmi ses nombreux brevets américains, trente-cinq concernent les télégraphes automatiques et chimiques, huit la télégraphie duplex et quadruplex, trente-huit les instruments d'impression télégraphique, quatorze le télégraphe Morse ; le reste touche les alarmes incendie, la télégraphie domestique, les signaux électriques, la plume électrique, le phonographe, le téléphone au carbone, le tasimètre, le microphone, l'aérophone, l'ampoule électrique et une grande variété d'appareils, électriques ou non... »

Edison va désormais concentrer tous ses efforts sur l'électricité. Comme il n'a pas de client pour le brevet et ne tient pas à en avoir, il décide de tout faire par lui-même. Il fonde une entreprise spécifique, l'« Edison Electric Light Company », ayant pour raison sociale toutes les applications alors imaginables de l'électricité (éclairage, chauffage, force motrice, à l'exception des télécommunications). À cette fin, il cherche un financier : ce sera John Pierpont Morgan, dit J.P. Morgan, fils du financier Junius Spencer Morgan, qui est alors président de la Drexel, Morgan & Company de New York, fondée huit ans plus tôt. Edison lui explique qu'une révolution est en marche, mais c'est tout le réseau électrique qu'il faut mettre au point, c'est-à-dire les dynamos qui fournissent le courant, les transmetteurs, les lignes, les canalisations, les isolateurs, les isolants, les interrupteurs, les compteurs, les coupe-circuit, les organes de dérivation, les supports, les douilles, les ampoules...

J.P. Morgan approuve et accorde le financement. Edison commence par rassembler toute la documentation disponible. Mais comment calculer la résistance nécessaire d'une lampe capable de concurrencer l'éclairage au gaz ? Conscient de la faiblesse de son bagage mathématique, il engage Francis R. Upton (ancien élève de Ferdinand von Helmholtz), docteur ès sciences, et Hermann Claudius, spécialiste de l'électricité. De mai à juin 1879, sa firme dépose trente-trois brevets portant sur la « distribution complète de l'éclairage électrique domestique » : générateurs, conducteurs, moteurs, fusibles, etc.

Il s'emploie dans le même temps à faire connaître l'innovation. La publicité n'est pourtant pas ce qu'il recherche d'ordinaire : il préfère distiller des fuites calculées dans la presse. « Comme souvent, des journalistes de New York arrivaient à Menlo Park en quête d'un papier intéressant, et il prenait toujours plaisir à les aider », écrit à ce propos Francis Jehl, son assistant. Mais, en l'occurrence, il entend frapper un grand coup : le 21 décembre 1879, il inspire dans le *New York Herald* un article dithyrambique intitulé « La lumière d'Edison », et le 1ᵉʳ janvier suivant il organise devant une presse stupéfaite l'illumination de sa maison et du laboratoire grâce à une dynamo et à 40 ampoules électriques basse tension. C'est une surprise colossale. L'attraction fait affluer des trains spéciaux en provenance de New York. Pierpont Morgan fait alors éclairer entièrement à l'électricité sa résidence du 219, Madison Avenue, sans avoir demandé la moindre autorisation à la mairie. Là encore, l'effet de surprise a un formidable impact publicitaire, même si les voisins de Morgan, dans ce quartier huppé, se plaignent du bruit que fait le générateur...

Morgan souhaite aussi éclairer le siège de sa banque au 23, Wall Street. Edison veut de son côté étendre l'expérience à tout un quartier. Au printemps 1880, toujours sans avoir sollicité aucune autorisation, Morgan finance et fait construire une station génératrice capable d'alimenter un pâté de maisons. Edison choisit avec Morgan de l'installer à côté de la banque, dans Pearl Street, rue misérable située près des quais, non loin de Wall Street, de Spruce Street et de l'East River. Il fait procéder à une enquête maison par maison afin de déterminer combien de lampadaires devront être implantés, leur durée moyenne d'utilisation quotidienne, le nombre de monte-charges, d'ascenseurs et autres appareils susceptibles d'utiliser l'électricité dans ce quartier.

À l'été 1880, Edison engage comme directeur financier un jeune homme de vingt et un ans, Samuel Insull, un Anglo-Américain basé à Chicago. Le biographe d'Insull, Forest MacDonald, décrit ainsi leur première rencontre : « Insull regardait Edison, Edison regardait Insull ;

tous deux étaient déçus. Insull, maigrichon, imberbe, avait vingt et un ans, il en paraissait seize ; son costume comme ses manières étaient impeccables à l'excès. Edison venait d'atteindre trente-quatre ans, il portait une vieille redingote noire, un gilet et un pantalon également noirs, dans lesquels il donnait l'impression d'avoir dormi ; ses cheveux étaient longs et emmêlés ; il était mal rasé. Ses manières étaient aussi familières que celles d'Insull étaient guindées [...]. » Le jeune homme va jouer un rôle essentiel dans la suite des aventures de son aîné.

En décembre 1880, celui-ci crée une firme spécialement dévolue à l'éclairage de New York, l'Edison Electric Illuminating Company of New York. Il en installe les bureaux sur la Cinquième Avenue. Sentant la menace, les compagnies du gaz font alors courir le bruit que le nouveau système d'éclairage est éminemment dangereux : on peut mourir d'électrocution à cause des fils qui vont courir à travers le quartier. Le maire de la ville, Edward Cooper, essaie de s'opposer aux travaux. Edison propose alors d'enterrer son réseau d'alimentation électrique. Pour les convaincre, il invite les conseillers municipaux new-yorkais à une démonstration à Menlo Park, suivie d'un somptueux dîner au champagne servi par le fameux traiteur Delmonico. Les édiles donnent leur accord. L'opération est lancée. Aurait-ce été le cas si on avait su combien de personnes, au siècle suivant, allaient mourir d'un accident électrique ?

La promotion ne se relâche pas pendant les travaux : à la fin 1880, Sarah Bernhardt vient à Menlo Park, et Edison s'arrange pour tirer l'effet médiatique maximum de sa visite.

En 1881, il perfectionne les techniques et brevète une ampoule à incandescence avec filament de carbone, tout en améliorant la dynamo. Il installe une centrale électrique regroupant six dynamos, qui peut fournir de l'électricité pour douze cents lampes et éclairer quatre-vingt-cinq demeures, bureaux ou boutiques.

Le 4 septembre, il inaugure la station de Pearl Street à partir des bureaux de Drexel & Morgan, au 23, Wall Street. Énorme succès. L'un des 59 premiers clients d'Edison, Richard Kolb, propriétaire d'un restaurant au 164, Pearl Street, se moque : « Les lampes ne sont pas mal ; l'ennui, c'est qu'on ne peut pas y allumer son cigare. » Trois jours plus tard, Edison a fait fabriquer et breveter un allume-cigare électrique qu'il lui offre.

Toutes les villes réclament d'être équipées : Latimer part diriger l'installation du système d'éclairage électrique à Philadelphie, siège principal de Drexel & Morgan, puis à Montréal et Londres. Edison crée une succursale française, puis d'autres en Angleterre, en Belgique, en Hollande et en Italie.

L'électricité devient à la fois une attraction et une source d'espoir à travers le monde. En 1882, Marcel Deprez mène les premiers essais de transport d'électricité sur longue distance à Munich, puis en 1886 à Creil. La même année, Edison fabrique pour l'Exposition internationale d'électricité de Paris une dynamo de 27 tonnes qui éclaire l'ensemble de l'exposition ; elle sera envoyée ensuite à Londres pour alimenter la première station de Holborn Viaduct. Le City Temple du docteur Joseph Parker est le premier lieu de culte à bénéficier de l'électricité, et, en hommage à ses anciennes amours, Thomas équipe de 400 lampes la salle du télégraphe de la poste principale de Londres, à quelques centaines de mètres de là.

Fin 1882, à New York, la centrale de Pearl Street dessert 231 clients, pour un total de 3 400 lampes. En août 1883, l'Edison Electric Light Company annonce avoir équipé à New York 431 immeubles, grâce à plus de 10 000 lampes dont la durée de vie s'allonge.

L'électricité se généralise : en 1883, à Moscou, pour le couronnement d'Alexandre III, 3500 lampes sont allumées sur la tour d'Ivan le Terrible.

Au même moment, une autre source d'énergie fait son apparition : un inventeur français, Fernand Forest, imagine d'introduire le pétrole comme carburant dans le moteur à quatre temps, et John Rockefeller triomphe avec la Standard Oil. En Europe, Daimler, Benz, De Dion Bouton développent l'automobile à essence.

Edison estime pour sa part que l'électricité servira à tout. Au retour d'un voyage en Suisse, où il a vu comment les barrages peuvent produire de l'électricité, il note : « Là où l'énergie hydraulique et la lumière électrique sont installées, les gens paraissent normalement intelligents. Ailleurs, ils se couchent avec les poules, attendent la lumière du jour et ont l'esprit beaucoup moins éveillé. » Provocateur, il déclare aussi : « Je vais rendre l'électricité si bon marché que seuls les riches pourront se payer le luxe d'utiliser des bougies ! »

Mais il se heurte à une limite : en 1884, il comprend que le courant continu ne peut distribuer l'énergie de façon rentable que sur des distances limitées, alors que le courant alternatif, certes plus dangereux, peut être acheminé sur de beaucoup plus longues distances. Edison n'aime pas le courant alternatif, qu'il ne maîtrise pas.

Son usage requiert en effet des notions mathématiques, qu'il ne possède pas, pour déterminer le potentiel, la fréquence, la phase et la forme de l'onde, alors que, pour le courant continu, il suffit de mesurer l'intensité et la tension. Il engage alors Nikola Tesla, inventeur et ingénieur électricien serbe qui a mis au point les premiers appareillages permettant de distribuer le courant alternatif et qui a déposé des brevets portant sur des moteurs asynchrones et sur le transport d'énergie par courant polyphasé. Edison a beau le trouver prétentieux, ayant besoin de lui, il l'engage. Mais il lui est difficile de dépendre d'un autre.

Cette année-là, sa femme Mary meurt de la typhoïde, le laissant avec trois enfants. Dès 1886, il épouse une jeune fille de la bourgeoisie new-yorkaise, Mina Miller, qui a reçu une stricte éducation religieuse et connaît l'Europe mondaine ; ils auront trois enfants : Madeleine, Charles et Theodore. Il s'embourgeoise, s'habille mieux et achète une propriété à Fort Myers, en Floride, où il séjournera désormais souvent en hiver. Il a trente-neuf ans.

En 1886, Edison ne peut déjà plus supporter Tesla qui se prend pour son égal et se gausse de son ignorance en mathématiques. Il le licencie et tente de discréditer le courant alternatif, qu'il prétend beaucoup plus dangereux que le courant continu. Il fait même procéder à des démonstrations publiques d'électrocution d'animaux avec du courant alternatif, et, toujours dans le même but, pousse à la mise au point de la chaise électrique par Harold P. Brown.

La même année, le 1ᵉʳ mai, éclate à Chicago une grève générale pour l'instauration de la journée de 8 heures ; le 28 octobre, à New York, a lieu l'inauguration de la statue de Bartholdi, *La Liberté éclairant le monde*. En 1887, le premier tramway électrique est mis en circulation à Richmond, en Virginie. Le bricoleur de génie paraît dépassé par des progrès technologiques de plus en plus complexes. Il n'est plus que le coordinateur d'une équipe et ne veut plus travailler qu'avec des fidèles en qui il a toute confiance. Pour les garder près de lui, il entend leur offrir de bons salaires et un cadre de travail magnifique. Il écrit à J.P. Morgan, qui va encore une fois le financer : « Mon ambition est de construire un grand complexe industriel dans Orange Valley. » Et il ajoute cette définition de sa conception du capitalisme : « Je compte m'intéresser seulement à des inventions demandant un investissement modeste et susceptibles de rapporter des profits substantiels... »

Pour son quarantième anniversaire, il déménage une seconde fois et transfère à Glenmont, West Orange, dans les faubourgs de Newark, proche de son premier centre de recherches, une partie des activités de Menlo Park. Il y fait construire quatorze bâtiments, dont six consacrés à la recherche et au développement, une usine de fabrication d'ampoules, une centrale électrique et une bibliothèque. Plus de cinq mille employés y travaillent.

Après le son, voici qu'il s'intéresse à l'image. À l'époque, un jeune entrepreneur américain, George Eastman, perfectionne la fabrication de plaques et lance sur le marché le premier appareil photographique populaire sous la marque Kodak. Edison considère que l'invention de la photographie est déjà trop avancée pour lui. Il s'intéresse au mouvement de l'image et fait venir à Glenmont Eadweard Muybridge, photographe anglo-américain connu pour ses décompositions de mouvements (son ouvrage publié en 1885, *Animal Locomotion*, comporte d'innombrables photographies, dont son célèbre cliché « Le galop de Daisy »). Laurie Dickson, qui travaille avec Edison, invente alors le premier système utilisant une pellicule, précurseur du cinéma : le kinétoscope.

En 1887, Edison découvre que son gramophone ne va pas tarder à être supplanté par une invention nouvelle, un appareil mis au point par Berliner (l'associé de Bell dans le téléphone) fonctionnant avec un disque tournant. Il enrage et, en 1889, à l'occasion d'un festival Haendel à Londres, au Crystal Palace, il présente une « poupée parlante » d'une qualité exceptionnelle. Edison reconnaîtra lui-même que sa surdité est à l'origine de nombre de ses découvertes : « Il m'a fallu vingt ans pour reproduire correctement les sons du piano à cause de l'importance des harmoniques. J'y suis arrivé parce que j'étais sourd ! » Il n'empêche : pour le son comme en matière d'éclairage, le voici dépassé par d'autres innovateurs – par Berliner comme il l'a été par Tesla.

À Paris, en 1889, c'est l'Exposition universelle et la construction de la tour Eiffel, qu'Edison vient visiter. Il y rencontre Gustave Eiffel, exhibe sa « poupée parlante » à la Galerie des machines, en fait une démonstration le 19 août devant l'Académie des sciences.

Cette année-là, l'Edison Electric Light Company devient l'Edison General Electric Company. General Electric est né. Elle figure encore aujourd'hui parmi les principales multinationales, fabriquant des moteurs d'avions aussi bien que des logiciels, produisant et vendant des équipements électroniques aussi bien que des services financiers.

Tesla, devenu son rival coriace, effectue le premier transport d'énergie électrique en courant triphasé et met au point un alternateur à haute fréquence. Il devient possible de transporter le courant sur de longues distances sans avoir besoin de générateurs ni de dynamos. Le courant alternatif va remplacer le courant continu.

Comme en guise de représailles fomentées par Edison contre Tesla, le 6 août 1890, un premier condamné à mort, William Kemmler, est exécuté sur une chaise électrique...

En 1891, Edison et Tesla se trouvent à nouveau en concurrence pour le choix du système de transmission d'énergie permettant de relier les chutes du Niagara à la ville de Buffalo. Edison, qui ne recule devant rien, lance une campagne contre le courant alternatif en utilisant des images de l'exécution de Kemmler. Malgré cela, la Société d'exploitation des chutes du Niagara choisit le courant alternatif, infiniment plus efficace, pour le transport à longue distance, que le continu.

En 1892, Edison regroupe ses entreprises (la National Phonograph Cy, l'Edison Business Phonograph Cy, l'Edison Phonograph Work, l'Edison Manufacturing Cy, l'Edison Storage Battery Cy) au sein de la General Electric.

Une nouvelle vague de progrès techniques se profile. Après le télégraphe, le téléphone, le gramophone, tous liés au transport des signes, ils concernent le transport des gens. En 1892, René Panhard et Émile Levassor construisent la première voiture de série à essence après avoir racheté le brevet de Daimler ; Michelin sort de son côté les premiers pneus démontables.

L'année suivante, Edison, toujours aussi entêté, commence à travailler à la conception d'une voiture électrique. Un jeune ingénieur de la Detroit Edison Illuminating Company (qui a déjà mis au point une petite machine agricole à vapeur) devient cette année-là ingénieur en chef tout en se consacrant, à ses moments perdus, à la recherche sur les moteurs à explosion : c'est Henry Ford. Il est persuadé qu'il y aura des voitures à essence sur les routes bien avant les voitures électriques dont rêve son patron.

Edison va ouvrir par ailleurs dans la cour de Menlo Park les premières salles de cinéma où projeter ses films : les *kinetoscope parlors*. Il voit là un énorme marché et seul cet aspect l'intéresse : « Mes recherches et mes expériences ont toujours eu pour objet des inventions commercialisables », déclare-t-il au *Scientific American* de juillet 1893.

Cette même année, avec la mort de Drexel, la banque qu'il partageait avec Morgan devient la J.P. Morgan & Co, l'une des plus puissantes de l'époque, qui finance toujours Edison.

En 1894, celui-ci procède à la première projection publique de deux films, cependant qu'en France Charles et Émile Pathé fondent la première fabrique de phonographes.

L'année suivante, les frères Lumière, ingénieurs et fils d'industriel, mettent au point la perforation qui permet le cheminement de la pellicule à vitesse constante dans les rouages de l'appareil de projection, et donc son exploitation commerciale ; c'est le cinématographe. Ils en font la première représentation privée à Paris, le 22 mars 1895, dans les locaux de la Société d'encouragement pour l'industrie nationale.

Edison reste à l'affût : quand, en 1895, Röntgen découvre les rayons X, et, l'année suivante, Becquerel la radioactivité, il utilise ces innovations pour mettre au point un fluoroscope, et présente à l'Exposition de l'électricité à New York un écran fluorescent sur lequel on peut déchiffrer les radios faites aux rayon X, les images étant renvoyées sous forme d'ondes du fait du différentiel de transmission des rayons X à travers les objets.

Entre-temps, le 4 juin 1896, Ford achève la mise au point, pour son propre compte, d'un prototype de véhicule automoteur à gaz refroidi par eau, nommé « Ford quadricycle ». En 1897, alors que le premier métro entre en service à Boston, Rudolf Diesel fabrique un moteur capable de brûler des combustibles lourds.

Cette année-là, au banquet de la convention du groupe, Edison rencontre pour la première fois Henry Ford, toujours ingénieur en chef chez lui. Celui-ci a alors trente-trois ans, et celui-là en compte cinquante. Ford est présenté à Edison comme un jeune inventeur qui vient de concevoir une voiture à gaz. Edison l'approuve, le finance et le nomme ingénieur en chef.

En 1898, Ford conçoit et construit un second véhicule, cette fois à pétrole ; Marconi réalise la première transmission d'informations par radio-télégraphe entre l'Angleterre et l'Irlande ; et la Cour suprême des États-Unis reconnaît en ce domaine l'antériorité des travaux de Nikola Tesla. Ford démissionne alors de General Electric et, financé par un grand industriel de Detroit, William H. Murphy, maire de la ville, il fonde le 5 août 1899 la société Detroit Automobile.

Pendant deux ans, Edison vérifie scrupuleusement que Ford n'est pas parti de chez lui en emportant des brevets. Leur amitié s'en trouve un temps affectée.

Obsédé par la propriété de ses propres brevets, il ne se gêne pas, en 1902, pour pirater l'invention des autres : des collaborateurs de sa firme paient un projectionniste à Londres pour qu'il vole une bobine du film *Le Voyage dans la Lune*, de Georges Méliès. Ce film d'une durée de 13 minutes, qui a coûté quelque 10 000 francs, montant énorme pour l'époque, est l'un des premiers films de fiction, bourré de trucages hallucinants, et il connaît un succès mondial. La bobine est rapportée en secret aux États-Unis, copiée et commercialisée par Edison qui, l'année suivante, met sur le marché une caméra, l'Universal Projecting Kinetoscope, capable d'enregistrer 12 images/seconde sur un film de 35 millimètres.

En 1903, les ondes radio franchissent l'Atlantique et l'Anglais O. Richardson élabore la théorie complète de l'« effet Edison » découvert par hasard vingt-cinq ans plus tôt. Grâce à lui, Fleming invente la diode, premier détecteur thermoélectrique d'ondes, qui va être utilisée dans la radio, dont le premier programme sera diffusé trois ans plus tard.

En 1904, l'infatigable Edison met au point l'accumulateur au fernickel utilisé par la suite pour le démarrage des moteurs Diesel, avec une durée de vie plus importante que celle des accumulateurs au plomb utilisés jusque-là. Il adapte son accumulateur aux sous-marins.

En 1907, l'hélicoptère est issu de recherches simultanées de Bréguet, Richet et Cornu. En 1908 est projeté le premier dessin animé. Le 1er octobre 1908, Ford commercialise son modèle T ou Tin Lizzie, pour un prix de 825 dollars, soit six mois du salaire moyen d'un enseignant.

Edison, lui, continue de travailler à la construction d'un véhicule électrique individuel, à ses yeux la vraie solution pour se débarrasser de la traction chevaline dans les transports : « Les exigences de la santé publique et de la propreté interdiront très vite l'emploi du cheval en ville. Nous aurons enfin des rues propres, au lieu d'écuries faites de pavés bordés de trottoirs. » Cette année-là, il dépose aussi un brevet pour la construction de maisons utilisant le béton.

En 1909, un ingénieur belge, Baekeland, met au point la bakélite, et Blériot traverse la Manche en aéroplane. En 1910, Adolf Loos construit à Vienne la première maison Steiner en béton armé. Pensant à

Tesla qui lui tient la dragée haute, Edison se vante : « Je peux embaucher des mathématiciens ; aucun d'eux ne peut m'embaucher, moi ! »

Ses innovations lui échappent : William D. Coolidge révolutionne l'ampoule en inventant le filament de tungstène à la durée de vie beaucoup plus longue. En 1911, Rutherford propose sa théorie nucléaire de l'atome et Georges Claude invente le tube au néon. En 1913, Geiger conçoit un compteur capable de mesurer les particules émises par les corps radioactifs.

En 1909, la Columbia décide d'arrêter la commercialisation du gramophone pour passer au disque ; Edison s'entête, continuant à chercher à améliorer son phonographe, puis, à partir de 1913, se résout à mettre sur le marché des appareils à disques, réussissant à imposer pour eux qu'on conserve le nom de son gramophone ou « phonographe » – qu'il tente de synchroniser, cette année-là, sous le nom de kinétophone, avec sa caméra, par un système de poulies, afin de produire un son synchrone. Mais ce kinétophone, trop imparfait, est retiré de la circulation avant la fin de l'année.

Edison commence à être dépassé : Ford installe à Detroit la première chaîne de montage de l'industrie automobile : 14 336 ouvriers fabriquent 160 000 Model T par an. L'année suivante (1914), 12 880 personnes suffisent pour en produire plus de 300 000, et le prix du véhicule a baissé de moitié depuis son lancement. Toujours aussi obstiné, Edison ne renonce pas pour autant à la voiture électrique : après des mois d'efforts, ayant résolu le problème de la fabrication de copeaux de nickel (qui confèrent à ses batteries une plus grande autonomie et une meilleure fiabilité), il fabrique un accumulateur permettant, dit-il, à une voiture électrique de parcourir 160 kilomètres sans que l'on doive recharger la batterie. Il effectue un test d'endurance sur 8 000 kilomètres et propose alors à Ford de commercialiser ensemble ce modèle. Difficile : la batterie est énorme. Et il faut des stations de recharge tous les 150 kilomètres. Pourquoi pas ?

En janvier 1914, après un entretien de trois heures à Glenmont, chez Ford, Edison et Ford annoncent en chœur : « Nous nous préparons à mettre une voiture électrique sur le marché. » Mais le modèle en question n'est pas prêt. Six mois plus tard, Edison confirme au *Wall Street Journal* qu'il travaille toujours avec Ford sur un véhicule électrique qui coûtera entre 500 et 700 dollars, et ajoute : « Je crois que la voiture électrique sera la voiture familiale de l'avenir, et que tout ce qui concerne le camionnage en viendra obligatoirement à l'électricité. »

En fait, non seulement rien n'est prêt, mais rien ne marche. Ce n'est qu'un leurre destiné à sauver l'honneur d'Edison pendant que Ford avance à grands pas.

Puis tout est interrompu par la guerre. Edison est nommé président du Comité consultatif de la marine américaine et monte plusieurs usines pour produire des substituts chimiques aux matières premières devenues indisponibles. En 1915, il met au point une pile alcali-nickel-fer. Il entreprend des recherches sur la détection sous-marine, les résonateurs et les dispositifs remorqués. À la même époque, les premiers appareils ménagers utilisant l'électricité, de même que les premiers réfrigérateurs, sont commercialisés aux États-Unis.

Le 24 janvier 1918, un petit groupe de collaborateurs de Thomas fonde l'amicale des « pionniers d'Edison », initialement limitée à ceux qui ont travaillé avec lui à Menlo Park, puis qui s'élargit à ceux qui l'ont rejoint ultérieurement. Les pionniers organisent une fois l'an une rencontre à l'occasion de l'anniversaire d'Edison. Alors âgé de soixante-dix ans, il est le plus célèbre des Américains : sa voix conserve l'accent provincial de sa jeunesse ; ses aphorismes mettent l'accent sur des vertus ordinaires (travail, tempérance, simplicité). Il vit de façon frugale et, s'il aime gagner de l'argent, c'est pour le réinvestir.

Pour être simples, ses vacances ne se passent pas avec n'importe qui : en hiver, il séjourne chez lui, à Fort Myers, en Floride, où Henry Ford achète une propriété à quelques mètres de la sienne. En été, à partir de 1918, il fait du camping avec ses deux meilleurs amis d'alors : Henry Ford et Harvey Firestone. Ces amis sont des relations d'affaires : Firestone fournit des pneus à Ford avec qui Edison est resté associé.

En 1919, les trois compagnons passent cette fois leurs vacances avec épouses, fils et belles-filles, suivis par trois véhicules dont un véhicule-cuisine équipé d'armoires à provisions et glacières. Un jour, Firestone invite même son grand ami le sénateur et gouverneur de l'Ohio, Warren G. Harding, à venir déjeuner au campement avec sa femme : Harding arrive escorté de six hommes des services secrets et de neuf cameramen pour sa campagne en vue de la présidence des États-Unis. L'année suivante, Harding, devenu le premier sénateur en fonction à être élu président des États-Unis, se joint encore à eux : le président et les trois plus importants hommes d'affaires du pays font du camping ! Ford apprécie cette publicité, excellente pour ses affaires. Edison, lui, est plus réservé.

Le 5 janvier 1920 est créée la R.C.A. (Radio Corporation of America) destinée à contrôler le secteur émergent de la radio, qui transmet par T.S.F. les premières photos de Londres à New York. Cette même année, la première radio commerciale, K.D.K.A., est créée à Pittsburgh. Un tiers des foyers américains sont déjà équipés de l'électricité.

Le progrès technique a fait des bonds gigantesques. La productivité est devenue exceptionnelle. La croissance économique favorise la « destruction créatrice » dont commence à parler l'économiste autrichien Joseph Schumpeter, alors banquier à Vienne, et qui définit l'innovateur – dont Edison est l'archétype – comme le modèle du capitaliste utile à l'humanité.

En 1924, Firestone se plaint de ce que leurs vacances en commun sont devenues un vrai cirque ambulant ; Edison préfère lui aussi la solitude qu'il retrouve chaque hiver à Fort Myers, en Floride, où il étudie désormais la possibilité de produire du caoutchouc. En 1925, alors que la Ford Motor Company produit et vend près de 9 000 voitures par jour, l'Anglais Baird procède aux premiers essais concluants en matière de télévision.

En 1927 ont lieu la première liaison téléphonique transatlantique et la première traversée aérienne de cet océan : New York-Paris sans escale, par Lindbergh. Un premier film parlant, *Le Chanteur de jazz*, est produit par les frères Warner. Cette année-là, c'est un total de plus de 15 millions de Ford Model T qui ont déjà été produites. Deux tiers des foyers américains ont désormais l'électricité. Vingt-sept millions de voitures et de camions circulent sur les routes des États-Unis. En 1929, 5 millions de postes de radio y sont vendus. Edison a été décoré de la médaille d'or du Congrès pour « le développement et l'application d'inventions qui ont révolutionné la civilisation au cours du siècle écoulé ».

Mais cette énorme vague de progrès technique n'est pas suivie d'une augmentation équivalente de la demande. La crise est là. Le 21 octobre 1929, alors qu'un krach boursier plane sur Wall Street, Henry Ford organise à Dearborn, dans le Michigan, dans l'ancienne ferme de ses parents, le « Jubilé d'or de la lumière » à l'occasion de l'inauguration, en présence du président Hoover, de son musée, qu'il nomme « Greenfield Village & Henry Ford Museum », après avoir songé à le baptiser « The Edison Institute ». Il y reconstitue l'atelier de Menlo Park. Trop fatigué, Edison n'a pu venir. Il meurt dans son atelier de West Orange County, le 18 octobre 1931, à l'âge de quatre-vingt-trois ans, alors qu'il est en train de tester 17 000 végétaux en vue de produire de la gomme.

Trois jours plus tard, le 21 octobre, une minute d'obscurité totale est respectée dans l'Amérique entière en hommage à celui qui en a incarné la formidable créativité.

BIBLIOGRAPHIE

BALDWIN, Neil, *Edison : inventing the century*, New York, Hyperion, 1995.

BROOKS J., « The First and Only Century of Telephone and Literature », in *The Social Impact of the Telephone*, éd. Ithiel de Sola Pool, Cambridge, MIT Press, 1977.

The Papers of Thomas A. Edison, 5 tomes parus, édités par Paul Israël (*et alii*), Baltimore, Johns Hopkins University Press.

CLARK, Ronald William, *Edison : 1847-1931, l'artisan de l'avenir*, Paris, Belin, 1986, préface à l'édition française de Jean Cazenobe.

ISRAËL, Paul B., *Edison : a life of invention*, New York, Wiley, 2000.

McCLURE, James Baird, *Edison and his inventions, including many incidents, anecdotes and interesting particulars connected with the life of the great inventor*, Chicago, Rhodes and Mac Lure, 1879.

21

Marina Tsvetaïeva
(1892-1941)
ou le vivre-écrire

Contemporaine de Boris Pasternak, de Vladimir Maïakovski, d'Ossip Mandelstam et d'Anna Akhmatova, immense figure de la poésie russe, Marina Tsvetaïeva aura vécu une des plus tragiques et des plus signifiantes destinées de cette maudite première moitié du XXᵉ siècle qui en aura connu tant d'autres. Tragique, parce qu'elle aura enduré tous les chagrins qu'un être humain puisse se voir infliger. Signifiante, parce qu'elle éclaire d'un jour singulier cette époque où il ne faisait pas bon être artiste, penser librement, refuser de se ranger dans un camp. C'est en cela qu'elle m'intéresse : avoir foi jusqu'au bout en son destin d'artiste, d'immense artiste, malgré les échecs, les misères, les chagrins.

Marina naît à Moscou le 26 septembre 1892 sous le règne finissant d'Alexandre III. Son père, Ivan Vladimirovitch Tsvetaïev, est professeur d'histoire de l'art à l'université de Moscou et travaille à la création de ce qui deviendra le musée des Beaux-Arts Pouchkine, le plus grand musée d'art européen de Moscou, l'un des plus importants du monde par la richesse de ses collections (plus d'un million d'œuvres, de l'Égypte ancienne à l'époque contemporaine). Ivan épouse en premières noces Varvara Dimitrievna, fille d'un célèbre historien d'art et conservateur de musée, Dimitri Ilovaïski, qui lui donne deux enfants (une fille en 1882, un garçon en 1890) avant de mourir de la tuberculose à trente-deux ans, en 1891. Il se remarie l'année suivante, à quarante-quatre ans, avec une jeune fille de vingt-deux ans, sage et cultivée : Maria Alexandrovna Meyn.

D'ascendance juive et polonaise, Maria est l'élève d'un grand pianiste, Nicolas Rubinstein, et se destine à une carrière de concertiste ; elle parle le polonais, le français, l'allemand et l'italien. Dès l'année de leur mariage naît Marina, puis, deux ans plus tard, en 1854, une autre fille, Anastasia.

Chargée d'élever quatre enfants, Maria Meyn doit renoncer à la musique et rêve de faire de Marina la concertiste qu'elle-même ne sera pas. Toute la vie de Marina en sera marquée. Elle écrira : « Ma mère nous a inondées de toute l'amertume de sa vocation contrariée, de sa vie contrariée ; elle nous a inondées de musique comme de sang. » Marina, au contraire, on le verra, ne renoncera à rien pour sa propre fille, qui consacrera pourtant toute la fin de sa terrible vie à faire connaître l'œuvre maternelle.

L'ambiance à la maison est tendue : les quatre enfants ne se supportent pas et Ivan reste très proche de sa première belle-famille, utile à sa carrière.

En 1894, Nicolas II succède à Alexandre III et renforce l'alliance avec la France pour contrer les ambitions prussiennes. Marina a huit ans quand, en 1900, Lénine se réfugie en Suisse après trois ans de relégation en Sibérie. Elle a dix ans quand, en décembre 1902, sa mère contracte la tuberculose et l'emmène, avec sa sœur Anastasia, dans une « pension russe » à Nervi (près de Gênes, en Italie) dont le climat est recommandé aux tuberculeux. Le père, ayant perdu sa première femme de la même maladie, reste seul avec les deux enfants de son premier mariage.

Dans cette pension séjourne aussi un groupe d'anarchistes russes dont le chef, Vladislav Kobylianski, surnommé « le Tigre », fascine les deux fillettes. Marina commence à composer des poèmes, au grand dam de sa mère qui voudrait en faire une pianiste. L'enfant prend part aux discussions politiques, compose des œuvres contre le tsar, chante avec les autres pensionnaires des chants révolutionnaires que sa mère, oubliant sa maladie, accompagne à la guitare. Mais la tuberculose gagne du terrain et les médecins conseillent au père de venir chercher les enfants et de les éloigner de leur mère.

En 1903, pendant que Lénine prend la direction de la fraction bolchevique du Parti socialiste ouvrier lors d'un congrès tenu en Belgique, Marina et Anastasia sont envoyées en pension dans un internat suisse francophone à Lausanne, puis, l'année suivante, en 1904, dans un pensionnat allemand à Fribourg. Comme sa mère, Marina parle bientôt plusieurs langues : l'italien, le français, l'allemand ; à Lausanne, elle compose des vers directement en français ; à Fribourg, des vers en allemand ; dans les deux pays, en russe. Avec déjà un art exceptionnel de la traduction.

Pendant ce temps, sa mère, restée seule, se meurt dans sa pension italienne. La situation en Russie se dégrade : les mauvaises récoltes, l'augmentation des impôts, les revers militaires face au Japon indignent le peuple. À Saint-Pétersbourg, le 22 janvier 1905, plusieurs dizaines de milliers de personnes participent à une marche pacifique organisée par un prêtre orthodoxe pour porter au tsar leurs revendications, parmi lesquelles de meilleures conditions de travail dans les fabriques, la cession de la terre aux paysans, l'abolition de la censure, la création d'un Parlement. En l'absence du tsar, la police tire sur la foule et fait des centaines de morts et des milliers de blessés. C'est le « Dimanche rouge ». Les ouvriers de Saint-Pétersbourg se mettent en grève ; puis, partout dans le pays, éclatent grèves et manifestations soutenues et organisées par les socialistes-révolutionnaires. En août, le président du Conseil des ministres, Serguei Witte, accorde au peuple la liberté de conscience, d'expression, de réunion et d'association. Après une fusillade dans les escaliers d'Odessa et une grève générale, un manifeste impérial annonce la convocation d'une Douma consultative élue au suffrage restreint et indirect.

En septembre 1905, n'espérant plus d'amélioration de la santé de sa femme, Ivan Tsvetaïev vient la chercher, passe prendre les deux fillettes à Fribourg, les ramène en Russie et les installe à Yalta, en Crimée, où le climat passe pour être aussi bon qu'en Italie. Lui, comme toujours, reste à Moscou avec ses deux premiers enfants. Il sait, pour l'avoir déjà vécu, ce qui attend son épouse.

La situation politique du pays empire : dès octobre 1905, des révoltes éclatent dans les campagnes ; en décembre, des conseils ouvriers (« soviets ») sont constitués à Saint-Pétersbourg. Les éléments révoltés sont durement réprimés.

De Yalta, Marina suit ces événements, fréquente leurs voisins socialistes, partage leurs rêves et compose de brefs poèmes. De petite taille, brune, elle n'est pas spécialement belle, mais, avec ses yeux pétillants d'intelligence, son sourire éclatant, elle saura développer une séduction hors normes.

En juin 1906, Tsvetaïev vient retrouver à Yalta ses filles et sa femme et comprend que celle-ci est condamnée à court terme ; il les ramène alors toutes les trois dans la maison de vacances familiale à Taroussa, près de Moscou, où Maria s'éteint le mois suivant. Marina n'a que quatorze ans et entre alors dans un lycée moscovite. La littérature, la poésie, les garçons sont ses seules préoccupations. En 1907, ses lettres au frère d'une de ses camarades de classe montrent déjà des dons exceptionnels pour l'écriture.

Nouvelle tragédie pour son père, deux fois veuf : en 1908, un incendie détruit la partie la plus originale de son futur musée, à savoir tous les moulages d'œuvres antiques qu'il était censé exposer.

Cette année-là, à seize ans, Marina rencontre Lev Loubovitch Kobylinski, alors âgé de vingt-huit ans, traducteur de Baudelaire, théoricien du symbolisme, qui tombe amoureux d'elle et l'introduit dans les milieux littéraires de Moscou. Elle rejette sa demande en mariage et part en juin 1909 en vacances d'été à Paris avec sa sœur Anastasia, comme font alors souvent les jeunes de la haute société russe. Elle s'installe pour quelques mois rue Bonaparte. C'est la Belle Époque : Paris accueille Picasso, Matisse, Braque et Fernand Léger. Elle suit des cours en Sorbonne, voit, avec une profonde émotion, Sarah Bernhardt dans *L'Aiglon* et Diaghilev dans la première saison des Ballets russes avec Nijinski, Fokine et la Pavlova.

À l'automne 1909, Marina rentre à regret à Moscou, passe encore quelques mois au lycée, qu'elle quitte au printemps suivant, à la fin de son avant-dernière année d'études secondaires.

Elle passe ses vacances d'été 1910 à Dresde avec sa sœur Anastasia. Elle lit Heinrich Mann, alors plus connu que son frère Thomas, et écrit à un ami : « Jugez les Allemands non à leurs bons bourgeois, mais à des gens comme Mann. Encore qu'on ne puisse dire *"des gens comme"*, car Mann est unique, il ne ressemble à aucun des écrivains présents ou passés. Si on devait le comparer à quelqu'un, ce serait peut-être à d'Annunzio. » Elle découvre la littérature allemande et sa mythologie, dont elle s'inspirera plus tard.

À l'automne, de retour à Moscou, elle a une aventure avec Vladimir Nilender, spécialiste de la Grèce ancienne et traducteur de l'hébreu, de dix ans son aîné ; elle refuse également sa demande en mariage après lui avoir adressé de nombreux poèmes enflammés qu'elle publie aussitôt à compte d'auteur sous le titre *Album du soir* : la vie n'est déjà plus pour elle qu'un prétexte à écrire des poèmes. Un critique, Maximilien Volochine (il a quinze ans de plus qu'elle), rédige un article dithyrambique sur ce recueil et lui présente les écrivains les plus en vue de la capitale. Il devient et restera pour elle un ami.

En 1911, le Premier ministre Stolypine est assassiné à Kiev. L'événement marque la reprise des troubles et des grèves. Quoique brillant haut fonctionnaire, Kokovtsov, qui lui succède, ne peut lutter contre l'influence qu'exercent sur le trône les éléments les plus réactionnaires.

En mai 1911, Volochine invite Marina en Crimée, à Koktebel, sorte de capitale d'été où se retrouve l'intelligentsia russe. Chez Volochine, elle rencontre Serguéï Iakovlevitch Efron, surnommé Sérioja. Celui-ci sort à peine d'une terrible tragédie : il est né dans une famille d'intellectuels de gauche proche d'un parti anti-tsariste, la Volonté du Peuple. Son père, Iakov Efron, d'origine juive, s'est converti au christianisme orthodoxe ; sa mère appartient à la petite noblesse terrienne, devenue révolutionnaire. Après le soulèvement de 1905 et un séjour en prison de sa mère, ses parents et une partie de la famille (il a neuf frères et sœurs) émigrent en France où son père meurt en 1909. En 1910, son frère Constantin et sa mère sont retrouvés pendus dans leur appartement parisien ; l'enquête conclut au double suicide. Serguéï, laissé seul au monde à Paris, rentre à Moscou et devient élève officier dans un lycée. Il rédige des poèmes, des nouvelles, des critiques, et souffre de tuberculose. En juin 1912, deux ans après ces épreuves, Serguéï Efron vient en vacances chez Maximilien Volochine, où il rencontre Marina.

Elle a dix-neuf ans, il en a dix-huit, ils sont beaux, jeunes et romantiques. Elle est bouleversée par le drame qui l'a frappé. « Je décide que jamais, quoi qu'il arrive, je ne me séparerai de lui, et je l'épouse. » Ils se marient le 27 janvier 1912 à Moscou. Le mois suivant, Marina publie son deuxième recueil, *La Lanterne magique*.

En mars 1912 éclate une grève dans les mines d'or de la Léna, à la suite d'une distribution de viande avariée ; le gouvernement envoie la troupe, qui tire sur les manifestants.

Au même moment, les jeunes époux partent pour un voyage de noces en Europe (Italie, France, Allemagne) financé par le père de Marina. Ils reviennent à Moscou en mai, quand paraît le premier numéro de la *Pravda*, organe des bolcheviks. Fin mai est enfin inauguré, en présence de Nicolas II, le musée Alexandre-III, le grand projet du père de Marina, lequel meurt quelques mois plus tard. Pour la jeune fille et sa sœur Anastasia, désormais seules, héritières d'une fortune convenable (partagée avec leurs deux demi-frères), la situation est confortable.

En septembre naît le premier enfant du jeune couple, une fille, Ariadna. Marina n'a pas la fibre maternelle. Seule compte son œuvre, et l'enfant l'embarrasse déjà. Même si elle feint de s'y intéresser, sa fille n'est pour elle qu'un sujet d'écriture.

En 1913, elle commence à tenir des carnets qui ont d'abord pour sujet central les rapports d'Ariadna avec son propre travail de création : « Je crois en toi comme en mon meilleur vers… Souviens-toi, en lisant ces lignes, que le premier poète à s'être mis à genoux devant toi, ce fut ta mère. »

Le mouvement poétique russe est alors le champ d'expression de divers courants : paraît *La Gifle au goût public*, texte fondateur du futurisme ; paraît aussi *L'Héritage du symbolisme et l'acméisme*, de Goumiliov, et *Certains courants de la nouvelle poésie russe,* de Gorodetski. Marina publie un troisième recueil, bouleversant appel à l'écriture, seule source d'éternité – un appel qu'elle répétera souvent, hantée qu'elle sera, tout au long de sa vie, par la postérité de son œuvre : « Nous passerons tous. Dans cinquante ans, nous serons tous en terre. Il y aura d'autres visages sous le ciel éternel. Et je voudrais crier à tous ceux qui sont encore vivants : Écrivez, écrivez davantage ! Fixez chaque instant, chaque geste, chaque soupir !…. Ne méprisez pas l'extérieur !…. Tout ceci sera le corps de votre pauvre, pauvre âme livrée au vaste monde… »

De fait, c'est à jamais la fin du bonheur. Tout son monde ne va pas tarder à s'écrouler.

Fin juin 1914, la Russie tsariste se porte au secours de la Serbie qui entend résister à l'ultimatum austro-hongrois dans les Balkans. Le 30 juillet, la Russie décrète la mobilisation générale, ce à quoi l'Allemagne riposte en lui déclarant la guerre. Le 2 août, la Russie mobilise 7 millions d'hommes peu armés, mal préparés, mal commandés. Efron est envoyé au front comme infirmier, malgré sa tuberculose. Le 30 août, les troupes russes sont défaites par les Allemands à Tannenberg.

À Moscou, la vie continue presque à l'identique : Marina participe à des soirées poétiques, fréquente les milieux bohèmes, s'intéresse au théâtre, noue une série de liaisons avec des hommes comme avec des femmes. Ces idylles, en général platoniques, lui inspirent des poèmes, mais n'entrent pas en rivalité avec son amour pour Sergueï, dont elle est sans nouvelles.

En 1915, les Allemands occupent la Pologne et la Lituanie ; les armées russes subissent d'énormes pertes. Inquiète pour Efron, au front, Marina écrit, plus que jamais obsédée par la trace à laisser : « Je connais la vérité – abandonnez toutes les autres vérités !/Il n'est plus besoin pour personne sur terre de lutter. Regardez – c'est le soir, regardez, il fait presque nuit :/De quoi parlez-vous, de poètes, d'amants, de généraux ? Le vent s'est calmé, la terre est humide de rosée,/La tempête d'étoiles dans le ciel va s'arrêter/Et bientôt chacun d'entre nous va dormir sous la terre... »

En janvier 1916, la Russie doit faire face aux pénuries, à l'inflation, à de graves paralysies dans les transports. Marina rencontre le poète Ossip Mandelstam, passion plus passagère pour elle que pour lui. En mars, nouvel engouement pour une autre poète : Tikhon Tchouriline.

Sergueï, qui revient alors du front en permission, prend ombrage de ces aventures. Mais, sitôt qu'il est reparti, d'autres leur succèdent : avec la poétesse Sofia Yakovlevna Parnok (dont elle parlera dans le recueil *L'Amie),* avec une actrice, Sonia Holliday (sujet du *Récit sur Soniétchka),* avec Iouri Zavadski (acteur et futur metteur en scène réputé), avec Nicodème Ploutser-Sarno (économiste, qui restera un ami fidèle). Elle partage son temps entre Moscou et Koktebel, en Crimée, où Sergueï la rejoint par deux fois en permission. Ses relations avec sa fille Ariadna (surnommée Alia) se tendent ; l'enfant l'agace, la gêne même : « Quand Alia est avec d'autres enfants, elle est bête, nulle, sans âme, et je souffre de ma répugnance à la sentir étrangère, mais je suis incapable de l'aimer. »

Dans la nuit du 29 au 30 décembre 1916, Raspoutine, « âme damnée » de la tsarine, est assassiné par des conjurés, dont le prince Ioussoupov. Début mars 1917, des grèves éclatent à Petrograd ; ouvriers et soldats appuient la révolution. Lénine prend la tête de la fraction bolchevique du Parti ouvrier social-démocrate. Sous la pression des émeutes, Nicolas II abdique le 15 mars.

Marina accouche de sa seconde fille, Irina, le 13 avril 1917, en pleine tempête révolutionnaire. Elle ne l'aime pas davantage que la première, et ne se préoccupera pas de son inquiétant retard de développement mental. Malaise... Qui est le père ?

Kerenski, ministre de la Guerre du gouvernement provisoire, déclenche début juillet une offensive en Galicie contre les Allemands ; elle échoue. Les soldats refusent de retourner au front, les désertions se multiplient. Efron rentre du front, démobilisé. En septembre, la tentative de putsch de Kornilov est exploitée par les bolcheviks. Peu après, c'est la « révolution d'Octobre ».

Marina est, à Moscou, un témoin direct du coup de force bolchevique ; très hostile à la dictature du tsar, le couple l'est plus encore au mouvement communiste et à celle qu'il instaure.

Après dix jours de combats dans Petrograd et à Moscou, qui détruisent la maison dans laquelle Marina a grandi, sans joie particulière, ruelle des Trois-Étangs, elle note : « Parole d'honneur, la première chose que j'aie dite quand la Révolution a commencé – Dieu merci ! [...] m'avoir retiré cette maison est l'un des dons les plus généreux de la Révolution ! » Celle-ci l'ayant emporté, commencent des pourparlers avec l'Allemagne et l'Autriche-Hongrie pour la conclusion d'un armistice. L'Empire russe est démembré. Malgré l'opposition de plusieurs commissaires du peuple, dont Trotski, qui commande maintenant l'armée devenue « rouge », Lénine souhaite une paix immédiate. Le 15 décembre 1917, un cessez-le-feu est signé. Le 3 mars 1918, le traité de Brest-Litovsk fait perdre à la Russie la Pologne, la Lituanie, les pays Baltes, une partie de la Biélorussie, l'Ukraine, 90 % de sa production houillère, 70 % de sa métallurgie, 55 % de ses richesses agricoles. Cette paix séparée libère du front oriental quarante divisions austro-allemandes qui peuvent déferler sur le front ouest.

Marina tente de faire publier une partie de ses carnets intimes sous le titre *Indices terrestres*, mais l'éditeur, sous contrôle de la nouvelle censure, entend couper certains textes. Elle refuse.

À peine rentré du front, en 1917, Serguéï choisit de repartir : il s'enrôle dans une des armées contre-révolutionnaires, celle des volontaires du Don sous le commandement du général Wrangel. Marina le soutient, mais reste à Moscou, où elle compose un recueil de poèmes à la gloire de l'Armée blanche : *Le Camp des cygnes* (« Gardes Blancs, nœud gordien du haut-fait russe... »).

Au printemps 1918, l'« Armée blanche » dirigée par Wrangel, celle des « cosaques » de Skoropadski, en Ukraine, celle des « volontaires » de Kornilov, et les « gardes blancs » de Dénékine, dans le Sud, reçoivent l'aide du Japon, de l'Allemagne, du Canada, de la Grèce, de la France, de la Grande-Bretagne et des États-Unis. La bataille est féroce. En 1919, la Russie soviétique est ruinée par la guerre civile, l'amputation de territoires, les épidémies, le blocus allié et l'arrêt complet de son commerce extérieur. Marina ne voit que le vide devant elle : « L'année 19 serait belle si elle n'était pas suivie de l'année 20 ! » Sans nouvelles de Sergueï, disparu dans les armées blanches, n'ayant plus rien de son héritage, Marina ne peut nourrir ses deux filles qu'à la cantine publique. Déchéance pour cette fille de grands bourgeois qui n'a jamais manqué de rien. Elle ne cherche pas de travail. Elle n'en cherchera jamais. Elle place ses filles dans une maison d'enfants, un orphelinat près de Moscou, où Ariadna (Alia) tombe malade du typhus. Marina, obsédée par l'écriture, pense à recopier les lettres désespérées de sa fille dans ses propres carnets : « Maman, si vous ne venez pas me voir, j'irai me pendre ! [...] Je suis prête à vous servir toute ma vie, à vous servir tant que j'aurai des forces, tant que je serai en vie. La vie, la vie, malgré tout ! » Aucune émotion n'accompagne la retranscription de ce message pathétique. Il s'agit là d'abord pour elle d'un matériau littéraire. Tout doit concourir à son œuvre.

En février 1920, la plus jeune des deux fillettes, Irina, meurt de malnutrition à l'orphelinat, à l'âge de trois ans. Marina écrit une lettre poignante : « Irina, si le Ciel existe, tu es au Ciel ; comprends-moi et pardonne-moi, moi qui ai été pour toi une mauvaise mère, incapable de surmonter mon aversion envers ta sombre et incompréhensible nature. » Dans une autre lettre, elle écrit : « Dieu m'a punie. » Punie de quoi ? De l'enfantement même. Étrange parallèle avec Karl Marx qui, lui aussi, à Londres, un demi-siècle plus tôt, refusait de chercher du travail même après que la faim eut emporté un de ses enfants.

En avril 1920, Dénékine (qui commande l'armée du Sud) démissionne alors que ses troupes sont refoulées en Crimée. Wrangel, nommé général en chef à sa place, réorganise l'Armée blanche et contre-attaque ; il s'empare de la Tauride du Nord avant d'être vaincu à son tour par l'armée de Trotski dans le sud de l'Ukraine. Sans nouvelles de Sergueï, Marina redoute d'apprendre sa mort.

À partir de mai 1920, elle compose des poèmes lyriques (sous le titre de *Verstes II*) inspirés du folklore russe (*Le Tsar-Demoiselle, Sur mon cheval rouge, Egorouchka*). Elle rencontre divers poètes russes, dont Viatcheslav Ivanov (père du futur journaliste français Jean Neuvecelle), et le symboliste Konstantin Balmont. Elle croise souvent l'écrivain Ilya Ehrenbourg, qui, rentré de Paris trois ans plus tôt, déçu par le tour pris par les événements à Moscou, s'apprête à repartir à Berlin.

Les derniers combats entre Blancs et Rouges ont lieu en Crimée entre le 28 octobre et le 7 novembre 1920. Wrangel en déroute réussit à évacuer ses soldats et leurs familles par la mer Noire. Marina pense désormais qu'il n'y a plus aucune chance que Sergueï soit encore en vie. Elle est seule, quasi veuve, dans une Russie où elle ne se recconnaît plus. Un à un, ses amis partent en exil.

Cette année-là, les troupes soviétiques réoccupent les territoires cédés à la Pologne aux termes du traité de Brest-Litovsk. En marchant « sur le cadavre de la Pologne », elles veulent tendre la main à la révolution allemande qui, à Berlin, a suivi la fin de la Grande Guerre et connaît ses derniers soubresauts. L'alliance germano-soviétique, conclue entre les deux vaincus, commence. Il faudra l'arrivée d'Hitler au pouvoir pour que les deux armées s'éloignent, sans pour autant cesser de communiquer.

En février 1921, à Moscou, lors d'une soirée de poétesses que préside le poète symboliste Valery Brioussov, tout à la gloire du nouveau régime, Tsvetaïeva récite son poème anticommuniste écrit trois ans auparavant pour les Armées blanches, poème en l'honneur d'ennemis de la patrie, alors en fuite : *Le Camp des cygnes*, pour « remplir un devoir d'honneur, ici, à Moscou, en 1921 », en souvenir de Sergueï. Malaise général parmi l'auditoire. Personne ne souhaite entendre des poèmes anticommunistes. Brioussov écrira à ce propos dans ses souvenirs, *Les Années et les Hommes* : « Elle aime ce qu'on ne doit pas faire. À présent, les armoiries sont interdites et elle les célèbre avec un pathos touchant, avec une audace digne de tous les grands hérétiques, rêveurs et rebelles. » De fait, c'est le scandale. Elle a fait l'apologie des traîtres : le régime ne badine pas avec ça ! Le lendemain, le dramaturge Vsevolod Meyerhold écrit dans le *Journal du Théâtre* : « Les questions posées par Marina Tsvetaïeva révèlent une nature hostile à tout ce qui a été sacré par l'idée du Grand Octobre. » Elle est menacée par la police nouvelle. Elle doit s'exiler au plus vite. Pour où ? Berlin ou Paris.

Elle sollicite en avril 1921 un visa de sortie pour elle et sa fille, alors que la Pologne signe le traité de Riga et que Lénine inaugure la N.E.P. qui organise un retour partiel à la propriété privée. Aucune réponse.

Exactement au même moment, elle écrit à Ehrenbourg, alors à Paris, une lettre prémonitoire, d'une grande beauté, sur son désir d'émigrer : « Il faut que vous me compreniez bien : je ne redoute ni la faim ni le froid, mais la dépendance. Mon cœur sent que là-bas, en Occident, les gens sont plus durs. » Elle devine le malheur qui l'attend : « Ici, une chaussure éculée est un malheur ou un motif de gloire, là-bas c'est une infamie. » Elle s'attend à rencontrer la misère en Occident : « On me prendra pour une clocharde et on m'expulsera. Alors je me tuerai. – Mais partir, je partirai malgré tout... »

Marina entame une correspondance avec Boris Pasternak, qui, après ses échecs comme poète à Moscou, vit comme ingénieur chimiste dans l'Oural et travaille à ce qui deviendra *Le Docteur Jivago*. Il lui dit son admiration pour sa poésie ; elle a enfin l'impression d'avoir rencontré un poète de même envergure qu'elle et qui la comprend.

Les saisons passent, dans la solitude, la misère, la peur. L'idée du suicide la hante.

Apprenant qu'Alexandre Blok, le poète symboliste qu'elle admire tant, est mort de faim tout près de chez elle à Moscou, Tsvetaïeva compose alors un cycle de poèmes *À Blok*. Séduire reste sa passion, mais encore et toujours au service de son œuvre. Dans ses carnets, elle notera en février 1922 une phrase révélatrice de son rapport à la sexualité : « Chez moi la féminité vient non pas du sexe, mais de la création. [...] Oui femme – puisque magicienne. Et – puisque poète. »

À l'été 29, Ehrenbourg, qui est à Berlin, lui annonce une grande nouvelle : il a appris qu'Efron a réchappé au massacre des Blancs et qu'il vit depuis quelques mois à Prague, où le gouvernement tchèque (nouveau pays créé par le traité de Versailles) offre des bourses aux étudiants russes émigrés. Stupéfaite qu'il ne lui ait pas donné de ses nouvelles, elle se demande s'il a refait sa vie. Elle songe à le rejoindre, mais ne s'y décide pas : à lui de se manifester. D'autant plus que vivre de maigres subsides versés par le gouvernement tchèque ne l'enthousiasme guère. Elle lui écrit néanmoins.

Le 3 avril 1922, Staline devient secrétaire général du comité central du P.C.U.S. Kamenev, Zinoviev et Trotski se font les porte-parole des ouvriers mécontents et dénoncent les profiteurs de la N.E.P. En avril 1922, le gouvernement soviétique fait sa rentrée diplomatique à la conférence de Gênes et inquiète Français et Anglais en signant le traité de Rapallo avec l'Allemagne. Une alliance germano-soviétique se noue contre les vainqueurs de la Grande Guerre.

Le 5 mai 1922, elle obtient enfin son visa. Elle décide de partir pour Berlin, où elle arrive par le train le 15 mai. La ville est à cette époque l'un des principaux centres de l'émigration russe : journaux et revues, maisons d'édition, écrivains russes y sont nombreux. Elle y retrouve en particulier Ilya Ehrenbourg et sa femme. Dès son arrivée, elle multiplie les aventures, toujours dans les milieux russes : avec André Bély (poète et romancier symboliste), Marc Slonime et Roman Goul. Elle retrouve aussi à Berlin le prince Sergueï Volkonsky, un amant de plus.

Le 7 juin 1922, Sergueï la rejoint enfin. À Berlin. Retrouvailles après cinq ans de séparation et de silence. Étrange rencontre entre deux inconnus : Marina lui lit les pages du *Camp des cygnes*, écrit en l'honneur de son combat ; Sergueï hausse les épaules. Ariadna racontera plus tard que son père, écoutant sa mère, réagit violemment : « Ce n'était rien de tout ça, Marina, c'était une guerre fratricide et suicidaire que nous avons menée sans le soutien du peuple au nom duquel nous croyions nous battre… » En juillet, à Berlin, Ehrenbourg, au cours d'une longue discussion nocturne, réussit à la dissuader de publier le *Camp des Cygnes* qui ne peut, lui dit-il, que lui valoir des ennuis. Ils hésitent : rester à Berlin ? Impossible. La vie est trop chère. Il faut repartir à Prague.

Le 1ᵉʳ août, Efron installe sa famille à Vsenory, un village des environs de Prague, pour profiter de l'aide financière du gouvernement tchèque. Vie de misère. Marina ne veut aucun emploi. Juste écrire. Sergueï, lui non plus, ne travaille pas. Marina fait là-bas la connaissance d'Anna Teskova, une intellectuelle tchèque qui dirige le fonds d'aide aux émigrés russes et qui devient sa confidente. Une vie rude, pauvre et solitaire ne fait pour elle que commencer.

Le 30 décembre, la Russie soviétique devient officiellement l'U.R.S.S. En février 1923, Marina écrit de Prague à Pasternak qui vient de se faire publier : « Pasternak ! Vous êtes le premier poète que de ma vie je vois. Vous êtes le premier poète aux lendemains duquel je crois comme aux miens. Vous êtes le premier poète dont les vers valent moins que lui-même, bien qu'ils vaillent plus que tous les autres. Pasternak ! J'ai connu beaucoup de poètes : et des vieux, et des jeunes […]. Ils faisaient magnifiquement des vers, ou (plus rarement) faisaient des vers magnifiques. Un point c'est tout… »

Dans son triste logement de la banlieue de Prague, elle compose *Sur un cheval rouge* et *Insomnie* : « Dans mon insomnie, je t'aime/ Dans mon insomnie, je t'entends/À l'heure où dans tout le Kremlin/ S'éveillent ceux qui sonnent. » En mai 1923, elle écrit à son ami le poète Goul, resté à Moscou, parlant d'un livre auquel elle travaille, *Chevalier de Prague* : « C'est un livre de vie vivante et de vérité, il est donc politiquement (c'est-à-dire sous l'angle du mensonge) clairement voué à l'échec. On y trouve des communistes charmants et des membres de la Garde blanche irréprochables ; les premiers verront uniquement ces derniers, et ces derniers uniquement les premiers. » Elle espère gagner sa vie comme écrivain. Elle en est loin.

Lénine meurt le 21 janvier 1924. En son honneur, Petrograd est rebaptisée Leningrad. Rykov lui succède au poste de président du Conseil des commissaires du peuple. Staline évince Trotski du gouvernement.

Toujours en Tchécoslovaquie, Marina rédige une épopée populaire à partir du conte d'un anarchiste russe du XIXe siècle, Alexandre Afanassiev, *Le Gars*, et le dédie à Pasternak. Sa fille Ariadna, âgée de douze ans, attirée par les arts plastiques, fait des dessins pour illustrer le livre. Il n'est pas publié. Marina compose le *Poème de la montagne* et le *Poème de la fin*. Elle n'a plus, depuis leurs retrouvailles, qu'une relation platonique avec son mari, mais entretient plusieurs liaisons avec d'autres Russes réfugiés à Prague : Alexandre Balkhach, critique littéraire qui francisera plus tard son nom en Bacherac ; Abraham Grigorievitch Vichniak, qui lui a demandé de traduire Heine ; Constantin Rodzévitch, un ami de Sergueï Efron dans la Garde blanche, comme lui étudiant à Prague, qui mourra presque centenaire à Paris et à qui elle dédie *Le Chevalier de Prague*.

Elle se retrouve alors de nouveau enceinte. De qui ? Mystère. L'enfant – le troisième – naît le 1er février 1925. Un garçon. On le nomme Georges après qu'Efron a refusé Boris (comme Pasternak). Marina l'appellera Murr, comme le chat du conte de Theodore Hoffmann qu'elle admire tant, parce qu'il incarne la folle fantaisie du romantisme allemand – nostalgie de son adolescence à Fribourg.

Le jour de la venue au monde de ce fils, elle note dans son carnet non pas cette naissance, mais une réflexion sur la postérité de son œuvre : « De toute façon, quand je mourrai – tout sera imprimé ! Chaque petit bout de ligne, comme dit Alia : chaque petite queue ! » Marina ne doute pas, en effet, du destin de tout ce qu'elle écrit : poèmes lyriques, prose de mémorialiste, carnets intimes, lettres privées. Elle retravaille tout, y compris les notes consignées dans ses carnets et ses lettres personnelles, dont elle rédige plusieurs versions à des dates plus tardives. Alia est reléguée au rôle d'auxiliaire de sa mère, car Murr se révèle être un enfant difficile. Marina, de son côté, édifie sa cathédrale et, dans cette tâche, les autres sont seulement autorisés à l'assister.

Une fois encore inspirée par les mythes allemands, en 1925, elle écrit *Le Charmeur de rats,* d'après *Le Joueur de flûte de Hamelin*.

Mais elle n'est pas heureuse. Elle n'a connu à Moscou que la fête, la joie de vivre, les échanges intellectuels. À Prague, elle étouffe : rien. Elle s'ennuie et le dit dans un texte superbe, d'une singulière économie de mots : « Je ne veux pas d'un hiver de plus à Vsenory [la banlieue de Prague où elle vit]. Cette faille, cet étranglement, cet horizon bouché, cette solitude de chien (dans sa niche !) – je ne peux pas. Toujours les mêmes visages (indifférents), les mêmes thèmes (précautionneux). [...] La vie ici est trop difficile, trop assommante, trop ingrate. »

Elle rêve de partir pour Paris, dont elle garde de merveilleux souvenirs d'adolescente, seize ans auparavant, et de son voyage de noces, treize ans plus tôt. Les émigrés russes y sont nombreux et son amie et confidente Olga Kolbassina-Tchernova, qui y réside depuis 1918, lui propose de les accueillir. Sergueï hésite cependant à revenir dans la capitale française, où son père est mort et où sa mère et son frère se sont suicidés sous ses yeux. Et puis, finalement, il la suit, convaincu de garder la bourse que lui verse le gouvernement tchèque.

En novembre 1925, les Efron débarquent à Paris. La famille s'installe dans l'une des trois pièces de l'appartement médiocre qu'habite Olga avec ses trois filles, rue Rouvet, dans le XIXe arrondissement, alors quartier d'usines sale et pollué. Pour Marina, c'est un choc. Exactement ce qu'elle avait craint en quittant Moscou : la misère. Dans une lettre du 30 novembre 1925, elle fait part de son arrivée à Paris à Anna Teskova, restée à Prague : « Je vis très mal, nous sommes entassés à quatre dans la même pièce. Je ne peux absolument pas écrire. » Et, surtout, elle dit l'essentiel : la vie ne vaut que transfigurée. « Je n'aime pas la vie en tant que telle, pour moi elle ne commence à signifier, c'est-à-dire à prendre sens et poids, que transfigurée – c'est-à-dire dans l'art. Si l'on m'emmenait par delà l'océan – au paradis – et que l'on m'empêche d'écrire, je renoncerais à l'océan comme au paradis. La chose en soi, je n'en ai pas besoin. » Puis, le 7 décembre : « Le quartier où nous vivons est horrible – tout droit sorti du roman *Les Bas-Fonds de Londres*. Un canal putride, un ciel invisible à cause des cheminées, suie continue et vacarme de même (les camions). » Ce n'est pas le Paris des fêtes de son adolescence. Et la misère est pire qu'à Prague : ici, pas de ressources publiques. Sergueï Efron ne travaille pas, ne reçoit aucune allocation. Il milite dans un improbable « mouvement eurasien ». Marina essaie de se faire connaître, de publier poèmes et essais (*Le Poète et la Critique*). En vain.

Les relations avec Olga, qui les héberge dans la promiscuité, se dégradent. En février 1926, Marina organise à grands frais, dans un théâtre, une soirée de lecture de ses poèmes. C'est un succès : tous les billets sont vendus, ce qui, ajouté à ses quelques publications, arrondit leurs maigres revenus. Une autre soirée est organisée à Londres par Mirsky. Mais cela ne suffit pas à leur fournir durablement de quoi vivre. L'indigence est là et Marina doit faire des miracles pour nourrir, vêtir, soigner et éduquer les deux enfants. Elle ne travaille pas, ne cherche pas d'emploi, et Efron n'en a pas non plus.

En mars 1926, faute d'argent, la famille Efron doit quitter Paris et s'installer en Vendée, à Saint-Gilles-Croix-de-Vie. Marina tente de faire bonne figure et écrit : « Ça ne se fait pas d'avoir faim quand l'autre est rassasié. Chez moi, la bienséance est plus forte que la faim, y compris même la faim de mes enfants. » Ils ne survivent que grâce à la générosité de Salomé Andronikova, une autre émigrée russe, arrivée à Paris en 1919, qui travaille dans un journal de mode et qui, admiratrice du talent de Marina, décide de lui verser une petite partie de son salaire à partir de juin 1926.

Écrire, en particulier des lettres, reste son occupation principale quand elle peut échapper aux exigences matérielles. Par le truchement de Boris Pasternak avec qui elle correspond toujours sans l'avoir jamais rencontré, elle entre en relation avec Rainer Maria Rilke, alors très malade. À peine le temps de lui adresser trois lettres, qu'il meurt, le 30 décembre de cette année-là, à Montreux. Elle est persuadée que c'est d'elle que parle le poète peu avant sa mort : « Oui, la "Poétesse" dont parle Rilke à Pasternak, c'est moi. Je suis la dernière joie de Rilke, et sa dernière joie russe, sa dernière Russie et dernière amitié », écrira-t-elle plus tard à sa confidente tchèque Anna Teskova. En fait, la « dernière Russie » de Rilke n'est autre que Lou Andreas-Salomé, l'autre écrivain d'origine russe, maîtresse de Nietzsche et de Freud, que Rilke, de quatorze ans son cadet, connaît depuis 1897 et à qui il écrit encore, juste avant de mourir à cinquante ans.

De fait, l'ego de Marina est plus exacerbé que jamais ; elle écrit en parlant d'elle-même dans ses carnets : « Je ne connais pas de femme plus douée que moi en matière de poésie. » Et cette formule si belle et lucide : « En moi le tragique est racheté à la dernière seconde par l'insouciance. » Et encore : « Ma vie est comme ce carnet : rêves, fragments de vers sont engloutis au milieu de comptes de dettes, de pétrole pour le réchaud, de lard. Je suis en train de périr véritablement, mon âme est en train de périr. [...] Mon âme est absente de ma vie. Ma vie passe à côté de mon âme. Ma vie n'a que faire de mon âme... »

Elle associe à présent sa fille à ses activités d'écrivain : « Alia, c'est mon génie caché (mis à nu). » Elle lit le duc de Lauzun, le prince de Ligne, Casanova. Elle écrit : « Et – innocemment : "Messieurs, je n'aime plus Lauzun, car j'aime le prince de Ligne." » Elle leur parle, coquette, rassemblant ses souvenirs de gloire : « Ce n'est pas vous, prince, qui auriez pu m'entendre répéter dix fois par soirée : "Que je voudrais une robe rose !" – sans m'en donner une, même en 1919 à Moscou ! » Mêlant Révolution russe et Révolution française, elle note : « Le secret, c'est de raconter les événements d'aujourd'hui comme s'ils avaient eu lieu il y a cent ans, et ce qui s'est passé il y a cent ans comme un fait d'aujourd'hui. »

En cette année 1926, à Paris, un scandale éclate dans les milieux russes : un poète juif ukrainien réfugié, Samuel Schwartzbard, assassine un autre réfugié ukrainien, Simon Petlioura, responsable du massacre de Juifs dans les pogroms de 1919.

En octobre 1926, alors que Trotski et ses partisans sont exclus du Parti communiste soviétique, la famille Efron quitte la Vendée et revient s'installer plus près de Paris, à Meudon. Marina a alors la surprise de voir débarquer sa sœur, qu'elle n'a pas revue depuis son départ de Moscou ; Anastasia s'est aussi exilée et travaille maintenant avec Maxime Gorki, alors installé à Sorrente, en Italie (il est atteint de tuberculose). Gorki est alors le plus célèbre écrivain soviétique, pour *Les Bas-Fonds* et *La Mère*. Marina l'admire et profite de la présence de sa sœur pour lui écrire. Gorki, lui, n'apprécie absolument pas les poèmes de Tsvetaïeva, qu'il trouve maniérée, hystérique et impudique. Anastasia repart ; les deux sœurs ne se reverront plus.

Marina cherche toujours désespérément à se faire admettre dans les milieux intellectuels parisiens. Elle écrit en mai 1927 à Anna de Noailles (dont elle a, en 1916, traduit un roman en russe), alors auteur en vogue, dont Rodin a sculpté le buste. En guise de réponse, la célèbre poétesse, qui a totalement oublié sa traductrice russe, lui envoie... une photo d'elle dédicacée ! Marina ne renonce pas. Elle écrit aussi à André Gide, figure tutélaire de la *N.R.F.*, chargé de débusquer de nouveaux talents, qui a déjà publié *Les Caves du Vatican* et *Les Nourritures terrestres*. Sans succès, une fois de plus.

L'intelligentsia française est pour l'essentiel soviétophile, comme Gide et Brice Parain, autre directeur de la *N.R.F.* Par ailleurs, l'esthétique littéraire de Tsvetaïeva la rend inclassable. Ses références aux mythes russes, à l'âme russe, aux poètes russes, aux paysages russes, la coupent du public occidental et la font classer sous la rubrique « poète russo-russe ».

Marina fait alors son possible pour se faire admettre dans les milieux russes de la capitale, où coexistent et vivotent dans la même misère princes, poètes et journalistes, dans des relations extrêmement sophistiquées. Nina Berberova, qui vit alors à Paris, écrit sur Tsvetaïeva, dans son autobiographie : « Elle a cédé à la vieille tentation décadente de s'inventer des rôles ; elle était tour à tour le poète maudit et incompris, la mère et l'épouse, l'amante d'un jeune éphèbe, un personnage au passé glorieux, le barde d'une armée en déroute, une jeune disciple et une amie passionnée. [...] Mais elle n'arrivait pas à se dominer, à se façonner, à se connaître. Elle cultivait même cette méconnaissance de soi. Elle était vulnérable, impulsive, malheureuse, et, au milieu de son "nid" familial, restait solitaire. Elle ne cessait de s'enthousiasmer, de se désenchanter et de se tromper. [...] Tout ce que disait Tsvetaïeva m'intéressait, j'y trouvais un mélange d'intelligence, d'originalité, de fantaisie et de déraison. »

En novembre 1928, Marina assiste à une lecture publique que donne au café Voltaire le poète Maïakovski, ambassadeur itinérant du régime soviétique, de passage à Paris. Elle en rédige un compte rendu enthousiaste pour une revue de l'émigration anticommuniste dont elle s'aliène évidemment les membres. Maïakovski, quant à lui, parlera toujours avec un certain mépris de l'œuvre « trop féminine » de Tsvetaïeva...

Dans ses lettres à Boris Pasternak, Marina évoque sa déception et sa solitude à Paris. Pasternak demande à une de ses amies installées aux États-Unis, Nikolaevna Lomonossova, d'envoyer de l'argent à Marina, ce qu'elle promet de faire dès que possible.

Il essaie de la convaincre de rentrer en Union soviétique. En vain.

Ses poèmes se font de plus en plus elliptiques, exaltés, faits pour être déclamés :

> « Ghetto des élites ! Au trou ! Tiens !
> Pas de pitié ! Que des gifles !
> En ce monde-ci hyperchrétien
> Les poètes sont des Juifs. »

(in Le Poème de la fin)

«…Mal vivre – qu'importe où,
Où m'avilir, moi, ours polaire
Sans sa banquise, je m'en fous ! »

(in *Le Mal du pays*)

À Moscou, à l'automne 1929, la situation se durcit ; les koulaks
(« paysans aisés ») sont liquidés. Staline fait exiler Trotski. La célébration en grande pompe de ses cinquante ans, le 21 décembre, marque
les débuts du culte de sa personnalité. Boukharine, éliminé du
Politburo, perd son poste au sein du Komintern ; Rykov est démis de
ses responsabilités par Staline qui rompt avec l'« aile droite » du parti
à laquelle appartenaient les deux hommes. Le 14 avril 1930, à
Moscou, Maïakovski se suicide. Deux jours auparavant, il avait écrit
un texte devenu célébrissime : « La barque de l'amour s'est fracassée
contre la vie (courante). Comme on dit, l'incident est clos. Avec vous,
nous sommes quittes. N'accusez personne de ma mort. Le défunt a
horreur des cancans. Au diable les douleurs, les angoisses et les torts
réciproques !…. Soyez heureux ! » Et aussi : « Maman, mes sœurs,
mes amis, pardonnez-moi – ce n'est pas la voie (je ne la recommande
à personne), mais il n'y a pas d'autre chemin possible pour moi. Lily,
aime-moi ! »

Staline ordonne des funérailles nationales pour celui qu'il qualifiera
plus tard de « poète de la Révolution ». Tsvetaïeva lui dédie un ensemble
de poèmes. Faute d'éditeur, elle traduit elle-même en français son
poème *Le Gars*, écrit à Prague en 1924, et en fait une lecture publique
dont l'échec est retentissant. Et pourtant, la traduction, véritable réécriture, est magnifique.

Une autre émigrée, Luba Jurgenson, écrit à son propos : « Les traductions poétiques de Tsvetaïeva ont toujours été pour moi des modèles
du genre. Elle parvenait à recréer la musique du poème russe en français. Cela tient vraiment de la magie. Le sommet de son art de traductrice, c'est bien sûr la version française de son propre poème, *Le Gars*.
En réalité, on ne peut pas parler de traduction, c'est une nouvelle création. […] La plupart des émigrés russes qui ont connu Tsvetaïeva insistaient sur ses maladresses, son inadaptation profonde, ses bévues.
L'émigration russe était une société structurée dont bien des règles
révoltaient sans doute Tsvetaïeva. »

En 1931, elle compose un cycle de poèmes en hommage à Pouchkine qui ne trouve pas d'éditeur. L'aide américaine cesse. Elle commence à penser à l'échec : son œuvre n'est connue ni en Russie, ni en France – autrement dit nulle part. Elle note dans ses carnets à la date du 25 février : « Conclusion de plusieurs années [...] : une année de travail dort et des années de travail vont dormir. [...] Ici je suis inutile ; là-bas – impossible. » Pas question pour autant de renoncer.

La Russie lui manque et manque à Serguéï, qui dépose à l'ambassade soviétique à Paris une demande de citoyenneté soviétique. Il veut quitter Paris pour rentrer à Moscou, comme il le fit, enfant, en 1910, après la mort tragique de ses parents. La citoyenneté lui est refusée : un ancien garde blanc, un ennemi de la révolution, ne peut être rapatrié. Marina écrit à Anna Teskova, sa confidente pragoise avec qui elle reste en contact : « C'est cela même, la Russie : la démesure et l'intrépidité à aimer. Et si on a le mal du pays, ce n'est que pour la démesure des lieux : pour l'absence de frontière. » Elle a écrit sa nostalgie à son ami Valentin Boulgakov, ancien secrétaire de Léon Tolstoï : « Je ne peux pas vivre sans arbres. [...] Je voudrais de la grande nature... »

Sans cesse détournée de son travail par les occupations ménagères, elle fait toujours peser sur Ariadna, inscrite à l'École du Louvre, l'essentiel des tâches domestiques. Elle lui fait même tricoter des pulls et des écharpes qu'elle vend. Pas question pour Marina de chercher un travail ; cela nuirait à son œuvre. Le 31 août 1931, elle écrit à Anna Teskova : « Ou moi – ma vie, c'est-à-dire mon œuvre –, ou elle qui n'est encore rien, qui ne sera quelque chose que dans l'avenir. Et je suis déjà quelque chose et ne peux sacrifier mes poèmes. » En 1932, la situation financière de la famille, à Meudon, demeure dramatique. L'aide de Salomé, son amie journaliste, se fait plus incertaine. Tsvetaïeva rédige encore des essais théoriques sur l'art : *Le Poète et le Temps*, *L'Art à la lumière de la conscience*, puis, en 1933, des études sur les poètes russes contemporains (André Bély, *L'Esprit captif*).

Elle fait alors la connaissance de Natalie Clifford Barney, richissime femme du monde américaine, amante de Liane de Pougy et de Colette, qui a alors cinquante-sept ans et dont les « vendredis », au 20 de la rue Jacob, sont célèbres depuis vingt ans. Son livre, *Pensées d'une Amazone,* inspire à Marina *Mon frère féminin. Lettre à l'Amazone*, longue missive en français sur les rapports entre maternité et homosexualité féminine.

Puis survient un tournant radical dans la vie de la famille : en mars 1933, juste après l'arrivée au pouvoir d'Hitler en Allemagne, à la demande du maréchal Hindenburg, les autorités soviétiques à Paris approchent Sergueï ; alors qu'elles viennent de lui refuser un passe-port, elles lui proposent de travailler pour le régime en tant qu'agent du N.K.V.D. (les services secrets soviétiques) à Paris. Oh, pas grand-chose, rien de compromettant : juste raconter à l'ambassade ce qu'il entend dans les milieux russes de la capitale. Ce sera bien payé. Il accepte. Un organisme officiel, l'« Union de rapatriement », lui tient lieu de couverture. Progressivement, sa mission s'étend : recruter de nouveaux agents, surveiller Russes blancs et trotskistes.

Il organise en particulier la filature du troisième fils de Trotski, Lev Sedov, un des principaux collaborateurs de son père, alors âgé de vingt-sept ans. Exilé en Turquie en 1929, Lev a suivi en exil l'ancien chef de l'Armée rouge avant de partir pour Berlin où il a assumé la direction politique de la section allemande du mouvement, qui deviendra la IVe Internationale. Après la victoire de Hitler, il vient de quitter l'Alle-magne pour Paris, où il organisera un véritable contre-procès de Mos-cou, synthétisé dans *Le Livre rouge sur le procès de Moscou*.

Du jour au lendemain, le train de vie de la famille s'améliore ; en 1934, elle emménage dans un vrai appartement à Vanves ; Marina prend régulièrement des vacances et ne se plaint plus d'ennuis d'argent. Salomé, la journaliste, cesse de lui apporter son aide – peut-être à la demande de Marina, qui n'en a plus besoin. Elle relit ses lettres à Mark Vichniak, animateur de la principale revue politico-littéraire de l'émigration, *Sovremennye Zapiski,* qui paraît à Paris depuis 1920 et dont Nina Berberova, autre émigrée célèbre, dit qu'y être publié « représentait, dans l'émigration, une distinction honorifique ». Rédi-gées dix ans plus tôt, elle les traduit en français sous le titre *Neuf lettres avec une dixième retenue et une onzième reçue.* Mais elle ne trouve pas d'éditeur, ni en France, ni en Belgique. Elle rédige encore en français quelques textes autobiographiques, dont *Un incident de chevaux.*

Cette année-là, au premier congrès de l'Union des écrivains soviéti-ques, Jdanov fixe les normes du réalisme socialiste, dont Marina se sent si éloignée.

Alia, sa fille, aspire elle aussi à rentrer en Union soviétique, qu'elle a quittée enfant. Paris ne lui a rien apporté, pas même par ses études à l'École du Louvre. La jeune fille se rapproche de son père et participe à ses activités clandestines. Le 2 février 1935, après deux ans de conflit très violent avec sa mère, qu'elle adore pourtant, elle quitte l'appartement familial et s'installe seule.

À Paris, le 21 juin, un « congrès international pour la défense de la Culture » réunit un exceptionnel plateau d'écrivains et d'artistes antifascistes : André Malraux, André Gide, Romain Rolland, Henri Barbusse, Louis Aragon, Tristan Tzara, Paul Nizan, Julien Benda, Robert Musil, Aldous Huxley, Bertolt Brecht, Max Brod, Heinrich et Klaus Mann. Les Soviétiques n'ayant envoyé aucun auteur connu en Occident, Gide et Malraux transmettent à l'ambassade soviétique une invitation pour Isaac Babel, l'immense écrivain juif d'Odessa, qui vient de publier ses merveilleux *Contes*. Mais c'est Boris Pasternak (pourtant en dépression nerveuse, et qui se soigne alors dans un sanatorium) que le Kremlin dépêche à Paris.

Tsvetaïeva peut ainsi rencontrer enfin, le 25 juin, celui avec qui elle correspond depuis vingt ans. Immense déception : reçu à Vanves chez Marina, qui a maintenant les moyens de l'accueillir, devant Sergueï et Ariadna qui débordent d'enthousiasme pour l'Union soviétique, Pasternak ne dit mot, hormis des banalités pro-staliniennes. Marina est déçue. Elle ne devine pas les pressions auxquelles sont soumis les écrivains soviétiques et pense que c'est de son plein gré que Pasternak a renoncé à écrire de la poésie et fait désormais l'apologie des kolkhozes.

Trois jours après cette rencontre, le 28 juin 1935, Marina file se reposer, avec son fils Murr, sur la Côte d'Azur. Le 2 juillet, elle écrit à Anna Teskova à Prague : « La rencontre avec Pasternak (elle a eu lieu – et quelle non-rencontre). » Elle envoie à Marc Slonime un poème qu'elle vient d'écrire en français, *La Neige*, pour qu'il figure dans l'*Anthologie de la poésie soviétique (1918-1934)* alors à paraître chez Gallimard – elle le présente comme la traduction d'un poème antérieur. Elle élabore en août un texte magnifique sur les relations entre bonheur et révolution et sur le réalisme soviétique : « Célébrer les kolkhozes et les usines – c'est la même chose que célébrer l'amour heureux ? Je ne peux pas. »

Le 16 février 1936, elle écrit encore : « Il ne s'agit pas du tout de : vivre et écrire, mais de vivre-écrire – et écrire c'est vivre. Je veux dire que tout se réalise et même se vit (se comprend) dans le cahier seulement. » Elle ajoute, si lucide sur elle-même, cette phrase magnifique : « Elle n'existe pas, la vie qui aurait supporté ma présence. »

Elle compose alors aussi un texte très émouvant sur son père, mort en 1913, sous le titre *Mon père et son musée. Souvenirs sur Kouzmine.* Tout de la Russie lui manque.

Cette année-là, alors que s'ouvrent à Moscou les procès des « vieux bolcheviks » (Lev Kamenev, Grigori Zinoviev, etc.), elle tente encore de se faire publier en français. Elle traduit cinq poèmes de Pouchkine en vue des célébrations du centenaire de sa mort. Elle les propose à Valéry et à Gide. Mais Paulhan, rédacteur en chef de la *N.R.F.*, les refuse au motif « qu'elles ne donnent pas une idée du génie de Pouchkine ». Elle réussit à faire publier cette traduction en février 1937 dans le périodique des dominicains, *La Vie intellectuelle.*

En mars 1937, alors qu'elle travaille à une *Histoire de Sonetchka* (suite au décès de son amie Sonia Holliday), Ariadna est autorisée à rentrer en Russie. Sans son père. Sans sa mère. Elle n'hésite pas une seconde et prend le train pour Moscou, qu'elle a quitté quinze ans plus tôt, à l'âge de dix ans. Elle part contre l'avis de sa mère, mais avec l'assentiment paternel. Elle y arrive au moment du procès du maréchal Toukhatchevski et des officiers supérieurs de l'Armée rouge, accusés de collaboration avec l'Allemagne et de complot contre Staline. Elle ne donne aucune nouvelle…

Sergueï, lui, continue de travailler à Paris pour le N.K.V.D. et demande à rejoindre sa fille. Son travail n'est plus du tout de l'enfantillage : le 4 septembre 1937, Ignaz Poretsky, alias Ignace Reiss, alias Ludvig, agent du Komintern, qui a décidé de rompre avec le stalinisme, est retrouvé criblé de balles à Lausanne, route de Chamblandes. Tous les indices font remonter la police française à Sergueï Efron qui a recruté les dix participants à cette opération. Marina Tsvetaïeva, qui en ignore tout, est interrogée par les enquêteurs français et défend Sergueï. À sa grande amie du moment, Adriana Berg, elle écrit, dans son merveilleux style télégraphique : « C'est le plus loyal, le plus noble et le plus humain des hommes. – Mais sa bonne foi a pu être abusée. – La mienne en lui, jamais. […] Quant à moi : vous savez bien que je n'ai jamais rien fait (ce que savent du reste les gens de la Sûreté où nous avons été retenus, Murr et moi, une journée entière), et pas seulement du fait de mon incapacité totale, mais aussi en vertu de ma très profonde aversion pour la politique, qu'à de très rares exceptions près je considère tout entière comme de la boue. »

Les services soviétiques décident alors d'exfiltrer Efron au plus vite. Le 10 octobre 1937, après douze ans en France, l'ancien garde blanc embarque pour Leningrad, sans Marina, qui pourtant aurait souhaité l'accompagner. Elle reste seule en France avec son fils, sans autres ressources que l'aide soviétique.

En décembre, elle reçoit enfin un passeport soviétique, mais ne peut obtenir la promesse de partir qu'en se pliant d'abord aux instructions de l'ambassade : elle ne doit plus écrire dans la presse émigrée et elle logera aux adresses qu'on lui indiquera ; la date de son départ lui sera communiquée ultérieurement, si elle se conduit bien. Elle recevra des indemnités de l'ambassade. Elle accepte et attend toute l'année 1938, folle de solitude et d'angoisse, seule avec Murr dans une chambre d'hôtel du XVᵉ arrondissement ; sans nouvelles ni de son mari, ni de sa fille, suivant de près le procès à Moscou de Boukharine et de Rykov, qui seront bientôt exécutés ; puis les accords de Munich sur la Tchécoslovaquie, sa seconde patrie, où réside toujours sa meilleure amie. Elle écrit alors des poèmes dédiés à ce pays menacé puis dépecé : « Noir, ô mont qui étend Son ombre au monde entier !/Au Créateur : grand temps/De rendre mon billet./Refus d'être. De suivre/ Asile des non-sens :/Je refuse d'y vivre./Avec les loups régents/Des rues – hurler : refuse !/Quant aux requins des plaines – /Non ! Glisser : je refuse/Le long des dos en chaîne./Oreilles obstruées,/Et mes yeux voient confus./À ton monde insensé/Je ne dis que : refus. » Elle envoie ces vers au président tchèque avec cette dédicace : « Avec une foi inébranlable comme une citadelle. »

Le 3 septembre 1938, à Périgny, près de Paris, Trotski crée la IVᵉ Internationale avec vingt-cinq délégués représentant onze pays, quelques mois après que son fils, celui que surveillait Efron, est mort dans une clinique parisienne, sans doute à la suite d'une erreur médicale.

Début juin 1939, Marina reçoit enfin l'autorisation de rentrer à Moscou. Le 8, juste avant d'embarquer, elle hésite encore et écrit une lettre bouleversante à une amie, Anna Andrevna, qui part, elle, pour l'Amérique : « Dommage de partir. J'ai été heureuse ici. Je vous souhaite une bonne Amérique avec Sava... »

Sans prévenir personne – mais qui s'intéresse à eux ? –, Marina et son fils se rendent au Havre et embarquent à bord d'un cargo soviétique en route pour Leningrad. Voyage d'angoisse et d'espoir. Après une interminable attente dans le port, puis de nouvelles heures d'attente à la gare, Marina et Murr arrivent par le train à Moscou, le 18 juin 1939, dix-huit ans après en être partie.

À leur grande surprise, Ariadna (elle a alors vingt-sept ans), dont elle est sans nouvelles depuis plus de deux ans, les attend à la gare, accompagnée d'un « ami » qui travaille, dit-il, pour les éditions russes en langues étrangères (en fait, il est chargé au N.K.V.D. de surveiller les nouveaux arrivants). Sergueï n'est pas là : « Il est malade », lui dit-on. Marina ne réussit pas à récupérer ses valises de manuscrits, « retenues à la douane ».

Ils se retrouvent le 19 juin à Bolchevo, près de Moscou, où Sergueï est hébergé dans une « maison de vacances » réservée aux agents du N.K.V.D. rapatriés. Marina apprend alors l'arrestation et la déportation, deux ans auparavant, de sa sœur Anastasia, qui travaillait auprès de Gorki et qu'elle n'a pas revue depuis Meudon : disparue sans laisser de traces.

Souffrant de la promiscuité avec les autres agents et des corvées quotidiennes, Marina écrit peu et prend quelques notes – en français, par prudence. Dans un texte magnifique, elle évoque la terrible ambiance d'alors : « Le 18 juin [39], arrivée en Russie. Le 19 juin, à Bolchevo, rencontre avec Serioja [Sergueï Efron], malade. [...] Serrement progressif du cœur. [...] Énigmatique Alia, sa gaîté factice. [...] Ma solitude. Larmes et eau de vaisselle. (Tout cela noté pour me souvenir, et pour personne d'autre.) L'harmonique – la sous-harmonique de tout : l'angoisse. On nous promet une cloison – les jours passent ; une école pour Murr – les jours passent. [...] Une canicule que je ne remarque pas : ruisseaux de sueur et de larmes dans la cuvette pour la vaisselle. » Tout est dit.

La guerre approche. Le 21 août, Londres rejette la proposition soviétique d'un pacte politico-militaire d'assistance mutuelle. Le 1er juillet, les États-Unis font une déclaration de neutralité. Le 23 est signé le pacte germano-soviétique, auquel est annexé un protocole secret prévoyant le démembrement de la Pologne.

Le 27 août, Ariadna, alors en visite chez ses parents, est arrêtée par les agents du N.K.V.D. dont elle se croyait membre. Dans un texte pathétique, Marina raconte l'arrestation et pense au suicide : « Dans la nuit du 27, arrestation d'Alia. Elle part sans dire adieu. [...] Le commandant (un vieil homme, avec bonté) : C'est mieux comme ça. De longs adieux – ce sont des larmes inutiles. [...] Moi, tout le monde me trouve courageuse. [...] Personne ne voit – ne sait – que depuis un an déjà je cherche des yeux – un crochet, mais il n'y en a pas, parce qu'il y a l'électricité partout. Pas un seul lustre... Il y a un an que je prends les mesures – de la mort. [...] Finir sa vie – finir sa bouchée – D'amère absinthe – Que de vers évités ! Je ne note rien. Fini – *avec ça !* »

« Que de vers évités »...

Sa vie est finie, son œuvre n'est plus. Pour la première fois, elle doute de sa postérité. Le suicide la hante plus que jamais.

Ariadna (qui a pourtant aidé dix ans durant son père dans ses activités pro-soviétiques) est torturée pour lui faire avouer l'appartenance de son père aux services français. Elle signe des aveux le 27 septembre 1939 : « Ne voulant rien cacher à l'instruction, je dois informer que mon père Efron Sergueï Iakovlevitch et moi-même, nous sommes des agents des services secrets français. » Ariadna est condamnée à huit ans de « redressement ».

Le 10 octobre, Sergueï est à son tour arrêté. Marina l'apprend dix jours plus tard. Lui aussi est torturé, et avec lui sont arrêtés, le 27 novembre, ceux de ses amis russes blancs comme lui rapatriés de France. En décembre, sur les conseils du président de l'Union des écrivains, Alexandre Fadeev, Marina et son fils, sans nouvelles de Sergueï ni d'Alia, trouvent un asile provisoire dans une chambre d'un village de la banlieue de Moscou.

Elle demande de l'aide à Pasternak, mais il est en disgrâce à cause de ses positions « subjectivistes », et se dérobe. Elle écrit alors une longue lettre à Lavrenti Beria, chef du N.K.V.D. ; elle plaide : Sergueï Efron, explique-t-elle, est le fils d'une militante de gauche, elle-même est la fille d'un professeur émérite de l'université de Moscou. Naturellement, sa lettre reste sans réponse, mais elle est versée au dossier d'Efron.

Le 5 août 1940 commence la bataille d'Angleterre. En novembre, Hitler trace les plans de la future opération Barbarossa.

Marina travaille à un hommage à son mari. Elle cherche à condenser en quatre vers ce qu'elle éprouve pour lui. Son cahier de brouillon contient quarante versions de cette même strophe. Un rapport interne de la maison d'édition de Moscou à laquelle elle propose son recueil le décrit comme une « représentation hostile du monde dans lequel vit l'homme soviétique ». L'ouvrage n'est pas publié. Une pièce de plus à son dossier de police...

Le 22 juin 1941, l'armée allemande fait son entrée en Russie et progresse à vive allure vers Moscou, où l'on commence à craindre des bombardements. Les prisons soviétiques sont vidées ; les accusés, jugés et exécutés à grande vitesse, y compris les communistes allemands ayant fui Hitler ; des groupes d'écrivains sont évacués loin du front, au Tatarstan, république autonome au centre de la Russie. La plupart s'installent à Kazan, la capitale, d'autres à Tchistopol, dans le district de la Volga, à une centaine de kilomètres au sud-est.

Craignant pour son fils de seize ans, menacé d'être enrôlé dans la protection civile antiaérienne, Marina décide de partir et de prendre le bateau avec lui pour la république tatare.

Le 18 août 1941, elle débarque à Iélabouga, sur la rivière Kama, à quelque cent quatre-vingts kilomètres à l'est de Kazan. Elle loge chez des paysans et cherche du travail. En vain : partout sévit une misère absolue. Rien à manger. Chacun pour soi. Elle envoie une demande au fonds des écrivains (le *Litfond*) de la ville, qui ouvre une cantine pour les écrivains réfugiés. Elle écrit : « Au soviet du Litfond : je vous prie de m'accorder un emploi de plongeuse à la nouvelle cantine du Litfond. M. Tsvetaïeva. » C'est la première fois de sa vie qu'elle sollicite un emploi. Peine perdue : elle ne reçoit aucune réponse.

Elle touche vraiment le fond : elle n'est même pas jugée digne de laver la vaisselle des pisse-copies bolcheviques. Son mari, sa fille sont en prison. C'est fini.

Le dimanche 31 août, son fils et ses logeurs étant absents, elle rédige trois lettres d'adieu : la première « aux camarades qui trouveront [mon] corps » ; la seconde au poète officiel soviétique Nicolas Asseev, mari d'une de ses amies, évacué à Tchistopol pour lui confier son fils et ses manuscrits (il refusera ceux-ci comme celui-là) ; la troisième à son fils. Puis elle se pend.

Elle est enterrée, semble-t-il, au cimetière d'Iélabouga, mais nul n'a jamais pu retrouver sa tombe.

Le 16 octobre 1941, un mois et demi après la mort de sa femme, dont il n'a pas été informé, Sergueï Efron, qui affirme jusqu'au bout avoir été un agent pro-soviétique à l'étranger, est fusillé à Moscou. Murr part comme volontaire au front, où il disparaît (mort, semble-t-il, en Lettonie en 1944, à dix-neuf ans). Ariadna reste au Goulag jusqu'à la mort de Staline, en mars 1953. Elle est alors libérée, puis de nouveau arrêtée et déportée près du cercle polaire, et enfin libérée définitivement en 1955. À partir de ce moment, elle se consacre à rassembler les textes de sa mère, à les faire publier et connaître.

C'est seulement en 1968, grâce à Elsa Triolet, sœur de la compagne de Maïakovski, Lili Brik, que les premiers vers de Marina sont publiés en français. Sa traductrice, Ève Malleret, écrit à ce sujet : « Traduire

Maïakovski fut peut-être une préparation indispensable à la traduction des vers de Tsvetaïeva. En effet, au-delà des divergences idéologiques, ils sont frères en révolution poétique : vociférations, rythmes abrupts, extrémisme émotionnel. [...] Cependant, Tsvetaïeva conserve la strophe et le vers, tout en les dynamitant de l'intérieur par un jeu d'enjambements, de contre-accents, de tirets, etc., et, en même temps, la force sauvage du discours parlé reste dominante. C'est ce conflit qui la rend plus difficile à traduire que Maïakovski. »

En 1972, six de ses poèmes sont mis en musique par le grand musicien officiel du régime, Dimitri Chostakovitch (Opus 143 pour alto et piano en 1973, orchestré en 1974).

En 1975, à la mort d'Ariadna, les archives et les carnets de Marina sont déposés aux archives d'État de littérature et d'art de Moscou, incommunicables jusqu'en 2000. À cette date, la publication par Elena Korkina de ses bouleversants *Carnets*, où chaque mot est un poème, un cri, une larme, donne raison à ce que Marina écrivait si lucidement en 1913 dans sa jeunesse heureuse, déjà obsédée par le souci de laisser sa trace : « Éparpillés dans des librairies, gris de poussière,/Ni lus, ni cherchés, ni ouverts, ni vendus,/Mes poèmes seront dégustés comme les vins les plus rares/Quand ils seront vieux. »

BIBLIOGRAPHIE

EFRON, Ariadna, *Marina Tsvetaïeva, ma mère*, Paris, Éditions des Syrtes, 2008.

TROYAT, Henri, *Marina Tsvetaïeva, l'éternelle insurgée*, Paris, Grasset, 2001.

TSVETAÏEVA, Marina, *Tentative de jalousie et autres poèmes*, traduits et présentés par Ève Malleret, Paris, La Découverte, 1986.

TSVETAÏEVA, Marina, *Vivre dans le feu. Confessions*, présenté par Tzvetan Todorov, Paris, Robert Laffont, 2005.

Aux éditions Clémence Hiver-Sauve : *Indices terrestres, Mon Pouchkine, Nathalie Gontcharova, Histoire de Sonetchka, De vie à vie, Neuf lettres avec une dixième retenue & une onzième reçue, Lettres à Anna Teskova, Quinze lettres à Boris Pasternak, Une aventure, le Phénix, Le*

Gars, Averse de lumière, Lettres de la montagne & lettres de la fin, Les Flagellantes.

Aux éditions L'Âge d'homme : *Le Diable et autres récits* (1979), *Ariane* (1979), *Poème de la montagne – Poème de la fin* (1984).

Chez d'autres éditeurs : *Le Ciel brûle* (Les Cahiers des brisants, 1987) ; *Lettres d'exil* (correspondance avec Boris Pasternak) (Albin Michel, 1988) ; *Mon frère féminin* (Mercure de France, 1979) ; *L'art à la lumière de la conscience* (Le Temps qu'il fait, 1987) ; *Histoire d'une dédicace* (Le Temps qu'il fait, 1989) ; *Phèdre* (Actes Sud, 1991) ; *Des poètes – Maïakovski, Pasternak, Kouzmine, Volochine* (Des femmes, 1992) ; *Le Gars* (Des femmes, 1992) ; *L'Offense lyrique et autres poèmes* (Éditions Farrago, 2004) ; *Vivre dans le feu* (Robert Laffont, 2005) ; *Cet été-là – Correspondance 1928-1933* (Les Syrtes, 2005) ; *Souvenirs* (Anatolia, Éditions du Rocher, 2006) ; *Le Ciel brûle*, suivi de *Tentative de jalousie* (Poésie/Gallimard, 1999) ; *Correspondance à trois* (Rainer Maria Rilke – Boris Pasternak – Marina Tsvetaïeva) (Gallimard, 2003) ; *Les Carnets*, Éditions des Syrtes (2008).

22

Richard Strauss
(1864-1949)
ou les métamorphoses de l'absolu

Le premier musicien classique à avoir fait irruption dans ma vie fut Frédéric Chopin. J'ai alors voulu tout connaître de la plus rare de ses mazurkas, de ses œuvres de musique de chambre (mais oui, il en existe !), de sa vie et de ses amours tumultueuses, de son art et de ses manies. Depuis lors, chaque fois qu'un autre musicien m'attire (je ne crois pas, comme disent certaines théories, qu'on n'aime jamais que ceux entendus dans son enfance), le même appétit de savoir encyclopédique s'empare de moi. Ce fut d'abord le cas pour Mozart, évidemment, puis pour Schubert, pour Bellini, aux trajectoires heureusement brèves. Puis vinrent Bach et Mahler. Et, dans un tout autre genre, Jimi Hendrix et Bob Marley. Depuis peu, c'est Richard Strauss, non seulement parce que sa musique, à laquelle j'ai longtemps tenu tête, m'a subjugué, un soir qu'entraîné par un ami j'ai reçu comme un choc *Les Métamorphoses*, une de ses toutes dernières œuvres ; mais aussi parce que je me suis alors souvenu de chocs antérieurs : un fabuleux *Elektra* à Stockholm, plusieurs inoubliables *Chevalier à la rose* à Paris, New York et Londres, sans compter des lieder entendus dans la cathédrale-mosquée de Cordoue et sur lesquels je travaille maintenant pour les diriger en concert.

Si je me suis particulièrement intéressé à sa vie, c'est aussi pour une double raison : parce que le métier de chef d'orchestre, qu'il n'a cessé d'exercer, me fascine plus que tout autre ; mais surtout parce que son destin m'offrait une occasion unique de réfléchir à l'une des plus grandes énigmes de l'être humain : son aptitude à se comporter de manière parfaitement civilisée, sans se révolter contre la barbarie environnante, voire, parfois, en se mettant à son service. Car nombreux, à travers l'Histoire, furent les très grands artistes qui, comme lui, servirent sans état d'âme des tyrans et leur régime. Leurs vies nous rappellent que le beau ne se confond pas avec le bon. Ni avec le vrai.

Désigné en 1908 par Romain Rolland, alors professeur d'histoire de la musique et d'histoire de l'art, comme « le héros de l'Allemagne actuelle », Strauss a vécu impassiblement la fin de l'art figuratif, l'avènement de la psychanalyse, la remise en cause de l'architecture par le Bauhaus, l'avènement de la musique sérielle. Contemporain tout à la fois de Brahms et de Boulez, il l'est aussi du Deuxième Reich, de la République de Weimar, puis du Troisième Reich pour lequel il composa et interpréta l'hymne des Jeux olympiques de Berlin, entre bien d'autres œuvres de propagande, tout en écrivant aussi, au milieu de l'enfer, quelques-unes des plus belles pages de l'histoire de la musique, sans s'étonner ni se rebeller, se bornant à tenter de faire libérer quelques Juifs devenus ses parents par alliance, et ne demandant qu'une chose : qu'on le laisse composer et diriger son œuvre.

Plus engagés, d'autres artistes de cette époque se sont certes révélés plus coupables que lui. Mais aucun n'est plus grand et aucun n'a donc, plus que lui, légitimé le monstre par sa seule présence en son sein.

Richard Strauss naît le 11 juin 1864 à Munich au moment même où Louis II y devient roi. Son père, Franz Strauss, est un musicien de très haut niveau, premier corniste de l'orchestre royal de l'Opéra de Munich. Sa mère est issue d'une grande famille de brasseurs bavarois, les Pschorr. Pendant son enfance riche et heureuse, l'unité allemande s'organise. En 1866, la Bavière s'allie à l'Autriche contre la Prusse dans une guerre qui se conclut par la victoire de Berlin ; la paix de Prague fonde, sous l'égide de la Prusse, une confédération de l'Allemagne du Nord qui se substitue à l'ancienne confédération germanique ; les États du Sud, dont la Bavière, n'en font pas partie, mais se résignent à l'hégémonie prussienne sur le monde germanique.

À cette époque, Verdi compose son majestueux *Don Carlos*, et Brahms son sublime *Requiem allemand*.

En 1870, la France de Napoléon III déclare la guerre à la Prusse, qui l'emporte à Sedan, assiège Paris et défait le Second Empire. À

Versailles, l'année suivante, dans la galerie des Glaces, Bismarck fait proclamer Guillaume empereur d'Allemagne. La Bavière est alors intégrée à l'Empire allemand.

En 1873, Richard Wagner s'installe à Bayreuth et y fait construire le Festspielhaus pour y faire représenter ses œuvres.

Le jeune Richard Strauss étudie les classiques, pour devenir musicien, comme son père. Sa préférence va à Mozart plutôt qu'à Beethoven, très à la mode à l'époque, et aux premiers romantiques, de Schumann à Mendelssohn, alors bien oubliés.

En 1875, alors que naissent, parmi ceux qu'il fréquentera, Hugo von Hofmannsthal, Arnold Schönberg, Thomas Mann et Rainer Maria Rilke, Richard, qui a onze ans, travaille l'harmonie, le contrepoint et la fugue. Dans ses classes, on débat du conflit esthétique qui oppose alors Brahms (et les autres tenants de la musique dite « pure », dont un très influent critique viennois, Eduard Hanslick) à Liszt (et aux autres tenants de la musique dite « à programme », c'est-à-dire racontant une histoire, dont Wagner). À la grande fureur de son père, Richard aime la « musique à programme », que les artistes allemands se doivent pourtant de détester.

Strauss a douze ans quand il compose sa première œuvre, très imprégnée du mouvement romantique qu'aime à interpréter son père. L'année suivante, au moment où le congrès de Berlin consacre la nouvelle hégémonie allemande sur l'Europe en organisant le début du démantèlement de l'Empire ottoman, l'adolescent compose un quatuor à cordes, une sonate pour piano, puis une symphonie en ré mineur créée en 1881 (il a alors dix-sept ans) par l'orchestre de l'Opéra de Munich avec, à sa tête, le très grand chef Hermann Levi en personne, et son père parmi les interprètes. On ne peut plus fier, celui-ci va répétant à tout le monde que son fils, très doué, sera compositeur. *Grand* compositeur ? Difficile à dire : c'est un art que nul ne peut exercer s'il n'est exceptionnel : à la différence de l'interprète, le compositeur se doit de rivaliser avec l'immense répertoire accumulé jusqu'à lui depuis des siècles.

Le 26 juillet 1882 (il a dix-huit ans et continue d'apprendre à composer), son père l'emmène à Bayreuth, où se tient le second festival, après celui de 1876 : le lieu est déjà très couru, mais l'argent fait défaut. Les Strauss assistent à la création de *Parsifal* sous la direction d'Hermann Levi : un juif à la direction d'une œuvre de Wagner, à Bayreuth, à la demande de Wagner lui-même !

Son père n'apprécie pas Wagner : trop de « programme » à son goût. Pendant la représentation, Levi est victime d'un malaise et est remplacé au pied levé par le compositeur en personne. Dans la salle, le jeune homme a du mal à cacher à son père combien il est séduit par l'œuvre.

Après avoir très vite interrompu des études de droit, Richard Strauss a dix-neuf ans quand Hans von Bülow (pianiste, compositeur et premier mari de la fille de Liszt, laquelle l'a quitté pour épouser Wagner), alors chef d'un excellent orchestre à Meiningen, petite ville sise sur la rivière Werra, au sud de la Thuringe, l'invite à venir y diriger lui-même sa propre *Suite pour treize instruments à vent* (op. 4). Strauss n'a alors reçu aucune formation à la direction d'orchestre, mais il trouve d'emblée le contact avec les musiciens, qui apprécient sa réelle connaissance des instruments et son sens éminent de la couleur musicale. Telle est bien la clé du métier de chef : s'imposer par sa connaissance technique des instruments, par son ascendant et sa capacité à créer une matière sonore avec une collection de talents individuels. Instruit par son père, Strauss révèle un sens inné de la conduite d'orchestre, de la façon de séduire les chefs de pupitre qu'il choisira toujours comme solistes.

En 1885, il a vingt et un ans quand von Bülow le prend pour assistant. Il se lie alors d'amitié avec le premier violon de l'orchestre, Alexandre Ritter, qui lui fait découvrir de nouvelles formes musicales, tel le poème symphonique. Strauss dira plus tard : « C'est Ritter qui a fait de moi un musicien de l'avenir. » Le même Ritter créera, comme soliste, un très grand nombre de ses œuvres.

En 1886, alors que Louis II de Bavière est déclaré fou et renversé par son oncle, von Bülow est nommé à la tête du nouvel orchestre philharmonique de Berlin. De son côté, Strauss entame une carrière de chef d'orchestre titulaire à Munich. L'année suivante, il rencontre à Leipzig Gustav Mahler, comme lui jeune chef d'orchestre. Mahler est alors célèbre et sans attaches, à la différence de Strauss : « Je suis trois fois apatride : comme natif de Bohême en Autriche, comme Autrichien en Allemagne, comme Juif dans le monde entier. »

L'Allemagne rivalise alors avec la Grande-Bretagne et les États-Unis pour devenir la première puissance économique du monde, et les villes allemandes consacrent des sommes croissantes à leurs orchestres symphoniques, symboles de rayonnement et de puissance, nécessaires pour attirer les professeurs, les ingénieurs et les usines.

Même s'il est presque quotidiennement au pupitre, Strauss compose des lieder et des poèmes symphoniques : *Aus Italien* (1886), *Don Juan* (1888), *Mort et Transfiguration* (1888). En 1889, il est nommé à la direction de l'orchestre de Weimar, où il dirige des opéras de Wagner, et à Bayreuth, où il dirige à vingt-huit ans – consécration suprême, pour un chef – *Tannhäuser*. Sa prédilection pour les voix de femmes l'incite à écrire à son tour pour l'opéra. C'est d'abord *Guntram*, en 1893 : son premier échec, en partie dû au livret. Il n'en est pas affecté. Il est, déjà, impassible. Cette année-là meurt Tchaïkovski, qui détestait Strauss : « Une si étonnante absence de talent n'est jamais allée de pair avec une telle prétention. »

Tout change pour lui en 1894 : il épouse Pauline de Ahna, une soprano de trente ans, rencontrée lors d'une répétition de *Tannhäuser* à Weimar. L'opéra s'ouvre à lui. Il revient comme chef à Munich en 1894, y compose deux autres poèmes symphoniques : *Till Eulenspiegel* en 1894, et *Also sprach Zarathustra* en 1895. Chacun de ses poèmes symphoniques raconte une histoire, exploite tous les registres et tous les alliages de timbres possibles. Il est alors profondément influencé par Berlioz (dont il publie une version révisée du *Traité d'orchestration*) et par Wagner, dont l'œuvre l'habite.

En 1897, alors que Paul Dukas compose un des sommets de la musique « à programme », *L'Apprenti sorcier*, scherzo habilement orchestré inspiré par le poème *Der Zauberlehrling* de Goethe, Strauss réfléchit à un nouvel opéra. Mais il lui faut un librettiste, et un bon, cette fois. La même année, alors que Mahler se convertit au catholicisme pour pouvoir devenir directeur artistique du prestigieux Opéra de Vienne, Strauss rencontre Hugo von Hofmannsthal. Ce poète autrichien de vingt-six ans, fils d'une famille d'aristocrates ruinés, diplômé de langues romanes, est influencé par les écrits de Nietzsche et, plus tard, de Freud, et passionné de thèmes antiques. Ils décident de travailler ensemble. Hugo propose le thème de Salomé, princesse biblique qui tente en vain de séduire le prophète Jean-Baptiste qu'Hérode, mari de sa mère Hérodiade, a fait emprisonner ; rendue furieuse par son refus, elle danse devant son beau-père qui lui accorde la tête du prophète. Strauss est passionné par le sujet, même si, comme il l'écrira un peu plus tard à Romain Rolland, le prophète ne lui inspire que de l'antipathie : il n'aime guère les fanatiques.

Le voici désormais devenu explicitement un musicien « à programme ». Mahler le souligne bien, cette année-là, dans une lettre à un autre futur grand chef allemand, Bruno Walter, alors son adjoint à l'Opéra de Hambourg : « Ma musique réalise un programme de par son élucidation finale, tandis que le programme de Strauss est donné dès le départ comme une tâche à accomplir. »

Cette même année, Strauss compose *Don Quichotte*, puis *Une vie de héros*, ainsi que des lieder (opus 27 à 49). En 1898, consécration majeure, il est nommé chef de l'orchestre philarmonique de Berlin après la mort de von Bülow lors d'une tournée au Caire. C'est la consécration à trente-quatre ans.

Tout en dirigeant à travers toute l'Allemagne, il travaille à *Salomé*. Plus proche de Mozart que de Wagner, il se découvre un instinct sûr de la dramaturgie, qui lui fait éviter les longueurs. Pour lui, toute forme musicale, y compris les pages purement symphoniques, doit avoir sa raison d'être sur le plan théâtral. Chaque personnage doit être doté d'une texture sonore spécifique et d'un thème (leitmotiv) qui lui soit propre et l'accompagnera tout au long de l'œuvre. Sa compréhension de la voix, particulièrement féminine, trouve son accomplissement dans l'air final, où Salomé chante et danse longuement après la mort du prophète.

Cependant que Mahler théorise, Strauss recherche le succès. Mahler le lui reproche en privé sans pour autant le dénoncer publiquement. En 1901, convaincu que la musique de Strauss ne peut plus innover, il écrit à sa femme Alma : « J'ai eu une conversation très sincère avec Strauss, dans laquelle j'ai tenté de lui montré le cul-de-sac où il se trouve. Malheureusement, il ne m'a pas vraiment compris. C'est un si cher collègue, et il prend une très touchante attitude envers moi. Mais alors que j'ai de lui une vue claire, tout ce qu'il peut voir de moi est le piédestal sur lequel je me tiens – il ne peut, de fait, rien attendre de moi. » Les deux hommes restent cependant extrêmement proches, chacun dirigeant volontiers la musique de l'autre.

1902 voit l'un des sommets de la musique « à programme » : Debussy crée *Pelléas et Mélisande*, avec Maeterlinck pour librettiste, à l'Opéra-Comique de Paris sous la direction d'André Messager. Audace largement incomprise. Strauss en dira : « Il n'y a rien... pas de musique... Cela ne se sait pas... Ce n'est rien, rien du tout. »

En 1904, après une *Sinfonia Domestica* donnée à Dresde (foyer de l'expressionnisme allemand, avec la fondation de la société artistique Die Brücke) sous la direction de Mahler, Strauss dirige les deux premières symphonies de ce dernier.

En 1905, Strauss crée enfin sa *Salomé*. C'est un éclatant succès. Pendant ce temps, Mahler, en butte à des attaques antisémites partout en Allemagne et en Autriche, se voit offrir de diriger l'orchestre du Metropolitan Opera de New York. Il décide d'accepter.

Strauss reste étranger aux bouleversements que connaît alors la musique : il ignore en particulier Webern, qui compose à Vienne, en 1908, sa *Passacaille*, à la tonalité élargie. La même année, Schönberg compose une audacieuse partie pour soprano dans son quatuor à cordes n° 2. Prémonition d'un siècle dissonant. Strauss dit alors de Schönberg : « La seule personne qui puisse encore l'aider, c'est un psychiatre. » Exemple typique de la violence des musiciens entre eux.

Cette année-là, Mahler part pour l'Opéra de New York, d'où il est finalement écarté au profit d'Arturo Toscanini, avant de revenir l'année suivante outre-Atlantique pour y diriger l'orchestre philarmonique de la ville.

En 1909, année où les Ballets russes de Serge Diaghilev s'installent à Paris avec les meilleurs éléments du théâtre Mariinsky de Saint-Pétersbourg, dont Nijinski et Anna Pavlova, Strauss écrit un nouvel opéra, toujours avec le concours de Hugo von Hofmannsthal : c'est *Elektra*, d'après *L'Orestie* d'Eschyle et l'*Électre* de Sophocle, qui évoque le retour à Mycènes d'Oreste, vengeur d'Agamemnon. Encore en 1910, c'est *Le Chevalier à la rose*, la plus sublime incarnation des ambiguïtés de l'amour, qu'il crée à Dresde en 1911 avec un immense succès. Comment un homme aussi placide, à la vie si rangée, peut-il produire un tel chef-d'œuvre – qui atteint, pour moi, un sommet absolu avec le trio final ? Mystère insondable d'une vie intérieure apparemment inaccessible...

Cette année-là, Mahler meurt à Vienne, laissant inachevée sa dixième symphonie. Strauss assiste à ses obsèques solennelles.

Il prend alors une certaine distance avec lui-même et s'aventure dans des programmes de plus en plus complexes, comme pour suivre à titre posthume les incitations à l'audace que lui prodiguait Mahler. Il se met à écrire *Ariane à Naxos*, jeu de miroirs sur le travail de création, opéra dans l'opéra, dans lequel on voit un commanditaire mélanger un divertissement confié à une bande de saltimbanques à une œuvre inspirée de la légende d'Ariane (abandonnée par Thésée sur l'île de Dia après qu'il s'est servi d'elle pour fuir le Minotaure). En 1912, la création à Stuttgart est un échec. Debussy (qui, à mon goût, sait parfois si bien, comme Wagner, rendre l'opéra ennuyeux) osera dire : « Richard Strauss n'est qu'un Wagner exaspéré. »

Strauss, impassible, retravaille son œuvre, coupe, simplifie.

Le 29 mai 1913, *le Sacre du printemps* de Stravinski, chorégraphié par Nijinski, avec Pierre Monteux à la direction, provoque à Paris un véritable scandale. La musique est d'une audace folle. Tout en dissonance, utilisant les instruments à tout autre chose que leurs fonctions prévues. Stravinski décrit ainsi cette soirée : « [J'ai] quitté la salle dès les premières mesures du prélude, qui tout de suite soulevèrent des rires et des moqueries. J'en fus révolté. Ces manifestations, d'abord isolées, devinrent bientôt générales et, provoquant d'autre part des contre-manifestations, se transformèrent très vite en un vacarme épouvantable... »

En 1914, Richard Strauss a cinquante ans ; sa fortune est faite ; il se fait construire une maison d'été à Garmisch, près de Munich, sa ville natale ; il a derrière lui des triomphes comme ceux de ses poèmes symphoniques, genre auquel il ne reviendra plus, des succès de scandale (*Salomé*, *Le Chevalier à la rose*, *Elektra*), des échecs, comme *Ariane à Naxos*. Le Kaiser, venu l'entendre à des dizaines de reprises, le considère comme « un ange du diable ».

La Grande Guerre commencée, Strauss continue à composer et à diriger : il écrit une *Symphonie alpestre* en 1915, crée une nouvelle version d'*Ariane à Naxos* en 1916 à Vienne, compose en 1917 *La Femme sans ombre*, à nouveau sur un livret de Hofmannsthal (l'épouse de l'Empereur, fille du Roi des Esprits, n'a pas d'ombre, signe de stérilité ; l'œuvre a pour thème sous-jacent la compassion).

La guerre ne lui coûte rien, si ce n'est qu'une mince partie de sa fortune, placée dans une banque anglaise, se trouve confisquée à Londres.

Cependant que l'Autriche, en 1917, est au bord de l'effondrement militaire, le festival de Salzbourg est inauguré sur une idée de Hofmannsthal (« Que Mozart ait, comme Wagner, sa maison d'été ! »), avec Strauss à la direction d'orchestre. La même année, celui-ci effectue son premier enregistrement sur gramophone en dirigeant lui-même son *Till l'Espiègle*, puis sa *Symphonie alpestre*. Il s'abstient d'enregistrer son *Don Quichotte*, car l'œuvre comporte un solo de violoncelle et un autre d'alto encore trop difficiles à capturer par l'enregistrement.

En novembre 1918, la défaite, l'abdication de l'empereur d'Autriche et de Guillaume II, la proclamation de la République en Allemagne et à Vienne, n'altèrent en rien sa vie ni son emploi du temps. En 1919, alors qu'il est depuis vingt ans chef titulaire de l'Opéra royal de Berlin, il est nommé à la tête de l'Opéra de la capitale de la nouvelle République autrichienne.

Imperturbable, pendant dix ans, tandis que l'Allemagne traverse une guerre civile, que des dirigeants comme Rathenau sont assassinés, que des milliers de ses compatriotes meurent sous les balles des corps francs et de la police, que l'inflation ruine et affame les autres, Richard Strauss continue de diriger et de composer à Vienne, en Allemagne et ailleurs en Europe.

En 1922 et 1923, il élabore lui-même un livret pour un opéra, *Intermezzo*, comédie bourgeoise inspirée par son propre couple : « petit opéra conjugal » en deux actes avec des interludes symphoniques. Quand on lui demande pourquoi il s'est aventuré dans un opéra autobiographique, il répond, mi-plaisant, mi-sérieux : « Je ne vois pas pourquoi je mettrais Jules César ou Alexandre en musique. Je me trouve bien plus intéressant ! »

Alors qu'en Autriche comme en Allemagne commence à monter en puissance le mouvement nazi et que la situation de la classe ouvrière devient intolérable, Strauss travaille à un nouvel opéra, toujours avec Hugo von Hofmannsthal : *Arabella*, comédie lyrique en trois actes. L'œuvre décrit une Vienne décadente dans laquelle les aristocrates déclassés courent après l'argent ; le comte Waldner, aristocrate désargenté, ayant ruiné sa famille au jeu, garde pour seul espoir de marier brillamment sa fille aînée, Arabella... Mais Hofmannsthal s'éteint le 15 juillet 1929 à soixante ans, à Rodaun, près de Vienne, juste après avoir achevé le livret d'*Arabella*, créée en 1931. On dénombre alors six millions de chômeurs en Allemagne. La crise étend son emprise sur le monde.

Strauss cherche un nouveau librettiste. Il pense à Stefan Zweig, que lui avait présenté Romain Rolland et qui vient de publier un roman, *Vingt-quatre heures dans la vie d'une femme*, et une biographie de Joseph Fouché. Zweig rend compte avec finesse de leur rencontre dans un ouvrage magnifique publié beaucoup plus tard, *Le Monde d'hier, souvenirs d'un Européen* : « Après la mort de Hofmannsthal, il [Strauss] m'avait fait dire par mon éditeur qu'il souhaitait se mettre à un nouvel ouvrage et me demandait si j'étais disposé à lui écrire un livret d'opéra. Je fus très sensible à l'honneur qu'il me faisait. »

Zweig accepte et propose à Strauss de rédiger pour lui un livret inspiré d'une pièce d'un contemporain de Shakespeare, Ben Jonson, l'auteur de *Volpone* : il s'agit de *La Femme silencieuse*, qui raconte l'histoire d'un misanthrope détestant les femmes et amoureux du silence, qui tombe amoureux d'une belle taciturne. L'écrivain racontera ainsi l'épisode : « Je proposai à Strauss, dès notre première rencontre, le thème de *The Silent Woman*, de Ben Jonson, et ce fut pour moi une agréable surprise de constater avec quelle promptitude, avec quelle clarté de vues Strauss se rallia à toutes mes propositions. Jamais je n'aurais soupçonné chez lui une aussi rapide compréhension des choses, une aussi étonnante connaissance de l'art dramatique. Alors même qu'on était en train de lui exposer un sujet, il l'arrangeait déjà en drame et – ce qui était plus étonnant encore – il l'adaptait aux limites de ses propres moyens, qu'il jugeait avec une clarté presque inquiétante. J'ai rencontré dans ma vie beaucoup de grands artistes, mais jamais un seul qui sût conserver son objectivité vis-à-vis de lui-même d'une manière si détachée et infaillible. [...] Il jugeait sa musique aussi impartialement que s'il l'entendait pour la première fois et qu'elle eût été écrite par un parfait étranger, et ce sentiment étonnant de sa propre mesure ne le quittait jamais. Il savait toujours exactement ce qu'il était et ce qu'il pouvait. Ce que valaient les autres en comparaison de lui ne l'intéressait guère, et tout aussi peu ce qu'il représentait pour autrui. Ce qui le réjouissait, c'était le travail en soi. »

Mais le travail en commun est vite interrompu par l'accession de Hitler au pouvoir en janvier 1933 : Zweig est juif et n'a plus le droit de travailler en Allemagne. L'écrivain raconte : « Quelques semaines après, il fut strictement interdit aux scènes allemandes de représenter des œuvres d'auteurs non aryens, ou auxquelles un Juif aurait simplement collaboré ; la grande proscription s'étendit jusqu'aux morts et, au grand chagrin de tous les amis de la musique du monde entier, on enleva la statue de Mendelssohn de devant le Gewandhaus de Leipzig. »

Richard Strauss a alors soixante-huit ans. Il n'a nul besoin de rien. Il pourrait partir, quitter l'Allemagne, comme tant d'autres le font. Il reste. Sans doute par confort. Mais aussi parce que rien, dans le nazisme, ne le choque. Peut-être pense-t-il par ailleurs protéger ainsi la femme, juive, de son fils, ainsi que sa belle-famille, alors même qu'il aurait pu s'exiler en les emmenant tous. Il accepte sans hésiter la proposition qui lui est faite d'assurer les fonctions de président de la Reichsmusikkammer du Reich. La nomination de ce musicien mondialement adulé et respecté fournit un extraordinaire certificat d'honorabilité au régime. Zweig rapporte ainsi la façon dont Strauss lui annonce son acceptation : « Puisque cette chambre réclamait un président, autant que ce fût moi qui remplisse cette fonction. N'étais-je pas le premier musicien d'Allemagne ? » Et l'écrivain ajoute : « Hitler […] l'honorait de façon démonstrative ; tous les soirs de festivités à Berchtesgaden, on ne donnait guère, en dehors de Wagner, que des lieder de Strauss... »

Zweig étant juif, on ne peut créer *La Femme silencieuse* à Dresde, comme prévu. Strauss est furieux, mais ne stigmatise pas la mesure dans son principe. Non seulement il ne part pas, mais il insiste simplement pour faire jouer son œuvre. Hitler le convoque et lui propose un compromis. Zweig raconte : « Hitler lui communiqua en personne que bien que cette représentation fût contraire à toutes les lois du nouveau Reich allemand, il l'autorisait à titre exceptionnel – décision qui fut vraisemblablement prise avec autant de mauvaise volonté et d'insincérité que celle de signer le pacte avec Staline et Molotov... »

Strauss obtient même que le nom de Zweig figure sur le programme. Ni Hitler ni aucun dirigeant nazi n'assistent à la représentation. « L'opéra obtint un très grand succès et je dois observer, à la louange des critiques musicaux, que les neuf dixièmes d'entre eux profitèrent avec enthousiasme de cette bonne occasion pour manifester encore une fois, une dernière fois, leur résistance intime au point de vue raciste en s'exprimant en termes on ne peut plus aimables sur mon livret. Tous les théâtres d'Allemagne, ceux de Berlin, Hambourg, Francfort, Munich, annoncèrent aussitôt la représentation de l'opéra pour la saison suivante. Soudain, après la seconde représentation, un éclair tomba du haut des cieux : tout fut annulé, l'opéra interdit du jour au lendemain à Dresde et dans toute l'Allemagne... »

Strauss entend pourtant continuer de travailler avec Zweig : « J'aurais admis comme tout naturel, écrit Zweig, le fait que Richard Strauss interrompît notre travail ; au lieu de cela, il m'écrivit lettre sur lettre, me demandant quelle mouche me piquait : je devais préparer le livret du suivant. »

Mais c'est devenu impossible et, en 1934, Zweig quitte l'Allemagne pour s'installer à Bath, près de Londres, après avoir recommandé à Strauss, comme librettiste, un certain Joseph Gregor, grand érudit et médiocre écrivain autrichien. Strauss, lui, reste en Allemagne avec les siens. Rien, pense-t-il, ne saurait l'inquiéter.

Puis, en juillet 1935, raconte Zweig, « on lut avec stupéfaction que Richard Strauss avait présenté sa démission de la Chambre de musique du Reich. Chacun sut qu'il devait s'être passé quelque chose de particulier. Mais il s'écoula quelque temps avant que j'apprisse la vérité. Strauss m'avait écrit une nouvelle lettre dans laquelle il me pressait de me mettre au livret d'un nouvel opéra, et où il s'expliquait avec trop de franchise sur sa position personnelle. Cette lettre était tombée entre les mains de la Gestapo ».

En effet, le 17 juin, Strauss avait écrit à Zweig : « Vous croyez vraiment que je suis à quelque moment que ce soit guidé par le fait que je serais "allemand" ? Et vous croyez que Mozart était conscient d'être un "Aryen", lorsqu'il écrivait ? Je ne connais que deux catégories de gens : ceux qui ont du talent et ceux qui n'en ont pas. » Tout Strauss est là.

Cette année-là, Strauss n'en dédie pas moins des mélodies à Goebbels, lui offre un manuscrit d'opéra pour son anniversaire de mariage, reçoit commande d'un hymne pour les Jeux olympiques qui vont se tenir en 1936 à Berlin. S'il accepte de le composer, c'est parce qu'il estime évidemment être le meilleur. Réprobateur, le grand chef italien Arturo Toscanini, réfugié aux États-Unis, déclare : « Je soulève mon chapeau devant le compositeur Richard Strauss. Je le remets devant l'homme. »

En 1937, Strauss compose *Daphné* et, en 1938, avec Joseph Gregor, *Friedenstag*, qui se veut un hymne à la paix. Pourtant, il critique sans cesse ce dernier, auquel il reproche d'être plus didactique que dramatique. Il demande à Zweig de tout réécrire depuis Londres. Puis il refuse d'écrire avec le même Gregor la *Sémiramis* sur laquelle il avait rêvé de travailler avec Zweig.

En 1938, sa belle-fille Alice, juive, est assignée à résidence chez lui, à Garmisch. Strauss intervient auprès de Berlin pour lui faire rendre sa liberté de mouvement, ainsi qu'à ses enfants. Pour autant, il ne tente pas de leur faire quitter le pays, ce qu'il aurait pu faire. Il se sent bien chez lui, dans le Reich. Sa famille, par définition, ne risque rien non plus, pense-t-il.

La guerre déclarée, Strauss se met à l'abri avec les siens dans sa villa de Garmisch-Gartenkirchen, relisant Goethe, écrivant sur Mozart et Haydn, composant pour de petites formations à cordes, un opéra (*L'Amour de Danaé* en 1940 : c'est sa dernière collaboration avec Gregor), et même des musiques à vocation politique : une *Musique festive japonaise* accompagne, le 27 septembre 1940, le pacte germano-nippon.

Son œuvre reste jouée dans le camp d'en face : en 1941, à New York, Eugène Ormandy enregistre *Don Quichotte* à la tête du célèbre orchestre de Philadelphie, cependant que lui-même le grave avec l'orchestre de Munich pour Deutsche Grammophon.

En 1941, la mère et les frères d'Alice sont arrêtés. Il apprend qu'ils ont été expédiés dans le camp de concentration de Theresienstadt, en Tchécoslovaquie. Il s'y rend en voiture pour tenter de les faire libérer. Peine perdue...

Cette année-là, avec Clemens Krauss, chef d'orchestre viennois et son ami intime, il écrit *Capriccio*, ouvrage quasi théorique sur les rapports entre paroles et musique, créé à Munich en 1942 au moment même où, au bord du lac Wannsee, quartier de Berlin, se déroule une réunion organisant la mise en œuvre de la « Solution finale ».

Peu avant que Stefan Zweig se suicide au Brésil, Strauss réussit à faire rapatrier Alice et ses enfants, accompagnés de son fils, en Autriche, sous la protection de son ami Baldur von Schirach, alors gauleiter de Vienne.

En 1943, il est bouleversé par la destruction par les bombes alliées du théâtre de Munich où jouait jadis son père. L'événement compte plus pour lui que les millions de morts que la guerre a déjà causés.

En 1944, le fils de Strauss et sa femme Alice sont arrêtés, puis libérés à nouveau grâce à lui. Il les fait alors se terrer dans sa maison de Garmisch où il est lui-même réfugié.

Cette année-là, il répond à une commande du chef d'orchestre suisse Paul Sacher (époux d'une milliardaire héritière du groupe pharmaceutique Roche et commanditaire de nombreux chefs-d'œuvre). Il compose *Les Métamorphoses*, étude pour sept, puis récrite pour vingt-trois instruments à cordes, qu'il achève le 13 avril 1945. C'est un ample et lent mouvement symphonique, méditation d'une rare élévation, d'une densité unique, dialogue philosophique de tous les instruments, qui me bouleverse différemment chaque fois que je l'entends.

Le manuscrit autographe porte la mention : *In memoriam*. En mémoire de quoi... ? de qui ?...

Quand les Alliés envahissent le Reich, il est menacé d'arrestation. Mais Strauss est protégé par des officiers américains qui, eux-mêmes musiciens, le reconnaissent. Comme Furtwängler, Karajan et quelques autres, il est jugé dans le cadre des procès en « dénazification ». On l'accuse d'avoir participé activement à la vie culturelle du nazisme. En définitive, il est acquitté, comme les deux autres.

Il s'exile alors en Suisse, où a lieu, le 25 janvier 1946, la première des *Métamorphoses* sous la direction de Paul Sacher à la tête du Collegium Musicum de Zurich. Klaus Mann, fils de Thomas, qui a quitté son pays en 1933 et vient de mener, sous l'uniforme américain, la campagne d'Allemagne, vient le voir en se faisant passer pour un journaliste américain. Convaincu que Strauss est encore nazi, il le dénonce violemment et, à travers lui, l'Allemagne entière, laquelle adhère encore, à ses yeux, à l'idéologie du Troisième Reich.

En 1947, à l'invitation du grand chef anglais sir Thomas Beecham (qui a passé la guerre entre New York et Seattle et vient de créer son orchestre, le Royal Philarmonic Orchestra), Strauss se rend à Londres. Il écrit encore quatre lieder avec orchestre, qu'il désigne lui-même comme les « derniers », sur trois poèmes de Hermann Hesse, romancier allemand devenu suisse qui vient d'obtenir le prix Nobel de littérature en 1946. Puis il en compose encore un tout dernier, ultime évocation d'un poème symphonique de jeunesse écrit en 1891 : *Mort et Transfiguration*. Stupéfiante adéquation de cette méditation sur la mort à sa mise en musique, cohérence absolue du cycle, raffinement de l'instrumentation, pureté de la ligne de chant en même temps qu'habileté politique dans le choix du texte ainsi servi...

En mai 1949, il rentre à Garmisch pour y mourir le 8 septembre. Sa femme, Pauline Strauss de Ahna, la cantatrice épousée cinquante-cinq ans plus tôt, prie sir Georg Solti de diriger, lors des funérailles, le trio final du *Chevalier à la rose*, et lui demande : « Pourquoi un homme qui a écrit une telle musique doit-il mourir un jour ? » Elle disparaît elle-même quelques semaines plus tard.

L'année suivante, en 1950, les *Quatre Derniers Lieder* sont créés dans la capitale britannique par Kirsten Flagstad (mezzo-soprano norvégienne à la conduite contestée pendant la guerre), l'orchestre philarmonique de Londres étant placé sous la baguette de Wilhelm Furtwängler, autre grand chef d'orchestre engagé dans le nazisme. Ainsi, cinq ans seulement après la fin du cauchemar, trois immenses artistes, ayant tous trois collaboré et joué pour les dirigeants nazis, se retrouvent à jouer ensemble à Londres, capitale de la résistance européenne, devant certains de ceux qui ont terrassé le monstre...

BIBLIOGRAPHIE

Banoun, Bernard, *L'Opéra selon Richard Strauss. Un théâtre et son temps*, Paris, Fayard, 2000.

Gilliam, Bryan, *The Life of Richard Strauss*, Cambridge University Press, 1999.

Gould, Glenn, « Une certaine idée de Richard Strauss », in *Écrits I* : *Le dernier puritain*, trad. et éd. B. Monsaingeon, Paris, Fayard, 1983 (p. 177-187). Article paru dans le *High Fidelity Magazine*, mars 1962.

Gould, Glenn, « Strauss et l'avenir électronique », in *Écrits II* : *Contrepoint à la ligne*, trad. et éd. B. Monsaingeon, Paris, Fayard, 1985 (p. 367-368). Article paru dans la *Saturday Review* du 30 mai 1964.

Jameux, Dominique, *Richard Strauss*, Paris, Hachette Pluriel, 1986.

Jones, Joseph E., « Envy and Misinterpretation : Richard Strauss and Mahler's Resistance to the Descriptive Program », *Naturlaut*, vol. 5, n° 3, 2006, p. 2-7.

Kennedy, Michael, *Richard Strauss : l'homme, le musicien, l'énigme*, trad. par O. Demange, Paris, Fayard, 2001.

Mann, Klaus, *Le Tournant : histoire d'une vie*, trad N. Roche, Arles, Actes Sud, 2008.

Léger, Jack-Alain, *Wanderweg*, Paris, Gallimard, 1986.

Massin, Jean et Brigitte, *Histoire de la musique occidentale*, chap. 59 : Richard Strauss, Paris, Fayard, 1985.

Merlin, Christian, *Richard Strauss : mode d'emploi*, Paris, L'Avant-Scène, 2007.

Serrou, Bruno, *Richard Strauss et Hitler*, Paris, Scali, 2007.

Solti, Georg, *A memoir*, Vintage, 1998.

Strauss Richard, *Correspondance avec Romain Rolland*, Paris, Albin Michel, 1951.

Strauss, Richard, *Hofmannsthal, Hugo von, Correspondance, 1900-1929*, trad. B. Banoun, Paris, Fayard, 1992.

Strauss, Richard, Mahler, Gustav, *Briefwechsel*, éd. H. Blaukopf. München/Zurich, Piper, 2ᵉ éd., 1988. Trad. fr. : *Correspondance 1888-1911*, trad. M. Kaltenecker, Arles, Actes Sud, 1989.

Strauss, Richard, Zweig, Stefan, *Briefwechsel*, éd. W. Schuh, Frankfurt a. M., S. Fischer Verlag, 1957. Trad. fr. : *Correspondance 1931-*

1936, trad. et éd. B. Banoun et N. Casanova, Paris, Flammarion, coll. « Harmoniques », 1994.

SURRANS, Alain, *Jeux de massacre*, Paris, Bernard Coutaz, 1988.

TUBEUF, André, *Richard Strauss ou le voyageur et son ombre*, rééd. Arles, Actes Sud, 2004.

ZWEIG, Stefan, *Le Monde d'hier. Souvenirs d'un Européen*, nouvelle trad. par Serge Niémetz, Paris, Belfond, 1993.

23

Hô Chi Minh

(1890-1969)
ou l'obsession nationale

Passé à la postérité sous le nom d'Hô Chi Minh (en vietnamien « Celui qui éclaire », ou « Source de lumière »), Nguyên Sinh Cung incarne mieux que personne, par les péripéties de sa vie, l'affrontement entre une Europe en déclin, une Amérique triomphante, une Chine communiste en éveil et une Union soviétique encore toute-puissante. Par l'évolution de ses idées, il incarne le conflit, plus actuel que jamais, entre nationalisme, communisme et confucianisme dans l'Asie d'aujourd'hui. Après Gândhî et autrement, Hô Chi Minh porte le combat des humiliés et le traduit en une ardente quête d'identité nationale. En cela il me passionne, parce qu'il parle au nom d'une utopie universelle, celle de la liberté des peuples, dans un contexte très particulier, celui de la décolonisation. Et parce que, comme tous mes Phares, il choisit la transgression des routines, qui auraient dû rythmer sa vie, pour lui donner un sens. Un sens unique, lancinant, obsessionnel, celui de la liberté de la nation. Car, à la différence d'Abd el-Kader, nationaliste par accident, ou de Simon Bolivar, nationaliste faute de mieux, Hô Chi Minh l'est par choix.

Vie pleine de rebondissements entre un père chassé de l'administration coloniale, un emploi misérable dans la marine marchande française, des fonctions obscures dans l'appareil du Parti communiste français à Paris, puis dans le Komintern à Moscou et Canton, passant tout près de l'élimination physique lors des purges staliniennes, puis s'en retournant, après maintes péripéties, dans les maquis de Chine et de Thaïlande, tâtant de la prison, puis prenant le pouvoir à Hanoi, le perdant, repartant dans le maquis, constituant une nation sans cesse en guerre, en équilibre entre plusieurs mondes, risquant même de déclencher une guerre nucléaire. Au terme de cette existence aux mille et un avatars, après avoir porté pas moins de 165 alias ou surnoms, il meurt juste avant la paix, donnant son nom à la capitale du Sud, l'ancienne Saigon.

À sa naissance le 19 mai 1890, le Vietnam (c'est-à-dire alors l'Annam, la Cochinchine et le Tonkin) et le reste de l'Indochine (le Cambodge et ce qui va devenir le Laos) sont sous contrôle français. Au nord, l'Annam et le Tonkin sont deux protectorats[2] ; au sud, la Cochinchine est une colonie. Depuis 1883, l'empereur d'Annam reconnaît l'occupation française. Le représentant de Paris (qui porte le titre de « haut-commissaire général ») en Annam, Jules Harmand (étonnant médecin devenu explorateur, puis diplomate), jubile : « L'empire d'Annam, sa dynastie, ses princes, sa Cour ont prononcé leur condamnation : le nom de Vietnam n'existera plus dans l'Histoire. »

Pour défendre l'ordre confucéen de l'empire d'Annam contre les « barbares occidentaux », des mandarins lettrés (dont le père du futur Hô Chi Minh) et des chefs paysans créent un mouvement politique qu'ils nomment *Can Vuong* (« Servir le roi »).

Le futur Hô, Nguyên Sinh Cung, voit le jour dans un village du nord de l'Annam, près de la ville de Vinh (dans la province actuelle du Nghê Anà). Son père, Nguyên Sinh Huy, d'origine paysanne, reçu à un concours de l'administration du protectorat, est alors un modeste fonctionnaire de l'empereur. Sa mère, Hoang Thi Loan, est agricultrice et tisserande.

Pendant l'enfance de Hô, Paul Doumer, nommé gouverneur général de l'Indochine en 1897, met sur pied l'« Union indochinoise », qui englobe les trois pays constituant le Vietnam, le Cambodge et les pays du moyen Mékong (regroupés dans le Laos à partir de 1893). L'Union indochinoise compte alors 12 millions d'habitants. En Annam, les institutions mandarinales de l'empire sont alors soumises à l'Union, dotée d'un gouvernement colonial entièrement entre les mains des Français, et d'un budget, alimenté principalement grâce aux monopoles du sel, de l'opium et de l'alcool ; le système d'enseignement est francisé, une écriture romanisée (le *quoc ngu*) est substituée aux idéogrammes, et le français est promu langue officielle. Les fonctionnaires de l'empire d'Annam – dont le père de Hô – deviennent fonctionnaires coloniaux.

En 1900, le futur Hô devient Nguyên Tat Thanh, conformément à la coutume vietnamienne qui veut que le nom de naissance d'un enfant soit changé à l'âge de dix ans. Il fait ses études à Hué, dans le sillage de son frère aîné, Dat. Il passe un certificat d'études franco-indigène. En 1905, alors que se déclenche la guerre russo-japonaise, il est admis au collège Quoc Hoc grâce au statut de son père. En 1908, il assiste à la répression de manifestations paysannes contre l'impôt colonial organisées par les mouvements *Zuy tan* (« Modernisation ») et *Minh tan* (« Lumière nouvelle »), que soutient son père. Le rêve des jeunes Vietnamiens comme Hô est alors de voir leur pays ressembler au Japon, en pleine modernisation ; beaucoup vont rejoindre à Tokyo – c'est le « voyage à l'Est » – un brillant intellectuel, Phan Boi Chau, réfugié au Japon jusqu'à ce qu'en 1908 le gouvernement de Meiji l'expulse.

En 1909, Hô interrompt ses études faute d'argent. Il ne sera ni un lettré traditionnel, ni un fonctionnaire colonial, ni un intellectuel à l'occidentale, mais un autodidacte comme on en rencontrera beaucoup, un peu partout dans le monde, au sein des mouvements révolutionnaires du XXe siècle. Il commence à travailler comme « aide-moniteur » au sein d'un mouvement social formant les jeunes Annamites ayant fait encore moins d'études que lui, à l'école des « modernistes » de Phan Diet.

En 1910, son père, devenu alcoolique, brutal, est révoqué par l'administration coloniale pour « faute grave » ; alors âgé de vingt ans, Hô décide de chercher du travail à l'étranger. Le Japon, peut-être ? Non : un ami et collègue de son père, Phan Chau Trinh, lui conseille de partir pour la France afin d'en revenir mieux formé. C'est le « voyage à l'Ouest », nouveau slogan de la jeunesse vietnamienne, qui aspire à mettre le modernisme au service du pays, comme on l'a fait au Japon.

En avril 1911, Hô est embauché par la compagnie maritime des Chargeurs réunis. Il embarque pour la France à bord d'un cargo mixte, l'*Amiral Latouche-Tréville*. Phan Chau Trinh et son fils se retrouvent à bord du même bâtiment. Mais Hô ne débarque pas en France : il voyage pendant deux ans en gagnant sa vie comme garçon de cabine ou aide-cuisinier sur différents cargos de la compagnie à destination de l'Afrique ou de l'Amérique du Sud, envoyant régulièrement de l'argent à sa famille en Indochine.

En Chine, en février 1912, Sun Yat-sen impose l'abdication au dernier empereur, Pu Yi, et le choix d'un régime républicain dirigé par le Premier ministre du régent, Yuan Shikai, avec qui Sun passe un difficile compromis.

En 1913, on le trouve au Havre, puis à Marseille, écrivant au ministre des Colonies, Jean Morel, pour se porter candidat à l'École coloniale qui forme alors les cadres de l'administration d'outre-mer : il veut ainsi relever l'honneur de la famille en intégrant l'administration qui a chassé son père. Il est refusé : officiellement parce qu'il n'a pas emprunté la voie hiérarchique pour faire connaître sa candidature ; peut-être – en tout cas le croit-il – à cause du dossier de son père. Sa frustration est grande. Comme beaucoup de futurs dirigeants de peuples colonisés, le rejet de son désir d'intégration alimente sa révolte.

En août 1914, contrairement aux quelque 92 000 Indochinois qui viendront plus ou moins volontairement participer à l'effort de guerre français, Hô s'éloigne du champ de bataille et devient nationaliste. Cette obsession ne le quittera plus. Il est convaincu que la guerre sera brève et que, quel que soit le vainqueur, elle aboutira à la fin de la colonisation. Il écrit à Phan Chau Trinh, qui demeure son guide et confident : « Le destin nous réserve des surprises et il est impossible de dire qui l'emportera [dans cette guerre]. Dans trois ou quatre mois, le destin de l'Asie va énormément changer. Tant pis pour ceux qui combattent ou s'agitent ! Nous n'avons qu'à rester tranquilles. »

En fait, la guerre s'installe ; 43 430 tirailleurs annamites et tonkinois sont mobilisés, essentiellement dans des bataillons chargés de l'aménagement des tranchées et des transports qui y mènent ; 50 000 autres Indochinois sont envoyés dans les usines françaises pour y remplacer les ouvriers partis au front.

En 1915, en Chine, c'est à nouveau le chaos : Yuan Shikai, malade, songe à rétablir une dynastie impériale ; sa mort en 1916 entraîne une crise économique et politique que Sun Yat-sen a bien du mal à enrayer.

Pendant ce temps, Hô se trouve à Londres où il suit des cours du soir en mécanique et en électricité, tout en s'initiant à l'anglais. Il apprend successivement le coup d'État manqué, en mai 1915, du jeune empereur Duy Tan à Saigon ; en août 1917, à Hanoi, la révolte noyée dans le sang de Thaï Nguyên ; et, parmi tant d'autres victimes, d'innombrables jeunes Vietnamiens tués à Verdun et sur les autres champs de bataille.

Le 8 janvier 1918, le président américain Woodrow Wilson expose, dans un discours au Congrès, un « programme en quatorze points » destiné à mettre un terme à la guerre, à reconstruire l'Europe et à en finir avec la colonisation, comme il le dit aux points 5 (« Un ajustement libre, ouvert, absolument impartial de tous les territoires coloniaux… ») et 14 (« Une association générale des nations doit être constituée sous des alliances spécifiques ayant pour objet d'offrir des garanties mutuelles d'indépendance politique et d'intégrité territoriale aux petits comme aux grands États »).

De fait, la fin de la Première Guerre mondiale entraîne le surgissement de mouvements d'émancipation dans toutes les colonies, françaises, anglaises, allemandes, italiennes, souvent menés par des survivants de la grande boucherie. Des représentants de ces mouvements entendent s'adresser à la conférence de paix qui s'ouvre à Versailles le 18 janvier 1919. Les Tunisiens du Destour et les « Jeunes Algériens » publient ensemble un *Manifeste du Comité algéro-tunisien* en février 1919. Au même moment, le professeur noir américain W.E. Burghardt Du Bois, prenant le relais de l'avocat antillais Henry Sylvester Williams (organisateur de la première conférence africaine, vingt ans plus tôt, à Westminster Hall), organise le premier congrès panafricain à Paris : 57 délégués de quinze pays différents y rédigent une pétition destinée à la conférence de paix de Versailles.

Dans les couloirs de cette même conférence, les « Patriotes annamites » viennent parler de leur pays et publient, à la mi-juin 1919, les *Revendications du peuple annamite*, signées du pseudonyme collectif Nguyên Ai Quôc (« Nguyên le Patriote »). À la clôture des travaux de la conférence, les Annamites, comme tous les autres nationalistes, sont extrêmement déçus par le traité, qui n'aborde la question coloniale que du point de vue des Alliés : l'Allemagne est amputée de son empire (Cameroun, Togo et Afrique orientale) et de ses comptoirs en Chine, au Siam, au Maroc, en Égypte et en Turquie.

La France essaie de donner un contenu aux promesses de développement qu'elle a formulées vis-à-vis de ses colonies. Le 27 avril 1919, Albert Sarraut, gouverneur général d'Indochine, expose le projet de création d'une agence économique ainsi qu'un plan d'équipement de la péninsule, notamment par des investissements en matière sanitaire et sociale. Comme tous les précédents, ces engagements resteront lettre morte.

Hô, que rien n'écartera plus désormais du combat nationaliste, en conclut que rien n'est possible sans le recours à une action violente comme en connaissent alors, chacune à sa manière, l'Inde et l'Égypte. Et comme la révolte qui éclate à Pékin le 4 mai 1919, quand trois mille étudiants manifestent sur la place T'ien an Men, réclamant la démocratie et dénonçant les « vingt et une demandes » présentées par le Japon, de plus en plus pressant aux portes de l'Asie continentale.

Hô s'éloigne alors de son père spirituel, Phan Chau Trinh, lequel reste partisan du dialogue politique avec la France. Se faisant désormais appeler Nguyên Ái Quôc, Hô adhère à la seule force politique française qui lui paraisse capable, à l'époque, de relayer la colère des colonisés : la SFIO, si elle veut bien toutefois se ranger du côté de la nouvelle Internationale communiste – la troisième, plus connue sous le nom de Komintern – que vient de fonder Lénine, à Moscou. Hô dira plus tard : « J'aimais et respectais Lénine parce qu'il était un grand patriote qui avait libéré ses compatriotes. » Le bolchevisme devient pour lui la réponse aux illusions du wilsonisme. Il interprète le maître mot du Komintern, la « Révolution mondiale », comme une juxtaposition de « libérations nationales », choisissant ce qui sera bientôt le camp de Staline contre celui de Trotski.

Le 27 décembre 1920, Hô réussit à prendre la parole au congrès de Tours, où la Section française de l'Internationale ouvrière doit décider de son adhésion éventuelle à la Troisième Internationale. Il y déclare qu'il faut compter avec la revendication nationale des colonisés et leur marche irrésistible vers l'indépendance ; il explique que l'avenir du socialisme passe par son alliance avec les nationalismes. S'opposant à Léon Blum et à Jean Longuet, gendre de Marx, il prend parti pour la motion communiste de Marcel Cachin, qui, dit-il, constitue « la promesse formelle du Parti socialiste de donner enfin aux questions coloniales l'importance qu'elles méritent ». Mais le congrès de Tours s'achève par une scission : tandis que les uns décident de « garder la vieille maison » autour de Léon Blum, les autres tentent l'aventure communiste.

Hô suit le courant majoritaire et adhère à la nouvelle formation politique, reliée à Moscou. Il en devient d'emblée le délégué pour l'Indochine au sein du comité des Affaires coloniales. Militant non rémunéré, il vit alors très pauvrement dans une petite chambre, impasse Compoint, dans le XVIIᵉ arrondissement de Paris ; il gagne sa vie en effectuant des retouches photographiques (habitués à la calligraphie des idéogrammes, les Vietnamiens excellent dans ces travaux minutieux). Il écrit régulièrement dans le journal du parti, *L'Humanité*, crée et anime une « Union intercoloniale » regroupant Antillais, Malgaches, Algériens et Vietnamiens, et un journal, *Le Paria*, puis un bimensuel en quoc ngu, *Viet Nam Hon* (« L'Âme du Vietnam »). Il lit quelques bribes de Marx, Lénine, Trotski et Confucius, qu'il voudrait annexer à la révolution : en 1921, il écrit dans *L'Humanité* que « le grand Confucius préconisa l'Internationale et prêcha l'égalité de fortune »...

Pendant ce temps, à Shanghai, le 23 juillet 1921, avec l'aide du bureau d'Extrême-Orient du Komintern, un Parti communiste chinois (PCC) est créé par douze hommes dont un certain Mao Zedong. En juillet 1922, lors du congrès national du PCC, le Komintern ordonne aux communistes chinois de s'allier au parti que Sun Yat-sen a fondé en 1911, le Kouomintang, et de participer à son gouvernement replié à Canton. Le PCC accepte et combat, avec l'aide du Komintern, de techniciens et de militaires soviétiques, les « seigneurs de la guerre » qui ont pris le pouvoir dans les provinces du Nord, à Pékin, puis à Shanghai.

Hô est encore à Paris où il gagne très mal sa vie. Il fait paraître une petite annonce dans le journal *La Bretagne communiste*, proposant des travaux photographiques. Il s'installe rue du Marché-des-Patriarches, dans le quartier Mouffetard. La famine le guette.

En juin 1923, sa vie bascule : repéré par les Soviétiques, omniprésents dans l'appareil du Parti communiste français, il est appelé à Moscou auprès de Dimitri Zakharovitch Manouïlski. Étonnant personnage : Ukrainien, ancien étudiant à la Sorbonne, commissaire du peuple à l'Agriculture en Ukraine, Manouïlski est devenu, en 1922, le responsable au Komintern de certains partis communistes étrangers, dont le français. Il reçoit Hô à Moscou et l'envoie, comme beaucoup d'autres cadres français et allemands, se former à l'Université communiste des travailleurs d'Orient, qui vient d'être créée. Hô y passe dix-huit mois et y apprend les techniques du travail clandestin. Il y réussit si bien qu'il se retrouve bientôt membre du bureau exécutif de l'Internationale paysanne, le Krestintern. En juin 1924, il participe à Moscou au Vᵉ congrès de l'Internationale, alors que la mort de Lénine, le 21 janvier précédent, déclenche une lutte interne entre Trotski (chef de l'Armée rouge), Staline (nouveau secrétaire général du parti),

Grigori Zinoviev (président du Komintern) et Lev Kamenev (vice-président du Conseil des commissaires du peuple), lequel fait alliance avec Zinoviev et Staline contre Trotski. Les nationalistes contre l'internationaliste. Hô est du côté de Staline.

En novembre 1924, Manouïlski envoie Hô à Canton rejoindre Mikhaïl Borodine, là encore un personnage extraordinaire, qui deviendra un des héros des *Conquérants* d'André Malraux : né en Russie sous le nom de Gruzenberg, arrêté par la police tsariste, il s'est enfui en 1907 aux États-Unis où il a passé dix ans ; puis il est revenu à Moscou en 1917 se mettre au service de Lénine, qui l'a chargé de s'occuper, au sein du Komintern, des relations avec certains partis communistes (scandinave, britannique, turc, espagnol et mexicain), puis l'a envoyé en Chine conseiller Sun Yat-sen. L'objectif de Moscou est d'aider ainsi au développement, à partir de Canton, du Parti communiste chinois et, si possible, d'en créer dans les pays voisins, dont le Vietnam. Hô est chargé auprès de Borodine et avec d'autres de développer le communisme au Vietnam. Il publie à Canton un hebdomadaire en vietnamien et ouvre une école de formation pour quelque trois cents jeunes gens venus de la péninsule (dont le futur Premier ministre Pham Van Dong). Organisateur et orateur hors pair, sous l'alias Ly Thuy, il met sur pied, avec d'autres, le Thanh Nien, la première organisation communiste vietnamienne.

Début 1925, à Canton, Sun Yat-sen, atteint d'un cancer, rassemble son parti, le Kouomintang, et le Parti communiste chinois dans le « Premier Front ». Avant de mourir, cette année-là, il demande à ses compagnons de préserver leurs liens avec les Soviétiques, dont l'aide est nécessaire à leur survie face aux seigneurs de la guerre. Son futur beau-frère, le jeune général Tchang Kaï-chek, formé au Japon, puis en URSS, et qui dirige alors l'académie militaire de Huangpu, lui succède. L'aile gauche du parti, animée principalement par Wang Jing-wei, souhaite ainsi perpétuer l'alliance avec Moscou et avec le Parti communiste chinois, mais son aile droite, animée par Tchang Kaï-chek, ne fait aucune confiance aux communistes, qui ont leur propre stratégie. Aussi, Tchang, qui déteste Borodine, ne préserve les liens avec Moscou que pour en recevoir l'armement nécessaire à la lutte contre les « seigneurs de la guerre ».

Cette année-là, Hô se marie à Canton avec une jeune élève sage-femme chinoise. Un texte de lui, *Le Procès de la colonisation française*, auquel il a commencé à travailler à la fin de 1919, est publié à Paris, où meurt son premier maître, Phan.

Le 5 novembre 1925, au décès de l'empereur d'Annam, Khai-Dinh, un de ses fils, le tout jeune Bao-Dai, lui succède. Le gouverneur général l'envoie à Paris poursuivre ses études. L'administration du pays est confiée à un régent nommé par l'administration française. En 1926, Messali Hadj fonde en Algérie « L'Étoile nord-africaine » avec le concours d'un petit-fils d'Abd el-Kader.

Le 9 juillet, à Canton, en présence de Borodine et du général soviétique Blücher, devant les troupes rassemblées, Tchang Kaï-chek déclenche solennellement ce qu'il nomme l'« Expédition du Nord » : cent mille soldats de son armée nationale révolutionnaire, encadrés par les anciens élèves de l'académie militaire de Huangpu et équipés de matériel soviétique, sont lancés contre les « seigneurs de la guerre » installés à Shanghai et Pékin. En octobre 1926, les troupes communistes du PCC attaquent à la fois les « seigneurs de la guerre » à Shanghai et l'« Expédition du Nord » censée pourtant être leur alliée. Le conflit commence entre Moscou et le PCC.

Du 10 au 15 février 1927, à Bruxelles, un congrès anti-impérialiste organisé par la « Ligue contre l'oppression coloniale » et des associations allemandes fondées par le Komintern réunit une brillante assistance : Henri Barbusse, Albert Einstein, Romain Rolland, Jawaharlal Nehru, Mohammed Hatta, Messali Hadj, Hadj Ali Abdelkader et la veuve de Sun Yat-sen (dont Tchang Kaï-chek épousera la sœur à la fin de cette même année).

En mars 1927, des communistes chinois, dirigés notamment par Zhou Enlai et Wang Jingwei, prennent le contrôle de Shanghai avant même l'arrivée de l'armée de Tchang Kaï-chek. Celui-ci, inquiet de la force grandissante des communistes, décide de s'en débarrasser et s'allie avec les milieux d'affaires et les ressortissants des colonies étrangères. Au matin du 12 avril, Tchang Kaï-chek lance les gangs des triades contre les ouvriers communistes de Shanghai. Quelque cinq mille personnes disparaissent, massacrées à Shanghai, Canton, Nankin et Changsha. Les communistes se replient dans les montagnes du Jiangxi. À Canton, Borodine, prenant acte de la rupture entre le Komintern et les Chinois, quitte la Chine pour Moscou sur ordre de Staline. Par fidélité au Komintern, Hô n'hésite pas : il suit Borodine, abandonnant sa femme, ses amis vietnamiens et les communistes chinois réduits à la clandestinité. Rien d'autre ne compte pour cet obsédé du combat national. La seule chose qu'il regrette, c'est d'avoir abandonné ses élèves.

Revenus à Moscou, Borodine prend la direction de l'agence de presse soviétique Tass et Hô retrouve son travail au sein du Komintern. Il voyage à Bruxelles, Berlin et Paris. Ne se résignant pas à l'abandon des jeunes Vietnamiens restés à Canton, Hô insiste pour qu'on l'y envoie. Le Komintern refuse net. Aucun moyen n'est disponible : le lien est rompu avec les nationalistes, et les communistes sont repliés dans le Hunan et le Jiangxi. Hô est mis à l'écart à Moscou pendant qu'en Chine l'« Expédition du Nord » de Tchang, privée du soutien soviétique, piétine devant les seigneurs de la guerre.

Fin juillet 1929, une seconde conférence de la « Ligue contre l'oppression » se réunit à Francfort. Les communistes de l'Internationale et les nationaux-réformistes s'y affrontent violemment. Nehru est exclu pour « trahison ». Einstein, président d'honneur, démissionne.

En août 1929, Hô réussit enfin à convaincre le Komintern de le laisser repartir pour la Chine ou tout autre pays proche du Vietnam. Il se rend à Vladivostok, y embarque sur un bateau japonais et gagne le nord du Siam – la Thaïlande d'aujourd'hui –, pays alors indépendant où sont établies des communautés vietnamiennes exilées. Il y constitue un groupe d'un millier de militants indépendantistes – Thanh Nien – avec de jeunes cadres venus de Canton où lui-même les a formés. En février 1930, il y unit différents groupuscules en un Parti communiste vietnamien « à direction ouvrière sur la base d'un programme de libération nationale ». Il fait nommer comme secrétaire général un jeune formé par lui à Canton et qu'il vient de retrouver : Tran Phu. Hô et les autres dirigeants sont alors recherchés par la police française, qui réclame en vain leur extradition aux autorités de Bangkok.

Au printemps 1930, Hô se prépare à la révolution en Indochine française. Il partage son temps entre le Siam et la Malaisie britannique. Au même moment, en Indochine, d'énormes manifestations paysannes contre les impôts entraînent une féroce répression française qui fait quelque dix mille victimes, dont près de trois mille dans la seule province de Nghê Tinh. En octobre 1930, Hô fonde au Siam le Parti communiste indochinois (PCI), qui inclut cette fois le Vietnam, le Laos et le Cambodge. Il s'en tient encore à l'idée d'une nation indochinoise unique, tout comme Bolivar rêvait d'une Amérique latine indépendante d'un seul tenant. L'heure n'est pas encore venue de passer à l'attaque.

En mars 1931, cependant que Mao Zedong, replié dans la montagne, s'apprête à se proclamer président de la « République soviétique chinoise du Hunan et du Jiangxi », Hô passe en fraude à Hong-Kong, espérant rejoindre les communistes chinois et leur demander de l'aide pour affronter les Français.

Le 1er juin 1931, un des agents du Komintern qui sillonnent l'Asie, Joseph Ducroux, alias Serge Lefranc, qui s'occupe plus particulièrement du Parti communiste malais, est appréhendé par la police de Singapour. Par lui la police britannique remonte jusqu'à d'autres agents, dont Hô Chi Minh, arrêté à Hong-Kong le 6 juin 1931 sous le nom de Sung Man-ch'o, et incarcéré à la prison de Victoria. La France, connaissant ses intentions belliqueuses, demande alors son extradition. Un avocat britannique local, Frank Loseby, prend sa défense en invoquant l'*habeas corpus* et, soutenu à Londres par le conseiller juridique de la Couronne, sir Stafford Cripps (qui joue un grand rôle dans la politique britannique), obtient sa libération. Hô s'embarque alors clandestinement pour l'Angleterre, mais se fait de nouveau arrêter, cette fois à Singapour ; il est renvoyé à Hong-Kong où la police l'inculpe au motif d'entrée illégale dans la colonie et le remet en prison. Malade, il est hospitalisé. En 1932, son décès est annoncé par la presse de Hong-Kong et par *L'Humanité* – la rédaction de l'organe du PCF est pourtant informée qu'il est vivant, mais elle tente ainsi de faire relâcher la pression exercée par les autorités françaises en vue de son extradition. Curieuse situation, où un parti légal en France, le Parti communiste, appuie des actions illégales dans les colonies.

En septembre 1932, l'empereur annamite Bao-Dai, ayant fini des études approximatives à Paris, s'en revient à Hué, capitale d'un empire de plus en plus fictif. Marionnette des Français, il interdit les salutations front contre le sol, supprime la fonction de Premier ministre et réforme le mandarinat, la justice et l'enseignement. Sa volonté d'occidentaliser le pays sert la puissance coloniale, mais mine son prestige dans le pays. Le flambeau du nationalisme passe définitivement dans les mains des communistes, dont Hô, alors incarcéré à Hong-Kong.

À Moscou se tient le VIIe congrès de l'Internationale communiste, dont le siège est encore à Berlin. De Paris, Trotski, après quatre années passées en Turquie, déclare que l'Internationale communiste de Staline est « irrémédiablement morte ».

Fin janvier 1933, Frank Loseby, l'avocat britannique qui soutient toujours Hô à Hong-Kong, l'aide à s'évader. Il n'est plus rien, il n'a plus rien, pas plus en Chine qu'au Vietnam ou à Moscou. Il prend un bateau pour Shanghai où, selon le récit qu'il en fera plus tard, son ancien mentor au sein du PCF, Paul Vaillant-Couturier, le met en rapport avec l'appareil du Parti communiste chinois. Au printemps de 1934, il finit par retourner à Moscou. Beaucoup mettent en doute cette histoire : comment aurait-il pu rejoindre Shanghai, alors tenue par ses ennemis du Kouomintang ? Il se serait plutôt enfui lors d'une escale à Amoy, dans le Fujian (aujourd'hui Xiamen), à mi-chemin de Hong-Kong et de Shanghai. Ce serait de là qu'il aurait commencé son long voyage à destination de Moscou.

En Tunisie, Habib Bourguiba crée le Néo-Destour. En URSS, la situation est confuse : en octobre 1934, au XVIIe congrès du PCUS, Kirov est élu secrétaire du comité central avec seulement 3 voix contre lui, tandis que Staline récolte pour sa part 267 votes hostiles. Le 1er décembre, Kirov est assassiné. Staline déclenche la première purge au sein du Parti : il annonce que « les partisans de Zinoviev ont déclenché une campagne de terreur contre le parti » et sont responsables du meurtre de son « étoile montante ». Kamenev, Smirnov, Toukhatchevski sont eux aussi mis en cause. C'est dans cette ambiance de terreur que Hô débarque à Moscou en février 1935, au terme d'un voyage rocambolesque de plus d'un an. Que peut-il y faire ? Rien. L'action révolutionnaire en Indochine est impossible, car la France y exerce un contrôle absolu.

En 1936, la victoire en France du Front populaire suscite pourtant un immense espoir en Indochine. Mais l'administration coloniale y interdit les réunions publiques et emprisonne à Saigon plusieurs militants, dont le dirigeant trotskiste Ta Thu Thâu. Le comité central clandestin du Parti communiste indochinois – dont Hô est exclu depuis qu'il est rentré à Moscou – est alors pris en mains par de jeunes cadres staliniens formés par Hô, qui donnent pour mission à la révolution indochinoise de « prendre place au sein du Front mondial de la démocratie et de la paix pour lutter contre le fascisme et la guerre d'agression fasciste ». Ils veulent lancer tout de suite la guerre contre la France. Hô pense qu'il faut attendre et s'allier aux classes moyennes. Les jeunes l'accusent de « survivances nationalistes » et veulent le discréditer par les moyens alors employés dans les procès de Moscou : « Le service que Nguyên Ái Quôc a rendu à notre parti est grand, mais nos camarades ne doivent cependant pas oublier les survivances nationalistes de Nguyên Ái Quôc et ses instructions erronées dans les questions fondamentales du mouvement révolutionnaire [...]. Il a préconisé une tactique réformiste et collaborationniste erronée, la neutralité à l'égard de la bourgeoisie et de la paysannerie riche, et l'alliance avec les petits et moyens propriétaires. »

Ce genre de critiques n'est pas du tout fait pour le servir auprès de ses patrons à Moscou. Il n'est pourtant pas éliminé et végète, en disgrâce et en danger au milieu des purges, obscur chercheur à l'Institut des questions nationales et coloniales sous le pseudonyme de Linov. Autour de lui, les arrestations s'accélèrent : Toukhatchevski est interpellé le 22 mai 1937, condamné pour complot contre Staline et exécuté sur-le-champ, puis c'est le tour de Rykov et de Boukharine d'être éliminés, suivis par près de 30 000 officiers qui, bientôt, manqueront cruellement à l'Armée rouge.

Le 7 juillet 1937, un « incident » sur le pont Marco Polo, à seize kilomètres à l'ouest de Pékin, où s'entraînent des troupes japonaises, conduit à l'invasion massive de la partie orientale de la Chine par l'armée impériale nippone. Cet événement aura des conséquences jusqu'à la péninsule indochinoise.

À Moscou, Hô se trouve dans une situation de plus en plus périlleuse. Employé du Komintern, vivement critiqué par ses ex-amis du Parti communiste vietnamien, il cherche encore à quitter la capitale soviétique pour retourner au plus près de son pays. À la fin de 1938, enfin sous le nom d'Hô Chi Minh (« Hô à la volonté éclairée »), il obtient du Komintern le droit de tenter de rejoindre Mao Zedong. La situation des communistes chinois s'est améliorée, et le Komintern estime qu'il devient possible d'aider les autres partis communistes de la région. Hô retourne d'abord dans le nord-ouest de la Chine, où le Parti communiste chinois règne en maître, puis il rallie une unité de la 8e armée de marche du PCC à Guilin, dans le Guangxi. Il cherche ensuite à se rapprocher davantage des frontières indochinoises et à rétablir la liaison avec les dirigeants du PCI à l'intérieur, qui ne veulent toujours pas de lui.

Au début de 1940, il se trouve à Kunming, capitale de la province du Yunnan, où on le connaît sous divers pseudonymes : Hô-Quang, camarade Trân, camarade Vuong. Il y rencontre un jeune professeur d'histoire de Hanoi, Vo Nguyên Giap, et retrouve un militant de la première heure, un de ses anciens élèves de l'école de Canton, Pham Van Dong, tous deux militants du Parti communiste chinois dans le Yunnan.

Le mois suivant, après la débâcle française de 1940, la situation change radicalement en Indochine : le gouverneur général de l'Indochine, Georges Catroux, cède aux presssions japonaises, avant d'être remplacé, le 25 juin 1940, par l'amiral Decoux et de rejoindre la France libre.

Dans les maquis chinois, la bataille entre les factions communistes est alors aussi sévère qu'à Moscou. Hô a choisi son camp : le sien. Début juillet 1940, depuis le Yunnan, dans un rapport adressé au Komintern, il écrit : « Quant aux trotskistes, il faut les exterminer sur le plan politique. » Mais pas seulement, pense-t-il sans doute, sur ce plan-là...

Le 2 août 1940, les Japonais réclament un droit de passage pour leurs troupes en Indochine. Il s'agit d'un véritable ultimatum. Le 30 août, un accord est passé entre Vichy et le Japon, autorisant l'installation de six mille soldats nippons au Tonkin, et l'utilisation par les Japonais des terrains d'aviation indochinois. En échange, le Japon reconnaît la souveraineté française sur tout le territoire de l'Indochine. Le 22 septembre, l'amiral Decoux est chargé par Vichy d'appliquer cet accord. Le maréchal Pétain lui écrit : « Je comprends vos appréhensions, vos angoisses. C'est après mûre réflexion que j'ai ordonné à mon gouvernement d'ouvrir des négociations avec le Japon qui, en évitant un conflit total pour l'Indochine, doivent sauvegarder l'essentiel de nos droits. Je compte sur vous pour nouer au mieux les négociations d'ordre militaire et pour donner l'exemple de la discipline à tous les Français. » Decoux applique aussi, aux termes d'une circulaire du 6 novembre, le statut des Juifs décidé par Vichy le 3 octobre.

Au même moment, les dirigeants du Parti communiste indochinois dans le maquis, croyant leur heure arrivée parce que les Français sont battus, déclenchent une insurrection. Mais Decoux réagit violemment avec le soutien des Japonais : le secrétaire général du PCI et trois membres du comité central sont arrêtés et exécutés. Hô, alors dans le Yunnan, n'est pas mêlé à ces événements, qu'il a toujours craints et auxquels il s'est toujours opposé. Il saura profiter du vide ainsi creusé au sein de la direction du parti.

Le Siam profite de l'affaiblissement français pour attaquer le Vietnam et occuper des provinces autrefois cambodgiennes (Battambang, Sisophon et Siem Reap), ainsi que des provinces laotiennes sur la rive droite du Mékong (Sayabouri et Champassak). Decoux, bien que soumis aux Japonais, riposte et remporte une victoire à Koh Chang, le

17 janvier. Le Japon en profite pour imposer sa médiation. Decoux doit accepter un armistice et céder les provinces réclamées.

En février, après trente ans d'exil, Hô pense enfin que son moment est venu. Il quitte le Yunnan et, avec l'accord du Komintern, rentre clandestinement au Tonkin par la frontière chinoise, muni d'une valise en rotin et d'une machine à écrire. Il s'installe dans une grotte du hameau de Pac Bô, sous le pseudonyme de « Père Thu ». Sa stratégie est simple : prendre le temps qu'il faut pour mobiliser le peuple contre les Français et les Japonais. Le 19 mai 1941, dans un village du Nord, il préside en tant que délégué du Komintern la 8ᵉ conférence clandestine du comité central du PCI (réunissant vingt personnes), qui aboutit à la création de la Ligue pour l'indépendance du Vietnam (*Viet Nam Doc Lap Dong Minh,* qui deviendra en abrégé le *Viêt-minh*). Pour se battre à la fois contre les occupants japonais et contre les colonisateurs français, Hô tente aussi de fédérer les forces nationalistes en exil, d'obtenir l'appui des communistes chinois et même celui des services de renseignements américains. En août 1941, il crée dans la région de Cao Bang un journal, *Viet Nam Doc Lap* (« le Vietnam indépendant »), dont il confie la direction à Pham Van Dong, laissant le maquis à Giap. Avec une poignée d'hommes, il repense le projet communiste autour du mot d'ordre de « salut national » (*cuu quôc*). Formidable orateur, travailleur acharné, dans un ascétisme absolu, il séduit les foules paysannes.

En décembre 1941, après Pearl Harbour, les Japonais débarquent au Siam et en Malaisie ; ils prennent Hong-Kong et s'imposent de plus en plus en Indochine.

En juillet 1942, le sort des armes se retourne dans le Pacifique : à la tête d'une force américano-australienne, l'amiral américain Frank Fletcher remporte une victoire décisive à Midway. Un mois plus tard, en se rendant de nouveau en Chine, chez ses amis communistes, pour y chercher des armes, Hô est de nouveau arrêté à Chongqing, en tant qu'« espion franco-japonais », par les Chinois nationalistes. Il est emprisonné et passe de prison en prison (dix-huit en tout !) dans le Guangxi. Officiellement alliés à ces nationalistes contre l'envahisseur japonais, les communistes ne lèvent pas le petit doigt pour lui.

En prison, pendant plus d'un an, Hô enrage : le moment était pourtant venu de la révolution, et le voilà exclu de tout. Il compose une centaine de poèmes en chinois classique. Ils témoignent encore de son obsession nationale :

Qui sort de la prison peut bâtir le pays.
Qui tient dans le malheur prouve qu'il est fidèle.
Qui songe à la patrie est un homme de bien
Que s'ouvre la prison et le dragon s'envole.

Le riz sous le pilon combien doit-il souffrir !
Mais bientôt il prendra la blancheur du coton
Il en sera pour nous de même dans la vie :
L'homme dans le malheur se polit comme un jade.

Sur la route...
Mes gardiens portaient un cochon.
Tout en portant un porc, les gardes me tiraient..
On porte le cochon ; l'homme, on le tient en laisse.
Vous valez moins qu'un porc ! Le prix de l'homme baisse
Quand il n'a plus l'usage de sa liberté.

En septembre 1943, Hô est libéré par les Chinois nationalistes, qui ont bien d'autres soucis face aux Japonais. Mais il ne retourne pas encore au Vietnam : il insiste auprès de ses camarades, qui le pressent de harceler les Français, sur l'importance d'attendre le « moment opportun », ce que n'avaient pas fait les dirigeants communistes lors des soulèvements de 1940. En fait, il a besoin d'armement. Ni les communistes chinois, ni les Soviétiques n'en ont pour lui.

Il ne rentre au pays qu'en août 1944, après avoir réussi à contacter l'état-major américain et en avoir obtenu des armes, et avoir publié une *Lettre à la Nation* qu'il signe pour la première fois du nom d'Hô Chi Minh. Son surnom devient *Bac Hô* (« Oncle Hô »). Il va de village en village et rassemble des foules. Extraordinaire orateur, il sait, mieux que tous ses adversaires, parler union, communauté, patrie. La mobilisation nationale commence.

Pourtant, les Japonais ne sont pas encore battus et restent dangereux : en septembre 1944, dans les régions du sud-ouest de la Chine, leurs troupes contraignent au départ les derniers restes de l'armée nationaliste et attaquent, le 9 mars 1945, au Vietnam, les troupes de Decoux, massacrant près de 2 000 militaires français qui ont refusé de se rendre. L'amiral, qui n'a pas voulu signer sa reddition, est placé en résidence surveillée. Les Japonais s'emparent alors de tous les pouvoirs en Indochine. Deux jours plus tard, le 11 mars, l'empereur Bao-Dai, qui se contentait jusque-là de soutenir le maréchal Pétain et de chasser sur ses terres, proclame l'indépendance de l'Annam et du Tonkin sous le nom d'« Empire du Viêt Nam », avec un gouvernement pro-japonais présidé par un certain Tran Trong Kim.

Hô et ses troupes se terrent dans le maquis de « zones libérées », recevant quelques armes parachutées par les Américains.

En mai 1945, des anciens du groupe « La Lutte », dont le trotskiste Ta Thu Thâu, fondent à Saigon le Parti ouvrier révolutionnaire, lequel n'entend pas se rallier au Viêt-minh. Hô est décidé à détruire ce parti rival : il déteste les trotskistes depuis plus de vingt ans.

Du 17 juillet au 2 août, une conférence réunit à Potsdam les trois vainqueurs de la Seconde Guerre mondiale (Staline, Truman, Churchill puis Attlee) afin de déterminer le sort des nations ennemies. Elle attribue le nord (au-dessus du 16e parallèle) du Vietnam à la Chine nationaliste, et le sud à la Grande-Bretagne. Décision surréaliste : la Grande-Bretagne n'y est pas présente, et Tchang Kaï-chek n'est plus là !

Le 6 août, la bombe A est lancée sur Hiroshima, puis, le 9, sur Nagasaki. Le 10, le Japon capitule. Chacun des Alliés estime qu'il a gagné : Américains, Français, Anglais, Chinois, Soviétiques, et des Vietnamiens de toutes tendances politiques.

Le 14 août, profitant du vide politique créé par la défaite nipponne, Hô Chi Minh pense que le moment tant attendu depuis trente ans est enfin venu : il entre dans Hanoi à la tête d'une petite troupe. Aucune résistance ! Il est suivi, le 22, par une mission américaine, puis par une mission gaulliste dirigée par Jean Sainteny. Chacun se prétend maître du pays. Simultanément, une division indienne du général anglais Gracey débarque à Saigon, en même temps qu'un détachement français de Leclerc et des troupes chinoises du général Lu Han. Bao-Dai est renversé et exilé à Hong-Kong. Les soldats français prisonniers des Japonais sont peu à peu libérés. C'est le chaos total dans le pays.

Le 25 août, Hô installe quelques bribes de pouvoir dans le nord de la péninsule en y créant le fait accompli. Il liquide la LCI et « La Lutte » dont le dirigeant, Ta Thu Thâu, envoyé là pour rétablir le contact avec les trotskistes du Nord, est arrêté et jugé à diverses reprises par des tribunaux populaires du Viêt-minh, et chaque fois libéré à la demande de Hô, qui veut l'intimider. En vain.

Le 2 septembre 1945, sitôt les troupes de son allié Giap parvenues à Hanoi, Hô organise sur la place Ba Dinh une cérémonie de changement dynastique qui obéit à un rituel confucéen : devant tous les notables qu'il a pu rassembler, il lit une improbable déclaration d'indépendance copiée sur celle des États-Unis, ainsi que la Déclaration des droits de l'homme et du citoyen. Hô gagne ainsi la course de vitesse, après trois décennies de patience.

Au même moment, à Paris, de Gaulle pense créer au sein de l'« Union française » une « Fédération indochinoise » regroupant le Laos, le Cambodge, la Cochinchine, l'Annam et le Tonkin, en dépit des accords de Potsdam. Il y nomme l'amiral Thierry d'Argenlieu en tant que haut-commissaire, et le général Leclerc en tant que commandant des troupes avec pour mission de rétablir la souveraineté française sur l'ensemble du territoire de l'Indochine.

Au sud, c'est facile : le 23 septembre, à Saigon, les militaires français libérés des camps japonais s'emparent des édifices publics. Ils sont rejoints le 5 octobre par le corps expéditionnaire de Leclerc. Le général Raoul Salan (qui s'est illustré pendant la Seconde Guerre mondiale, notamment dans le débarquement en Corse et dans le Var) arrive à Saigon en octobre avec pour mission de reprendre le contrôle du nord de l'Indochine, de ramener les quelques milliers de soldats français réfugiés en Chine après le coup de force japonais, et d'obtenir le repli des divisions chinoises qui, sous couvert de recevoir la capitulation japonaise, se sont installées au Tonkin.

Au nord, la tâche des Français est plus difficile : le 6 janvier 1946, Hô se fait élire « président de la République du Vietnam ». Une Assemblée fantomatique lui octroie les pleins pouvoirs pour constituer un gouvernement dit « d'union de résistance ». Il organise alors tambour battant l'élection, au nord du 16e parallèle, d'une Assemblée constituante où son parti, le Viêt-minh, remporte 97 % des rares suffrages. Toujours la stratégie du fait accompli.

Paris, où le général de Gaulle démissionne le 20 janvier, proteste et hésite à reconnaître ce gouvernement, qui n'accepte pas d'appartenir à l'ensemble français.

À Hanoi, la bataille pour le pouvoir entre fractions communistes indochinoises est impitoyable : en février 1946, dans la province de Quang Ngai, le leader trotskiste Ta Thu Thâu, qui tentait de quitter Hanoi pour revenir à Saigon après un nouveau voyage, est intercepté une nouvelle fois par les partisans de Hô. Cette fois, il est fusillé. Interrogé peu après sur cette exécution, Hô répondra : « Ce fut un grand patriote, et nous le pleurons. Mais tous ceux qui ne suivront pas la ligne tracée par moi seront brisés. »

Le 28 février, Hô envoie un télégramme au nouveau président américain Truman pour solliciter le soutien des États-Unis, mais celui-ci ne poursuit pas la politique favorable à la décolonisation de son prédécesseur. Le 6 mars, Hô recule, renonce provisoirement à l'indépendance absolue et signe avec Jean Sainteny, représentant d'une France en pleine crise, un accord par lequel la France reconnaît la « République démocratique du Vietnam » en tant qu'État autonome au sein de la Fédération indochinoise et de la future Union française. Grande victoire. Quinze mille soldats français sont autorisés à stationner au nord pendant cinq ans. Leclerc entre alors dans Hanoi le 18 mars 1946, avec l'accord de Hô. Mais, malgré cet accord, le gouvernement français dirigé par le socialiste Félix Gouin refuse de reconnaître le gouvernement de Hô, et à Saigon l'amiral Thierry d'Argenlieu pousse à la création, au sud, d'une « République de Cochinchine » séparée du Nord.

Pour sortir de l'impasse, Hô Chi Minh rencontre le 24 mars Thierry d'Argenlieu à bord de l'*Émile Bertin*, en présence de Sainteny, puis, du 17 avril au 11 mai, à Dalat, une conférence essaie de définir le statut du Nord-Vietnam et celui de la Cochinchine au sud. En vain. Une nouvelle conférence est organisée à Fontainebleau. Le 1er juin, sans l'attendre, Thierry d'Argenlieu proclame au Sud la « République autonome de Cochinchine » avec pour capitale Saigon, et, à sa tête, Bao-Dai, l'empereur d'Annam ainsi transplanté au Tonkin. À Hanoi, Hô interprète cette décision comme une manœuvre visant à remettre en cause l'indépendance du Nord et, au moins, à empêcher la réunification ultérieure de tout le Vietnam. Il décide cependant de participer à la conférence de Fontainebleau. Il part le 28 mai, accompagné par le général Salan, alors un allié et un ami. Il arrive à Marseille le 27 juin, après les élections législatives du 2 juin 1946 qui permettent à Georges Bidault de devenir président du Conseil. La situation est très confuse.

À l'occasion d'une réception donnée en son honneur au parc de Bagatelle, à Paris, Hô Chi Minh rencontre le grand résistant Raymond Aubrac, invité par une association de travailleurs vietnamiens qu'Aubrac avait connue, deux ans auparavant, lorsqu'il était commissaire de la République à Marseille. Les deux hommes sympathisent, et Hô Chi Minh demande à séjourner chez les Aubrac, à Soisy-sous-Montmorency, plutôt qu'à l'hôtel à Paris. Dans ses mémoires, Aubrac raconte que cette rencontre ne relevait sans doute pas du simple hasard, lui-même étant un compagnon de route du PCF. Durant l'été 1946, Hô Chi Minh partage ainsi la vie de la famille Aubrac et devient même le parrain de Babette, la fille qu'ont cet été-là Raymond et Lucie (l'oncle Hô fera ensuite envoyer un cadeau à Babette à chacun de ses anniversaires). C'est le seul enfant, la seule famille dans la vie d'Hô Chi Minh.

La conférence de Fontainebleau s'ouvre le 6 juillet. Hô Chi Minh et Pham Van Dong font face à Marius Moutet, ministre socialiste de la France d'outre-mer. Thierry d'Argenlieu déclare à un journaliste : « Cette conférence ? Il faut qu'elle échoue... » De fait, aucun des deux points essentiels ne trouve de solution : ni l'unité, que veulent les Vietnamiens du Nord, ni l'intégration du Vietnam du Nord dans l'Union française, que veulent les Français. Hô décide alors d'attendre les élections législatives prévues en France pour la fin 1946, après le référendum sur la Constitution de la IVe République, espérant en une victoire de la gauche pour obtenir un compromis. Le 14 septembre, Hô signe, en tant que président du gouvernement, non reconnu, de la « République du Vietnam » un *modus vivendi* provisoire avec Marius Moutet, renvoyant la suite des négociations au mois de janvier 1947.

La Constitution française approuvée par le référendum du 13 octobre 1946 crée une « Fédération indochinoise autonome » au sein de la nouvelle Union française, et la France y proclame sa volonté de « conduire les peuples dont elle a la charge ». Toutes les options restent donc encore ouvertes. Hô décide alors de rentrer en Indochine pour animer la campagne pour l'adoption, au Nord, de la Constitution de la « République démocratique du Vietnam », consultation électorale qui doit se tenir en novembre. En octobre, avant de rembarquer, il passe par Lyon, Avignon et Marseille, afin de visiter ses compatriotes mobilisés en 1939 : sur un total de 41 000 tirailleurs coloniaux, 10 000 Indochinois ont été affectés à la défense des frontières.

Le 9 novembre 1946, la Constitution du Vietnam est approuvée, au Nord, mais des incidents de plus en plus sérieux y opposent les forces viêtminh aux forces françaises. Pour en finir et sur ordre de l'état-major à Paris, le général Valluy décide d'écraser le Viêt-minh au nord à la suite d'une fusillade à Haïphong où 22 Français sont tués. Le 23, les troupes françaises pilonnent le port de Haiphong, à quelques kilomètres de Hanoi, faisant des milliers de victimes, espérant casser dans le même temps la résistance au sud. En France, les protestations se multiplient contre ce qui devient la « sale guerre » ; des manifestations et des actes de sabotage ont lieu. Un jeune marin communiste, Henri Martin, ancien FTP, engagé volontaire envoyé en Indochine en 1945 pour lutter contre l'occupant japonais, se retrouve, contre sa volonté, à se battre contre des communistes indochinois aux côtés d'anciens vichystes. Après le bombardement de Haiphong, il veut démissionner de l'armée, ce qui lui est refusé, et il est renvoyé en décembre à sa base de Toulon, où il tente de faire connaître en France ce à quoi il a assisté lors de l'attaque de Haiphong.

Le 16 décembre, de Hanoi, Hô Chi Minh envoie un message à Léon Blum, qui vient d'être porté à la présidence du Conseil, en demandant la réouverture des négociations, comme convenu avec le socialiste Moutet en septembre. Mais le message passe par le haut-commissariat et l'amiral d'Argenlieu, à Saigon, qui le bloquent. Provocation pour inciter Hô à l'attaque et conduire à l'écrasement de la révolte. Hô tombe dans le piège. Le 19 décembre 1946, sans réponse de Blum, il lance la bataille : « Que celui qui a un fusil se serve de son fusil, que celui qui a une épée se serve de son épée... Que chacun combatte le colonialisme ! » L'insurrection commence ce jour-là à 20 heures par l'explosion de la centrale électrique de la ville. Une quarantaine de Français sont massacrés. Le 20, les troupes françaises reprennent le contrôle de Hanoi : 40 morts et 300 disparus. Le 23, Blum reçoit enfin le message de Hô et envoie d'urgence Moutet en Indochine pour négocier avec lui. Celui-ci arrive le 25 à Hanoi mais il est promené par l'état-major à travers la ville en ruines, sans rencontrer Hô Chi Minh qui a quitté Hanoï le 20. Les généraux le poussent à conclure que le Viêt-minh n'est pas un interlocuteur valable. À Paris, même les socialistes, à commencer par Léon Blum, au gouvernement jusqu'au 16 janvier, sont maintenant hostiles à un accord avec le Viêt-minh, qui vient de massacrer des civils français. Tous les ponts entre Hô et la France sont désormais rompus. La guerre d'Indochine commence.

L'Armée populaire du Nord lance des attaques contre des convois français de ravitaillement et des postes isolés, et contre les troupes françaises qui n'occupent que les villes, les axes routiers, les voies d'eau et la ligne de chemin de fer. Le 5 mars, à Saigon, le général Bollaert remplace l'amiral d'Argenlieu, limogé. Le 25 avril, Hô Chi Minh doit fuir dans le maquis et, sentant venir la défaite, appelle à des négociations avec la France, puis, en gage de bonne foi, remanie son gouvernement en en éliminant les extrémistes. En mai, la France, écartant tout compromis avec Hô Chi Minh, en revient à la solution Bao-

Dai, l'empereur parti en exil à Hong-Kong, dont elle veut faire l'empereur de toute l'Indochine.

En octobre 1947, dans le maquis, Hô manque de peu de se faire capturer par les troupes françaises. Mais il tient. Et lui qui n'était qu'un bureaucrate de l'Internationale, un agent de propagande, devient l'exceptionnel chef de guerre d'un peuple qu'il a su entièrement mobiliser.

Le 5 juin 1948, le ministre de la France d'outre-mer Paul Coste-Floret et les hauts-commissaires Bollaert, puis Pignon, reconnaissent une autonomie du Vietnam du Nord au sein de l'Union française, avec droit à la constitution d'une armée nationale et à une représentation auprès des puissances étrangères. Pour Hô, cela ne suffit pas. La situation est bloquée : d'un côté, les Français tentent de s'appuyer sur des régimes fantoches ; de l'autre, Hô Chi Minh cherche un soutien international. En mai 1949, les forces s'équilibrent ; le Viêt-minh, armé par les communistes soviétiques et chinois, contrôle depuis le maquis la plus grande partie du Tonkin.

En octobre de la même année, Mao Zedong proclame la République populaire de Chine et reconnaît la République démocratique du Vietnam. Moscou et Pékin collaborent de nouveau, oubliant l'épisode Borodine, lequel vient d'être envoyé au goulag. En novembre, les Pays-Bas reconnaissent l'indépendance complète de l'Indonésie.

Au premier trimestre de 1950, Hô, toujours installé dans le maquis, effectue son premier voyage en tant que chef d'État en Chine et en URSS. Il reçoit des deux pays une aide matérielle substantielle permettant d'armer jusqu'à 400 000 hommes et de gagner du terrain face au corps expéditionnaire français.

À Paris, les adversaires de la guerre se mobilisent de plus belle. Incident symbolique : le 13 mars 1950, Henri Martin, qui continue d'expliquer ce qu'il a vu au Vietnam, est arrêté par la police militaire pour « complicité de sabotage ». Reconnu non-coupable, il est néanmoins condamné, le 20 octobre, par le tribunal maritime militaire de Brest à cinq ans de réclusion pour « tentative de démoralisation de l'armée ». Des comités de soutien sont créés en sa faveur. Henri Martin devient le symbole de la lutte contre la guerre d'Indochine. Il sera finalement libéré trois ans plus tard.

En 1951, la guerre semble mal tourner pour la France, qui sollicite l'aide des États-Unis : « Une fois perdu le Tonkin, dit-on à Paris, il n'y aura plus de barrière au communisme avant Suez. » Washington, qui avait aidé Hô, fournit maintenant à la France 93 000 tonnes de matériel et prend en charge 40 % des dépenses de guerre engagées par Paris.

Hô quitte peu à peu le maquis pour réoccuper les villes du Nord. Pendant deux ans, il mobilise la population du Tonkin autour des « quatre vertus révolutionnaires : travail, économie, intégrité, droiture », et insiste sur la valeur de l'éducation pour édifier l'« homme nouveau » vietnamien, sans hésiter à se référer à Confucius. Et cela fonctionne : le peuple est avec lui. Le 25 septembre 1953, il déclare ainsi : « Rappelons-nous le précepte du Sage : "Réaliser la droiture du cœur et se perfectionner moralement" pour "bien gouverner l'État et instaurer la paix dans le monde". Réaliser la droiture du cœur ! » Dans les territoires qu'il contrôle, il entreprend une réforme agraire qui sera parachevée trois ans plus tard malgré de multiples résistances paysannes. « Se perfectionner moralement, c'est se réformer. [...] C'est une révolution intérieure en chacun de nous. »

Au Tonkin, c'est-à-dire au Nord, l'armée française recule sur tous les fronts. Fin mars 1954, ce qu'il en reste est assiégé par cinq divisions ennemies, soit plus de 50 000 hommes, dans la cuvette de Diên Biên Phu, dans le Haut-Tonkin, ravitaillé uniquement par des parachutages, pilonné par l'artillerie du Front de libération du Vietnam qui tient les hauteurs voisines.

Le 26 avril s'ouvre à Genève une conférence sur l'Indochine réunissant les délégués de dix-neuf puissances. Pham Van Dong, ministre des Affaires étrangères de la République démocratique du Vietnam, conduit la délégation venue de Hanoi ; Zhou Enlai, à la tête de la délégation chinoise, et Molotov, à la tête de la délégation soviétique, ne souhaitant pas entrer en conflit armé avec les États-Unis, poussent Pham à accepter la partition du Vietnam.

Le 7 mai, après une semaine de bombardements, le centre du camp retranché de Diên Biên Phu tombe et l'essentiel de l'état-major est capturé. Les défenseurs d'« Isabelle », le poste avancé, résistent jusqu'au lendemain. Douze mille Français sont faits prisonniers. Un tiers d'entre eux reviendront en France ; un autre tiers, d'origine étrangère, notamment vietnamienne, ont sans doute survécu ; quelque 3 500 soldats français disparaissent.

La chute de Diên Biên Phu entraîne à Paris celle du cabinet Laniel. Le 18 juin 1954, Pierre Mendès France devient président du Conseil et reprend les pourparlers.

Inquiet de voir les Américains utiliser, en cas d'échec, l'arme nucléaire, Hô donne l'ordre d'accepter, avec réticence, la partition ; la moitié, c'est mieux que rien.

Le 21 juillet, les accords de Genève mettent fin à la guerre, moyennant des termes assez flous : au nord du 17e parallèle, c'est-à-dire au Tonkin, les forces du Viêt-minh exercent leur contrôle. Au sud, un corps expéditionnaire français reste pour soutenir l'armée vietnamienne de Bao-Dai en attendant les élections libres prévues dans un délai de deux ans. Les populations ont la possibilité de migrer d'un côté ou de l'autre. Les accords reconnaissent l'intégrité du Laos et du Cambodge, et sont ratifiés par l'URSS, la Grande-Bretagne et la Chine populaire – mais pas par les États-Unis.

S'ils chassent les Français du Nord, ces accords ne règlent rien : Hô Chi Minh continue la lutte pour l'unification du pays. Au Sud, les Américains contraignent l'empereur Bao-Dai à abdiquer. Ngô Dinh Diêm, mandarin de haut rang, membre du gouvernement de l'empereur Bao-Dai avant la Seconde Guerre mondiale, exilé aux États-Unis, crée au Sud une République du Vietnam puis s'autoproclame chef d'État en octobre 1955. Paris, qui doit s'occuper de la situation en Afrique du Nord, abandonne toute l'Indochine, même le Sud, aux Américains, pour qui il s'agit de la guerre contre le communisme et non pas d'une guerre coloniale.

Chef de l'État du Nord et secrétaire général du parti, Hô gère l'organisation d'une république de 20 millions d'habitants et met en œuvre une réforme agraire alors violemment contestée. Il rend visite à toutes les démocraties populaires européennes et va régulièrement à Pékin. Il soutient la création, au sud, du Front national pour la libération du Vietnam (surnommé *Viêt-công* par les Américains et les Sud-Vietnamiens), et l'approvisionnent en hommes, en armes et en matériel. Hô devient progressivement l'incarnation mondiale de la lutte des peuples contre les puissances occidentales.

Pendant ce temps, les relations entre la Chine communiste et Moscou se dégradent. En 1959, pour le dixième anniversaire de la République populaire de Chine, Khrouchtchev, successeur de Staline, se rend à Pékin. Il annonce la dissolution du Kominform et prône la « coexistence pacifique » avec les États-Unis, renonçant même à aider la Chine à obtenir l'arme nucléaire. Mao dénonce alors le « révisionnisme » de Moscou. En juin 1960, à l'occasion d'un Congrès du Parti roumain, Khrouchtchev affronte ouvertement le représentant chinois

Peng Zhen. L'unité communiste mondiale n'existe plus. Situation très dangereuse, de nouveau, pour Hô, qui a toujours pâti du conflit soviétique.

En octobre 1962, Mao qualifie de « capitulation » le recul de Khrouchtchev lors de la crise des missiles de Cuba. En juin 1963, les Chinois publient *La proposition du Parti communiste chinois concernant la ligne générale du mouvement communiste international*. Moscou riposte par une *Lettre ouverte au Parti communiste de l'Union soviétique*.

Cette année-là, au Sud-Vietnam, la résistance contre la présence des Américains prend une nouvelle ampleur avec le suicide de bonzes, puis le coup d'État militaire qui assassine les frères Diêm, le 1ᵉʳ novembre 1963, lors d'un coup d'État organisé par la CIA. Après l'élimination de Khrouchtchev, en octobre 1964, l'URSS perd son influence en Extrême-Orient au bénéfice de la Chine.

Hô Chi Minh refuse de choisir entre Moscou et Pékin. Il a trop souffert de leurs divisions : comment oublier tout ce qu'il a fait, en Chine, avec les Soviétiques ? comment oublier Borodine, déporté au goulag en 1949 et mort en Sibérie trois ans plus tard ? Il réussit à se tenir à égale distance des deux géants communistes et évite la mise sous tutelle de son pays par ses grands voisins.

Février 1965 voit s'accumuler plusieurs événements considérables : le début des bombardements du Nord-Vietnam par l'aviation américaine, la visite à Hanoi du Premier ministre soviétique Alexis Kossyguine, le discours de Che Guevara à Alger lors du Séminaire économique de solidarité afro-asiatique, où il lance le mot d'ordre : « Créer deux, trois, de nombreux Vietnam. » Hô devient alors l'un des héros de la jeunesse mondiale au même titre que Gândhî, Nehru, Sukarno, Guevara, tandis que les régimes successifs du Sud sont perçus comme des collaborateurs, voire des fantoches aux mains des Américains. Partout en Europe, on manifeste, on théorise, on terrorise, au nom de Hô.

Début mai 1965, Hô rencontre secrètement Mao à Changsha, et le 19, jour de son soixante-quinzième anniversaire, il visite ce qui passe pour être le village natal de Confucius, dans le Shantung, avant de se rendre à Pékin et en Mandchourie. Cette même année, à Moscou, le Présidium suprême de l'URSS lui décerne l'Ordre de Lénine : toujours le même souci d'équilibre.

En 1966, Hô prend même des contacts secrets avec Washington grâce au truchement de Jean Sainteny et de Raymond Aubrac, devenu fonctionnaire international à l'ONU, qui lui sert d'émissaire pour transmettre aux Américains certains de ses messages. En vain. En avril 1967, il tombe malade et il est soigné en Chine. À l'hiver 1967 commencent aux États-Unis des manifestations de soutien au Vietnam-Nord, où sont applaudis les noms de Hô et du Che. Le 30 janvier 1968, soit un jour avant la nouvelle année lunaire, le *Têt*, 80 000 soldats venus du Nord attaquent par surprise plus d'une centaine de villes du Sud. Ces attaques sont rapidement repoussées par les Américains, et le FNL se voit infliger d'énormes pertes. Mais c'est un énorme coup politique : l'Amérique est vulnérable, et la guerre au Vietnam devient terriblement impopulaire aux États-Unis. En mars 1968, Hô est soigné en Chine. En mai 1968, pour la jeunesse mondiale, l'Oncle Hô incarne la résistance à l'Oncle Sam. Il est soigné à Hanoi par des médecins chinois.

En mai 1969, Lê Dûc Tho est à Paris pour rencontrer pour la première fois Henry Kissinger, qui vient d'être nommé conseiller de sécurité du nouveau président Nixon, lequel veut en finir ; cependant que Hô agonise, puis meurt le 2 septembre – jour de la fête nationale célébrant la proclamation de l'indépendance, le 2 septembre 1945.

Son décès n'est annoncé que le lendemain, pour ne pas assombrir la fête nationale. Ses funérailles ont lieu le 9 septembre. Ce sont des obsèques nationales, contrairement à ce qu'il avait pourtant explicitement demandé : « Après ma mort, il faut éviter d'organiser de grandes funérailles, pour ne pas gaspiller l'argent du peuple. Je demande que mon corps soit incinéré. Mes cendres seront divisées en trois parties mises dans trois boîtes en grès : une pour le Nord, une pour le Centre et une pour le Sud. Au-dessus de la tombe, il ne faudra ériger ni stèle en pierre, ni statue en bronze, mais construire seulement une maison bien simple, vaste, solide et aérée, comme lieu de repos des visiteurs. Chaque visiteur pourra planter un arbre en guise de souvenir. Avec le temps, les arbres formeront une forêt. »

Malgré ces directives commence la construction d'un mausolée à Hanoi ouvert au public en mai 1975, quelques jours après la victoire militaire, au Sud, des combattants communistes et la chute de Saigon, rebaptisée l'année suivante « Hô Chi Minh Ville » dans un Vietnam réunifié.

BIBLIOGRAPHIE

BROCHEUX, Pierre, *Hô Chi Minh*, Paris, Presses de Sciences Po, 2000.
BROCHEUX, Pierre, *Hô Chi Minh : du révolutionnaire à l'icône*, Paris, Payot, 2003.
DUONG THU HUONG, *Au Zénith*, Paris, Sabine Wespieser, 2009.
HÉMERY, Daniel, *Hô Chi Minh : de l'Indochine au Vietnam,* Paris, Gallimard, 1990.
LACOUTURE, Jean, « Vietnam 1946-1954 : de la procédure bilatérale à la négociation globale », *Revue française de science politique*, année 1969, vol. 19, n° 6, p. 1231-1238.

24

Hampâté Bâ

(1900-1991)
ou le sauveur de mémoires

L'Afrique, l'immense Afrique, mon continent, d'où tant de cultures ont surgi, tant d'art, tant de cosmogonies qui me fascinent. Tant de nouvelles nations, aussi, souvent encore en quête d'elles-mêmes. L'Afrique, théâtre de toutes les promesses, de toutes les barbaries, de tous les miracles, qui sera sans doute le principal acteur géopolitique des deux derniers tiers du XXIe siècle. L'Afrique dont on méconnaît l'histoire, parce que ses cultures sont pour l'essentiel orales, et parce que les colonisateurs, arabes puis européens, tous esclavagistes, les ont impitoyablement réduites au silence, faisant disparaître leurs mythes, leurs légendes, leurs rituels, et, avec eux, leurs empires, civilisations aussi complexes et éblouissantes que le furent celles d'Europe ou d'Asie.

Un grand écrivain s'est battu toute sa vie pour sauvegarder cette mémoire, constituer à partir d'elle une arche de Noé avant le Déluge. Non pour conquérir l'indépendance politique, ce qui n'était pas son combat. Mais pour préserver l'identité et l'apport au monde d'un continent.

Célébrissime par une phrase que nul ne songe à lui attribuer (« En Afrique, quand un vieillard meurt, c'est une bibliothèque qui brûle »), Amadou Hampâté Bâ naît probablement en janvier 1900 à Bandiagara, chef-lieu du pays dogon, au bord d'une longue et spectaculaire falaise, sur le plateau central du Mali. Les Dogons sont avant tout des cultivateurs, qui récoltent surtout du mil, et des forgerons. Ils sont célèbres pour leur fabuleuse cosmogonie, leurs cérémonies, leurs masques, leurs danses et leur langue secrète, le sigi so, dont l'usage est réservé à une société fermée, la « société des masques ». Leur pays s'étend de la falaise de Bandiagara à la boucle du Niger, en passant par l'actuel Burkina Faso.

En 1818, un marabout peul devenu musulman, Sékou Amadou, envahit la région, balaie l'Empire dogon et fonde l'Empire musulman du Macina (aussi appelé Diina, ce qui signifie « foi en l'islam »), prenant Bandiagara pour capitale. En 1850, un autre musulman, de l'ethnie toucouleure, El Hadj Oumar Tall, originaire de l'actuel Sénégal, se lance, au retour d'un pèlerinage à La Mecque, à la conquête de l'empire peul. À partir de 1857, il se heurte en de nombreux points à l'armée française, qui vient de débarquer ; en 1861, il conquiert Ségou, au Mali, puis, en 1862, Hamdallaye et les principales villes de l'empire défait : Djenné, Hamdallaye, puis la capitale, Bandiagara.

Cette année-là, le grand-père maternel d'Hampâté Bâ, Pâté Poullo, simple pasteur peul qui a tout quitté, son troupeau et sa région du Fouta Toro (Sénégal), rallie l'armée d'El Hadj Oumar Tall. Deux ans plus tard, en 1864, à la mort de ce dernier, son neveu Tidjani Tall poursuit contre les Peuls l'expansion de son empire, installe sa capitale à Bandiagara et tente de réconcilier Dogons, Peuls et Toucouleurs, favorisant, parfois même par la contrainte, les mariages interethniques. De fait, Pâté Poullo, Peul ayant rejoint les Toucouleurs et devenu quasiment l'un d'eux, épouse une Peule, Anta Njobi Soo ; ils auront six enfants, dont Khadija Pâté, future mère d'Amadou Hampâté Bâ qui écrira plus tard à propos de sa famille :

« En Afrique traditionnelle, l'individu est inséparable de sa lignée qui continue de vivre à travers lui et dont il n'est que le prolongement. C'est pourquoi, lorsqu'on veut honorer quelqu'un, on le salue en lançant plusieurs fois non pas son nom personnel (ce que l'on appellerait en Europe le prénom), mais le nom de son clan : "Baa ! Baa !" Ou "Jallo ! Jallo !" Ou "Cissé ! Cissé !" Car ce n'est pas un individu isolé que l'on salue, mais, à travers lui, toute la lignée de ses ancêtres. […] Toute l'histoire de ma famille est en effet liée à celle du Macina (région du Mali située dans ce qu'on appelle la "Boucle du Niger") et aux guerres qui le déchirèrent, particulièrement celles qui opposèrent les Peuls de l'Empire peul du Macina aux Toucouleurs de l'armée d'Elhadj Umar, le grand conquérant et chef religieux venu de l'ouest. [...] Chacune de mes deux lignées s'apparente, d'une manière directe ou indirecte, à l'un de ces deux grands partis antagonistes. C'est donc un double héritage, à la fois historique et affectif, que j'ai reçu à ma naissance, et bien des événements de ma vie en ont été marqués. »

Puis l'empire toucouleur doit à son tour reculer, cette fois face à la colonisation française. Les Français prennent Dakar en 1876, Bamako en 1883, puis Djenné, Mopti et enfin Bandiagara, qui connaît ainsi son quatrième maître en soixante-dix ans. Le 16 juin 1885, ils rassemblent leurs premières conquêtes dans une fédération de l'Afrique occidentale française (A.O.F.). En 1894, Tombouctou est prise à son tour, puis ce qu'on va appeler le Soudan français. Cette même année, les troupes françaises, aidées par une ethnie animiste qui a résisté à l'islam, les Bambaras (« ceux qui ont refusé de se soumettre »), entrent dans Ségou, au Mali. L'empire du Macina s'effondre. En 1898, c'est toute la boucle du Niger qui est conquise par la France, laquelle découvre l'Afrique. En Europe, l'art nègre inspire bientôt des artistes tels que Vlaminck, Derain, les peintres expressionnistes allemands du groupe Die Brücke, puis Matisse, Gauguin, Braque, Gris et bientôt Giacometti.

Vers 1895, le père de notre personnage, Hampâté Bâ, épouse Khadija Poullo. Amadou Hampâté Bâ est le fils puîné de ses parents. L'aîné est un autre garçon, Hamadun. Quelques mois seulement après sa naissance, son père et sa mère se séparent. Quatre ans plus tard, en 1904, le père meurt. Amadou ne l'évoquera que très peu dans ses livres.

On confie les deux enfants d'abord au frère de leur père, tandis que leur mère se remarie en 1905 à Bougouni, à 700 kilomètres de Bandiagara, avec un prince toucouleur de haut rang, Tidjani Amadou Ali Thiam, dirigeant de l'ancien empire, que la France laisse encore administrer la province de Louta, prospère région au sud du Mali.

En se mariant à un Toucouleur, la Peule Khadija opte pour la tradition des mariages mixtes. La province toucouleur de Louta connaît alors de violentes rébellions à la fois contre les Peuls et contre les Français, que Tidjani Thiam finit par mater. Les autres épouses et parentes toucouleurs de Tidjani sont furieuses de l'arrivée au foyer de Khadija. Cette même année, Khadija se rend à Bandiagara où le tuteur de ses fils vient de mourir, et elle obtient alors l'autorisation de les ramener avec elle à Bougouni. Son époux, Tidjani Thiam, les adopte, au grand dam de sa famille.

Les deux garçons côtoient alors les personnalités peules et toucouleures de la région. « Le plus souvent, je restais après le dîner chez mon père Tidjani pour assister aux veillées. Pour les enfants, ces veillées étaient une véritable école vivante, car un maître conteur africain ne se limitait pas à narrer des contes, il était également capable d'enseigner de nombreuses autres matières. » La ville regorge de diseurs de légendes dogons, peuls, toucouleurs, bambaras. Hampâté découvre les griots, pivots de ces soirées, qui y racontent fables et épopées, brodant sur les mythes, les légendes, les cosmogonies et les généalogies. Il écrit : « Dans ce pays où, pendant des millénaires, seuls les sages eurent le droit de parler, dans ce pays où la tradition orale a eu la rigueur des écrits les plus sacrés, la parole est devenue sacrée. Dans la mesure où l'Afrique noire a été dépourvue d'un système d'écriture pratique, elle a entretenu le culte de la parole, du "verbe fécondant". » Le petit garçon se lie en particulier d'amitié avec un conteur peul, Koullel, dont il écrira plus tard l'histoire. Il dresse un extraordinaire parallèle, dans la culture peule, entre conteurs et tisserands : « Aïssata avait dit à son fils : "Apprends à couvrir la nudité matérielle des hommes avant de couvrir par ta parole leur nudité morale." Les tisserands traditionnels, initiés au symbolisme de leur métier à tisser où chaque pièce a une signification particulière, et dont l'ensemble symbolise la "création primordiale", savent tous qu'en faisant naître sous leurs doigts la bande de tissu qui se déroule comme le temps lui-même, ils ne font rien d'autre que reproduire le mystère de la Parole créatrice. […] C'est par la puissance du verbe que l'homme, lui aussi, crée. Il crée non seulement pour assurer les relations indispensables à son existence matérielle, mais aussi pour assurer le viatique qui ouvre pour lui les portes de la béatitude. Une chose devient ce que le verbe lui dit d'être. Dieu dit : "Sois !" et la créature répond : "Je suis." »

Toutes les cultures le disent à leur façon : tout commence par le Verbe. Les lettres sont la vie même.

Pour pouvoir mieux les intégrer à la société bambara animiste, dominante à Bougouni, les parents d'Hampâté Bâ le font initier à la société enfantine « Tiébléni » en même temps qu'ils lui font suivre un enseignement coranique auprès d'un ami de son beau-père, Tierno Kounta.

En 1908, ayant obtenu l'autorisation des autorités coloniales, la famille part vivre à Bandiagara, capitale du pays dogon et des anciens empires toucouleur et peul, et s'installe dans une belle et riche maison dans le quartier de Keretel. Là, Hampâté et son frère Hamadun fréquentent l'école coranique de Tierno Bokar, haut dignitaire de la confrérie de leur beau-père, neveu du conquérant toucouleur El Hadj Oumar Tall. Ayant été élevé par le père de Tidjani Thiam comme son propre fils, il considère Hamadun et Amadou Hampâté Ba comme ses neveux. Tierno Bokar parle le pulaar, le bambara, le maure, l'haoussa et l'arabe. Outre le Coran, il leur enseigne des rudiments de mathématiques, de botanique, et les initie aux traditions peules et bambaras.

En évoquant son enfance soixante-dix ans plus tard, Bâ écrira : « Tierno Bokar racontait la plus belle histoire du monde, celle de la création et du devenir de l'homme. » Lui-même se découvre vite des dons de conteur dans cette société où la parole est reine. Et il racontera aussi, bien plus tard, cette ambiance des veillées, communes à toute l'humanité jusqu'à l'invention de la radio : « À la belle saison, on venait le soir à Keretel pour regarder s'affronter les lutteurs, écouter chanter les griots musiciens, entendre des contes, des épopées et des poèmes. Si un jeune homme était en verve poétique, il venait chanter ses improvisations. On les retenait de mémoire et, si elles étaient belles, dès le lendemain elles se répandaient à travers toute la ville. [...] À travers ce chaos apparent, nous apprenions et retenions beaucoup de choses, sans peine et avec un grand plaisir, parce que c'était éminemment vivant et distrayant. [...] C'est là qu'avant même de savoir écrire j'ai appris à tout emmagasiner dans ma mémoire, déjà très exercée par la technique de mémorisation auditive de l'école coranique. »

Premier titre : en 1910, à l'âge de dix ans, Hampâté Bâ fonde avec des amis de son âge une association de jeunes gens, une *waaldé*. Il en est le chef, le « petit conteur ».

Premier amour : sa *waaldé* se marie symboliquement avec une *waaldé* féminine dont fait partie une jolie fillette, Mayrama Jeidani. Il racontera : « Après le dîner, que nous l'ayons pris ensemble ou séparément, Dawuda, mes camarades et moi nous rendions parfois à la grand'place de Keretel où les jeunes gens et les jeunes filles de plusieurs quartiers de Bandiagara se réunissaient le soir pour bavarder, chanter ou danser au clair de lune. Nous aimions danser avec les fillettes de la *waaldé* dirigée par Mayrama Jeidani, et je commençais déjà à penser à "jumeler" notre *waaldé* avec la leur, comme la coutume le permettait, pour une sorte de mariage symbolique entre nos deux associations. »

Une grave crise familiale survient en 1911 : Tidjani, le beau-père d'Amadou Hampâté, se trouvant à Tombouctou pour affaires, à Bandiagara ses femmes toucouleurs font croire à Khadija que son mari a décidé de la répudier et qu'il vaut mieux pour elle partir avant son retour. Khadija s'en va à Mopti avec un enfant qu'elle vient d'avoir de Tidjani, laissant sur place Amadou Hampâté et Hamadun qu'elle ne peut emmener avec elle sans l'accord de la famille paternelle. Mis au courant à Tombouctou, Tidjani n'intervient pas, pensant qu'il ne s'agit là que d'une crise passagère, et que tout, sous peu, rentrera dans l'ordre. Mais le nouveau-né meurt. Apprenant la nouvelle, Tidjani court à Mopti pour y chercher Khadija, laquelle refuse de le suivre et fuit à Bamako. Tidjani l'y poursuit, obtient son pardon et chasse ses autres femmes. Le couple quitte définitivement Bandiagara et s'installe à Bamako.

Durant cette crise, le jeune garçon, resté à Bandiagara avec son frère aîné, Hamadun, se pense définitivement délaissé par sa mère et son beau-père. Il apprend à lire avec Tierno Bokar, lequel lui explique : « L'écriture est une chose, et le savoir en est une autre. L'écriture est la photographie du savoir, mais elle n'est pas le savoir lui-même. Le savoir est une lumière qui est en l'homme. Il est l'héritage de tout ce que les ancêtres ont pu connaître et qu'ils nous ont transmis en germe, tout comme le baobab est contenu en puissance dans sa graine. »

Cette même année 1911, Hampâté Bâ est envoyé presque par hasard à l'école française de Bandiagara : « Le commandant de cercle de Bandiagara, Camille Maillet, donna ordre au chef traditionnel de la ville, Alfa Maki Taal […], de lui fournir deux garçons de bonne famille, âgés de moins de dix-huit ans, pour compléter l'effectif de l'école primaire de Bandiagara. » En conflit avec la famille d'Hampâté, Koniba Kondala, le chef du quartier censé choisir les enfants, livre Amadou Hampâté à l'école des « mangeurs de cochon ». Amené devant Camille Maillet, Amadou Hampâté, qui ne parle pas encore le français, fait très forte impression : « Interprète, dis au commandant que j'ai manqué deux fois d'être chef : une fois en tant que fils de Hampâté, et une fois en tant que fils de Tidjani. Or, ce dernier m'a dit que la chance se présente toujours trois fois avant de se détourner définitivement. Le commandant me donne ma troisième chance de devenir chef, je ne voudrais pas la rater comme j'ai raté les deux premières. C'est pourquoi je veux aller à l'école. » Sa mère, alors de passage à Bandiagara pour voir ses fils et s'assurer de la bonne gestion de son troupeau, entend s'opposer à ce changement d'école : il ne faut pas aller chez les Blancs. Tierno Bokar lui conseille de laisser l'enfant emprunter cette voie. L'école se trouve à deux kilomètres de la maison du jeune garçon, qui s'y rend à pied, tôt matin, sans son frère Hamadun, resté à l'école coranique.

À la fin du printemps 1912, Hampâté Bâ, qui a douze ans, rencontre un interprète bambara, Samba Traoré, surnommé « Wangrin », chargé par le commandant du cercle d'assister un Français, commis des Affaires indigènes, François-Victor Equilbecq, venu collecter les contes du Soudan, à la demande d'un fonctionnaire particulièrement intéressé par les cultures africaines. Soixante ans plus tard, Bâ racontera ainsi leur première rencontre : « Quand M. Equilbecq arriva à Bandiagara en juin 1912, le commandant de cercle convoqua le chef Alfa Maki Taal pour lui demander d'envoyer au nouvel arrivant tous ceux, hommes, femmes, vieillards ou enfants, qui connaissaient des contes. Je figurais parmi les enfants choisis. Chaque conte retenu était payé à l'informateur dix, quinze ou vingt centimes, selon sa longueur ou son importance. Au début, Wangrin les traduisait à M. Equilbecq, qui prenait des notes. Mais, bientôt, ce dernier se déchargea sur lui du soin de recueillir directement la plupart des textes. Wangrin rédigeait une première traduction en français, puis la communiquait à M. Equilbecq, lequel y apportait éventuellement des corrections ou des modifications de son cru. […] Lorsque les autres enfants conteurs et moi avons été présentés à Wangrin, quelqu'un lui a dit que j'étais le neveu de son grand ami Hamadun Pâté (le frère cadet de ma mère), chef de la puissante association d'adultes à laquelle il s'était affilié dès son arrivée à Bandiagara. Il me considéra aussitôt comme son propre neveu, ainsi que le voulait la tradition africaine où l'ami du père est un père, l'ami de l'oncle un oncle, etc. »

Vers la fin des vacances d'été 1912, c'est la tragédie : son frère Hamadun, de deux ans son aîné, « brillant et aimé de tous », qui vit encore à Bandiagara avec lui, ne supporte plus l'absence de sa mère et accepte, pour la rejoindre, de servir de « porte-bagages » à un marchand sur les sept cents kilomètres qui les séparent de Bamako et qu'ils couvrent à pied. L'enfant meurt en chemin de fatigue et d'une bronchite, doublée certainement d'une crise de paludisme. Amadou se retrouve plus seul que jamais à Bandiagara.

En 1913, une vague de sécheresse affecte les pays de la Boucle du Niger ; elle entraîne une effroyable famine qui cause la mort de près d'un tiers des populations.

À la fin juin 1913, son instituteur, Moulay Aidara, lui apprend qu'il a obtenu le nombre de points suffisant pour rejoindre l'école régionale de Djenné afin d'y préparer, en deux ans, le certificat d'études indigène. L'établissement est situé à deux cents kilomètres de Bandiagara. Il n'y connaît personne. Ses parents sont encore à Bamako. Il part début septembre 1913 à Djenné où, après de nombreuses péripéties, il est logé dans le palais d'un chef peul, Amadou Kisso.

Hampâté Bâ découvre alors un nouveau monde, une nouvelle culture, une nouvelle langue, de nouveaux modes de pensée et de réflexion. Il renoue aussi avec les soirées de contes, de gestes, de fables et de récits cosmogoniques. Il écrira de lui-même : « Je suis un diplômé de la grande université de la Parole enseignée à l'ombre des baobabs. »

En août 1914, Hampâté Bâ, qui passe des vacances en famille à Bandiagara où sa mère est aussi revenue pour l'été, voit partir des milliers de jeunes Dogons parmi les « tirailleurs sénégalais », dans les rangs de l'armée française ; des milliers d'entre eux y mourront. Il le racontera plus tard dans un texte qui en dit long sur les relations entre l'Afrique et l'Europe : « Dans la nuit du 3 au 4 août 1914, les clairons du bataillon se mirent à trompetter, émettant des notes de mauvais augure. Quelques instants après retentissait à son tour le grand tam-tam royal de guerre toucouleur, selon un rythme qui annonçait une grande calamité. Aussitôt, toutes les concessions retentirent de l'exclamation pulaar "Jam ! Jam !" (Paix ! Paix !), qui est censée repousser le malheur. Chacun tendait l'oreille, attendant un nouveau message codé qui définirait la nature du malheur annoncé. On n'attendit pas longtemps. Après le dernier des sept grands coups de tam-tam donnés à quelques secondes d'intervalle, d'autres coups suivirent, plus saccadés et plus rapides, entrecoupés du tintement précipité des cylindres métalliques. C'était le signal sonore traditionnel annonçant l'entrée en guerre avec des étrangers. Aussitôt de toute la ville monta une clameur : "C'est la guerre ! C'est la guerre !" Aux premières heures de la matinée, le commandant de cercle réunit tous les chefs et notables du pays et leur déclara : "L'Allemagne vient d'allumer les poudres en Europe. Son empereur, Guillaume II, veut dominer le monde. Mais il trouvera devant lui notre France éternelle, championne des libertés !"

[...] D'un autre groupe se leva le Jawano Gela Mbure, qu'on appelait "le Grand Parleur". Il imposa silence à tout le monde, puis déclara d'une voix forte : "[...] Pourquoi les toubabs sont-ils venus nous envahir, pourquoi nous ont-ils capturés et domestiqués ? Uniquement pour se servir de nous en cas de besoin, tout comme le chasseur se sert de son chien, le cavalier de son cheval, et le maître de son captif : pour les aider à travailler ou à combattre leurs ennemis. Cela n'a rien d'étonnant. Nous aussi, jadis, avons fait des captifs par la guerre, avant de le devenir nous-mêmes. Et pourquoi les toubabs d'Europe se sont-ils déclaré la guerre ? Mes frères, je vais vous le dire : les Français sont entrés en guerre pour nous conserver, rien que pour nous conserver, et les Allemands pour nous avoir. Il ne faut pas chercher une autre explication. Si l'incendie ne s'éteint pas très vite, alors demain, après-demain ou dans un an les "peaux allumées" ramasseront tous nos fils et nos biens pour entretenir leur guerre, car nous sommes là pour ça. »

De fait, plusieurs dizaines de milliers d'hommes sont recrutés selon des méthodes pour le moins expéditives. Dès la fin de 1914, ces tirailleurs sénégalais se retrouvent en première ligne à Ypres et à Dixmude. Des mesures de réquisition sont édictées pour le mil, le riz, les matières grasses, la viande. Dans sa fonction d'interprète, Wangrin aide à ces réquisitions et y fait fortune. Au printemps 1915, des révoltes éclatent chez les Bambaras du Mali, près de Bamako. Wangrin est alors accusé de vol de bœufs par un « dieu de la brousse », autrement dit un administrateur des Colonies. Il sera lavé de tout soupçon par la justice et quittera Bandiagara pour la Haute-Volta. « Nous ne serons cependant jamais totalement privés de ses nouvelles, car son épouse, une Dogon de Bandiagara, dont la famille était proche voisine de la mienne, écrivait de temps en temps à ses parents qui nous tenaient au courant. » Hampâté Bâ retrouvera plus tard ce Wangrin, dont il racontera l'étonnante destinée.

À quinze ans, en juin 1915, juste après avoir obtenu son certificat d'études à Djenné, il ne peut plus supporter cette solitude et décide de rejoindre sa mère à Kati, à 15 kilomètres de Bamako : « À la fin de l'année, j'obtins mon certificat d'études. Je savais que si je laissais les choses aller leur train, dès les premiers jours de vacances je serais aussitôt acheminé sur Bandiagara avant d'être envoyé à l'internat de l'École professionnelle de Bamako, ou encore affecté immédiatement à un obscur poste administratif qui serait peut-être très éloigné de

Kati. Je ne pouvais courir ce risque, il me fallait partır avant. » Comme son frère aîné l'avait tragiquement tenté trois ans auparavant, il va de Djenné à Bamako, distantes de près de 500 kilomètres, successivement à pied, en bateau et en train. À Kati, ses parents, fous d'inquiétude, l'accueillent avec émotion et décident de le garder auprès d'eux. Mais, n'ayant aucune preuve qu'il a obtenu son certificat, il doit retourner à l'école primaire.

Cependant que les révoltes des Bambaras sont matées, il prête sa plume en tant qu'« écrivain public » aux femmes de soldats partis dans les tranchées de la Grande Guerre. Il en profite pour fonder une nouvelle *waaldé* de poésie. Il se découvre ainsi conteur. Hampâté Bâ raconte que, à son arrivée chez ses parents, il narre pour la première fois ses aventures personnelles à un auditoire : « Chacun voulait savoir ce qui m'était arrivé au cours des années écoulées, on m'interrogeait sur Bandiagara, sur Djenné, sur les pays que j'avais traversés, les gens que j'avais rencontrés, leurs coutumes, etc., comme l'on fait quand arrive un voyageur venu de loin. C'était mon premier auditoire pour mes aventures personnelles. Je ne manquais pas d'anecdotes à raconter, ni de paroles pour les dire... Ce fut une longue et heureuse veillée. Elle se prolongea tard dans la nuit. »

En juin 1916, les révoltes reprennent de plus belle dans l'Afrique colonisée contre les réquisitions de vivres et le travail forcé, si pénible qu'une femme enceinte perd son enfant à naître. Ce drame provoque la colère des femmes, qui refusent toute relation sexuelle avec leurs maris tant qu'ils accepteront les réquisitions. Émeutes. La répression est terrible : l'armée française fait donner l'artillerie contre une dizaine de villages fortifiés, notamment des localités comme Dédougou, faisant plus de vingt mille morts, dont des enfants qui ont refusé de se rendre. Au même moment, en octobre de cette année-là, ce sont les Africains, dont les Dogons de Bandiagara, qui sont en première ligne, en métropole, lors de la prise du fort de Douaumont.

Hampâté Bâ devient, à dix-sept ans, « vaguemestre auxiliaire de l'armée à titre civil », chargé de trier et distribuer le courrier. La guerre réclame de plus en plus de soldats. En 1917, à Paris, Blaise Diagne, un Sénégalais fonctionnaire des douanes, premier député à l'Assemblée nationale française depuis 1914, est nommé commissaire général aux troupes noires avec rang de sous-secrétaire d'État aux Colonies. Il organise le recrutement en Afrique occidentale française. En avril 1917, ce sont encore des Africains, « dogues noirs de l'Empire », dira Léopold Sédar Senghor, qui se trouvent en première ligne dans la bataille du Chemin des Dames : 7 000 d'entre eux sont tués sur les 16 500 engagés dans la bataille.

De février à août 1918 et de Dakar à Bamako, Blaise Diagne essaie de convaincre ses compatriotes de venir se battre en France, tout en leur promettant des médailles, des repas, des vêtements, et surtout la citoyenneté française après la guerre. Il réussit ainsi à mobiliser 63 000 hommes en A.O.F. et 14 000 en Afrique équatoriale. Hampâté Bâ se souviendra : « À Kati, il y avait au moins deux mille tirailleurs en permanence dans la ville, soit en instance de départ pour le front, soit en stage de formation militaire. La plupart des soldats qui partaient en France laissaient leurs épouses à Kati. Elles percevaient une petite pension, mais, pour améliorer leur ordinaire, elles devenaient souvent marchandes, cuisinières de plein air, cabaretières, teinturières, couturières… » Il a alors dix-huit ans et est convoqué par l'armée : le front l'attend. Mais le voilà « exempté de recrutement pour "insuffisance de développement physique" et maintenu dans [ses] fonctions d'auxiliaire de l'armée à Kati. Les Fulbé [Peuls] affichent souvent dans leur jeunesse une maigreur que d'aucuns prennent pour une faiblesse de constitution. Les Bamanas [Bambaras], qui nous appellent "Fulbé maigrelets", ont coutume de dire : "Quand tu vois un Pullo, tu crois qu'il est malade, mais ne t'y fie pas ; ce n'est que son état habituel." Et les tirailleurs d'ajouter dans leur langage savoureux : "Hé, les Fulbé !… Toujours malades, jamé mourri !" »

En juin 1918, il est repéré par les instituteurs comme digne de faire partie de la future élite coloniale, formée à l'École normale de Gorée. Il en rêve : l'« École normale William-Ponty » forme à la fois les instituteurs, les médecins et les cadres administratifs d'Afrique de l'Ouest. Plus de deux mille élèves en sont sortis, surnommés les « Pontins ». Parmi eux, de nombreux futurs ministres et chefs d'État ou de gouvernement tels que Félix Houphouët-Boigny, Modibo Keïta, Hubert Maga, Hamani Diori, Sylvanus Olympio, Mamadou Dia ou Abdoulaye Wade ; des écrivains aussi : Abdoulaye Sadji, Ousmane Socé Diop. Mais le chemin est long pour y parvenir : « À la fin de l'année scolaire, en juin 1918, notre nouvel instituteur, M. Molo Kulibali, eut la satisfaction de pouvoir désigner pour l'école régionale de Bamako ses cinq meilleurs élèves qui avaient largement réuni le nombre de points nécessaire. J'en faisais partie. Je savais qu'il me faudrait franchir à nouveau l'étape obligée de l'école régionale avant d'accéder à l'École professionnelle où je pourrais enfin préparer le concours d'entrée pour Gorée [où se trouve l'École normale], mais j'avais tellement envie de devenir normalien que cela ne me faisait pas peur. » Il intègre donc l'école professionnelle de Bamako comme pensionnaire.

La guerre s'achève. Sur les deux cent mille « Sénégalais », c'est-à-dire originaires de l'Afrique noire, qui se sont battus au front, trente mille sont morts. Bien d'autres rentrent chez eux blessés ou invalides : « Jusque-là, en effet, le Blanc avait été considéré comme un être à part : sa puissance était écrasante, imparable, sa richesse inépuisable, et, de plus, il semblait miraculeusement préservé par le sort de toute tare physique ou mentale. [...] Mais, depuis, les soldats noirs avaient fait la guerre dans les tranchées aux côtés de leurs camarades blancs. Ils avaient vu des héros, des hommes courageux, mais ils en avaient vu aussi pleurer, crier, avoir peur. Ils avaient découvert des contrefaits et des tarés, et même, chose impensable, à peine croyable, ils avaient vu dans les villes des Blancs voleurs, des Blancs pauvres, et même des Blancs mendiants ! [...] Et quand ils découvrirent que leurs médailles et leur titre d'ancien combattant leur valaient une pension inférieure de moitié à celle des camarades blancs dont ils avaient partagé les combats et les souffrances, certains d'entre eux osèrent revendiquer et parler d'égalité. »

La colonisation se trouve discréditée par sa propre violence. C'est le commencement de la fin pour la toute-puissance française.

La guerre a une conséquence plus immédiate : il n'y a plus assez de jeunes pour recevoir les souvenirs des anciens, et leurs récits risquent de disparaître avec eux. Bâ ne va pas s'intéresser à la bataille qui commence pour l'indépendance. Il va chercher, tout au long de sa vie, à protéger le trésor de l'identité africaine, en recueillant les récits des conteurs.

Après trois ans à l'école professionnelle de Bamako, au printemps de 1921, il passe enfin le concours d'entrée à l'École normale de Gorée. Il attend. « Peu de temps avant les vacances, alors que nous ne connaissions pas encore les résultats de notre concours d'entrée, le receveur de l'Enregistrement et des Domaines de Bamako, un Guadeloupéen nommé M. Bourgeois, demanda à M. Assomption [directeur de l'école professionnelle] de détacher dans ses services, pour quelque temps, six ou sept élèves sérieux afin d'aider à trier les paquets contenant les effets ou objets personnels des tirailleurs morts sur le front au cours de la guerre de 1914-1918. M. Assomption désigna un groupe de six ou sept élèves dont je faisais partie. »

En juillet 1921, il apprend qu'il est admis au concours. Sa mère l'adjure de ne pas aller à Gorée : « Tu as bien assez étudié le français comme cela, me dit-elle, il est temps pour toi d'apprendre à devenir un vrai Pullo. » En fait, elle ne tient pas à ce qu'il fréquente plus longtemps une école laïque. Malgré toutes ses années de travail et malgré son rêve, il obéit. Sa décision peut sembler incompréhensible, mais, de fait, il ne se montre jamais rebelle à l'égard de l'autorité : « Mon maître Tierno Bokar n'étant plus là pour infléchir sa volonté, je ne pus que m'incliner. Cela ne me pesa pas trop, d'ailleurs, car, à cette époque, il était absolument impensable de désobéir à un ordre de sa mère. On pouvait à la rigueur désobéir à son père, mais jamais à sa mère. »

Prenant ce refus d'un privilège exceptionnel pour un acte de rébellion, le gouverneur l'affecte d'autorité à Ouagadougou, en Haute-Volta – colonie française nouvellement créée par le regroupement de territoires du Haut-Sénégal et du Niger –, en tant qu'« auxiliaire écrivain temporaire ». Impossible de refuser, sauf à entrer dans une clandestinité qui n'aura jamais cours en Afrique. Il quitte alors sa mère : « Avec elle disparaissaient "Amkullel" et toute mon enfance », racontera-t-il dans ses mémoires. Absurde choix : alors qu'il aurait pu devenir haut fonctionnaire à Gorée, le voilà fonctionnaire subalterne à Ouagadougou. Alors qu'il avait renoncé à son rêve pour ne pas quitter sa mère, il doit la quitter pour lui avoir obéi.

Le voici donc en 1921, affecté à un poste misérable dans l'administration coloniale en Haute-Volta. Les colons ont tous les droits. Le gouverneur général de l'A.O.F., Gabriel Angoulvant, dispose de « commandants de cercle » s'appuyant sur des chefs locaux, désignés par les colons, qui dirigent de petites portions de territoire. Le pays est peuplé essentiellement de Mossis, ethnie d'agriculteurs animistes à peine islamisés ; leur roi, Naba Koom II, est dépossédé de tout pouvoir.

Amadou s'adapte à son nouveau statut au sein de la puissance coloniale. Au contraire de ce que fait exactement au même moment Hô Chi Minh, il apprend à devenir « caméléon » dans un texte qui définit son style et son projet de vie : « Allez à l'école du caméléon ! C'est un très grand professeur. Si vous l'observez, vous verrez... Qu'est-ce que le caméléon ? D'abord, quand il prend une direction, il ne détourne jamais sa tête. Donc, ayez un objectif précis dans votre vie, et que rien ne vous détourne de cet objectif. Et que fait le caméléon ? Il ne tourne pas la tête, mais c'est son œil qu'il tourne. [...] Il regarde en haut, il regarde en bas. Cela veut dire : Informez-vous ! Ne croyez pas que vous êtes le seul existant de la terre, il y a toute l'ambiance autour de vous ! Quand il arrive dans un endroit, le caméléon prend la couleur du lieu. Ce n'est pas de l'hypocrisie, c'est d'abord la tolérance, et puis le savoir-vivre. [...] Et que fait-il, le caméléon ? Quand il lève le pied, il se balance pour savoir si les deux pieds déjà posés ne s'enfoncent pas. C'est après seulement qu'il va déposer les deux autres. Il balance encore... il lève... Cela s'appelle : la prudence dans la marche. »

À Ouagadougou, il fréquente un de ses oncles, le marabout Babali Bâ, qui poursuit son initiation à la société peule. L'année suivante, en 1922, il épouse Baya Diallo, une cousine peule éloignée, aux termes d'un mariage arrangé. Elle offre à son mari l'*arkila-kerka*, grande étole de laine tenant lieu de moustiquaire au lit nuptial et retraçant la cosmogonie peule et différents mystères : celui de la naissance, celui des chiffres, etc.

En 1923, il devient père d'une petite fille, Khadija. Sans jamais faire montre de rébellion particulière, il s'adapte à l'administration coloniale et gravit lentement les échelons qu'il aurait pu franchir d'un coup en entrant à l'École de Gorée : d'abord écrivain « fonctionnaire auxiliaire », on le retrouve en 1924 « écrivain expéditionnaire » en charge des archives et des registres. En 1927, il est promu « commis expéditionnaire » et gère la comptabilité d'un cercle. On l'envoie procéder à un inventaire à Bobo-Dioulasso, à l'ouest de la Haute-Volta, où il découvre de nouvelles ethnies : les Bobos, animistes ; les Dioulas et les Haoussas, musulmans. C'est l'occasion d'assimiler autant de nouveaux contes, de renouer avec sa passion de conteur. Là, il retrouve l'interprète perdu de vue treize ans plus tôt, Wangrin, devenu riche (sous le nom de Samba Traoré) grâce à la guerre : propriétaire terrien, il dirige le premier hôtel de la ville et un garage où travaillent des employés d'origine européenne, « roulant et trompant sans vergogne les riches et les puissants d'alors, aussi bien africains que français (y compris les redoutables administrateurs coloniaux, dits "dieux de la brousse", et la toute-puissante "Chambre de commerce" elle-même), se sortant par une pirouette des pires imbroglios créés par lui-même à plaisir, poussant parfois le panache jusqu'à prévenir certaines de ses futures victimes du "tour carabiné" qu'il allait leur jouer, et, finalement, redistribuant aux pauvres, aux infirmes et aux déshérités de toutes sortes une grande partie de ce qu'il avait gagné en dupant les riches ».

Mais retournement du sort : « À la suite d'une trahison, Wangrin perdit en un seul jour la gloire et la fortune, sombrant dans la misère la plus profonde, voire la déchéance. C'est à cette époque qu'il s'est montré le plus grand. Là où d'autres seraient devenus fous, ou emplis d'aigreur, lui accéda à la sagesse. Sans rancune envers personne, sans aucun regret de la fortune perdue, continuant à distribuer aux pauvres les quelques sous qu'il gagnait par-ci par-là, il savait rire de la vie, de lui-même et de sa propre histoire. Devenu une sorte de clochard philosophe, il tenait séance dans les estaminets de la ville, et l'on venait de loin pour entendre ses récits pleins de verve et d'humour et ses savoureux propos sur la nature humaine. » Wangrin lui raconte alors, « des soirées durant, accompagné en sourdine par la guitare de son fidèle griot Diêli Maadi, qui l'avait suivi dans son malheur, toutes les péripéties incroyables de sa vie. Et c'est lui-même qui allait me demander d'écrire un jour cette histoire et de la faire connaître pour, disait-il, "servir aux hommes à la fois d'enseignement et de divertissement" – à condition de le désigner par l'un de ses pseudonymes, pour ne pas donner à sa famille, présente ou future, "des idées de supériorité ou d'infériorité" ». Là, sans doute, commence à percer sa vocation, qu'il mettra vingt ans à réaliser : écrivain de contes.

En 1929, le gouverneur Fournier le promeut et l'envoie en tant que chef de poste à Tougan, au nord-ouest de la Haute-Volta, à la frontière du Mali (alors la Guinée). Là, il rencontre l'ethnie dominante, les Samos, apparentés aux habitants de la province de Tidjani où règne son beau-père. Il est donc pour eux à la fois chef colonial et chef coutumier. Encore une occasion d'apprendre de nouveaux contes.

Cette même année, Baya, son épouse, met au monde un deuxième enfant, un fils à qui il donne le prénom de son frère disparu, Hamadun. Il épouse une seconde femme, Banel Thiam, cousine du côté de sa mère, veuve censée retrouver la protection d'un homme de la famille. Il est nommé à Ouahigouya, autre ville du nord-ouest, proche de la frontière.

À la fin de 1932, suite à la crise économique, le territoire de Haute-Volta, jugé non rentable, est partagé entre le Niger, le Soudan français et la Côte d'Ivoire. Privé de son poste, Hampâté Bâ rend visite à Bandiagara, la ville de son enfance, à son ancien maître, Tierno Bokar. Il reste chez lui pendant neuf mois dans l'attente d'une autre affectation.

Il y étudie le soufisme, le mystère des nombres et des lettres, et retrouve ses liens avec son premier formateur : « Le Sage de Bandiagara vivait sa vie, passant de sa natte à la mosquée, de la mosquée à ses amis, mais attaché toujours, où qu'il soit, à la réalité de ces enfants qui lui avaient été confiés et, plus tard, à celle des adultes qui devinrent ses disciples. Tel jour de la semaine, en telle saison, à telle heure, nul n'ignorait où se trouvait Tierno Bokar et ce qu'il faisait. Vie sévère ? Désir de mortification ? Non, certes. L'ascétisme est étranger à la pensée profonde de l'Afrique dont la loi est "Vivre". Être social, l'Africain demande à ses guides spirituels, aux vieillards et aux maîtres, d'être pour lui des modèles ; et l'ascétisme ne constitue pas une ligne de conduite à suivre, aux yeux de gens bouillant de vie, riches de leur perpétuelle jeunesse et de leurs vieux pensers. Une vie limpide comme un cristal, une vie pure comme une prière, tout simplement. »

En 1934, après un an d'attente, un nouveau poste lui est confié : chef de la section des Finances à la mairie de Bamako, alors capitale du Soudan français. Là, il fait la connaissance d'un architecte français, Jean Le Gall, qui s'est installé à Bamako dix ans plus tôt pour y étudier la sculpture africaine. Par l'intermédiaire de Le Gall, Amadou noue des amitiés avec des ethnologues venus alors en grand nombre de France, mi-experts, mi-espions : le gouvernement colonial encourage notamment les travaux visant à mieux comprendre les traditions animistes afin de lutter contre l'influence grandissante des marabouts. À l'époque, par exemple, Marcel Griaule, un élève de Marcel Mauss, termine sa mission Dakar-Djibouti.

En 1936, Hampâté Bâ entre en relation avec Théodore Monod, le savant directeur de l'Institut français d'Afrique noire (I.F.A.N.) de Dakar, déjà grand spécialiste des déserts après avoir commencé sa carrière par l'étude des phoques-moines de la presqu'île du Cap Blanc, en Mauritanie. Monod se passionne pour les récits que lui raconte Hampâté Bâ et cherche à le recruter dans son département d'ethnologie. Il lui fait lire son livre, *Conseils aux chercheurs*, ainsi que *L'Instrument pour l'ethnologue*, de Marcel Griaule. Mais la nomination à l'I.F.A.N. tarde et, en 1937, Hampâté n'attend plus et devient chef du bureau militaire du cercle de Bamako, à la demande de Raphaël Donzier, administrateur-maire de la capitale soudanaise. C'est là une grande marque de confiance alors qu'il est membre de la confrérie toucouleur Tidjania et que le Soudan français est traversé d'un sérieux conflit entre Peuls et Toucouleurs, dit « Querelle des onze et douze grains », par référence à des différences rituelles dans la récitation des prières. Méfiante envers les Toucouleurs, une partie de l'administration coloniale diligente une enquête visant Hampâté Bâ. Grâce au maire de Bamako, la procédure est néanmoins classée sans suite.

En 1939, il essaie, à Bamako, d'organiser une rencontre entre Tierno Bokar et le cheikh Hamallah, dont il a suivi l'enseignement, mais les autorités coloniales françaises s'inquiètent de la radicalité du premier et font fermer la *zaouïa* où il enseigne. Quelques mois plus tard, Bokar meurt solitaire et oublié.

Après la défaite de la France, l'appel du général de Gaulle et l'armistice de Rethondes, l'A.O.F., où vit Hampâté Bâ, suit Pétain, tandis que l'A.E.F. se rallie à de Gaulle et à la France libre. L'affrontement entre pro-vichystes et pro-gaullistes est inéluctable. Fidèle à la doctrine du caméléon, Hampâté Bâ ne choisit pas. En 1941, à Bamako, il reçoit la visite d'un certain lieutenant Montezer, qui va rejoindre ensuite de Gaulle. Les pro-vichystes ordonnent aussitôt son arrestation, mais Donzier intervient à nouveau pour le faire libérer.

Monod étant de retour du front, les deux hommes entament une longue correspondance sur les traditions orales et leur perception respective du divin. Cette même année, Hampâté Bâ est à nouveau père : d'un fils, cette fois, Oumar Amadou Bâ. En juillet 1942, il est enfin officiellement détaché à l'I.F.A.N., à Dakar, auprès de Théodore Monod, qui le réclame depuis sept ans. Dans la guerre, il ne s'engage pas. Seul compte son propre combat : recueillir les contes africains.

En 1943, il voyage dans une cinquantaine de villages en compagnie de Monod et du responsable de la section d'ethnologie de l'I.F.A.N., Duchemin, pour recueillir des témoignages des croyances peules pré-islamiques. Il s'arrête notamment dans le Ferlo sénégalais, semi-désert au centre du Sénégal actuel, où vivent de nombreux bergers peuls. Il recueille l'histoire de « Kumen », qu'il rapportera dans *Texte initiatique des pasteurs* : « Kumen vint au-devant de Sile et l'escorta jusque sous l'arbre. Il lui enseigna pendant des jours et des jours les formules du *ngaynirki*. Après quoi, Foroforondu vint vers Sile : elle lui présenta une corde ayant vingt-huit nœuds espacés et dit : "Puisque tu désires connaître le nom secret du bœuf sacré, dis-moi quels sont, parmi les nœuds de cette corde, les nœuds vides, les nœuds mystérieux et les nœuds chargés, et quel est le nom de ces derniers." Kumen répondit : "*Jam* ! C'est la paix, *ndiyam*, c'est l'eau, et l'eau est le don précieux de Dundari. C'est l'offrande préliminaire. Avant de postuler, ô Postulant, sers au chef de l'eau à boire et du 'lait à manger'. Avant de consulter l'oracle, ô Consultant, sers à boire aux esprits. Avant de questionner, ô Foroforondu, sers à boire à Sile qui a chevauché le bœuf sacré !" »

Parallèlement à ces recherches, il rédige ses premiers récits, que Théodore Monod l'encourage à faire connaître. Il publie d'abord un conte sur *Kaïdara,* le dieu de l'or, que trois hommes vont devoir rencontrer pour discerner le chemin de vie à choisir. Il s'attelle à la reconstitution d'arbres généalogiques remontant jusqu'aux ancêtres mythiques. C'est donc à l'âge de quarante-trois ans que cet écrivain publie son premier texte, dans les *Notes africaines* de l'I.F.A.N.

En 1944, Bâ est nommé à l'I.F.A.N. de Koulouba – un quartier de Bamako, sur la colline où se trouve juché le palais du gouverneur – dirigé par un archéologue, Thomassey. Il continue d'effectuer des missions pour le compte de Théodore Monod. En 1945, il est muté à l'I.F.A.N. de Conakry, où il s'intéresse aux mythes des Peuls du Fouta-Djalon.

En octobre de la même année, vingt et un députés africains sont élus pour la première fois à l'Assemblée nationale française. Parmi eux, Léopold Sédar Senghor, Fily Dabo Sissoko et Félix Houphouët-Boigny, alors jeune médecin et planteur, qui vient de fonder le Syndicat agricole africain (S.A.A.), lequel regroupe près de vingt mille planteurs revendiquant de meilleures conditions de travail, une hausse des salaires et l'abolition du travail forcé.

En janvier 1946, Hampâté Bâ est réaffecté à l'I.F.A.N. de Bamako. Le gouverneur du Soudan français, Auguste Calvel, le pousse à se présenter comme délégué à la deuxième Assemblée constituante qui doit être élue en juin 1946. Il refuse : la politique ne l'intéresse décidément pas. Le Soudan français se déchire alors entre deux leaders, Mamadou Konaté et Fily Dabo Sissoko ; ce dernier remporte les élections et charge Hampâté Bâ d'aller en Côte d'Ivoire remettre à Félix Houphouët-Boigny une lettre lui demandant de se joindre à son combat pour la création d'assemblées locales en Afrique.

Hampâté Bâ accepte, prend plusieurs mois de congé et se met en route en juillet 1946. Houphouët-Boigny lui propose alors de garder ses propres plantations le temps de la session parlementaire à Paris. Par curiosité, Bâ accepte et s'occupe de la récolte et du commerce du café et des noix de kola. Il ne revient à Bamako qu'à la fin de l'année. Théodore Monod est furieux de cette absence prolongée.

Au même moment, en octobre 1946, à Sanga, sur le plateau dogon, Ogotemmêli, vieux chasseur aveugle, révèle à l'ethnologue Marcel Griaule « le mythe fondateur de la société dogon », « une cosmogonie aussi riche que celle d'Hésiode ». Ses trente-trois jours d'entretiens avec Ogotemmêli sont rassemblés dans *Dieu d'eau*, magnifique récit qui rapporte l'initiation progressive de l'homme blanc aux secrets africains. Griaule y reviendra en 1965 dans *Renard pâle*, coécrit avec Germaine Dieterlen et révélant toute la complexité de ces civilisations orales : « Avec de l'eau, le dieu Amma dessine dans l'espace l'Univers qu'il veut créer. Il superpose plusieurs matières, y mêlant sa salive. Il crée la première graine du premier végétal : l'acacia. Pourtant, Amma échoue car l'eau fuit les autres éléments. Amma décide alors de détruire ce premier monde et d'en construire un nouveau. Cette fois, il prend comme base l'homme. Pour cette seconde genèse, Amma imagine de nouveaux germes. Au lieu de les superposer, il décide de les brasser. Naît alors la minuscule graine de pô, graine de millet qui constitue la base céréalière de l'alimentation du peuple dogon, et qui est l'objet le plus petit qu'ils connaissent. Par le brassage, Amma provoque à l'intérieur de la graine des vibrations. C'est l'action de la parole d'Amma qui constitue la vie de la graine. Amma crée ensuite l'univers en forme de placenta, "l'œuf du monde". [...] Lors de la première migration, les hommes souhaitèrent emporter avec eux les ossements de Lèbè. À l'intérieur de la tombe, en lieu et place des ossements, ils trouvèrent un serpent vivant qui les guida jusqu'au terme de leur voyage. En hommage à l'ancêtre ressuscité, les hommes, qui avaient emporté avec eux un peu de terre de la tombe, confectionnèrent un autel conique, donnant naissance au culte du Lèbè. [...] Les ancêtres organisent ainsi la société : ils instituent le mariage en échangeant leurs sœurs jumelles, inaugurent les quatre grands cultes encore aujourd'hui célébrés et sont à l'origine des grandes tribus qui portent le nom de leur descendance. » On retrouve étonnamment cette idée des genèses successives de l'humanité dans d'innombrables cultures mésopotamiennes, asiatiques, et même chez les Anasazis d'Amérique du Nord, dont s'inspirent toutes les cosmogonies des deux Amériques.

En 1948, Théodore Monod quitte l'I.F.A.N. et effectue avec Auguste Piccard, au large de Dakar, la première plongée en bathyscaphe. Pendant ce temps, Amadou Hampâté Bâ, qui ne s'entend guère avec Thomassey, directeur de l'I.F.A.N. de Bamako, désire retourner au contact des Peuls. En mars 1951, Monod lui obtient une bourse de l'Unesco pour se rendre à Paris, où il débarque pour la première fois, sans trop s'intéresser à la France en tant que telle. Il rencontre Marcel Griaule et Germaine Dieterlen au musée de l'Homme, ainsi que le médecin ethnologue Charles Pidoux, qui étudie les rites de possession au Niger.

Victime d'un accident cardiaque, Hampâté Bâ rentre à Bamako en mai 1952 et y fait la connaissance de Marcel Cardaire, haut fonctionnaire français, ami de Pidoux et de Griaule, venu au Soudan français surveiller divers mouvements islamiques, en particulier le wahhabisme qui y connaît alors un vif succès. Bâ raconte à Cardaire les traditions et enseignements religieux de Tierno Bokar. Cardaire parlera de lui comme d'un « saint François d'Assise noir ».

En juillet 1952, il obtient son transfert pour l'I.F.A.N. à Diafarabé, à l'embouchure du Niger. Il y rencontre le directeur du centre d'hydrobiologie, Jacques Daguet, avec qui il poursuit ses recherches sur l'empire peul du Macina.

Pendant deux années entières (1953-1954), Daguet et Hampâté Bâ visitent en pirogue de nombreux villages de l'ancien empire du Macina et collectent des histoires auprès des griots, des notables et des chefs religieux. Hampâté Bâ retrouve là, inchangés, les récits qui ont imprégné son enfance.

En 1955, Bâ et Daguet publient à Bamako *L'Empire peul du Macina (1818-1853).* L'ouvrage inquiète l'administration coloniale qui craint qu'il ne ravive les querelles entre Peuls et Toucouleurs. Hampâté Bâ préfère alors reporter la publication du deuxième tome traitant de la conquête de l'empire peul par les Toucouleurs. Toujours la prudence du caméléon.

En 1956, à Bamako, meurt, à un âge incertain – sans doute supérieur à quatre-vingts ans –, sa mère, dont il était resté si proche. Marcel Griaule décède à son tour à Paris d'un infarctus à l'âge de cinquante-sept ans. À Bandiagara, les Dogons célèbrent ses funérailles conformément à leurs rites : l'enterrant, représenté symboliquement par un stylo, comme l'un des leurs.

La même année, à Paris, Gaston Defferre fait adopter une loi-cadre accordant une plus large autonomie aux colonies. En septembre, Amadou Hampâté Bâ revient à Paris participer au Congrès mondial des écrivains et artistes africains organisé par la Société africaine de la culture et par les éditions Présence africaine. Là encore, il insiste sur la tradition orale : « S'occuper des choses peules, c'est affronter un chaos qui peut paraître insondable. Mais, en réalité, c'est pour égarer ceux qui veulent pénétrer leurs secrets sans passer par la porte et sans avoir la clé », explique-t-il dans son discours. À la même époque, à Paris, Cardaire lui conseille de publier ses anciennes notes sur l'enseignement reçu dans son enfance de Tierno Bokar ; Hampâté Bâ réunit alors tous ses écrits et fait paraître en 1957 *Vie et enseignement de Tierno Bokar, le sage de Bandiagara*, justement chez Présence africaine. C'est son premier livre. À cinquante-sept ans.

Rentré à Bamako, il devient le conseiller culturel de la radio publique du Soudan, Radio-Soudan, créée par la loi Defferre. Tous les jeudis, dans une émission intitulée « Connaissance du Soudan », il en évoque les traditions avec le concours de Bazoumana Sissoko et de Koné Koumaré. C'est l'occasion rêvée de les transmettre, cette fois à un vaste public.

En novembre 1958, un référendum instituant la Communauté française prévoit l'indépendance de républiques africaines autonomes. Premier Africain agrégé de grammaire, Léopold Sédar Senghor tente de réunir les pays de l'ex-A.O.F. (le Dahomey, la Haute-Volta, le Sénégal et le Soudan) au sein d'une entité fédérale. Ils se regroupent en une fédération d'États appelée Fédération du Mali, dont la Haute-Volta et le Dahomey se retirent rapidement : seuls y restent le Sénégal et le Soudan. Le premier gouvernement de cette entité sénégalo-malienne est alors constitué, le 4 avril 1959, sous la direction de Modibo Keïta.

Amadou Hampâté Bâ est alors nommé directeur de l'I.F.A.N. de ce nouveau Mali, rebaptisé « Institut des sciences humaines ». Il poursuit les travaux qu'il menait avec les chercheurs français avec la rigueur et la méthodologie apprises auprès de Monod et de Griaule, et lance un programme d'une dizaine d'années de collectes des traditions à travers tout le Sénégal et le Soudan.

Des dissensions ont tôt fait d'éclater entre les deux derniers pays membres du Mali. La rupture est inévitable, mais le Soudan ne peut se passer d'un accès à la mer. Il le perdrait en rompant avec le Sénégal. Hampâté Bâ se fait fort d'obtenir de son ami Houphouët, qui préside maintenant la Côte d'Ivoire, l'accès au port d'Abidjan. Envoyé en émissaire, il rappelle à Houphouët que, depuis des millénaires, Côte d'Ivoire et Soudan pratiquent l'échange : le Soudan apporte le sel recueilli dans le Sahel et reçoit des noix de kola produites en Côte d'Ivoire. Houphouët-Boigny accepte de mettre le port d'Abidjan à la disposition de Keïta. Fort de cette assurance, le 20 août 1960, la

République soudanaise proclame son indépendance et prend le nom de République du Mali. Le Sénégal redevient le Sénégal, sous la présidence de Senghor.

En novembre 1960, le Mali adhère à l'Unesco et envoie Hampâté Bâ le représenter à la conférence générale bisannuelle de l'organisation. Lors de ce nouveau séjour à Paris, il fait inscrire la tradition orale dans les programmes de l'organisation : « Notre sociologie, notre histoire, notre pharmacopée, notre science de la chasse et de la pêche, notre géotechnie, notre agriculture, notre science de la météorologie, tout cela est conservé dans des mémoires d'hommes, d'hommes sujets à la mort et mourant chaque jour. Pour moi, je considère la mort de ces traditionnalistes comme l'incendie d'un fonds culturel non exploité. Puisque nous avons admis que l'humanisme de chaque peuple est le patrimoine de toute l'humanité, si les traditions africaines ne sont pas recueillies à temps et couchées sur du papier, elles manqueront un jour dans les archives universelles de l'humanité. »

Surprise : visitant au Louvre une exposition organisée par Henri Lhote sur des peintures rupestres du Tassili, dans le Sahara, il y lit le texte du *Kumen*, initiation des bergers peuls, qu'il avait entendu dans le Ferlo sénégalais vingt ans plus tôt. Avec l'aide de son amie Germaine Dieterlen, il écrit *Texte initiatique des pasteurs peuls* sur cette preuve de la circulation à travers l'Afrique des récits de sa région.

Début 1962, à la demande d'Houphouët-Boigny, il est nommé ambassadeur du Mali en Côte d'Ivoire. La même année, il devient membre du conseil exécutif de l'Unesco. C'est là qu'il prononce la phrase devenue si célèbre : « En Afrique, quand un vieillard meurt, c'est une bibliothèque qui brûle. » Il explique : « Les peuples de race noire, n'étant pas des peuples d'écriture, ont développé l'art de la parole d'une manière toute spéciale. Pour n'être pas écrite, leur littérature n'en est pas moins belle. Combien de poèmes, d'épopées, de récits historiques et chevaleresques, de contes didactiques, de mythes et de légendes au verbe admirable se sont ainsi transmis à travers les siècles, fidèlement portés par la mémoire prodigieuse des hommes de l'oralité, passionnément épris de beau langage et presque tous poètes ! »

En 1964, il obtient que soit lancé, dans le cadre du plan mondial d'alphabétisation élaboré par l'Unesco, un programme visant à créer de nouveaux alphabets pour l'ensemble des pays d'Afrique occidentale. C'est le projet de sa vie. Il quitte alors son poste d'ambassadeur en Côte d'Ivoire. Un congrès de linguistes finalise le projet en 1966 à

Bamako. L'année suivante, le Mali adopte un alphabet permettant de transcrire les principales langues africaines parlées sur son territoire. En 1968, des troubles éclatent à Bamako, et Keïta est écarté du pouvoir. Moussa Traoré devient chef de l'État. Hampâté Bâ conserve son mandat à l'Unesco jusqu'en 1970. Il y participe à la rédaction d'une *Histoire générale de l'Afrique*, projet colossal réunissant toutes les informations scientifiques, ethnologiques et culturelles disponibles sur le continent africain.

Essentiellement basé à Paris, moyennant de courts séjours à Abidjan, il écrit ou coécrit des livres sur la civilisation africaine. Il rédige *Kumen* et *L'Éclat de la grande étoile*. En 1973, il publie *L'Étrange Destin de Wangrin* en hommage à son ami au destin si particulier Samba Traoré, dans lequel, par une vertigineuse mise en abyme, il se pose en interprète de l'interprète...

En 1974, il reçoit le grand prix littéraire de l'Afrique noire, et l'Académie française lui décerne son prix de la Langue française. En 1975, il renoue avec l'oralité par deux disques d'*Archives sonores de l'Afrique noire* dans lesquels on peut l'entendre conter sa propre vie. Il publie différentes versions en prose d'un conte, *Kaïdara*, en 1975.

Il revient de plus en plus souvent à Abidjan, où il reçoit chaque matin dans sa maison de Marcory, au sud de la ville. Le soir, il organise des veillées où les conteurs font avec lui assaut de savoir et de mémoire, comme, jadis, à la cour de son père adoptif, Tidjani Thiam, à Bougouni, puis à Bandiagara.

En 1979, Ludovic Segarra réalise un film sur *Kumen* avec, en récitant, Hampâté Bâ. En 1980 est publié le premier volume de l'*Histoire générale de l'Afrique* qu'il a dirigé. Il y expose la conception africaine de la parole : « Il ne s'agit pas d'une remémoration, mais de la remise au présent d'un événement passé auquel tous participent. »

En 1984, la fille de l'architecte Jean Le Gall – rencontré cinquante ans plus tôt à Bamako – entreprend un film d'après son livre *L'Empire peul du Macina*. Le rencontrant à Abidjan, impressionnée par la quantité colossale de ses archives, elle décide de s'installer là pour les recenser, les classer et les protéger. Lui-même ne quitte plus Abidjan et se consacre à la rédaction de ses mémoires, *Amkoullel, l'enfant peul*. En 1986, une nouvelle attaque cardiaque le paralyse ; il s'éteint le 15 mai 1991 dans la capitale ivoirienne, à l'âge de quatre-vingt-onze ans.

« Pas si vite ! s'écriera sans doute le lecteur non africain, peu familiarisé avec les grands noms de notre histoire. Avant d'aller plus loin,

qu'est-ce donc, d'abord, que les Fulbé et que les Toucouleurs ? [...]
Donc, allez doucement dans tout ce que vous faites ! Si vous voulez
faire une œuvre durable, soyez patients, soyez bons, soyez vivables,
soyez humains ! »

BIBLIOGRAPHIE

*Amadou Hampâté Bâ, homme de science et de sagesse. Mélanges pour le
centième anniversaire de la naissance d'Hampâté Bâ*, Paris, Karthala,
coll. « Tradition orale », 2005.

Bâ, Amadou Hampâté, *Mémoires*, t. 1 : *Amkoullel, l'enfant peul*,
Arles, Actes Sud, coll. « Babel », 1992.

Bâ, Amadou Hampâté, *Petit Bodiel et autres contes de la savane*, Paris,
Stock, 1994.

Bâ, Amadou Hampâté, *Contes initiatiques peuls*, Paris, Stock, 1994.

Bâ, Amadou Hampâté, *Jésus vu par un musulman*, Paris, Stock, 1994.

Bâ, Amadou Hampâté, *L'Étrange destin de Wangrin*, Paris, 10-18,
1998.

Bâ, Amadou Hampâté, *Il n'y a pas de petite querelle. Nouveaux contes
de la savane*, Paris, Stock, 1999.

DEVEY, Muriel, *Amadou Hampâté Bâ : l'homme de la tradition*,
LivreSud, Éditions NEA, « Grandes figures africaines », 1993.

GRIAULE, Marcel, *Dieu d'eau*, Paris, Fayard, 1966.

HAMPÂTÉ, Bâ Amadou, Hampâté, *Vie et enseignement de Tierno Bokar,
le sage de Bandiagara*, Paris, Seuil, coll. « Points sagesse », 1980.

HECKMANN, Hélène, « Amadou Hampâté Bâ et la récolte des traditions orales », in *Journal des Africanistes*, Paris, 1993, p. 53-56.

Index des noms de personnes

INDEX DES NOMS DE PERSONNES

REMERCIEMENTS

Je remercie, pour m'avoir aidé dans mes recherches tout au long de ces années, en vérifiant les dates, les faits, les sources, ou pour m'avoir fait des commentaires détaillés sur tel ou tel de ces textes : Ombeline Adrian, Claude Allègre, Jane Auzenet, Xavier Bertrand, Caroline Frin, le père Sylvain Gasser, Pritwin Mukerjee, Moises Naim, Eléonore Peyrat, le père Jean-Baptiste Plessy, Maurice Ruben-Hayoun, Caroline Soubayroux, Patrick Souillot, le grand rabbin René Sirat.

Pour avoir mis au net les innombrables versions successives de mes manuscrits : Murielle Clairet, Betty Rogès, Charlotte Duperray.

Pour avoir relu l'intégralité du manuscrit : Sophie de Closets, Claude Durand, Arnaud Houte, Denis Maraval et Élise Roy.

Naturellement, seul auteur de ces textes, j'en porte seul la responsabilité.

Et, comme toujours, j'attends avec grand intérêt les commentaires de mes lecteurs à l'adresse j@attali.com.

Table des matières

DU MÊME AUTEUR

Essais

Analyse économique de la vie politique, PUF, 1973.

Modèles politiques, PUF, 1974.

L'Anti-économique (avec Marc Guillaume), PUF, 1975.

La Parole et l'Outil, PUF, 1976.

Bruits, Économie politique de la musique, PUF, 1977, nouvelle édition, Fayard, 2000.

La Nouvelle Économie française, Flammarion, 1978.

L'Ordre cannibale, Histoire de la médecine, Grasset, 1979.

Les Trois Mondes, Fayard, 1981.

Histoires du Temps, Fayard, 1982.

La Figure de Fraser, Fayard, 1984.

Au propre et au figuré, Histoire de la propriété, Fayard, 1988.

Lignes d'horizon, Fayard, 1990.

1492, Fayard, 1991.

Économie de l'Apocalypse, Fayard, 1994.

Chemins de sagesse : traité du labyrinthe, Fayard, 1996.

Fraternités, Fayard, 1999.

La Voie humaine, Fayard, 2000.

Les Juifs, le monde et l'argent, Fayard, 2002.

L'Homme nomade, Fayard, 2003.

Foi et Raison – Averroès, Maïmonide, Thomas d'Aquin, Bibliothèque nationale de France, 2004.

Une brève histoire de l'avenir, Fayard, 2006, nouvelle édition, 2009.

La Crise, et après ?, Fayard, 2008.

Le Sens des choses, avec Stéphanie Bonvicini et 32 auteurs, Robert Laffont, 2009.

Survivre aux crises, Fayard, 2009.

Tous ruinés dans dix ans ? Dette publique, la dernière chance, Fayard, 2010.

Dictionnaires

Dictionnaire du XXIᵉ siècle, Fayard, 1998.

Dictionnaire amoureux du judaïsme, Plon/Fayard, 2009.

Romans

La Vie éternelle, roman, Fayard, 1989.

Le Premier Jour après moi, Fayard, 1990.

Il viendra, Fayard, 1994.

Au-delà de nulle part, Fayard, 1997.
La Femme du menteur, Fayard, 1999.
Nouv'elles, Fayard, 2002.
La Confrérie des Éveillés, Fayard, 2004.

Biographies
Siegmund Warburg, un homme d'influence, Fayard, 1985.
Blaise Pascal ou le génie français, Fayard, 2000.
Karl Marx ou l'esprit du monde, Fayard, 2005.
Gândhî ou l'éveil des humiliés, Fayard, 2007.

Théâtre
Les Portes du Ciel, Fayard, 1999.
Du cristal à la fumée, Fayard, 2008.

Contes pour enfants
Manuel, l'enfant-rêve (ill. par Philippe Druillet), Stock, 1995.

Mémoires
Verbatim I, Fayard, 1993.
Europe(s), Fayard, 1994.
Verbatim II, Fayard, 1995.
Verbatim III, Fayard, 1995.
C'était François Mitterrand, Fayard, 2005.

Rapports
Pour un modèle européen d'enseignement supérieur, Stock, 1998.
L'Avenir du travail, Fayard/Institut Manpower, 2007.
300 décisions pour changer la France, rapport de la Commission pour la libé-
    ration de la croissance française, XO, 2008.
Paris et la mer. La Seine est Capitale, Fayard, 2010.

Beaux livres
Mémoire de sabliers, collections, mode d'emploi, éditions de l'Amateur, 1997.
Amours. Histoires des relations entre les hommes et les femmes, avec Stéphanie
    Bonvicini, Fayard, 2007.

Photocomposition Nord Compo
Villeneuve-d'Ascq

Pour l'éditeur, le principe est d'utiliser des papiers composés de fibres naturelles, renouvelables, recyclables et fabriquées à partir de bois issus de forêts qui adoptent un système d'aménagement durable.
En outre, l'éditeur attend de ses fournisseurs de papier qu'ils s'inscrivent dans une démarche de certification environnementale reconnue.